# L'état du Québec 2013-2014

Les Éditions du Boréal
4447, rue Saint-Denis
Montréal (Québec) H2J 2L2
www.editionsboreal.qc.ca

Sous la direction de Miriam Fahmy

# L'état du Québec
# 2013-2014

Boréal

Les Éditions du Boréal reconnaissent l'aide financière du gouvernement du Canada par l'entremise du Fonds du livre du Canada (FLC) pour leurs activités d'édition et remercient le Conseil des arts du Canada pour son soutien financier.

Les Éditions du Boréal sont inscrites au Programme d'aide aux entreprises du livre et de l'édition spécialisée de la SODEC et bénéficient du programme de crédit d'impôt pour l'édition de livres du gouvernement du Québec.

Diffusion au Canada : Dimedia
Diffusion et distribution en Europe : Volumen

*Catalogage avant publication de Bibliothèque et Archives nationales du Québec
et Bibliothèque et Archives Canada*

Vedette principale au titre :

L'état du Québec

Comprend des références bibliographiques.

ISSN 1711-3571
ISBN 978-2-7646-2287-2

1. Québec (Province) - Politique et gouvernement - 21ᵉ siècle. 2. Québec (Province) - Conditions sociales - 21ᵉ siècle. 3. Québec (Province) - Conditions économiques - 21ᵉ siècle. I. Fahmy, Miriam. II. Institut du Nouveau Monde.

FC2925.2.Q41          971.4'05          C2009-300855-4

ISBN PAPIER 978-2-7646-2287-2
ISBN PDF 978-2-7646-3287-1

José Carlos Suárez-Herrera
Yannis Theocharis
Marie-Soleil Tremblay
Pierre Trudel
Pierre Trudel
Patrick Turmel
Bernard Vachon
Martine Valois
Nicolas Zorn

**Maquette et mise en pages**
Folio infographie

**Graphiques et figures**
37ᵉ AVENUE

**Illustrations**
Baptiste Alchourroun

**Caricatures**
Garnotte, *Le Devoir*

**Photos**
Jacques Nadeau (sauf indication
contraire)

*Les photos de Jacques Nadeau et de Pedro*
*Ruiz ainsi que les caricatures de Garnotte*
*sont une gracieuseté du journal* Le Devoir.

**Institut du Nouveau Monde**
630, rue Sherbrooke Ouest, bureau 1030
Montréal (Québec) H3A 1E4
inm@inm.qc.ca • www.inm.qc.ca

# Sommaire

# Chronologie de l'année

# Chronologie du Québec 2012-2013

**Dave Noël**

*Journaliste à la recherche,* Le Devoir

**Voici les principaux événements survenus au Québec entre le 1er janvier 2012 et le 31 août 2013.**

**1er janvier – La guerre de 1812.** Lancement des commémorations du bicentenaire du conflit ayant opposé la Grande-Bretagne aux États-Unis. Le gouvernement conservateur de Stephen Harper investit plusieurs dizaines de millions de dollars dans les cérémonies.

**10 janvier – Les transfuges.** Le député péquiste de La Prairie, François Rebello, se joint à la Coalition avenir Québec de François Legault. Lise St-Denis, la députée néodémocrate de Saint-Maurice–Champlain, se rallie au Parti libéral du Canada le même jour.

**13 janvier – *Incendies* à Paris.** Le long métrage de Denis Villeneuve inspiré de la pièce de Wajdi Mouawad remporte le prix Lumières du meilleur film francophone hors France.

**22 janvier – Alliance de la droite.** Les membres de l'Action démocratique du Québec votent à 70,48 % en faveur d'une fusion avec la Coalition avenir Québec de François Legault. L'entente est officialisée le 14 février par le Directeur général des élections. L'ADQ avait été fondée par des dissidents libéraux nationalistes en 1994.

**22 janvier – Duceppe se rallie à Marois.** L'ancien chef du Bloc québécois avait laissé entendre qu'il serait disponible pour succéder à Pauline Marois, dont le leadership est contesté par des membres du Parti québécois. Des révélations entourant la gestion passée de son budget parlementaire l'amènent à demeurer en retrait de la politique. Gilles Duceppe est blanchi par la Chambre des communes dans le courant de l'automne.

**FÉVRIER 2012**

**13 février – Début de la grève étudiante.** La hausse des droits de scolarité universitaire décrétée par le gouvernement libéral entraîne le déclenchement d'une grève générale illimitée. Les frais annuels exigés aux étudiants doivent passer de 2 168 $ à 3 793 $ sur cinq ans, ce qui représente une hausse de 75 %.

**15 février – Abolition du registre fédéral des armes d'épaule.** La base de données mise en place en 1995 par le gouvernement libéral de Jean Chrétien est abolie par un projet de loi conservateur adopté à 159 voix contre 130. La portion québécoise du registre est sauvée de la destruction par une injonction permanente de la Cour supérieure du Québec, qui est contestée devant les tribunaux par le gouvernement conservateur de Stephen Harper.

**16 février – Gary Carter (1954-2012).** L'ancien receveur étoile des Expos de Montréal décède d'un cancer du cerveau à 57 ans. Il était devenu en 2003 le premier joueur de la formation montréalaise à être intronisé au Temple de la renommée du baseball majeur. La rue Faillon Ouest est rebaptisée en son honneur au printemps 2013.

**21 février – Pierre Juneau (1922-2012).** Décès du premier président du Conseil de la radiodiffusion et des télécommunications canadiennes (CRTC), qui a laissé son nom aux prix Juno, décernés aux meilleurs artistes canadiens de la chanson.

**23 février – La Caisse de dépôt et placement se relève.** L'institution dirigée par Michael Sabia récupère les 40 milliards de dollars perdus au cours de la crise économique de 2008. L'actif total

### Philippe Falardeau, la consécration

Photo : Pedro Ruiz

La nomination de *Monsieur Lazhar* aux Oscars dans la catégorie du meilleur film en langue étrangère est venue confirmer le talent du cinéaste originaire de Hull. Diplômé en sciences politiques à l'Université d'Ottawa, Philippe Falardeau s'est fait connaître en remportant la Course destination monde en 1993. Il passe du documentaire à la fiction en l'an 2000 avec *La moitié gauche du frigo*, qui lui permet de gagner le Prix du meilleur premier long métrage canadien au Festival international du film de Toronto. Six ans plus tard, il est sélectionné à la Quinzaine des réalisateurs du Festival de Cannes pour *Congorama*. Après *C'est pas moi, je le jure !* (2008), Falardeau tourne *Monsieur Lazhar* (2011), qui lui ouvre les portes de Hollywood, d'où il repart bredouille le 26 février 2012. Son long métrage est toutefois récompensé en mars par six prix Génie et sept Jutra.

de la Caisse atteint 159 milliards de dollars.

**MARS 2012**

**12 mars – Madeleine Parent (1918-2012).** La militante syndicale et féministe s'éteint des suites d'une longue maladie à l'âge de 93 ans.

**12 mars – Le mammouth C-10.** Adoption du projet de loi omnibus du gouvernement conservateur, qui prévoit notamment des sanctions plus sévères envers certaines catégories de criminels, incluant les jeunes contrevenants.

**17 mars – L'Impact entre dans la grande ligue.** Le premier match local de la formation montréalaise dans la MLS attire près de 59 000 spectateurs au Stade olympique.

**19 mars – Fermeture d'Aveos.** La faillite de l'entreprise assurant l'entretien des avions d'Air Canada entraîne la mise à pied de 1 800 employés à Montréal.

**20 mars – Budget Bachand.** Le ministre québécois des Finances Raymond Bachand présente son troisième budget, qui atteint 70,9 milliards de dollars avec un déficit anticipé de 1,5 milliard. Le gouvernement libéral maintient son objectif d'atteinte de l'équilibre budgétaire pour 2013-2014.

**22 mars – « Printemps érable ».** Les rues du centre-ville de Montréal sont enva-

## Thomas Mulcair, dans les souliers de Jack Layton

Le député d'Outremont est élu à la tête du Nouveau Parti démocratique du Canada le 24 mars 2012 à l'âge de 57 ans. Il récolte 57,2 % des voix au quatrième tour du scrutin, contre Brian Topp, qui bénéficie du soutien de l'establishment du parti. Le nouveau chef de l'opposition officielle à la Chambre des communes succède à Jack Layton, décédé d'un cancer six mois plus tôt. La carrière politique de Thomas Mulcair a débuté en 1994 dans la circonscription lavalloise de Chomedey, où il est élu à trois reprises sous la bannière du Parti libéral du Québec. Il est nommé ministre de l'Environnement en 2003 dans le gouvernement de Jean Charest avant d'être exclu du cabinet trois ans plus tard pour son opposition à la privatisation partielle du parc du Mont-Orford et à la construction d'un port méthanier à Lévis. Ne s'étant pas représenté en 2007, il se fait élire sur la scène fédérale pour le NPD. Il devient ainsi le second député québécois de l'histoire du parti avant la vague orange de 2011. Au terme de sa première année en tant que chef du NPD, Mulcair obtient un vote de confiance de 92,3 % au congrès du 13 avril 2013. Justin Trudeau est élu chef du Parti libéral du Canada le lendemain. Les deux Québécois devront se partager le vote progressiste aux élections de 2015.

hies par près de 200 000 manifestants qui contestent la hausse des droits de scolarité. La grève étudiante atteint son point culminant avec le débrayage d'un peu plus de 300 000 collégiens et universitaires. La journée est marquée par les discours des principaux leaders du mouvement étudiant, dont Gabriel Nadeau-Dubois de la CLASSE, Martine Desjardins de la FEUQ et Léo Bureau-Blouin de la FECQ.

**29 mars – Budget Flaherty.** Le ministre fédéral des Finances Jim Flaherty présente un budget de 276,1 milliards de dollars. Le déficit prévu est de 21,1 milliards. L'âge d'admissibilité aux prestations de la Sécurité de la vieillesse et du Supplément de revenu garanti doit passer de 65 à 67 ans entre 2023 et 2029.

**29 mars – Changement de garde chez le tricolore.** Le directeur général du Canadien de Montréal Pierre Gauthier est congédié. Il est remplacé le 2 mai par Marc Bergevin, un ancien défenseur de la LNH qui a joué pour huit équipes entre 1984 et 2004.

### AVRIL 2012

**3 avril – Retour au bercail.** Louise Beaudoin, la députée indépendante de Rosemont, annonce son retour au Parti québécois, qu'elle avait quitté l'été précédent afin de protester contre la ligne de parti imposée par la chef Pauline Marois dans l'affaire de l'amphithéâtre de Québec. Le député de Groulx René Gauvreau réintègre lui aussi le caucus deux jours plus tard. Il en avait été

### Gabriel Nadeau-Dubois, le révolutionnaire

Le charisme et l'éloquence du Montréalais de 21 ans lui ont permis de devenir la figure de proue du Printemps érable. Gabriel Nadeau-Dubois est de toutes les manifestations à titre de coporte-parole de la Coalition large de l'Association pour une solidarité syndicale étudiante (CLASSE). Il ne fait toutefois pas partie du comité de négociation de la Coalition, qui fonctionne selon les principes de la démocratie directe. L'adoption de la loi 78, qui suspend les cours jusqu'à la fin de l'été, amène Nadeau-Dubois à entamer une tournée des régions du Québec où il fait la promotion du manifeste de la CLASSE pour la gratuité scolaire, la démocratie et la protection de l'environnement. Le jeune leader annonce son départ du mouvement étudiant le 8 août afin de favoriser son renouvellement. Il est condamné le 5 décembre à 120 heures de travaux communautaires pour avoir incité les manifestants à défier une injonction accordée à un étudiant pour lui permettre d'assister à ses cours. La cause est portée en appel.

expulsé en juin 2011 afin que la police puisse faire la lumière sur une affaire de fraude et d'abus de confiance impliquant son ancien attaché politique.

**6 avril – Serge Grenier (1939-2012).** L'humoriste des Cyniques s'éteint à l'âge de 73 ans.

**14 avril – Émile Bouchard (1919-2012).** Décès de l'ancien capitaine du Canadien de Montréal, dont le chandail numéro 3 avait été retiré à l'occasion du centenaire de l'équipe.

**17 avril – Tony Accurso derrière les barreaux.** L'escouade Marteau procède à l'arrestation de l'un des principaux entrepreneurs en construction du Québec, qui est accusé de fraude, de complot et de corruption. Son présumé complice, le maire de Mascouche Richard Marcotte, est arrêté deux jours plus tard.

**22 avril – Le Jour de la Terre.** Plus de 250 000 personnes défilent dans les rues du centre-ville de Montréal pour manifester leur opposition à l'exploitation du gaz de schiste et au retrait du Canada du protocole de Kyoto.

### MAI 2012

**1er mai – Jean-Guy Moreau (1943-2012).** L'humoriste québécois reconnu pour ses talents d'imitateur décède à 68 ans.

**3 mai – Démission de Tony Tomassi.** Accusé de fraude envers le gouvernement, l'ancien ministre de la Famille quitte ses fonctions de député indépendant de LaFontaine. Il avait été expulsé du caucus libéral deux ans plus tôt pour avoir utilisé la carte de crédit d'une entreprise appartenant à un donateur du parti.

**4 mai – Émeute à Victoriaville.** La grève étudiante se déplace dans le Centre-du-Québec, où se tient le conseil général du Parti libéral. L'escouade anti-émeute de la Sûreté du Québec repousse les manifestants à l'aide de gaz lacrymogènes et de balles de plastique.

**14 mai – Line Beauchamp se retire.** La ministre de l'Éducation et vice-première ministre du Québec quitte la vie politique après avoir échoué dans sa tentative de régler le conflit étudiant. Au cours des semaines précédentes, la députée de Bourassa-Sauvé a fait la manchette pour sa participation à une activité de financement tenue en 2009 en présence d'un membre de la mafia. Line Beauchamp est remplacée à l'Éducation par la présidente du Conseil du Trésor, Michelle Courchesne.

**17 mai – Arrestation de Frank Zampino.** L'ancien président du comité exécutif de la Ville de Montréal est accusé de fraude, de complot et d'abus de confiance.

**18 mai – Loi spéciale.** Après 14 semaines de grève étudiante, le gouvernement libéral adopte la loi 78 avec l'appui de la Coalition avenir Québec. Les organisateurs d'une manifestation de 50 personnes et plus devront désormais donner leur itinéraire aux policiers huit heures à l'avance. La session d'hiver des établissements dont les étudiants sont toujours en grève est suspendue jusqu'en août. L'indignation suscitée par la loi d'exception entraîne la naissance du mouvement des casseroles, qui rassemble des manifestants dans le cadre de tintamarres quotidiens.

**22 mai – Commission Charbonneau.** La Commission d'enquête sur l'octroi et la gestion des contrats publics dans l'industrie de la construction amorce ses travaux.

**26 mai – Suzanne Clément primée à Cannes.** L'actrice reçoit le Prix d'interprétation féminine de la section *Un certain regard* pour son rôle dans *Laurence Anyways* de Xavier Dolan.

**27 mai – La coupe Memorial au Québec.** Les Cataractes de Shawinigan, l'équipe hôtesse du tournoi, remportent le championnat de hockey junior canadien en battant les Knights de London en prolongation.

### JUIN 2012

**4 juin – Arrestation de Luka Rocco Magnotta.** L'Ontarien Eric Newman, de son vrai nom, est accusé du meurtre

### France Charbonneau, la reine des ondes

La présidente de la Commission d'enquête sur l'octroi et la gestion des contrats publics dans l'industrie de la construction est devenue une figure familière des Québécois. France Charbonneau s'est d'abord fait connaître au procès de Maurice « Mom » Boucher, le chef des Hells Angels, qu'elle a fait condamner en 2002 à titre de procureure de la Couronne. Nommée juge à la Cour supérieure deux ans plus tard, elle est choisie en 2011 pour faire la lumière sur les allégations de collusion et de corruption en lien avec le financement des partis politiques au Québec. La commission Charbonneau prend son envol avec le témoignage coloré de l'entrepreneur Lino Zambito, qui reconnaît avoir envoyé des roses à l'ancienne vice-première ministre Nathalie Normandeau. Les téléspectateurs font également la connaissance de l'homme d'affaires Nicolo Milioto, qui cachait des liasses d'argent dans ses bas, et de Bernard Trépanier, l'ex-directeur du financement d'Union Montréal, le parti du maire Gérald Tremblay, qui aurait exigé des ristournes de 3 % aux firmes de génie faisant affaire avec la Ville. Les pertes de mémoire de plusieurs témoins entraînent des pointes d'exaspération chez la juge Charbonneau, qui doit remettre son rapport au printemps 2015. Il s'agit de la commission d'enquête la plus longue de l'histoire du Québec.

prémédité d'un étudiant chinois à Montréal. Une partie du crime a été filmée avant d'être diffusée sur Internet tandis que des morceaux du corps de la victime ont été envoyés par la poste aux partis conservateur et libéral du Canada.

**5 juin – Un entraîneur francophone pour le CH.** Michel Therrien retourne derrière le banc du Canadien de Montréal, qu'il a dirigé entre 2000 et 2003. Il succède à Randy Cunneyworth, qui occupait le poste à titre intérimaire depuis l'automne 2011.

**11 juin – Élections partielles.** Le libéral Marc Tanguay l'emporte facilement dans le comté de LaFontaine avec 53 % des voix contre le péquiste Frédéric St-Jean, qui récolte 17 % des suffrages. Le taux de participation est de 26 %. La partielle tenue le même jour dans Argenteuil est remportée par Roland Richer du Parti québécois, qui obtient 36 % des voix contre 33 % pour Lise Proulx du Parti libéral. Le taux de participation est de 42 %.

**14 juin – La prison à vie pour Jacques Delisle.** Le magistrat à la retraite est reconnu coupable du meurtre prémédité de sa femme. Il est condamné à l'emprisonnement à perpétuité, une première pour un juge au Canada.

### JUILLET 2012

**1ᵉʳ juillet – André Patry (1922-2012).** L'ancien diplomate québécois décède à l'âge de 90 ans. On lui attribue notam-

ment la paternité de la doctrine Gérin-Lajoie, qui fait la promotion du prolongement des compétences du Québec sur la scène internationale.

**2 juillet – La Francophonie à Québec.** Ouverture du premier Forum mondial de la langue française, qui rassemble près de 1 300 délégués originaires de 100 pays. Le secrétaire général de la Francophonie Abdou Diouf déclare : « Nous devons être des indignés linguistiques. »

**5 juillet – Fin du lock-out chez Rio Tinto Alcan.** Les travailleurs de l'aluminerie d'Alma reprennent le travail après six mois d'inactivité. Le lock-out aura coûté 148 millions de dollars à Hydro-Québec, l'entreprise étant tenue d'acheter les surplus d'électricité des centrales de Rio Tinto Alcan en vertu d'un accord signé en 2006.

**27 juillet – Ouverture des Jeux olympiques de Londres.** Les athlètes québécois récoltent 4 des 18 médailles du Canada. Le plongeur Alexandre Despatie termine 11ᵉ au tremplin de trois mètres, deux mois après avoir subi une grave blessure à la tête. Il annonce sa retraite en juin 2013.

**29 juillet – Suzanne Martel (1924-2012).** Décès de la journaliste et romancière, qui a notamment remporté le Prix du Gouverneur général pour son ouvrage *Une belle journée pour mourir*.

## Françoise David, la révélation

La coporte-parole de Québec solidaire s'est démarquée par la clarté de ses idées au premier débat des chefs des élections de 2012. Le 4 septembre, elle est enfin élue dans le comté montréalais de Gouin, à sa troisième tentative. Elle défait le ministre péquiste Nicolas Girard par une avance confortable de 4 500 voix. L'ancienne militante marxiste-léniniste a présidé la Fédération des femmes du Québec entre 1994 et 2001. C'est à ce titre qu'elle organise des marches contre la pauvreté et la violence faite aux femmes. Elle participe ensuite à la fondation d'Option citoyenne, dont la fusion avec l'Union des forces progressistes donne naissance à Québec solidaire en 2006. Françoise David fait son entrée à l'Assemblée nationale six ans plus tard. Elle y rejoint son collègue Amir Khadir, qu'elle remplace à titre de porte-parole parlementaire du parti. Un sondage réalisé à la fin de 2012 la place au premier rang des politiciens québécois les plus appréciés, ex æquo avec Jacques Duchesneau de la Coalition avenir Québec. Le prochain défi de la députée solidaire sera d'augmenter les appuis du parti, qui a récolté 6 % des voix aux dernières élections.

### AOÛT 2012

**2 août – Magnus Isacsson (1948-2012).** Le documentariste engagé d'origine suédoise succombe à un cancer à l'âge de 64 ans. Il recevra à titre posthume le prix du meilleur long métrage du volet national des Rencontres internationales du documentaire de Montréal pour *Ma vie réelle*.

**3 août – Épidémie de légionellose à Québec.** Premier décès rapporté en lien avec la maladie du légionnaire, qui s'est propagée à partir d'une tour de refroidissement du centre-ville. L'épidémie fait 13 morts et plus de 180 malades jusqu'à son éradication un mois plus tard.

### SEPTEMBRE 2012

**3 septembre – Ouverture du chantier du Colisée.** Le maire de Québec Régis Labeaume effectue la première pelletée de terre du nouvel amphithéâtre de la capitale, qui doit être inauguré à l'automne 2015.

**4 septembre – Le PQ prend le pouvoir.** La chef péquiste Pauline Marois devient la première femme élue à la tête du Québec. Le Parti québécois l'emporte dans 54 circonscriptions, avec 31,95 % du vote populaire. Il forme un gouvernement minoritaire. Le Parti libéral cause la surprise avec 50 candidats élus et 31,2 % du vote. Le premier ministre Jean Charest est toutefois défait dans son comté de Sherbrooke. La Coalition avenir Québec de François Legault se contente de 19 députés et de 27,05 % du vote. Les deux porte-parole de Québec solidaire, Amir Khadir et Françoise David, sont élus tandis que leur parti récolte 6,03 % des suffrages. Jean-Martin Aussant, le chef d'Option nationale, est défait dans son comté de Nicolet-Bécancour. Son parti obtient 1,89 % des voix à sa première élection. Le taux de participation est de 74,6 %, une hausse de 17,17 points par rapport à 2008. Parmi les nouveaux élus se trouve le péquiste Léo Bureau-Blouin, qui s'est fait connaître pendant le Printemps érable en tant que président de la Fédéra-tion étudiante collégiale du Québec. Le député de 20 ans devient le plus jeune élu de l'histoire de l'Assemblée nationale.

**4 septembre – Attentat au Métropolis.** La chef péquiste Pauline Marois est évacuée de la scène alors qu'elle prononce son discours de la victoire. Le corps sans vie d'un technicien est retrouvé dans le stationnement de la salle de spectacle. La police procède à l'arrestation d'un homme armé et cagoulé, Richard Henry Bain, qui sera accusé de meurtre prémédité, de tentative de meurtre et d'incendie criminel.

**5 septembre – Démission de Jean Charest.** Le chef du Parti libéral du Québec annonce son retrait de la vie politique au lendemain de sa défaite

### Jean Charest, la chute

Le chef du Parti libéral du Québec annonce son retrait de la vie politique au lendemain de sa défaite électorale du 4 septembre 2012. Élu dans le comté fédéral de Sherbrooke en 1984, Jean Charest dirige différents ministères au sein des gouvernements progressistes-conservateurs de Brian Mulroney et de Kim Campbell. Il succède à cette dernière après la déroute électorale du parti en 1993. Vice-président du comité du Non au référendum de 1995, il prend la tête des libéraux québécois trois ans plus tard. Il doit toutefois attendre jusqu'au printemps 2003 avant d'accéder au pouvoir, qu'il conservera pendant neuf ans. Son règne est marqué par les défusions municipales et la mise en place de partenariats public-privé dans le cadre d'une réingénierie de l'État. Ses années au pouvoir sont également ponctuées par deux conflits étudiants, en 2005 et en 2012. Le second est alimenté par l'impopularité des libéraux, qui sont éclaboussés par des allégations de financement illégal. Les manifestants étudiants vont notamment perturber la promotion du Plan Nord du premier ministre, qui vise à assurer l'exploitation des ressources naturelles du Québec septentrional. Défait dans son comté de Sherbrooke en septembre 2012, Jean Charest est embauché par un cabinet d'avocats de Montréal au début de l'année 2013.

électorale. Le député de Saint-Laurent Jean-Marc Fournier est nommé chef intérimaire le 12 septembre.

**16 septembre – Xavier Dolan couronné à Toronto.** Le jeune cinéaste reçoit le Prix du meilleur long métrage canadien pour *Laurence Anyways* au Festival international du film de Toronto.

**20 septembre – Changement de régime.** La première ministre Pauline Marois annonce l'annulation de la hausse des droits de scolarité et l'abrogation de la loi 78, qui encadre le droit de manifester. La centrale nucléaire de Gentilly-2 sera fermée tandis qu'un moratoire doit être décrété sur l'exploration et l'exploitation du gaz de schiste dans les basses terres de la vallée du Saint-Laurent.

**26 septembre – Démission houleuse à la CSN.** Le président de la Confédération des syndicats nationaux, Louis Roy, quitte ses fonctions. Il est remplacé le 30 octobre par Jacques Létourneau.

**OCTOBRE 2012**

**11 octobre – La matricule 728 est suspendue.** La policière Stéfanie Trudeau est reléguée à des tâches administratives à la suite de l'arrestation musclée de trois résidents du Plateau-Mont-Royal. La matricule 728 s'est fait connaître pendant le conflit étudiant par son usage abusif du poivre de Cayenne envers les manifestants.

**21 octobre – Une sainte iroquoise.** L'Amérindienne Kateri Tekakwitha, qui est décédée à Kahnawake en 1680, est canonisée par le pape Benoît XVI.

## Lisa LeBlanc, l'étoile acadienne

Photo : Pedro Ruiz

La carrière de l'auteure-compositrice-interprète originaire de Rosaireville en Acadie a pris son envol dans le courant de l'année 2012. Lauréate du Festival international de la chanson de Granby deux ans plus tôt, la jeune femme de 21 ans a rallié le public québécois avec ses chansons « folk-trash », son franc-parler et son accent acadien. Lancé en mars, son premier album, intitulé *Lisa LeBlanc*, s'est vendu à plus de 40 000 exemplaires en quatre mois, ce qui en fait un disque d'or. L'auteure de *Kraft Dinner*, de *Câlisse-moi là* et d'*Aujourd'hui, ma vie c'est d'la marde* remporte le Félix de la révélation de l'année au gala de l'ADISQ en octobre. Les anglicismes et les propos crus de la chanteuse ont fait son succès. Ils lui ont également valu quelques critiques, qui n'ont pas ralenti l'ascension de l'étoile acadienne.

**5 novembre – Démission de Gérald Tremblay.** Le maire de Montréal quitte ses fonctions dans la foulée de la commission Charbonneau. Il aurait été au courant des pratiques de financement illégales d'Union Montréal, selon le témoignage controversé d'un ancien organisateur du parti. Élu à la tête de la métropole aux élections de 2001, Gérald Tremblay avait auparavant représenté la circonscription d'Outremont à l'Assemblée nationale pour les libéraux, entre 1989 et 1996. Son successeur à l'Hôtel de Ville, Michael Applebaum, est choisi le 16 novembre par le conseil municipal.

**9 novembre – Le « roi de Laval » tire sa révérence.** Le maire de la troisième ville en importance du Québec, Gilles Vaillancourt, démissionne quelques semaines après les perquisitions de l'Unité permanente anticorruption à son bureau et dans ses résidences. Vaillancourt était maire de Laval depuis 1989. Il est remplacé le 23 novembre par Alexandre Duplessis, qui est élu par le conseil municipal.

**20 novembre – Budget Marceau.** Le ministre des Finances du gouvernement péquiste, Nicolas Marceau, présente son premier budget, de 72,8 milliards de dollars. L'atteinte du déficit zéro doit être réalisée en 2013-2014, comme prévu par le gouvernement précédent. Le retour à l'équilibre budgétaire sera rendu possible par l'abolition de 2 000 postes chez Hydro-Québec, une hausse des tarifs d'électricité, une augmentation des taxes sur le tabac et l'alcool et le maintien de la « taxe santé ».

**23 novembre – La coupe Vanier à l'Université Laval.** Les joueurs du Rouge et Or prennent leur revanche sur les Marauders de McMaster, avec une marque finale de 37 à 14. La conquête par Laval d'un septième championnat canadien de football universitaire représente un record.

**29 novembre – Le ministre de l'Environnement démissionne.** Daniel Breton quitte le cabinet péquiste en raison des révélations entourant ses loyers impayés et ses infractions passées au Code de la sécurité routière. Le député de Sainte-Marie–Saint-Jacques était déjà dans la mire de l'opposition officielle, qui l'accusait d'ingérence politique auprès du Bureau d'audiences publiques sur l'environnement.

**3 décembre – Controverse à Val-Jalbert.** La première ministre Pauline Marois donne le feu vert à la construction d'une minicentrale hydroélectrique sur la rivière Ouiatchouan. Le harnachement du cours d'eau est contesté par les défenseurs de l'environnement et du patrimoine bâti, qui déplorent le saccage d'un site exceptionnel.

**4 décembre – L'unifolié demeure au Salon rouge.** Le drapeau canadien est maintenu dans la salle du Conseil législatif de l'Assemblée nationale par le vote du Parti libéral et de la Coalition avenir Québec. Introduit sous Robert Bourassa, l'étendard avait été retiré du Salon rouge par Jacques Parizeau avant d'être ramené sous Jean Charest.

**15 décembre – Inauguration de l'autoroute 30.** Le dernier tronçon de la voie de contournement de Montréal qui relie les villes de Sorel-Tracy et de Vaudreuil-Dorion est ouvert à la circulation près de 40 ans après le début des travaux.

**18 décembre – Camil Samson (1935-2013).** L'ancien chef du Ralliement créditiste du Québec s'éteint à l'âge de 77 ans. Élu sous cette bannière en 1970, Samson s'était joint aux libéraux de Claude Ryan 10 ans plus tard, avant d'être défait aux élections de 1981.

**28 décembre – Fermeture de Gentilly-2.** Le démantèlement de la centrale nucléaire doit s'étirer jusqu'en 2062. Le coût de l'opération est estimé à 1,8 milliard de dollars.

**31 décembre – Jovette Marchessault (1938-2012).** Décès de l'artiste en arts visuels et romancière féministe âgée de 74 ans.

**JANVIER 2013**

**6 janvier – Réforme de l'assurance-emploi.** La modification du régime par le gouvernement conservateur oblige les chômeurs à accepter un emploi dans leur champ de compétence s'il est situé à moins de 100 km de leur résidence et si la rémunération correspond à 70 % et plus de leur dernier salaire. La mesure touche particulièrement les travailleurs saisonniers de l'est du Québec.

**20 janvier – Richard Garneau (1930-2013).** Le journaliste sportif s'éteint à l'âge de 82 ans. Il aura couvert 23 Jeux olympiques au cours de sa carrière, en plus de décrire les matchs du Canadien de Montréal pendant une vingtaine d'années.

**25 janvier – Éric contre Lola.** Les dispositions du Code civil du Québec prévoyant que les conjoints de fait ne peuvent réclamer de pension alimentaire pour eux-mêmes en cas de rupture ne contreviennent pas à la Charte des droits et libertés, selon la Cour suprême du Canada. Le jugement touche plus d'un million de conjoints de fait au Québec, ce qui représente 35 % des couples.

**FÉVRIER 2013**

**4 février – Disparition de la pièce d'un cent.** Le sou noir, dont le coût de production dépasse la valeur réelle, est retiré de la circulation par la Monnaie royale canadienne. La mesure doit permettre d'économiser près de 10 millions de dollars par année.

**24 février** – Le Québec aux Oscars. Le trophée remis au meilleur film en langue étrangère échappe à Kim Nguyen, le réalisateur de *Rebelle*. Son compatriote québécois Yan England repart également bredouille après avoir été sélectionné dans la catégorie du meilleur court métrage de fiction pour *Henry*.

**26 février** – Sommet sur l'enseignement supérieur. Le gouvernement péquiste de Pauline Marois impose l'indexation des droits de scolarité. Les frais seront majorés de 3 % par année, en fonction du taux de croissance du revenu disponible des familles.

**27 février** – Mandat d'arrêt contre Arthur Porter. L'ancien directeur général du Centre universitaire de santé McGill est accusé de fraude envers le gouvernement et d'abus de confiance en lien avec le chantier du mégahôpital anglophone de Montréal. Il est arrêté au Panama trois mois plus tard.

**28 février** – Le NPD perd un autre député. Le représentant de la circonscription fédérale de Jonquière-Alma, Claude Patry, se joint au Bloc québécois en marge d'un débat sur l'abrogation de la Loi sur la clarté référendaire à la Chambre des communes.

### MARS 2013

**3 mars** – Congrès d'Option nationale. Le chef, Jean-Martin Aussant, obtient 97 % des suffrages lors d'un vote de confiance des membres de son parti. La formation indépendantiste de gauche a récolté 1,89 % des voix aux élections de 2012.

**5 mars** – Une rectrice francophone à McGill. La présidente sortante du Conseil de recherches en sciences naturelles et en génie du Canada, Suzanne Fortier, est nommée à la tête de la prestigieuse université. Elle devient la première francophone à diriger l'établissement fondé par James McGill en 1821.

**8 mars** – « Pastagate ». L'Office québécois de la langue française perd sa présidente, Louise Marchand, qui quitte ses fonctions trois semaines après la controverse soulevée par un inspecteur ayant exigé le retrait du mot « pasta » du menu d'un restaurant italien de Montréal. Cet excès de zèle provoque la colère des anglophones alors que le gouvernement Marois tente de resserrer l'application de la Charte de la langue française.

**13 mars** – Un papabile abitibien. Le cardinal Marc Ouellet est devancé par l'Argentin Jorge Mario Bergoglio, qui succède au pape Benoît XVI sous le nom de François.

**17 mars** – Le retour de Philippe Couillard. L'ancien ministre de la Santé est élu à la tête du Parti libéral du Québec avec 58,5 % des voix. Il devance ses adversaires Pierre Moreau et Raymond Bachand, qui récoltent respectivement 22 % et 19,5 % des suffrages. Le succes-

## Paul Rose (1943-2013)

Photo: THE CANADIAN PRESS/
Ryan Remiorz

Originaire des quartiers populaires de Montréal et de Longueuil, Paul Rose a participé aux manifestations nationalistes de la fin des années 1960 en tant que militant du Rassemblement pour l'indépendance nationale. En 1969, il fonde la première auberge de jeunesse du Québec à Percé, en dépit de la résistance des autorités locales. L'enlèvement d'un diplomate britannique par les felquistes de la cellule Libération en octobre 1970 et le refus de négocier du gouvernement de Robert Bourassa amènent Rose à kidnapper Pierre Laporte en compagnie de ses trois camarades de la cellule Chénier. Le ministre de l'Immigration, du Travail et de la Main-d'œuvre est retrouvé mort dans le coffre d'une voiture une semaine plus tard. Capturé à la fin de l'année, Paul Rose est condamné à deux peines d'emprisonnement à perpétuité pour l'enlèvement et le meurtre de Laporte, bien qu'il ait été absent au moment du drame. Il obtient sa libération conditionnelle en 1982, ce qui lui permet de reprendre son implication sociale jusqu'à son décès, le 14 mars 2013, à l'âge de 69 ans.

seur de Jean Charest a dû défendre son intégrité pendant sa campagne en raison de ses liens avec Arthur Porter, l'ancien patron du Centre universitaire de santé McGill, qui est accusé de fraude. La dernière course à la chefferie libérale remontait à 1983.

**17 mars – Gala des Jutra.** Le long métrage *Rebelle* de Kim Nguyen remporte huit prix, dont ceux du meilleur film, de la meilleure réalisation et du meilleur scénario.

**21 mars – Budget Flaherty.** Le ministre fédéral des Finances Jim Flaherty présente un budget de 282,6 milliards de dollars avec un déficit anticipé de 18,7 milliards. Le crédit d'impôt pour les fonds de travailleurs, particulière-

ment populaire au Québec, sera graduellement aboli, ce qui permettra d'économiser 355 millions de dollars en quatre ans.

### AVRIL 2013

**8 avril – *La bataille de Londres*.** Lancement de l'ouvrage de l'historien Frédéric Bastien, qui met en lumière le rôle ambigu de l'ancien juge en chef de la Cour suprême Bora Laskin lors des délibérations entourant la légalité du projet de rapatriement constitutionnel, au début des années 1980.

**16 avril – Pier Béland (1948-2013).** La chanteuse country s'éteint des suites d'un cancer, la veille du lancement de son dernier album.

## Justin Trudeau, l'héritier

C'est par un combat de boxe avec le sénateur conservateur Patrick Brazeau que le fils de Pierre Elliott Trudeau a commencé l'année 2012. Le député fédéral de Papineau déjoue les pronostics en battant son adversaire par K.-O. technique. Le pugiliste libéral reçoit toutefois des coups tout au long de l'année pour ses déclarations controversées. Il affirme d'abord qu'il pourrait envisager l'indépendance du Québec dans l'éventualité où le Canada s'engagerait davantage sur la voie du conservatisme. Il sème ensuite l'émoi en soutenant que le registre des armes à feu est un échec, alors qu'il a voté contre son abolition 10 mois plus tôt. Le politicien de 41 ans attire également l'attention en affirmant qu'un vote des deux tiers des Québécois pour le Oui serait nécessaire pour que le Canada reconnaisse les résultats d'un référendum sur l'indépendance. Candidat à la succession de Michael Ignatieff, Trudeau est attaqué pour son manque de contenu par son adversaire Marc Garneau. L'ancien astronaute se rallie néanmoins à sa candidature à un mois du vote du 14 avril 2013. Trudeau obtient 80 % des points au premier tour du scrutin. Il devient ainsi le cinquième chef du Parti libéral du Canada en 10 ans.

### MAI 2013

**1er mai – Hausse du salaire minimum au Québec.** La mesure touche près de 365 000 travailleurs, dont le revenu passe de 9,90 $ à 10,15 $ l'heure.

**8 mai – De Québecor à Hydro-Québec.** Pierre-Karl Péladeau quitte la présidence de l'empire médiatique fondé par son père, dont il demeure l'actionnaire principal. L'homme d'affaires de 51 ans prend la tête du conseil d'administration d'Hydro-Québec le 15 mai, après avoir offert ses services à la première ministre Pauline Marois.

**8 mai – Enquête sur le conflit étudiant.** Le gouvernement péquiste met en place une commission spéciale d'examen sur les dérives et débordements du Printemps érable. Le comité est présidé par l'ancien ministre de la Sécurité publique Serge Ménard, le juge à la retraite Bernard Grenier et l'ex-présidente de la CSN Claudette Carbonneau.

**9 mai – Arrestation de Gilles Vaillancourt.** Accusé de gangstérisme, l'ancien maire de Laval est arrêté par l'Unité permanente anticorruption en compagnie d'une trentaine de présumés complices.

**10 mai – Huguette Oligny (1922-2013).** La comédienne s'éteint à l'âge de 91 ans. Elle aura joué au théâtre, au cinéma et à la télévision pendant six décennies.

**15 mai – Robert Roussil (1925-2013).** Décès du sculpteur québécois, qui s'était installé dans le sud de la France au milieu des années 1950.

**16 mai – Denis Coderre se lance!** Le député libéral de Bourassa annonce sa candidature à la mairie de Montréal sous les huées de manifestants, qui protestent notamment contre le règlement municipal P-6 interdisant le port du masque dans le domaine public.

**21 mai – La CAQ expulse un député.** Le représentant du comté de Blainville, Daniel Ratthé, est suspendu par son parti en raison des allégations de financement illégal entourant sa campagne à la mairie de Blainville en 2005.

**26 mai – Domination du hockey junior québécois.** La coupe Memorial est remportée par une équipe de la Ligue de hockey junior majeur du Québec pour une troisième année consécutive. Après Saint-Jean et Shawinigan, c'est au tour des Mooseheads de Halifax de remporter le précieux trophée.

**29 mai – Henry Morgentaler (1923-2013).** Le militant du droit à l'avortement s'éteint à Toronto à l'âge de 90 ans. Originaire de la Pologne, ce survivant des camps de la mort nazis a immigré au Québec en 1950. Diplômé en médecine, il pratique plusieurs milliers d'avortements à Montréal à compter de la fin des années 1960, ce qui lui vaut une peine d'emprisonnement en 1974.

L'arrêt Morgentaler de la Cour suprême va décriminaliser l'avortement en 1988.

### JUIN 2013

**3 juin – Laval sous tutelle.** La municipalité est prise en charge par le gouvernement du Québec à la demande du maire, Alexandre Duplessis, soupçonné d'avoir servi de prête-nom pour le financement du PRO des Lavallois à l'époque de son prédécesseur Gilles Vaillancourt.

**10 juin – Sport et religion.** La Fédération québécoise de soccer est suspendue par l'Association canadienne pour avoir interdit le port du turban à un joueur de religion sikhe. L'interdiction est levée cinq jours plus tard.

**13 juin – Entente entre Québec et les Cris.** Le gouvernement régional d'Eeyou Istchee Baie-James est mis en place. Le territoire situé au nord du 48e parallèle sera administré par les représentants cris et les élus des municipalités de la région.

**14 juin – Adoption des élections à date fixe.** Les Québécois seront désormais appelés aux urnes le premier lundi du mois d'octobre suivant de quatre ans le scrutin précédent. Le premier ministre conserve néanmoins le pouvoir de déclencher des élections précipitées.

**17 juin – Pierre F. Côté (1927-2013).** Décès du premier directeur général des élections du Québec à l'âge de 85 ans.

## Michael Applebaum, l'*outsider*

Le premier maire anglophone de Montréal en 100 ans n'aura fait que passer. En 1994, cet ancien agent immobilier s'est fait élire comme conseiller municipal afin de s'opposer à la fermeture des patinoires extérieures de la ville. Nommé au conseil exécutif en 2009, il en devient le président deux ans plus tard. Il quitte ses fonctions le 9 novembre 2012, quatre jours après la démission du maire Gérald Tremblay. Michael Applebaum se retire ensuite d'Union Montréal pour siéger comme indépendant. Le 16 novembre, il est élu maire par intérim, au terme d'un vote secret du conseil municipal qu'il remporte par 31 voix contre 29, aux dépens de son ancien collègue Richard Deschamps. Le 42e maire de Montréal s'engage à faire le ménage dans l'administration municipale avec l'appui d'une coalition formée des élus des trois partis et de conseillers indépendants. Il doit toutefois démissionner le 18 juin, au lendemain de son arrestation par l'Unité permanente anticorruption. Le maire déchu est accusé de complot, de fraude envers le gouvernement, d'abus de confiance et d'actes de corruption dans les affaires municipales en lien avec des projets immobiliers réalisés à l'époque où il dirigeait l'arrondissement de Côte-des-Neiges–Notre-Dame-de-Grâce.

Au cours de sa carrière, Côté aura notamment supervisé la tenue des scrutins référendaires de 1980 et de 1995.

**25 juin – Un troisième maire en sept mois pour Montréal.** Laurent Blanchard est élu à la tête de la métropole par le conseil municipal une semaine après la démission de Michael Applebaum, qui est notamment accusé de complot et de fraude. Le conseiller indépendant d'Hochelaga récolte 30 voix contre 28 pour son principal adversaire, Harout Chitilian.

**28 juin – Démission du maire de Laval par intérim.** Alexandre Duplessis quitte ses fonctions dans la foulée d'une affaire impliquant une escorte qu'il n'aurait pas

rémunérée. L'homme de 42 ans qui avait succédé à Gilles Vaillancourt en novembre est remplacé le 3 juillet par Martine Beaugrand, qui est élue à l'unanimité par le conseil municipal.

### JUILLET 2013

**1er juillet – Grève de la construction.** Le conflit de travail qui a débuté deux semaines plus tôt se termine par l'adoption d'une loi spéciale à l'Assemblée nationale.

**6 juillet – Tragédie ferroviaire de Lac-Mégantic.** Le déraillement d'un train chargé de pétrole fait 47 morts dans la municipalité de 6 000 habitants. Le centre-ville est détruit par l'explosion des wagons de la Montreal, Maine & Atlantic Railway, qui déversent près de 6 millions de litres de pétrole dans l'environnement. La mairesse, Colette Roy-Laroche, lance un appel à la solidarité des Québécois, qui remettent plus de 10 millions de dollars à la Croix-Rouge.

**9 juillet – Gaétan Soucy (1958-2013).** L'auteur de *La petite fille qui aimait trop les allumettes* décède d'une crise cardiaque à 54 ans.

**26 juillet – Luc Beauregard (1941-2013).** Le président-fondateur de la firme de relations publiques National s'éteint à la suite d'un cancer. Son entreprise, lancée en 1976, est devenue la première en importance au Canada et la quinzième dans le monde.

### AOÛT 2013

**7 août – Hélène Loiselle (1928-2013).** Décès de l'actrice de 85 ans, qui a joué le rôle de Lisette de Courval dans la distribution originale des *Belles-sœurs* de Michel Tremblay. Elle a également tenu des rôles marquants au cinéma dans *Mon oncle Antoine* et *Les ordres*.

**9 août – Démission d'Emmanuel Dubourg.** Le député libéral de Viau quitte l'Assemblée nationale pour se présenter à l'élection partielle de Bourassa au fédéral.

# Dossier spécial

# Le pouvoir citoyen

# L'âge adulte de la démocratie

**Miriam Fahmy**

*Directrice de la recherche et des publications, Institut du Nouveau Monde*

**Démocratie. Voilà un mot dont le sens n'est plus toujours clair. Prononcé et écrit pour défendre toutes sortes de programmes – et leurs contraires –, il est ouvert à un large éventail d'interprétations. La démocratie comme raison d'aller faire la guerre ! La démocratie est une arme rhétorique dont tout le monde veut se munir parce qu'elle est considérée comme la plus grande réussite des sociétés modernes. Être démocrate, c'est être pour la vertu. Impossible d'être contre ! Sauf qu'on dit très rarement de quelle démocratie on parle.**

Le sondage mené par l'INM pour tâter le pouls des Québécois sur le sujet nous indique qu'ils ont une haute opinion de la démocratie, mais qu'ils ne font pas confiance à ses institutions ni aux personnes qui l'incarnent. Ce sondage nous offre une piste intéressante pour comprendre le malaise ambiant : la démocratie serait un idéal dont la réalisation effective ne serait pas satisfaisante aux yeux des Québécois de 2013.

Revenons aux bases. La démocratie, dans son sens le plus strict, c'est « le gouvernement du peuple[1] », selon la formule consacrée. C'est le moyen que nous avons choisi pour prendre les décisions qui régissent notre vie en société. Mais elle est aussi devenue « une philosophie, une manière de vivre, une religion […]. Une signification aussi riche lui vient tant de ce qu'elle est effectivement que de l'idée que s'en font les hommes lorsqu'ils placent en elle leur espérance d'une vie meilleure[2] ». Sur elle, nous projetons nos attentes les plus nobles. Mais la démocratie comme modèle de gouvernement ne peut être légitime, à nos yeux, que dans la mesure où elle réalise l'idéal qu'elle appelle. Voilà où nous en sommes aujourd'hui :

beaucoup de gens doutent que la démocratie, telle qu'elle est pratiquée de nos jours, atteigne l'idéal promis.

Dans la démocratie représentative (la nôtre), le rôle du citoyen est d'élire des représentants qui agiront en son nom et dans l'intérêt commun. Le citoyen ne participe pas directement à la prise de décision. Entre les élections, l'influence du citoyen peut s'exercer à travers son engagement dans un parti politique, dans un groupe de pression, par l'intermédiaire d'une pétition ou à l'occasion d'un référendum. Le dialogue entre gouvernants et citoyens passe par la voix de l'espace public, qui correspond essentiellement aux médias de masse.

Ce *casting* qui attribue un rôle de figurant au citoyen suffit-il à réaliser l'ambition démocratique du «gouvernement du peuple»? Alors que des intérêts privés – non élus – exercent de plus en plus d'influence sur les grandes orientations, alors que la décision politique apparaît souvent fermée, accessible à quelques personnes seulement[3], alors que les élus «communiquent» plutôt que d'expliquer leurs décisions à une population de plus en plus désireuse de comprendre, alors qu'un citoyen sur trois n'exerce pas son droit de vote, de plus en plus de gens ressentent l'urgence de revoir le script. Dans un contexte où le jeu politique semble se dérouler en coulisse, les décisions publiques apparaissent vite illégitimes aux yeux du peuple. S'il ne remplit pas sa mission de délégation du pouvoir, le mécanisme de la représentation ne suffit plus.

Quelles seraient alors les conditions de la réalisation de l'idéal démocratique?

---

**Lorsque le jeu politique semble se dérouler en coulisse, les décisions publiques apparaissent illégitimes aux yeux du peuple.**

---

Bien des configurations politiques visant à nous rapprocher de l'idéal théorique ont été proposées. Sans écarter le mécanisme de représentation, elles viendraient le compléter.

### Débattre, c'est bon pour la santé... démocratique

Pour bon nombre de penseurs, la solution à la crise de la démocratie représentative se trouverait dans la délibération. Là où la démocratie représentative donne une place importante à la négociation entre des intérêts particuliers, la délibération accorderait une plus grande place au bien commun, en obligeant chacun à exprimer clairement ses intérêts et à justifier ses positions.

Selon l'idéal délibératif classique, c'est par la discussion rationnelle que les individus réussissent à dépasser leurs divergences d'opinions pour en arriver à une vision partagée du bien commun[4]. Dans la délibération, les individus partent de leur point de vue individuel, façonné par leur vécu, leur éducation, l'information dont ils disposent, pour en venir progressivement, au contact des arguments des autres, à former une préférence en fonction du bien commun[5]. La délibération est conditionnelle aux principes de base de son fonctionnement : inclusion, transparence, rationalité, adhésion – les conditions mêmes qui semblent manquer à notre démocratie actuelle.

Mais la délibération est un autre de ces idéaux dont la réalisation réelle est difficile. Comment saurait-on qu'on est arrivé à destination, c'est-à-dire qu'on est parvenu ensemble à définir le bien commun ? À quoi ressemble-t-il ? Aussi, les humains peuvent-ils faire abstraction de leur subjectivité pour délibérer de façon froide et raisonnée ? Doit-on le souhaiter ? Le degré d'engagement exigé des citoyens est-il réaliste ?

Au fond, peut-être que la délibération aurait une autre vertu que celle de nous mener à une décision définitive, parfaite et partagée. Peut-être que le rôle de la délibération devrait être de mettre en lumière les conflits qui traversent notre société, sans qu'elle vise nécessairement à les résoudre. Cette mise au jour des tensions, des divergences d'opinions, nous permettrait au moins de faire plus de place à la transparence et à la lisibilité des enjeux.

Et voilà une raison de considérer les « crises » du printemps étudiant ou de la Charte des valeurs québécoises comme… n'en étant pas. En effet, on pourrait voir dans l'expression bruyante de désaccords le signe d'une société capable de traiter honnêtement et sans dissimulation des questions majeures dont elle doit s'occuper. Plutôt que des crises, il faudrait y voir une sorte d'hygiène de la démocratie.

Suivant cette logique, la volonté de la « majorité silencieuse », si souvent invoquée pour justifier des décisions politiques, est-elle vraiment celle dont se targuent de rendre compte les sondages d'opinion ? À vrai dire, les sondages qui nous sortent de notre torpeur le temps de répondre furtivement oui ou non « tendrai[en]t à faire prendre l'expression transitoire d'humeurs pour de vrais choix démocratiques[6] ».

Comment faire, alors, pour passer de l'expression sommaire d'une prise de position pour ou contre une politique à un débat public éclairé et à une participation constructive ?

## Allumer la flamme

L'un des maux dont on accuse les institutions de la démocratie représentative, c'est d'être déconnectées de la population. On peut douter qu'elles aient jamais été connectées, mais cela ne nous empêche pas d'exiger qu'elles le deviennent – éduqués, informés, exigeants que sont les citoyens du début du XXIe siècle. La participation du public aux décisions de nos gouvernements, par le truchement d'espaces institutionnels de consultation permanents ou ponctuels, permettrait ce rapprochement entre élus, fonctionnaires, citoyens, experts, représentants.

Il existe déjà des lieux formels de participation publique (Bureau d'audiences publiques sur l'environnement, Office de consultation publique de Montréal, conseils de quartier, conseils consultatifs, commissions de consultation, etc.). Ces espaces ont été conçus pour soutenir les administrations publiques dans leurs arbitrages entre différents points de vue et, ultimement, dans leurs choix politiques. «Ça marche ou ça ne marche pas?» demande-t-on souvent. La réponse dépend du point de vue qu'on adopte. Le citoyen sera plus enclin à participer s'il croit que «ça va donner quelque chose». Avec raison: les citoyens qui prennent le temps de participer à des consultations, qui s'ouvrent au débat et à la critique, sont en droit de s'attendre à ce que leur participation serve à orienter les décisions, et non pas à légitimer des décisions déjà prises. Pour les administrateurs et les élus, ces dispositifs aident à prendre des décisions plus efficaces, plus éclairées et susceptibles de plaire à la majorité (ou moins susceptibles d'être contestées). À cet égard, l'appareil bureaucratique «aime» la participation publique[7], car elle répond aux exigences de la gestion managériale.

Des critiques de la participation publique institutionnalisée[8] estiment que ces exigences d'efficacité, celle du citoyen comme celle des administrations, risquent de nous entraîner dans une logique dite «consumériste», selon laquelle l'État est réduit à dispenser ou à sous-traiter des services, et le citoyen, à les recevoir.

Alors que certains y voient un danger, d'autres rêvent, au contraire, à cette démocratie mécaniste, polie, prévisible, et à une participation publique qui aurait justement pour fonction d'occulter les conflits sociaux, de garantir la stabilité et, pourquoi pas, la tranquillité nécessaires pour que nous vaquions à nos affaires privées.

---

**Certains rêvent à une démocratie mécaniste, polie, prévisible.**

---

Ces caractérisations simplistes de la participation publique doivent être dépassées. La participation peut être un formidable moyen de revitaliser la démocratie. En effet, le pari le plus noble de la participation publique, c'est qu'avec la création, entre les élections, de points de contact entre les citoyens et les décideurs, non seulement les décisions seront plus transparentes, non seulement elles tendront à servir davantage l'intérêt collectif, non seulement l'opinion publique deviendra plus responsable, et celle des élus et des fonctionnaires plus éclairée, mais encore les participants seront transformés. L'une des plus belles vertus de la participation est qu'elle peut être une étape dans la socialisation politique: prendre conscience du monde, faire une lecture sociale et politique de notre environnement et de notre place dans cet environnement. Cet apprentissage de la chose politique transforme les individus, qui, en retour, peuvent construire une société plus réfléchie et plus juste.

Et c'est là l'un des paradoxes de la participation publique : elle est généralement circonscrite dans le temps et l'espace, elle s'applique à des objets de politique bien précis ou est mise en œuvre en réponse à des « crises » sociales. Pourtant, le processus d'élaboration de politiques publiques, tout comme celui de la socialisation politique, est bien long, bien tortueux et ne colle pas à la courte durée des consultations, qui ne sauraient faire

> **La participation peut être une étape dans la socialisation politique.**

émerger un consensus social total et absolu. En effet, aucun dispositif ne peut faire apparaître des vérités incontestables qui serviraient de fondements à une action collective. La participation publique ne peut pas non plus être assimilée à une forme de « gestion par problème » qui apporterait des solutions à court terme. Pensée ainsi, elle décevra invariablement.

La participation ne doit pas non plus concurrencer ou miner les institutions de la représentation. Ni en être complètement séparée. Ce qu'elle peut et doit faire, c'est de les renforcer en ouvrant les

esprits, en raffinant les idées, en canalisant l'intelligence collective vers des buts communs, et même en allumant la flamme politique. Pour autant que ce soit le rôle qu'on exige qu'elle joue.

## Un mode n'en remplace pas un autre

Un des dangers de la participation publique est qu'on en vienne à fétichiser ses modalités de fonctionnement, à prendre la méthode pour l'objectif – ce qu'on pourrait appeler la « procédurite ». Si sa vocation est de revitaliser la démocratie, la participation publique doit aussi prendre à bras-le-corps les considérations politiques ou idéologiques sous-jacentes aux choix débattus. Se demander « pourquoi » et pas juste « comment ».

Historiquement, ce sont les mouvements sociaux qui ont été les grands relayeurs du « pourquoi ». Dans le portrait d'une démocratie renouvelée, plus participative, le rôle des citoyens-individus vient s'ajouter à celui des citoyens organisés en groupes, et non pas le remplacer. Les organismes de la société civile observent, documentent, suivent de près les enjeux et les personnes touchées par ces enjeux. Ce savoir est d'une valeur inestimable, et nos administrations publiques doivent y être perméables.

L'influence de ces organismes ne peut pas, ne doit pas dépendre des moyens variables dont chaque secteur dispose pour faire valoir son point de vue. À cet égard, la perte graduelle mais marquée de financement public de base pour les organismes sans but lucratif est un problème grave pour la santé de notre démocratie.

Peut-on croire à la bonne entente de tout ce monde autour de la table de la participation publique? Bonne entente, peut-être pas. Mais alors que l'opposition ferme éteint tout débat, il faut souhaiter que le dialogue et la transparence permettent une rencontre des points de vue.

Cet idéal ne doit toutefois pas nous faire oublier que des dynamiques de pouvoir existent. Les plus grandes avancées de nos démocraties, notamment les droits individuels et collectifs, ont été arrachées de force et ne peuvent être tenues pour acquises. Souhaiter l'avènement d'une démocratie délibérative et

> **Les plus grandes avancées de nos démocraties ont été arrachées de force et ne peuvent être tenues pour acquises.**

participative, qui encourage et soutienne la collaboration des citoyens et des institutions publiques, ne veut pas dire abandonner tous les autres modes d'action politique.

La société civile inscrit des questions de fond à l'ordre du jour. Elle œuvre par la mise en commun des efforts et non en comptant sur des leaders-sauveurs.

Elle est bien souvent le lieu d'initiation à l'action politique. Elle doit être protégée, soutenue, encouragée.

## Des écueils intérieurs et extérieurs

Toute analyse des maux qui accablent notre démocratie comporte un inévitable aparté sur l'apathie politique des citoyens. On dit des gens qu'ils sont paresseux, indifférents ou même incompétents. Et si l'apathie n'était pas un état individuel congénital, mais plutôt le résultat de l'addition des obstacles culturels contemporains à l'engagement[9]?

Les messages dominants de notre société sont: soyez autonomes! Cultivez votre prospérité! Occupez-vous de votre jardin! Pas étonnant que les gens ne participent pas. On vit dans un monde qui leur dit de ne pas participer.

Il y a aussi, derrière le désabusement des citoyens, une part de naïveté: on s'attend à ce que la machine démocratique fonctionne de façon automatique, autosuffisante, comme si elle était quelque chose d'extérieur à soi, sauf pour cette poignée d'individus (les élus) qui devraient, croit-on, incarner la vertu absolue parce qu'ils ont fait le choix – cinglé! – de servir la société.

Une démocratie participative digne de ce nom dépend de la volonté et de la capacité de tous de la construire et d'y collaborer. Un dirigeant éclairé pourrait bien, du haut de son siège, décréter son avènement: elle resterait sans suite si elle n'était pas investie des énergies, de la bonne foi et de l'intelligence du peuple.

**Un préalable nécessaire**

L'égalité politique des citoyens est le fondement de la démocratie. Cependant, l'égalité politique ne peut être réelle lorsque existent des inégalités sociales. Pour qu'une participation égale soit possible pour tous, il faut réduire ces inégalités. Tous les citoyens doivent avoir les moyens de participer, que ces moyens soient éducatifs, informationnels, financiers, en temps, etc. L'exclusion socioéconomique est une barrière majeure à l'accès au pouvoir politique, on l'a prouvé[10]. Dans nos sociétés contemporaines, où chacun est appelé à participer au façonnement du monde, la justice sociale devient une condition de réalisation de la démocratie. Alors, et seulement alors, on pourra consacrer nos efforts à l'éveil citoyen et rêver d'une démocratie renouvelée.

**Attention : chantier !**

Le saura-t-on quand la démocratie sera totalement… démocratique ? À quoi cela ressemblera-t-il ? À un taux de participation électorale de 100 % ? À des citoyens tous membres d'un parti politique ? À l'égalité parfaite ? À la présence de tous les citoyens au Parlement ?

Au Québec, comme ailleurs en Occident, on a momentanément cru que la démocratie était « accomplie ». Le triomphe de la démocratie libérale sur les régimes collectivistes marquait même la « fin de l'histoire[11] ».

Le diagnostic, largement admis aujourd'hui, de dysfonctionnement de notre système de gouvernement nous rappelle à l'ordre. L'idée d'un aboutissement, d'un accomplissement était une

---

> **La démocratie ne peut jamais être parfaite – et est donc toujours perfectible.**

---

erreur : la démocratie ne peut jamais être parfaite – et est donc toujours perfectible. C'est une bonne nouvelle ! Cela veut dire qu'il nous reste, à nous et aux générations futures, du pain sur la planche, des idéaux à conquérir.

Trouver les modalités d'un plus grand partage du pouvoir entre les citoyens, qui forment tous ensemble le « corps politique », demande de la créativité et de la rigueur. On aime les innovations en science et en technologie. Il nous faudra appliquer la même inventivité à nos façons de vivre ensemble.

*Merci à Christian Nadeau de m'avoir accordé la permission d'utiliser l'expression « l'âge adulte de la démocratie ».*

Notes
1. « La démocratie est le gouvernement du peuple, par le peuple, pour le peuple. » Citation d'Abraham Lincoln.
2. Georges Burdeau, *La démocratie*, Paris, Le Seuil, coll. « Points », 1956.
3. Laurence Bherer, « Cultiver le dialogue public-citoyens », *Développement social*, vol. 12, n° 3, février 2012.

4. Laurence Bherer, *ibid.*

5. Jane Mansbridge *et al.*, «The Place of Self-Interest and the Role of Power in Deliberative Democracy», *Journal of Political Philosophy,* vol. 18, n° 1, p. 64–100.

6. Jean-Michel Ducomte, *La démocratie,* Paris, Milan, 2003, p. 41.

7. Damien Contandriopoulos et Astrid Brousselle, «Reliable in Their Failure: An Analysis of Healthcare Reform Policies in Public Systems», *Health Policy,* n° 95, 2010, p. 144-152.

8. Alain Deneault, *Gouvernance. Le management totalitaire,* Montréal, Lux, 2013.

9. Dave Meslin, «The Antidote to Apathy», conférence prononcée à TEDxToronto, octobre 2010. En ligne : www.ted.com/talks/dave_meslin_the_antidote_to_apathy.html.

10. Voir notamment : Stéphanie Gaudet et Martin Turcotte, «Sommes-nous égaux devant l'injonction à "participer ?"», *Sociologie et sociétés,* vol. 45, n° 1, printemps 2013, p. 117-148 ; B. Lancee, H. G. van de Werfhorst, «Income Inequality and Participation: A Comparison of 24 European Countries», Amsterdam, AIAS, GINI Discussion Paper 6, 2011; Frederick Solt, «Economic Inequality and Democratic Political Engagement», *American Journal of Political Science,* vol. 52, n° 1, 2008 et Eric M. Uslaner, «Inequality, Trust, and Civic Engagement», *American Politics Research,* vol. 31, n° 10, 2003.

11. Francis Fukuyama, *The End of History and the Last Man,* New York, Free Press, 1992.

# Trois scénarios pour lutter contre l'apathie politique

**Laurence Bherer**

*Professeure, Département de science politique, Université de Montréal*

**Dans un contexte marqué par les scandales politiques révélés par la commission Charbonneau, il y a lieu de s'interroger sur les moyens proposés pour redonner confiance aux citoyens dans la politique et encourager leur engagement dans la vie collective. Ce texte entend analyser les propositions de réforme à la lumière des différentes conceptions de l'apathie politique.**

Au Québec comme dans plusieurs démocraties, on s'inquiète du faible intérêt des citoyens pour la politique. Cela se traduirait notamment par une baisse significative de la participation électorale (une diminution d'environ 15 % aux élections fédérales depuis 30 ans et de près de 22 % aux élections québécoises) et une plus grande méfiance à l'égard des élites politiques. Pour remédier à cette situation, diverses solutions sont couramment proposées.

Trois précisions sont nécessaires pour mieux comprendre les divers scénarios de réforme. Premièrement, le faible intérêt pour la politique n'est pas nécessairement vu comme un mal par tous les démocrates. Il existe en effet plusieurs interprétations des causes et des conséquences de l'apathie politique. Certains démocrates dits «réalistes» considèrent qu'il est normal et préférable que la participation des citoyens ne soit pas trop élevée. Selon cette perspective, la faible participation politique manifesterait une certaine satisfaction à l'égard de la vie politique, alors qu'un trop fort engagement indiquerait un haut niveau de conflictualité, qui serait dommageable pour une société démocratique, le conflit représentant une source de désordre et d'incertitude politique. Bref, pour les réalistes, il est tout simplement illusoire de penser que, dans une société démocratique complexe par sa taille et ses enjeux, tout le monde doit nécessairement participer.

Cette perspective est sévèrement critiquée par les démocrates dits «participationnistes»: ils reprochent aux réalistes de s'accommoder de la faible participation en ne donnant aucune explication sur ses causes. Pour les participationnistes, les mécanismes sociaux et politiques limiteraient la participation des citoyens, par le truchement de processus plus ou moins cachés d'exclusion. La non-participation serait ainsi la manifestation d'un sentiment d'impuissance politique qui ne peut être considéré comme normal. Ainsi, les participationnistes refusent la vision désenchantée de la démocratie véhiculée par les réalistes. Ils prônent une lutte active contre toute forme d'exclusion politique, notamment au moyen de l'éducation et de la création de dispositifs participatifs.

La deuxième précision touche moins les causes de l'apathie politique que ses différentes manifestations. L'apathie politique est généralement entendue comme une non-participation. Cette non-participation englobe la décision (entendue comme une action) de se retirer délibérément du jeu politique mais aussi des attitudes négatives à l'égard de la chose politique. L'apathie politique comprend donc aussi les sentiments négatifs envers la politique, du type fataliste («la politique, ça ne sert à rien») ou cynique («tous les mêmes»). Elle inclut

également des mécanismes d'auto-exclusion plus complexes qui n'ont rien à voir avec un acte délibéré. L'apathie politique peut aussi être non volontaire et découler d'une forme d'aliénation sociale liée à la pauvreté, à la discrimination, à la faible éducation ou à différentes formes de domination. Évidemment, dans les faits, la frontière entre l'apathie de type «décision rationnelle» et celle de type «aliénation sociale» est difficile à tracer. Une recherche de Nina Eliasoph montre que ce qu'un citoyen

> **L'apathie politique peut découler d'une forme d'aliénation sociale.**

indifférent désigne comme une non-participation volontaire cache souvent un sentiment d'impuissance politique difficile à admettre[1]. Nous verrons qu'en matière de propositions de réforme, la plupart des solutions pour lutter contre l'apathie politique visent avant tout la non-participation volontaire, alors que le phénomène de l'apathie non volontaire demeure occulté.

On peut dégager des propositions pour lutter contre l'apathie politique trois grands scénarios de réforme: 1) revoir le rôle de l'élu et des partis politiques; 2) améliorer la procédure de vote; et 3) développer des outils de démocratie participative. Ces scénarios varient en fonction de la compréhension des causes de l'apathie politique et du type d'apathie politique (volontaire ou non).

## Scénario 1 – Revoir le rôle de l'élu et des partis politiques

Les propositions de réforme de ce premier scénario s'appuient sur l'idée selon laquelle le désintérêt pour la politique prend sa source dans la perception négative qu'ont les citoyens du fonctionnement des partis politiques. Les citoyens seraient particulièrement critiques à l'égard de la discipline de parti et de la forte centralisation des organisations partisanes autour de leur chef, qui aurait pour effet de diminuer l'autonomie des élus et des militants du parti. La version plus radicale de cette critique associe l'esprit partisan à une forme de déchéance morale des élus, qui seraient plus enclins à défendre les intérêts de leur parti (et de leurs donateurs) que ceux de leurs commettants. Cela se verrait notamment dans la partisanerie, terme utilisé pour dénoncer les représentants d'un parti qui utiliseraient l'enflure verbale, le ton agressif et trop ouvertement provocateur et de dénigrement de leurs adversaires politiques. Un tel comportement (pas nécessairement généralisé, mais le plus visible médiatiquement parlant) donne aux citoyens le sentiment que les élus sont incapables de prendre des décisions justes et objectives. Dans ce cas de figure, les citoyens optent pour la non-participation et manifestent un certain cynisme à l'égard de la politique.

L'enjeu ici est d'apporter des réformes de façon à redonner confiance aux citoyens dans la capacité des élus à agir pour le bien commun. Une première catégorie de suggestions porte sur la transformation de la vie partisane. Il pourrait s'agir d'assouplir la discipline de parti en autorisant, notamment, le vote libre des élus. Cette piste a été proposée à plusieurs reprises par quelques élus montréalais pour redonner confiance dans les institutions municipales, confiance que les révélations faites devant la commission Charbonneau ont ébranlée. Une autre suggestion est de revenir à une formule de parti politique plus démocratique, qui, par définition, réserve une place importante aux militants dans la vie du parti. Cette suggestion se fonde sur l'idée que les partis politiques actuels sont de plus en plus dominés par une petite élite partisane et qu'ils sont devenus des machines à gagner des votes plutôt qu'un lieu de débats politiques. Toutefois, comme les militants sont aussi de plus en plus difficiles à recruter, certains proposent également d'amener les débats d'idées des partis politiques sur la place publique en s'inspirant du modèle américain, avec l'organisation d'élections primaires. La population pourrait ainsi exercer une certaine influence sur la vie des partis politiques. Une telle voie a été suivie avec succès par le Parti socialiste français à l'automne 2011 pour désigner le candidat socialiste à la présidence.

Une deuxième catégorie de suggestions vise à mettre en place des instruments de démocratie directe, tels que les procédures de destitution des députés *(recall)*, le droit d'initiative populaire, la tenue régulière de référendums ou l'amélioration de la procédure de dépôt de pétitions auprès des assemblées législatives. Aux États-Unis, où des mécanismes semblables existent dans certains États depuis le début du XXᵉ siècle, ces réformes sont dites « populistes », épithète qui n'a pas là la connotation péjorative qu'elle a souvent en français et qui est employée pour qualifier un mouvement dont l'objectif est de redonner du pouvoir aux citoyens de façon qu'ils puissent mieux contrôler l'action des élus. Selon cette perspective, ces outils feraient en sorte que les citoyens se sentent moins impuissants lorsqu'ils constatent que leurs élus se livrent à des manœuvres moralement répréhensibles ou ne traitent pas de sujets qui sont pourtant importants à leurs yeux.

Les propositions de ce scénario sont très proches de celles avancées en 2011 par le député du Parti québécois (PQ) Bernard Drainville, qui proposait alors de « faire de la politique autrement ». Il les avait formulées dans la foulée de la crise au sein du PQ concernant l'appui controversé à la construction d'un nouveau colisée à Québec et à la suite des accusations de malversation contre le Parti libéral du Québec, qui refusait alors d'instituer une commission d'enquête publique sur l'industrie de la construction. C'est ce mouvement au sein du PQ qui a d'ailleurs mené, après son arrivée au pouvoir en septembre 2012, à la création du Secrétariat aux institutions démocratiques et à la participation citoyenne, dirigé par Bernard Drainville. En outre, dans son programme électoral, le PQ s'est engagé à permettre la tenue de référendums d'initiative populaire, une réforme qui accorderait aux citoyens le droit de soumettre au vote diverses propositions et même l'accession du Québec à la souveraineté.

## Scénario 2 – Améliorer la procédure de vote

Les propositions de ce deuxième scénario associent l'apathie politique à une certaine inaccessibilité du vote, inaccessibilité qui s'expliquerait par des procédures de vote trop contraignantes et par un manque de connaissance des citoyens à propos des rouages de la vie politique et de l'influence de leur vote. En d'autres termes, la non-participation serait bien souvent involontaire et découlerait de procédures trop strictes, de même que de carences dans la socialisation politique des citoyens.

**Les partis sont devenus des machines à gagner des votes.**

La première série de propositions de réforme de cette deuxième famille cherche à améliorer l'organisation du vote de manière à diminuer le coût qu'entraîne le fait d'aller voter pour les citoyens. Cela implique, par exemple, d'allonger la période du vote par anticipation, d'autoriser le vote par correspondance, de concevoir des outils pour favoriser le vote électronique, etc. Le Directeur général des élections du Québec (DGEQ) propose et met en œuvre régulièrement des mesures spéciales qui visent à rendre le vote accessible pour des populations ayant des besoins spécifiques, comme les personnes à mobilité réduite, les électeurs hors Québec ou

---

**Les institutions représentatives favorisent une citoyenneté passive.**

---

les détenus. Par exemple, depuis 10 ans, une série de mesures ont été adoptées sur l'initiative du DGEQ pour lutter contre la désaffection politique des jeunes, notamment un congé obligatoire, le jour du scrutin, pour les étudiants des établissements d'enseignement supérieur et le vote hors circonscription.

De façon plus radicale, des propositions de réforme visent à susciter un sentiment de devoir chez les citoyens. Le vote obligatoire entre dans cette catégorie. Dans la même veine, certains recommandent d'abaisser à 16 ans l'âge légal pour voter. Une telle proposition s'appuie sur le constat selon lequel les jeunes qui ne votent pas dans les premières années

de leur carrière d'électeur risquent de devenir des abstentionnistes. On peut penser que s'ils obtiennent le droit de vote à 16 ans, alors qu'ils fréquentent généralement encore l'école et profitent de la saine émulation entre pairs, ils conserveront par la suite la bonne habitude de se présenter aux urnes.

Cette proposition de réforme touchant les jeunes s'accompagne aussi de suggestions d'activités qui visent à développer la «littératie civique», c'est-à-dire l'aptitude à s'intéresser aux affaires publiques et à les comprendre. Outre les exercices visant à encourager l'acquisition de compétences générales, comme la lecture de journaux et de livres, une façon de donner le goût de la politique consiste dans la mise au point d'outils d'éducation populaire qui pourraient être intégrés au cursus scolaire. Dans la suite des propositions du politologue Henry Milner, qui a montré l'importance de la littératie civique, l'Institut du Nouveau Monde organise, depuis 10 ans, des écoles d'été et d'hiver qui réunissent des jeunes ayant une ambition commune: «devenir de meilleurs citoyens» en développant «leurs compétences civiques».

Une dernière proposition de ce scénario concerne l'adoption d'un nouveau mode de scrutin à l'échelle provinciale. L'intention ici est d'augmenter l'offre politique, en plus de favoriser une meilleure adéquation entre l'ensemble des votes et la répartition des sièges au gouvernement. Cette proposition repose

sur le constat que les citoyens ne se sentent pas représentés, sur le plan idéologique, par les partis à l'Assemblée nationale. Une réforme du mode de scrutin permettrait de mieux refléter leur choix électoral, ce qui pourrait accroître leur intérêt pour les élections. Au cours des dernières décennies, plusieurs acteurs du Québec ont fait valoir cette idée, tel le Mouvement pour une démocratie nouvelle. En mars 2013, on a fêté les 10 ans du rapport du Comité directeur sur la réforme des institutions démocratiques (rapport Béland), dont la principale recommandation était l'adoption d'un mode de scrutin de représentation proportionnelle régionale[2]. Et en 2004, la réforme du mode de scrutin faisait l'objet d'un avant-projet de loi qui proposait un mode de scrutin de représentation proportionnelle régionale.

## Scénario 3 – Développer des outils de démocratie participative

Les propositions de ce troisième scénario reposent sur l'idée que le désintérêt pour la vie politique découle de l'expérience démocratique limitée que le vote procure aux citoyens. Les institutions représentatives favoriseraient une citoyenneté passive, ce qui serait contraire aux objectifs d'une société démocratique, qui doit valoriser l'expression d'une opinion libre et autonome par la participation. Premièrement, les élections se tiennent une fois aux quatre ans, laissant ainsi une forme de vide participatif d'une assez longue durée. Deuxièmement, si les campagnes électorales sont l'occasion de débattre de grands enjeux, elles ne permettraient pas d'approfondir les questions plus complexes, que le gouvernement devra prendre en charge durant son mandat. Conséquemment, les décisions des autorités publiques perdent en légitimité, car les citoyens ont le sentiment de ne pouvoir les infléchir. Enfin, il existerait des mécanismes sociaux plus ou moins visibles d'exclusion qui entraîneraient la marginalisation politique de citoyens socialement désavantagés.

Pour remédier à cela, il faudrait, selon cette perspective, créer des espaces de participation et favoriser le débat public en dehors des campagnes électorales. Au cours des trois dernières décennies, les expériences de démocratie participative se sont multipliées au Québec et ailleurs dans le monde. On trouve ces innovations à tous les paliers politiques et dans plusieurs domaines d'intervention publique : conseils de quartier, budgets participatifs, jurys citoyens, audiences publiques, comités de parents dans les écoles, comités d'usagers des services publics (en santé ou pour le transport en commun, par exemple), etc. Espaces de socialisation ou écoles de la démocratie, les citoyens y feraient l'apprentissage des rouages de la vie politique. Espaces de discussion et de transparence, les citoyens et les autres acteurs de la décision publique (élus, fonctionnaires, travailleurs sociaux, etc.) y apprendraient à travailler ensemble en croisant leurs compétences respectives. Dans de plus rares cas, ce sont également des espaces de conscientisation, où les participants peuvent repérer les mécanismes de l'exclusion politique et sociale. Au Québec, depuis les années 1960, des innovations participatives sont régulièrement mises en place, certaines ponctuelles, d'autres plus durables, comme le Bureau d'audiences publiques sur l'environnement (BAPE), les multiples conseils consultatifs, les tables de quartier, etc. Divers acteurs ont fait la promotion de ces idées, en commençant par le mouvement écologiste et les groupes populaires dans les années 1960 et 1970.

Certains pensent toutefois que les expériences participatives ne sont pas suffisantes pour combattre la non-participation volontaire et le cynisme politique, qui découleraient en fait d'une compréhension tronquée de la démocratie par les citoyens. Ceux-ci auraient en effet de la difficulté à accepter l'expression du conflit dans l'espace public, car ils croient que si les élus étaient moins préoccupés par leurs intérêts particuliers, une solution simple et consensuelle serait possible[3]. Bref, les citoyens verraient le conflit comme la manifestation d'un dysfonctionnement démocratique, et ce serait la raison pour laquelle ils n'aiment pas la politique. De ce point de vue, les expériences participatives n'auraient aucun effet bénéfique, et pourraient même être une source de frustration chez les citoyens, à moins que ces espaces ne servent également à faire l'apprentissage des difficultés à définir le bien commun. Si de telles conditions d'apprentissage étaient créées, les citoyens pourraient être à même de constater que la politique n'est pas une sphère séparée d'activité, mais bien une partie intégrante de la vie quotidienne : en effet, la politique traverse l'ensemble des activités des citoyens (communauté, travail, famille). Les façons de favoriser un tel apprentissage ne sont pas faciles à définir, mais on peut penser que les expériences participatives les plus abouties sur le plan de l'accès à l'information, de la qualité des discussions et des effets tangibles et significatifs contribuent à une réelle transformation du rapport au politique.

## Conclusion

En terminant, on peut se demander si, à l'instar du débat participationniste-réaliste, il faut s'inquiéter de l'apathie politique. Après tout, des enquêtes récentes ont montré que l'insatisfaction à l'égard de la politique ne viendrait pas d'une désaffection pour l'idéal démocratique, mais plutôt de l'émergence d'une tendance, chez les citoyens, à critiquer leurs élus[4]. Les citoyens auraient en fait des attentes plus élevées à l'égard de la démocratie, car ils seraient mieux informés sur les possibles effets négatifs de certaines pratiques (par exemple, l'influence de l'argent dans les campagnes électorales). L'insatisfaction des citoyens n'aurait ainsi rien à voir avec le désabusement. Au contraire, les citoyens sont plus critiques parce qu'ils ont une haute opinion de l'idéal démocratique et souhaitent que leurs élus le respectent. Selon cette perspective, le projet démocratique n'est pas menacé. Toutefois, une telle explication ignore le phénomène de l'impuissance politique associée à la désaffection politique – ce phénomène que nous avons nommé «l'apathie non volontaire».

Les trois familles de réformes se soucient assez peu de ce sentiment. En effet, elles s'adressent avant tout aux citoyens qui ont choisi volontairement de ne pas participer et cherchent à les convaincre ou à les inciter à se (ré)engager. La première famille propose des outils aux citoyens pour qu'ils puissent exercer un certain contrôle sur les élus et les partis politiques. La deuxième famille cherche plutôt à réduire les obstacles qui amèneraient les citoyens à rester à la maison le jour du vote. Quant à la troisième, elle cherche à stimuler l'engagement des citoyens en leur offrant des espaces de participation continue. Certaines propositions de la deuxième et de la troisième famille tiennent compte (timidement) de l'apathie non volontaire : en offrant aux citoyens une expérience concrète de l'engagement politique, elles favorisent en effet une certaine prise de conscience politique. On peut souhaiter que dans les prochaines années, les acteurs de la démocratie s'intéressent davantage aux sources et aux réformes pour lutter contre l'exclusion et l'impuissance politique.

**Notes**

1. Nina Eliasoph, *L'évitement du politique : comment les Américains produisent l'apathie dans la vie quotidienne*, Paris, Economica, 2010.

2. Comité directeur sur la réforme des institutions démocratiques, *Prenez votre place ! La participation citoyenne au cœur des institutions démocratiques québécoises*, rapport du Comité directeur sur la réforme des institutions démocratiques, mars 2003. Le Comité était présidé par M. Claude Béland.

3. John R. Hibbing et Elizabeth Tess-Morse, *Stealth Democracy : Americans' Beliefs About How Government Should Work*, Cambridge, Cambridge University Press, 2002.

4. Pippa Norris (dir.), *Critical Citizens : Global Support for Democratic Governance*, Oxford, Oxford University Press, 1999.

# Cinquante ans de participation publique au Québec

**Benoît Morissette**

*Doctorant en science politique et membre du Groupe de recherche sur les pratiques de participation publique, Université de Montréal*

**Depuis 50 ans, des citoyens québécois participent aux processus décisionnels dans divers secteurs d'intervention de compétence provinciale. Grâce à des mécanismes comme les consultations populaires, les audiences publiques et les forums délibératifs, ils accèdent à la décision collective par d'autres intermédiaires que les partis politiques.[1]**

Ce texte propose une synthèse des principaux éléments qui ont marqué l'histoire de la participation publique au Québec à travers l'analyse des trois champs d'activité particulièrement marqués par ces pratiques, soit l'urbanisme et l'aménagement du territoire, l'environnement et la santé. L'expérience du Québec se démarque par un ensemble d'innovations participatives mises à l'essai et adoptées dès les années 1960 et 1970. Depuis, même si de nouvelles pratiques ont été instaurées, les innovations majeures et structurantes demeurent relativement rares. Les premières innovations ont quant à elles été peu revues en général, alors que plusieurs observateurs et citoyens soulignent le besoin de les améliorer.

## Urbanisme et aménagement

L'une des premières expériences de participation publique se déroule dans le cadre des activités du Bureau d'aménagement de l'Est du Québec (BAEQ). Créé en 1963 par le gouvernement libéral dirigé par Jean Lesage, l'organisme a pour mandat d'élaborer une stratégie de développement économique pour les territoires du Bas-Saint-Laurent et de la Gaspésie. Dès sa mise sur pied, le BAEQ entreprend de consulter les citoyens pour déterminer leurs besoins. Les recommandations qu'il formule dans le rapport qu'il rend au gouvernement en 1966 s'appuient sur les résultats des consultations. Plusieurs de ces recommandations sont restées lettre morte. Le gouvernement a plutôt procédé à la fermeture de villages et a encouragé la transformation des ressources naturelles à l'extérieur de la région, suscitant la colère de ses citoyens.

L'opposition à ces politiques s'est traduite notamment par la formation des Opérations Dignité. Il s'agit de groupes de citoyens militant pour le développement et la survie des localités situées en milieu rural. Ces mouvements ont révélé la nécessité de démocratiser le processus d'aménagement du territoire. C'est l'un des objectifs poursuivis par la

Loi sur l'aménagement et l'urbanisme (LAU) qu'adopte l'Assemblée nationale en 1979. Cette loi exige d'abord que les citoyens soient consultés durant les processus d'élaboration et de modification des documents de planification, comme les schémas d'aménagement et de développement des MRC et des communautés métropolitaines et les plans d'urbanisme des villes et des municipalités. Elle oblige ensuite les municipalités à tenir des référendums au sujet d'un règlement de zonage contesté par les résidents d'une localité. Finalement, la LAU rend obligatoire la création de comités consultatifs d'urbanisme composés d'élus et de citoyens.

Plusieurs observateurs soutiennent que ces exigences ne sont pas suffisantes pour susciter une véritable appropria-

## Office de consultation publique de Montréal

L'OCPM est un organisme public indépendant institué par la Charte de la Ville de Montréal, une loi provinciale. Il a pour mandat de tenir des consultations publiques au sujet des projets d'aménagement que lui soumet le conseil municipal ou le comité exécutif. Son président est désigné par le conseil municipal avec l'appui des deux tiers des élus. Il peut s'adjoindre des commissaires pour l'assister dans ses fonctions de consultation.

L'Office peut fixer ses propres règles de procédures. Actuellement, les consultations se déroulent en deux temps. Une première phase d'information permet aux citoyens de consulter le dossier du projet. Elle prévoit aussi une séance publique durant laquelle le promoteur explique son projet aux citoyens et répond à leurs questions. À la seconde phase, le public est invité à s'exprimer en présentant des mémoires aux commissaires. À la suite des consultations, ceux-ci rédigent un rapport faisant part de leur analyse du projet et formulent des recommandations à son sujet. Le rapport est transmis au maire, qui doit le déposer au conseil municipal et le rendre public dans les deux semaines qui suivent. Dans les dernières années, l'OCPM a expérimenté de nouvelles formes de participation en complément des audiences en deux parties.

B. M.

tion citoyenne de l'aménagement. Les populations locales se sentent souvent incapables de faire valoir leur point de vue devant les groupes d'initiés et d'experts qui gravitent autour des administrations municipales, comme les promoteurs immobiliers, les maîtres d'ouvrages et les fonctionnaires. La connaissance des règles d'urbanisme, souvent complexes, confère à ces derniers un avantage dans le processus d'aménagement. De plus, au lieu de favoriser le dialogue et la concertation, les mécanismes de participation actuels de la LAU ont souvent pour effet d'alimenter la méfiance des citoyens, dont le seul pouvoir est de s'opposer aux projets proposés par les autorités municipales, plutôt que de participer à leur élaboration. Les autorités municipales critiquent également la lourdeur administrative des exigences de la LAU. Plusieurs discussions de réforme de la LAU ont lieu depuis 20 ans et un projet de loi

---

## Il faut démocratiser le processus d'aménagement du territoire.

---

ambitieux a été proposé durant la dernière année au pouvoir du gouvernement Charest, mais il est mort au feuilleton après l'élection du gouvernement péquiste en septembre 2012.

Jusqu'en 2002, les villes de Québec et de Montréal n'étaient pas assujetties à la LAU. Leurs pratiques de consultation publique se sont donc développées dans un cadre légal et politique distinct de celui des autres municipalités. À Québec, des conseils de quartier (CDQ) ont été créés en 1993 par le Rassemblement populaire de Québec (RPQ), dirigé par Jean-Paul L'Allier. Élu en 1989, le RPQ avait pour objectif de démocratiser l'organisation municipale dans son ensemble. Les conseils de quartier ont participé activement à ce projet. Ces organismes sont des associations autonomes formées par les résidents d'un secteur de la ville. Ils sont dirigés par un conseil d'administration élu par les résidents du quartier. La répartition des sièges respecte la parité entre les hommes et les femmes. La Ville consulte les CDQ sur les modifications des règlements de zonage. En collaboration avec l'administration municipale, ils élaborent le plan d'aménagement du secteur. De leur propre initiative, ils organisent aussi des consultations au sujet d'enjeux qui préoccupent les résidents du quartier. Comme ils sont autonomes, les CDQ peuvent également lancer divers projets et établir leur propre programme de travail. Leur situation est relativement précaire, car leur pertinence a été remise en cause plusieurs fois par l'administration Boucher et par celle du maire Labeaume, qui n'ont toutefois pas donné suite à leur critique. L'inscription des CDQ dans la Charte de la Ville de Québec les protège, en effet, d'une disparition soudaine.

À Montréal, une première pratique participative en matière d'urbanisme est mise en œuvre de 1988 à 1995, directement inspirée par l'expérience à l'échelle provinciale du Bureau d'audiences publiques sur l'environnement (BAPE). Le Bureau de consultation de Montréal est créé en 1988, sous l'administration d'un parti de gauche, le Rassemblement des citoyens de Montréal, dirigé par le maire Jean Doré. L'organisme est aboli par l'administration Bourque en 1995. L'opposition à laquelle donnent lieu plusieurs projets d'infrastructure dans les années subséquentes démontre toutefois le besoin de consulter les citoyens en matière d'urbanisme. En 2001, à la suite des recommandations d'une commission d'enquête municipale sur le sujet, l'administration de la Ville met sur pied l'Office de consultation publique de Montréal (OCPM, voir l'encadré, p. 50). Au cours de l'année précédente, le gouvernement du Québec avait effectivement enchâssé dans la Charte de la Ville les dispositions permettant la création d'un tel organisme. Entre 2002 et 2012, l'Office a tenu 102 consultations, qui ont permis à plus de 26 000 citoyens de s'exprimer au cours de 400 séances publiques.

Depuis les fusions municipales, Montréal et Québec sont assujetties à la LAU, en plus de conserver les dispositifs participatifs qu'elles avaient déjà institués. Cela n'est pas sans poser un problème, car le modèle participatif prévu dans la LAU est très différent de celui de l'OCPM ou des conseils de quartier. En effet, la loi attribue aux citoyens un pouvoir décisionnel important en leur permettant de mettre un terme au développement d'une infrastructure immobilière. Lorsqu'un projet suscite la controverse, les élus municipaux préfèrent le retirer plutôt que de le soumettre à un référendum. En incitant les

> **Les mécanismes de participation actuels alimentent la méfiance des citoyens.**

élus à éviter la tenue d'un référendum, la LAU limite alors la contribution des citoyens au processus d'aménagement du territoire, car elle prévient le déroulement d'un débat dont l'issue est incertaine. Les citoyens qui participent aux consultations encadrées par les conseils de quartier ou l'OCPM disposent plutôt d'un pouvoir de recommandation. Ces exercices consultatifs semblent encourager le dialogue entre les acteurs et favoriser l'apport des citoyens au développement des projets et des politiques débattues. C'est l'engagement moral des administrations municipales à appliquer les recommandations formulées par les citoyens qui confère à ces derniers leur pouvoir au sein de ces deux instances. Bref, dans une même ville, on trouve des modèles participatifs antagoniques, ce qui crée une certaine confusion chez les élus et les citoyens.

Sans avoir la longévité des expériences de Québec et de Montréal, d'autres grandes villes de plus de 100 000 habitants ont également adopté des pratiques participatives. C'est le cas notamment de Gatineau, qui s'est dotée en 2005 d'un Cadre de référence en matière de participation des citoyens aux affaires municipales, par lequel elle s'engage à faciliter la participation des citoyens, à solliciter leur apport le plus tôt possible dans le processus et à développer une culture de la participation propre à la Ville. Entre 2005 et 2012, 63 projets ont fait l'objet de consultations publiques, dont plus de la moitié portait sur des enjeux d'aménagement et d'urbanisme.

## Environnement

La croissance économique et l'urbanisation qui caractérisent les années d'après-guerre entraînent des conséquences environnementales. Plusieurs groupes de la société civile s'inquiètent des effets de la pollution et des modes d'occupation du territoire sur le milieu naturel et la santé. L'Assemblée nationale répond à ces préoccupations en 1972 par l'adoption de la Loi sur la qualité de l'environnement (LQE), présentée par le gouvernement de Robert Bourassa. La LQE interdit la pollution industrielle et instaure des mesures destinées à protéger la qualité de l'air et de l'eau. Elle exige aussi la réalisation d'une étude d'impact environnemental préalable à la construction d'une infrastructure.

La LQE est modifiée en 1978 sur l'initiative du gouvernement péquiste dirigé par René Lévesque. Les projets d'infrastructure peuvent dorénavant faire l'objet d'une consultation publique. Le Bureau d'audiences publiques sur l'environnement (BAPE) est créé afin d'organiser l'étape de la consultation publique prévue dans le processus d'évaluation environnementale (voir l'encadré, page 54). L'originalité du BAPE tient à trois aspects : 1) sa longue durée (35 ans d'existence en 2013) ; 2) son autonomie, qui lui donne une grande indépendance dans la réalisation de ses mandats, notamment grâce au pouvoir d'enquête ; 3) la procédure originale d'audiences publiques en deux temps (information et expression des points de vue), sur laquelle nous revenons plus bas. Depuis sa création, le BAPE a tenu près de

**Le BAPE a tenu près de 300 audiences publiques.**

300 audiences publiques et a innové de plusieurs façons.

En 1986, le ministre de l'Environnement confie une nouvelle mission au BAPE en matière de participation : la médiation environnementale. Par ce mécanisme de règlement des différends, il tente de faciliter l'obtention d'un accord négocié entre des parties opposées au sujet des impacts environnementaux d'un projet. Pendant la décennie suivante, l'organisme tient aussi ses

## Bureau d'audiences publiques en environnement

Le BAPE est un organisme public indépendant dont le rôle est d'informer, d'enquêter et de consulter la population au sujet de projets d'infrastructure ou de questions relatives à la protection de l'environnement. Il est dirigé par un président et un vice-président nommés par le gouvernement. Ceux-ci peuvent s'adjoindre des commissaires afin de s'acquitter des mandats que leur confie le gouvernement.

La LQE exige la réalisation d'une étude d'impact par le promoteur d'un projet. Quand cette étude est complétée, le BAPE tient une période d'information qui permet à la population de la consulter. Il organise aussi une séance publique durant laquelle le promoteur doit répondre aux questions des citoyens.

Après cette séance, les citoyens peuvent demander au ministre de l'Environnement la tenue d'audiences publiques, qui se déroulent en deux parties. Tout d'abord, le BAPE organise d'autres séances d'information avec le promoteur du projet. La société civile peut ensuite s'exprimer au cours des audiences publiques. Lorsque cette seconde partie est terminée, les commissaires rédigent un rapport d'enquête contenant leurs recommandations qu'ils remettent au ministre, lequel doit le rendre public.

**B. M.**

premières consultations génériques. Les audiences publiques régulières du BAPE portent sur un projet de développement précis. Avec les consultations génériques, le BAPE s'intéresse plutôt à des enjeux d'intérêt général, comme la gestion écologique des matières dangereuses, l'écosystème forestier ou l'élevage porcin.

Grâce aux modifications apportées à la LQE en 1978, qui précèdent d'un an l'adoption de la LAU, la consultation des citoyens s'institutionnalise. Elle s'impose comme une étape obligatoire de la décision publique dans le secteur environnemental. Le BAPE s'est progressivement positionné en tant qu'acteur incontournable dans cette sphère d'intervention. Le nombre annuel de man-

dats d'enquêtes et d'audiences publiques est passé d'une moyenne de 3 dans les années 1980 à 7 dans les années 1990, puis à 10 dans la période 2000-2003. Les audiences publiques du BAPE réunissent en moyenne près de 55 participants, dont en moyenne 26 citoyens, 19 groupes et 9 personnes-ressources. Les citoyens sont en moyenne plus nombreux que les groupes organisés. Plus de 80 % des enquêtes et des audiences publiques du BAPE réunissent moins de 100 participants. Les enquêtes et les audiences publiques qui regroupent entre 100 et 200 participants sont de l'ordre de 15 %, et seulement un projet a attiré plus de 200 participants. Finalement, soulignons que lorsque l'on met en parallèle les avis positifs (favorables et acceptables) du BAPE et les autorisations gouvernementales, on constate que le gouvernement va exceptionnellement à l'encontre des avis du BAPE[2].

Si le BAPE a dû se prononcer à l'occasion de conflits environnementaux majeurs, comme ceux des autoroutes 25 et 30, du port méthanier Rabaska, des parcs éoliens ou du gaz de schiste, il a conservé sa crédibilité aux yeux du public. De plus, bien que son mode de fonctionnement lui ait attiré la critique des représentants du monde des affaires, qui en condamnent la lourdeur, il a également inspiré la création d'autres organismes de participation tels que l'OCPM ou même la Commission nationale du débat public, en France.

## Santé et services sociaux

La création du BAPE ne constitue pas la première tentative d'institutionnalisation de la participation dans l'administration publique provinciale. Sept ans auparavant, l'Assemblée nationale votait la Loi sur les services de santé et les services sociaux (LSSSS). Celle-ci s'appuyait sur le rapport de la Commission d'enquête sur la santé et le bien-être social (commission Castonguay-Nepveu), qui recommandait, entre autres choses, de démocratiser l'organisation du système en l'édifiant sur deux principes : la régionalisation et la participation citoyenne.

Pour y parvenir, le gouvernement confie la direction des établissements à

## Commissaire à la santé et au bien-être

Le CSBE est nommé par le gouvernement pour un mandat renouvelable de cinq ans. La nomination est effectuée après consultation de députés et d'intervenants du monde de la santé.

Le CSBE rédige son rapport à la suite d'un exercice délibératif entre les membres d'un forum de consultation qui a pour fonction de représenter les points de vue de la population dans l'exercice d'évaluation du commissaire. Ce forum est composé de 27 personnes, dont 18 citoyens venant de chacune des régions du Québec. Les 9 autres membres sont des experts scientifiques ou des représentants de groupes du secteur de la santé.

Les résultats des délibérations s'ajoutent aux analyses statistiques du rendement du système et d'une recension des réalités cliniques vécues par les professionnels de la santé. Le dépôt du rapport à l'Assemblée nationale et son étude en commission parlementaire visent à inciter les élus à prendre en considération les propositions des citoyens dans la mise en œuvre des politiques de santé.

**B. M.**

des corporations publiques dirigées par des conseils d'administration formés de membres élus par la population, ainsi que de professionnels et de gestionnaires de la santé. Les établissements d'une région sont coordonnés par un conseil régional de la santé et des services sociaux (CRSSS), dont une des tâches consiste à favoriser la participation citoyenne à l'élaboration des politiques de santé, notamment par des consultations publiques. Le conseil d'administration des CRSSS est composé de 21 membres nommés par le gouvernement. Il est formé du directeur général ainsi que de maires, de représentants des cégeps, des universités et d'administrateurs des établissements de santé de la région.

Cette première expérience de participation citoyenne s'avère ardue. Les citoyens ne possèdent pas les connaissances qui leur permettent de dialoguer avec les gestionnaires et les professionnels. Le rôle des instances locales et régionales semble aussi se résumer à l'application des directives du ministère de la Santé, souvent aveugle aux différentes priorités des régions. Dans ce contexte, les CRSSS ne possèdent pas l'autorité nécessaire à l'exécution du mandat de participation citoyenne établi par la Loi.

En 1991, le gouvernement libéral de Robert Bourassa enclenche une réforme qui vise à moderniser le réseau de la santé dans son ensemble. Il remplace les CRSSS par des régies régionales de la santé et des services sociaux (RRSSS). Leurs conseils d'administration sont désignés par des assemblées régionales formées de représentants de la population et de groupes de la société civile, comme les élus municipaux, les délégués des organismes communautaires ou les administrateurs des établissements de santé. Les conseils d'administration sont aussi modifiés pour assurer un équilibre de la population et des usagers devant les experts.

Le réseau connaît une troisième réforme en 2001. Avec l'objectif d'améliorer son efficacité, le gouvernement péquiste réduit le nombre de membres des conseils d'administration des RRSSS, qui ne seront plus élus mais désormais nommés par le gouvernement. Afin d'assurer la représentation des citoyens dans le processus décisionnel, il crée des forums de la population. Ces groupes sont constitués d'une quinzaine de membres nommés par le conseil d'administration de chaque CRSSS. Ils ont pour rôle de consulter les citoyens au sujet des enjeux de santé qui

> **L'existence des conseils de quartier est relativement précaire.**

les concernent et de formuler des recommandations à la régie. En 2005, le gouvernement libéral de Jean Charest crée le poste de Commissaire à la santé et au bien-être (CSBE) (voir l'encadré, p. 55). La mission et le fonctionnement de cette instance s'inspirent du National Institute for Health and Care Excellence, un organisme britannique. Le CSBE a pour fonctions d'évaluer la performance du réseau de façon indépendante et de formuler des recommandations à l'Assemblée nationale. Son évaluation doit tenir compte de l'opinion réfléchie de la population telle qu'elle se dégage dans les délibérations du forum de consultation. Les rapports du CSBE doivent alors permettre aux dirigeants du réseau de la santé de répondre aux besoins des citoyens.

Les réformes successives dans le secteur de la santé ont toutes été précédées de commissions d'enquête publiques durant lesquelles les représentants de la société civile ont pu s'exprimer au sujet du fonctionnement du système. Il s'agit des commissions Castonguay-Nepveu (1966-1972), Rochon (1985-1988) et Clair (2000). Les recommandations formulées dans les rapports des commissaires, qui ont inspiré les réformes, s'appuient, entre autres, sur les résultats des consultations publiques.

## Des institutions complémentaires

L'histoire des principales institutions québécoises de participation publique montre que chaque domaine de la politique publique dispose de pratiques spécifiques. Celles-ci se sont développées de manière marquante et d'abord dans des secteurs d'intervention complexes, à la rencontre des perspectives d'experts, de gestionnaires, de représentants élus et de citoyens. Les instances participatives rendent compte de cette complexité et contribuent à l'inclusion des différents points de vue à l'intérieur des processus décisionnels. Ainsi, les institutions participatives ne se sont pas simplement substituées aux mécanismes de la démocratie représentative. Les

décisions les plus importantes demeurent toujours la prérogative des représentants de la population. En ouvrant le débat public à l'expression des opinions formulées par les membres de la société civile, les institutions de participation permettent cependant à l'État de produire des politiques publiques qui aspirent à mieux répondre aux besoins des citoyens. Il s'agit également d'une contribution au renouvellement de la vie démocratique, un complément fondamental à la démocratie représentative.

Notes

1. Ce texte est produit dans le cadre du projet de recherche « Expertise, champ et diffusion des pratiques de participation publique » (financé par le CRSH), dirigé par Laurence Bherer (Université de Montréal), Mario Gauthier (Université du Québec en Outaouais) et Louis Simard (Université d'Ottawa).

2. Mario Gauthier et Louis Simard, « La gouvernance par la mise en discussion publique des grands projets : le cas du BAPE », dans Christian Rouillard et Nathalie Burlone (dir.), *L'État et la société civile sous le joug de la gouvernance : innovation rhétorique ou changement paradigmatique?*, Québec, Presses de l'Université Laval, 2011, p. 208.

# Les règles de l'art
# de la participation publique

**Malorie Flon**

*Chargée de projet, Institut du Nouveau Monde*

Depuis une trentaine d'années, au Québec, de nouveaux espaces de participation publique ont été créés afin de permettre aux citoyens de participer à certaines décisions prises par les autorités publiques. Peut-on juger de la qualité de ces dispositifs de participation ? En fonction de quels critères ? Existerait-il des façons de faire qui soient meilleures que d'autres ? Quelles sont les voies d'avenir pour améliorer la participation des Québécois aux affaires publiques ?

L'articulation entre démocratie représentative et démocratie participative est un défi qui doit être situé dans le contexte de l'évolution des sociétés démocratiques. Depuis la fin du XXe siècle, il ne s'agit plus de protéger un régime politique de la dictature ou de l'autoritarisme, mais de protéger la « santé » des sociétés qui se réclament de la démocratie. Depuis les grandes campagnes pour l'obtention des droits civiques, les défenseurs de l'idéal démocratique œuvrent plus généralement à suivre et à influencer les indices de la santé démocratique : la qualité des interactions entre les élus et les citoyens, l'exercice de la citoyenneté, la force de la société civile, l'accessibilité, la circulation et la qualité de l'information, etc.[1].

Dans ce contexte, il est intéressant de voir comment les citoyens font entendre leur voix lorsqu'ils sont insatisfaits, et de constater qu'ils revendiquent plus d'espaces de participation publique[2], notamment pour que cette participation ne se manifeste pas seulement en période de crise. Le gouvernement cherche pour sa part les moyens de répondre à cette demande. Depuis les dernières élections provinciales, en septembre 2012, cette volonté d'encourager la contribution des citoyens aux affaires publiques s'est concrétisée par la création du Secrétariat aux institutions démocratiques et à la participation citoyenne[3].

En matière de participation publique au Québec, on observe, premièrement, que la réglementation des pratiques est très morcelée entre les secteurs et les instances[4]. Ce morcellement pose problème à l'intégration des apprentissages, à l'évaluation des pratiques, à l'harmonisation des règles et à l'accessibilité des connaissances. Une approche coordonnée permettrait de clarifier, d'évaluer et d'harmoniser les pratiques au sein des ministères et des organismes. Cette harmonisation est d'autant plus souhaitable que la crédibilité des démarches de participation publique, qu'elles soient pilotées par des commissions parlementaires ou par des organismes-conseils, dépend de la qualité des processus participatifs, qualité qui peut être évaluée à l'aune des règles de l'art de la participation publique (voir le tableau 1). Cela vaut par ailleurs aussi pour les démarches pilotées par des municipalités ou par des organisations privées de la société civile.

Deuxième constat, la plupart des pratiques québécoises de participation publique se situent à gauche de l'échelle de la participation (voir le tableau 2), c'est-à-dire qu'elles appellent un degré de participation qui relève principalement de l'information ou de la consultation. Les expériences qui encouragent un degré de participation plus engageant (discussion, délibération, collaboration) sont marginales. La consultation est un modèle de participation publique utile au processus démocratique et qui doit être conservé. D'autres modèles existent néanmoins, qui sont parfois susceptibles de contribuer plus efficacement à l'atteinte d'objectifs tels que la sensibilisation de la population aux incidences de certains choix de politiques publiques ou sa participation active à l'élaboration de la solution qu'elle jugera acceptable. À titre d'exemple, un système fiscal aura plus de chances d'être appuyé par la population si cette dernière a eu l'occasion de débattre des effets concrets des modèles d'imposition privilégiés sur les finances individuelles et collectives et des choix sociaux qui les motivent, et de les comprendre. En matière de participation publique, la société québécoise serait probablement mûre pour un renouvellement de ses pratiques, pour aller au-

> **La consultation est un modèle de participation publique utile au processus démocratique.**

delà de la simple consultation, par exemple lorsqu'il s'agit d'associer les citoyens à l'étude de projets de loi et de politiques publiques. Des expériences internationales peuvent, à cet égard, servir de sources d'inspiration[5].

Troisième constat, les nouvelles technologies transforment le rapport entre

TABLEAU 1

## Les huit règles de l'art de la participation publique

**1. Adéquation entre les objectifs, les mécanismes et les ressources investies**
Un mécanisme n'est jamais bon en soi, mais dans son contexte et en fonction des objectifs poursuivis. Les objectifs visés doivent être clairement énoncés et le processus participatif doit être planifié en fonction de ces objectifs. Il faut y allouer les ressources, humaines et matérielles, nécessaires. Le temps est aussi une ressource essentielle, puisque la participation s'inscrit souvent dans la durée.

**2. Indépendance**
Un exercice de participation publique doit être piloté par une instance crédible et indépendante. Celle-ci doit respecter des règles d'éthique connues de tous.

**3. Qualité et accessibilité de l'information**
L'information fournie aux participants d'un exercice de participation publique doit être objective, complète, claire et pertinente. Elle doit aussi être gratuite et facilement accessible. Idéalement, des résumés doivent être offerts.

**4. Accès au processus et diversité de participation**
À moins que le mécanisme de participation retenu ne requière un échantillonnage, toute personne intéressée ou susceptible d'être touchée par le résultat d'un exercice de participation doit y avoir un accès équitable. La participation des minorités et des groupes vulnérables doit être encouragée et facilitée, de même que la diversité des points de vue.

**5. Communications adéquates**
Le public doit être convoqué et informé dans des délais raisonnables et par des moyens susceptibles de l'atteindre et de l'interpeller. Les participants doivent recevoir toute autre information pertinente à la compréhension du processus participatif.

**6. Clarté des modalités de participation**
Les modalités de participation doivent être adaptées aux différentes collectivités et au contexte. Elles doivent être claires et connues dès l'annonce de la démarche. Ces modalités doivent préciser les personnes qui peuvent participer, le lieu, l'horaire, la procédure d'inscription, s'il en existe une, l'ordre du jour, la documentation disponible, les modes d'expression (droits de parole, fiches de commentaires, dépôt et audition des mémoires, etc.).

**7. Prise en compte de la participation dans la décision**
Il est impératif de gérer les attentes des participants en précisant d'emblée le degré d'engagement et l'influence qu'ils sont appelés à exercer sur la prise de décision. Les participants doivent savoir ce que l'on attend d'eux et de quelle manière le résultat de leur participation sera pris en compte par les décideurs.

**8. Transparence et suivi**
L'instance qui pilote la démarche de participation doit préciser dans quels délais, sous quelle forme et par quels moyens les résultats de la participation du public seront communiqués, et quels sont les moyens de reddition de comptes prévus.

Source : Institut du Nouveau Monde, août 2013[1].

1. En s'inspirant des principes et des bonnes pratiques recensés auprès de différents organismes internationaux, l'INM établit huit « règles de l'art » ou conditions à instaurer afin d'assurer la réussite d'un exercice de participation publique. Les règles de l'art traduisent un ensemble de principes destinés à encadrer les processus de participation publique. Références : AmericaSpeaks (www.americaskeaks.org), Association internationale pour la participation du public (www.iap2.org), International Association for Impact Assessment (www.iaia.org), Secrétariat international francophone pour l'évaluation environnementale (www.sifee.org), Organisation de coopération et de développement économiques (www.ocde.org), Union européenne (www.unece.org), Institut du Nouveau Monde, avec la collaboration de la Corporation de protection de l'environnement de Sept-Îles, *Guide d'accompagnement des citoyens pour se préparer à une audience publique en environnement*, 2013.

le gouvernement et les citoyens. L'ouverture des données publiques – c'est-à-dire le fait de rendre disponible dans un format facilement accessible l'ensemble des données produites ou collectées par l'État et ses administrations publiques – crée la possibilité d'établir une communication bidirectionnelle et plus spontanée entre les ministères, le Parlement, les organismes et le public, d'obtenir des rétroactions rapides et d'approfondir la participation publique tous azimuts. La technologie de l'« externalisation ouverte » *(crowdsourcing)* permet quant à elle la collecte d'informations auprès d'un grand nombre de personnes en un court laps de temps. Les gouvernements peuvent ainsi faire collaborer des pans entiers de la population pour un projet spécifique, que ce soit pour reconstituer l'arbre généalogique d'une population ou pour rédiger une nouvelle constitution. Le gouvernement québécois, à la suite du rapport Gautrin[6], s'est formellement engagé à travailler à l'ouverture et à l'accessibilité des données publiques. Il vient ainsi rejoindre un ensemble de pays qui, au cours des dernières années, ont mis en place des plateformes grâce auxquelles les citoyens peuvent accéder à des bases de données ouvertes. Mais au-delà de l'exercice de transparence, il est crucial de saisir l'ampleur des nouvelles possibilités de participation citoyenne et publique qu'offrent aujourd'hui les technologies de l'information. En effet, si les nouvelles technologies alimentent à l'heure actuelle des applications relativement simples, allant de la localisation des grands chantiers de construction à la surveillance des investissements dans des projets informatiques au sein d'institutions publiques, des organisations de la société civile dans différents pays ont développé des applications particulièrement innovatrices pour la participation publique permettant différents niveaux d'engagement[7] (voir l'article aux pages 102-111).

Quatrième constat, le résultat d'une démarche de participation dépend, entre autres choses, de la qualité de la participation. En vue d'atteindre cette qualité, le développement des compétences civiques des citoyens doit faire l'objet d'autant d'attention que le suivi rigoureux des règles de l'art dans la réalisation de la démarche (voir le tableau 1). Le développement des compétences civiques se concrétise au moyen de programmes d'encouragement à la participation civique, de promotion du pluralisme des idées, d'information sur le fonctionnement des institutions québécoises, d'information sur les droits politiques, de sensibilisation aux enjeux de la vie démocratique, etc. Il va de soi que le développement des compétences civiques est l'une des responsabilités de l'école, mais ces compétences s'acquièrent aussi grâce à un ensemble d'expériences de participation à la vie collective, qui passent par la fréquentation d'un milieu professionnel, d'institutions culturelles, médicales, etc. Le

**TABLEAU 2**
**Échelle de la participation publique**

| Degré de participation | 1 Information | 2 Consultation | 3 Discussion | 4 Délibération | 5 Collaboration |
|---|---|---|---|---|---|
| **Description** | Les participants s'informent au sujet des enjeux liés à un problème à résoudre, à un projet ou à une politique. | Les participants informent les décideurs de leurs opinions et de leurs points de vue. | Les participants échangent autour d'un enjeu et confrontent leurs idées et leurs points de vue. | Les participants formulent un avis sur une question précise. | Les participants participent eux-mêmes à la définition et à la construction du processus participatif et contribuent directement à la décision finale. |

Source : Institut du Nouveau Monde, août 2013[1].

1. L'INM a produit une échelle originale qui intègre à la fois le meilleur des échelles déjà existantes et les leçons tirées de ses propres pratiques de participation au fil des dernières années. Cette échelle s'applique aux mécanismes étudiés dans cet article. Le degré d'engagement, de responsabilité et d'influence des participants augmente dans l'échelle à partir de 1 (le degré le plus faible) jusqu'à 5 (le degré le plus élevé). Ces catégories ne sont pas mutuellement exclusives et une expérience de participation publique peut intégrer plusieurs degrés d'engagement. L'intérêt de cette catégorisation est heuristique : elle permet de prendre conscience des degrés de participation croissants qui sont demandés par les différents mécanismes. Autres échelles qui ont inspiré celle-ci : International Association for Public Participation, *Public Participation Spectrum*, 2007 ; Santé Canada, « Continuum de participation du public de Santé Canada », dans *Santé Canada – Politiques et boîte à outils concernant la participation du public à la prise de décisions*, Ottawa, ministère des Travaux publics et des Services gouvernementaux du Canada, 2000, p. 17. En ligne : www.hc-sc.gc.ca/ahc-asc/pubs/_public-consult/2000decision/index-fra.php ; Sherry Arnstein, « A Ladder of Citizen Participation », dans *AIP Journal*, vol. 35, n° 4, juillet 1969, p. 216-224 ; Fondation Roi Baudouin, *Méthodes participatives, un guide pour l'utilisateur*, 2006 ; Organisation de coopération et de développement économiques, *Des citoyens partenaires : information, consultation et participation à la formulation des politiques publiques*, Paris, OCDE, 2002 ; André Thibault, Marie Lequin et Mireille Tremblay, *Cadre de référence de la participation publique (démocratique, utile et crédible)*, Québec, Conseil de la santé et du bien-être, 2000.

milieu scolaire ne devrait donc pas être le seul mis à contribution.

Ces constats circonscrivent des pistes d'action pour améliorer la participation publique au Québec. Mais ce portrait ne serait pas complet sans une mise en garde : aucun mécanisme de participation publique n'est parfait en soi. Les mécanismes de participation ne peuvent pas être classés en ordre d'efficacité puisque chacun fonctionne de manière optimale dans des environnements différents et en réponse à des objectifs distincts. Par exemple, les mécanismes consultatifs permettent de prendre le pouls d'une opinion publique élargie dans d'assez courts délais. Quant aux mécanismes délibératifs, s'ils sont parfois plus complexes à mettre en œuvre, ils appellent une participation dont l'issue sera plus éclairée et plus constructive. Pour une participation encore plus approfondie des citoyens à la prise de décision, il y a les mécanismes de collaboration. Le pas entre la délibération et la collaboration est habituellement franchi lorsque les décideurs politiques en voient la nécessité et créent les conditions de sa réalisation. La collaboration exige une prise de risque, un partage de l'exercice du pouvoir entre décideurs et citoyens, mais induit aussi la mise en œuvre collaborative des solutions aux problèmes sociaux.

Dans tous les cas, peu importent les degrés d'engagement citoyen et les mécanismes adoptés, le succès des démarches de participation est directement lié au respect des huit règles de l'art de la participation publique, qui lui conféreront rigueur et crédibilité.

### Notes

1. Voir les travaux de CIVICUS: Alliance mondiale pour la participation citoyenne (www.civi cus.org) ou de Samara (www.samaracanada.com).

2. *Sondage Web sur la démocratie et la participation citoyenne: rapport d'analyse des résultats*, réalisé par le Bureau d'intervieweurs professionnels (BIP) pour le compte de l'Institut du Nouveau Monde (INM), 22 mai 2013. En ligne: www. inm.qc.ca/democratie/documentation/ce-que-les-quebecois-en-pensent.

3. En juin 2013, ce secrétariat, sous la responsabilité du ministre Bernard Drainville, a confié à

l'INM le mandat de produire un rapport établissant l'état des lieux des mécanismes de participation citoyenne mis en œuvre au Québec et dans divers pays, entre les élections, et qui permettent aux citoyens d'exercer une influence et de se prononcer sur les projets des élus et de l'Assemblée nationale ainsi que les décisions gouvernementales. L'étude a permis de dégager un certain nombre de constats et de pistes d'action, qui font l'objet de cet article.

4. Le portrait de la réglementation québécoise en matière de participation publique passe par l'examen d'un ensemble de lois qui s'appliquent distinctement aux secteurs de la santé, de l'environnement, de l'éducation, du développement territorial, etc. Si plusieurs lois encouragent la participation des citoyens aux enjeux susmentionnés, l'encadrement qu'elles offrent est très inégal en matière de contenu couvert (juridictions de la participation publique, processus, modalités de participation, etc.). Les lois qui encadrent les dispositifs de participation varient aussi largement d'un palier de gouvernement à l'autre, et au municipal, d'une ville à l'autre.

5. À titre d'exemples, les conférences de consensus (Danemark), les «21st Century Town Meetings» (États-Unis), les sondages délibératifs (Irlande, Union européenne) ou encore les expériences qui combinent plusieurs mécanismes, comme Imagine Jersey 2035, au Royaume-Uni.

6. Henri-François Gautrin, député libéral de Verdun, avait reçu le mandat, en 2010, de proposer au gouvernement des stratégies d'action pour que le Québec puisse tirer profit du Web 2.0. À cette fin, il a mené une vaste consultation, dans un premier temps auprès des dirigeants de la fonction publique québécoise, puis sous forme de débat sur Internet auprès des employés de l'État et du grand public. Voir Henri-François Gautrin, *Gouverner ensemble: comment le Web 2.0 améliorera-t-il les services aux citoyens?*, Québec, Direction des communications du Secrétariat du Conseil du trésor, 2012.

7. À titre d'exemples, Open Ministry, en Finlande, Parliament Watch, en Allemagne, Open States et Challenge.gov, aux États-Unis.

# Le printemps fait-il la démocratie ?

**André Duhamel**
*Professeur agrégé, Département de philosophie et d'éthique appliquée,
Université de Sherbrooke*

Les mouvements sociaux, comme celui qu'a lancé la protestation étudiante de 2012, trouvent un lieu d'exercice privilégié dans une société démocratique, mais, en même temps, ils peuvent la remettre en question, voire la déstabiliser. C'est ainsi que plusieurs, y compris le premier ministre de l'époque lui-même, ont opposé la rue et les urnes, les manifestations et les élections, en tant que lieux centraux d'exercice de ce « pouvoir du peuple » qu'est la démocratie. Cette propension à opposer les lieux de la démocratie a cependant des racines plus profondes que l'opinion d'un premier ministre ou qu'une conjoncture politique particulière : elle a ses origines dans l'expérience historique des démocraties depuis l'Antiquité, souvent tendue entre créativité sociale et institutions régulatrices, entre démocratie directe ou participative et démocratie représentative ou parlementaire. Nous voudrions ici retracer ce chemin de tension, en nous appuyant à la fois sur l'histoire de la pensée politique et sur certains événements historiques plus actuels. Bref, la démocratie fait-elle le « printemps », érable ou arabe, ou le printemps, la démocratie ?

Lire le texte à letatduquebec.qc.ca.

# Les Québécois veulent participer... à quelques conditions !

**Eugénie Dostie-Goulet**

*Chargée de cours, École de politique appliquée, Université de Sherbrooke*

**En 2013, les outils et espaces dont disposent les Québécois pour participer à la vie en société sont multiples. En plus des actions dont la mise en œuvre relève des individus et des groupes (comme les manifestations, les *sit-in*, le boycottage ou la consommation responsable), on dénombre plusieurs mécanismes de participation citoyenne institués par les autorités publiques québécoises. L'Institut du Nouveau Monde (INM) a sondé 1 000 Québécois afin de connaître leur opinion sur ces démarches de participation et de savoir s'ils y prenaient part.**

Au Québec, la relation entre l'État et la société civile est depuis longtemps à cheval entre la confrontation et la collaboration[1]. Les acteurs de la société civile ne sont pas uniquement critiques à l'égard du travail du gouvernement, ils participent aussi à l'élaboration de politiques publiques, à titre de partenaires ou d'experts. Si les groupes institutionnalisés sont souvent au premier plan, les citoyens ne sont pas mis à l'écart pour autant. Entre les élections, ils peuvent notamment être conviés à des sommets, à des commissions parlementaires, à des audiences du Bureau d'audiences publiques sur l'environnement (BAPE), à des groupes de travail consultatifs et à des évaluations environnementales, sans compter la possibilité qu'ils ont de signer des pétitions adressées à l'Assemblée nationale. C'est ce qu'on appelle la « participation publique », qui, pour la politologue Laurence Bherer, « prend la forme de dispositifs participatifs très variés, dont la caractéristique commune est d'être initiés par les autorités publiques hors des campagnes électorales dans l'objectif d'inviter les citoyens à donner leur avis sur un thème précis[2] ».

Cette façon de tenir compte de l'opinion des citoyens n'est pas nouvelle : au début des années 1980, on recensait déjà quelques expériences de participation publique[3]. Rappelons par exemple qu'en 1983 un millier de jeunes étaient reçus au Sommet québécois pour la jeunesse. Les dispositifs ont cependant évolué au fil du temps, stimulés par les demandes concernant la démocratie participative ici et ailleurs, qui donnent la juste mesure de l'intérêt grandissant pour ce type de partage de connaissances et de compétences. La popularité du sixième colloque sur la participation des citoyens de l'Institut du Nouveau Monde (INM), en mai 2013, nous rappelle qu'une thématique comme celle de l'inclusion des citoyens dans les prises de décision suscite l'intérêt de chercheurs, praticiens comme citoyens.

Dans le cadre de son Rendez-vous stratégique sur la démocratie et la participation citoyenne, qui se déploie dans toutes les régions du Québec de 2013 à 2014, l'INM a aussi mené, avec le Bureau d'intervieweurs professionnels (BIP), un sondage en ligne portant sur la démocratie et la participation citoyenne, pour lequel 1 000 questionnaires ont été remplis. Le sondage, qui visait entre autres choses à mesurer l'intérêt, l'opinion et le niveau d'information des citoyens par rapport à certains processus de participation, a été effectué auprès d'un échantillon aléatoire de 6 000 panélistes. Les données ont été pondérées selon l'âge, la scolarité, le sexe et la région, à partir des données du recensement de 2011 de Statistique Canada[4].

## Citoyens et consultations publiques : plusieurs niveaux de participation

Les citoyens veulent-ils s'impliquer davantage dans leur démocratie ? Selon le sondage de l'INM, c'est clairement le cas. Si 84 % des répondants sont tout à

> **On recensait déjà des expériences de participation publique au début des années 1980.**

fait d'accord avec l'idée que le rôle des citoyens au Québec consiste à voter aux élections, 45 % ajoutent que ce rôle consiste aussi à participer à des consultations publiques. Plus encore, plutôt que de s'en remettre uniquement à ceux qui sont directement concernés par un projet donné, on préfère que les consultations soient ouvertes à tous ceux et celles qui s'y intéressent et qui ont une opinion sur la question débattue. Seulement 11 % des répondants sont tout à fait d'accord avec l'idée que « les citoyens n'ont aucun rôle à jouer dans les décisions publiques en dehors de voter aux élections ».

« Participer » n'implique pas nécessairement que les citoyens soient au cœur

---
### Les répondants du sondage souhaitent clairement participer.
---

de la décision. Selon un rapport de l'OCDE, il y aurait trois niveaux de participation : les processus d'information, de consultation et de participation à la décision[5]. Le mécanisme de participation institué par l'autorité publique peut ainsi viser à informer les groupes et les citoyens. Pour la majorité des répondants du sondage de l'INM, l'information est à la base de la démarche de participation. En effet, 66 % d'entre eux sont tout à fait d'accord pour dire que le rôle des citoyens dans une démarche de participation devrait être d'en apprendre davantage sur le projet ou l'enjeu. Ils sont aussi 54 % à être tout à fait d'accord avec l'idée que ce rôle consiste également à écouter la perspective des professionnels et des experts. Dans ces circonstances, le rôle des citoyens est plutôt passif : on ne leur demande pas de s'impliquer autrement qu'en s'informant.

Il arrive cependant qu'on souhaite les consulter, ce qui accroît leur implication puisqu'ils se retrouvent alors en position d'expression, où ils peuvent donner leur opinion, débattre de certaines questions, formuler des recommandations. Si plus de 60 % des répondants sont tout à fait d'accord avec l'idée que le rôle des citoyens consiste à exprimer des préoccupations ou à en débattre, seulement la moitié d'entre eux y ajoutent la formulation de recommandations. Le troisième niveau de participation, c'est de les inclure dans le processus de prise de décision lui-même. Encore une fois, près de 50 % des répondants se disent tout à fait en accord lorsqu'on suggère que la participation à la prise de décision devrait être le rôle des citoyens dans un processus de participation. En fait, 43 % des répondants sont même tout à fait d'accord avec l'idée que « les citoyens devraient être impliqués dans la prise de décision finale le plus souvent possible », et ce, même si seulement 40 % estiment que la participation des citoyens a un impact (même modéré) sur les décisions prises par le gouvernement québécois.

### Des intérêts diversifiés
Il est assez difficile de déterminer les thèmes pour lesquels les citoyens jugent particulièrement importante leur participation à la décision gouvernementale (voir le tableau 1). Habituellement, les citoyens souhaitent participer aux consultations lorsque les enjeux comptent,

à leurs yeux, plus que les autres. C'est notamment ce qu'ont constaté des chercheurs à la suite d'une enquête menée en Grande-Bretagne[6]. Ici, les répondants n'ont pas de préférence claire. Plusieurs des thèmes proposés dans le sondage sont considérés comme très importants par au moins 50 % des répondants, l'éducation (70 %) et la santé et les services sociaux (67 %) se classant aux deux premiers rangs. Le seul thème recevant moins de 40 % d'appui solide est celui des questions internationales, pour lequel seulement 24 % estiment très important que les citoyens participent à la décision gouvernementale.

Les répondants du sondage de l'INM souhaitent clairement participer. Ils connaissent aussi les endroits où ils peuvent le faire. En effet, plus de 70 % d'entre eux connaissent les sommets (enseignement supérieur, jeunesse, aînés, etc.), les commissions parlementaires (Mourir dans la dignité, Loi électorale, etc.) et les pétitions à l'Assemblée nationale. Plus de 60 % connaissent les audiences publiques du BAPE et les

TABLEAU 1

**Importance accordée à la participation des citoyens aux décisions gouvernementales sur certains thèmes**

|  | Très important | Plutôt important | Peu important | Pas important du tout |
|---|---|---|---|---|
| Éducation | 70 % | 27 % | 3 % | 0 % |
| Santé et services sociaux | 67 % | 29 % | 2 % | 1 % |
| Environnement | 57 % | 36 % | 6 % | 1 % |
| Pauvreté et inégalités sociales | 56 % | 36 % | 7 % | 1 % |
| Langue | 56 % | 35 % | 7 % | 2 % |
| Économie | 53 % | 38 % | 7 % | 2 % |
| Éthique et intégrité | 50 % | 38 % | 10 % | 2 % |
| Démographie et vieillissement | 47 % | 39 % | 11 % | 2 % |
| Sécurité publique | 45 % | 40 % | 12 % | 2 % |
| Culture | 43 % | 41 % | 13 % | 2 % |
| Immigration | 41 % | 42 % | 14 % | 2 % |
| Institutions démocratiques | 43 % | 39 % | 14 % | 2 % |
| Question nationale | 46 % | 34 % | 14 % | 5 % |
| Questions internationales | 24 % | 41 % | 29 % | 4 % |

Source : Bureau d'intervieweurs professionnels, *Sondage web sur la démocratie et la participation citoyenne, rapport d'analyse des résultats*, 2013, p. 17-18. En ligne : www.inm.qc.ca/democratie/documentation/ce-que-les-quebecois-en-pensent.

groupes de travail consultatifs (Bouchard-Taylor, D'Amours, Castonguay, etc.). Généralement, la connaissance est un peu plus faible chez ceux qui n'ont pas voté en 2012, de même que chez les 18-34 ans.

Ces résultats, très élevés, contrastent avec ceux qui ressortent d'une enquête française, où seulement 8 % des répondants affirmaient connaître des exemples de démarches de démocratie participative et étaient en mesure d'en citer une ou quelques-unes dans leur région. Le fait que les répondants du sondage de l'INM n'avaient pas à nommer de mécanismes précis, mais seulement à indiquer s'ils connaissaient ceux que le questionnaire proposait, peut expliquer en partie cet écart.

### Une confiance à travailler

Le point faible de la participation citoyenne n'est donc pas l'intérêt ou la connaissance, mais plutôt la confiance des répondants envers ceux qui organisent les consultations : seulement 5 % des répondants disent avoir très confiance dans le gouvernement québécois ou les municipalités pour mener des démarches de consultation publique. Les organismes indépendants (comme l'INM ou les syndicats) ne font guère mieux, avec un maigre 12 % de grande confiance. Inversement, le pourcentage de ceux qui n'ont pas confiance en ces instances est assez élevé. En effet, 20 % des répondants disent ne pas avoir confiance *du tout* dans le gouvernement

québécois pour organiser ces consultations (12 % pour les municipalités, 10 % pour les organismes indépendants).

Pourtant, ce manque de confiance n'est le frein principal à la participation que pour 18 % des répondants. Il n'empêche pas les autres de participer, 30 % disant avoir pris part, au cours des cinq dernières années, à une consultation publique engagée par leur municipalité et autant à une consultation tenue par un organisme indépendant. Si la participation est plus faible du côté des consultations publiques provinciales (11 %), les répondants sont plus nombreux à avoir signé une pétition adressée à l'Assemblée nationale (48 %) et à avoir donné leur opinion en ligne (26 %).

Les citoyens participeraient peut-être encore plus s'ils jugeaient que leur participation a une incidence réelle. Comme le mentionne Diane Lamoureux, « [les consultations publiques] ne sont que des mécanismes consultatifs, et les décisions

> **Pouvoir influencer la décision est le facteur le plus important pour motiver la participation.**

se prennent ailleurs, sans qu'il faille nécessairement tenir compte des résultats de la consultation[7] ». La capacité de pouvoir influencer la décision est pourtant le facteur le plus important pour motiver la participation. C'est d'ailleurs peut-être une des raisons pour lesquelles le droit d'initiative[8] obtient l'aval d'un grand nombre de répondants, 34 % se disant très intéressés par ce mode de participation. Mais au-delà de l'influence, pour que les citoyens s'impliquent, il faudra aussi combattre le manque de temps (40 %) et le manque d'intérêt (27 %), qui figurent en haut du palmarès des écueils à la participation. Si, en bonifiant l'offre en ligne, on peut remédier en partie au problème du temps, l'intérêt viendra plutôt des thématiques abordées et du sentiment d'influence. Mais il faut garder en tête qu'il y aura toujours une partie des citoyens qui jugeront que leur rôle ne s'étend pas au-delà des élections.

Notes

1. Pierre Hamel et Bernard Jouve, *Un modèle québécois? Gouvernance et participation dans la gestion publique*, Montréal, Presses de l'Université de Montréal, 2006.

2. Laurence Bherer, «Les relations ambiguës entre participation et politiques publiques», *Participations*, vol. 1, n° 1, 2011, p. 107.

3. Voir notamment l'ouvrage de Jacques T. Godbout, *La participation contre la démocratie*, Montréal, Éditions Albert Saint-Martin, 1983, qui relate quelques expériences, dont celle du Bureau d'aménagement de l'est du Québec (BAEQ).

4. Pour connaître les détails méthodologiques du sondage et prendre connaissance des résultats complets, voir le document «Démocratie et participation citoyenne: ce que les Québécois en pensent», sur le site de l'INM (www.inm.qc.ca/democratie/documentation/ce-que-les-quebecois-en-pensent).

5. Organisation de coopération et de développement économiques, *Des citoyens partenaires: information, consultation et participation à la formulation des politiques publiques*, Paris, Secrétaire général de l'OCDE, 2002. En ligne: www.oecd-ilibrary.org/governance/des-citoyens-partenaires_9789264295568-fr.

6. Vivien Lowndes, Lawrence Pratchett et Gerry Stoker, «Trends in Public Participation: Part 2 – Citizens' Perspectives», dans *Public Administration*, vol. 79, n° 2, 2001, p. 446.

7. Diane Lamoureux, «Démocratiser radicalement la démocratie», dans *Nouvelles pratiques sociales*, vol. 21, n° 1, 2008, p. 125.

8. Défini aux répondants du sondage comme un «processus référendaire permettant de se prononcer sur une proposition de loi, de politique ou un projet de règlement au niveau municipal».

# Mieux la connaître, mieux la pratiquer

À travers sa multitude d'activités, l'Institut du Nouveau Monde (INM) accomplit sa mission d'accroître la participation des citoyens à la vie démocratique depuis maintenant 10 ans. Afin de mieux comprendre l'intérêt réel qu'attachent les Québécois à la participation aux affaires publiques, l'INM a mené un sondage dont les résultats sont présentés dans le texte précédent. L'Institut a également interrogé une diversité de leaders économiques, culturels et sociaux au sujet du rôle qu'ils estiment que les citoyens devraient jouer dans notre démocratie (voir texte suivant).

L'INM a animé quatre grandes activités avec différents publics autour des enjeux liés à la démocratie et à la participation citoyenne : avec ses membres à l'occasion de l'Assemblée générale, en septembre 2011 ; avec des participants de l'École d'été de l'INM, des jeunes âgés de 15 à 35 ans, en août 2012 ; avec des militants de la société civile du Québec et de l'étranger, dans le cadre de l'Assemblée mondiale de CIVICUS, en septembre 2012 ; auprès des forces vives de la participation citoyenne au Québec, par le truchement d'un sondage et lors d'une séance de travail, en septembre 2012.

### Dix grands enjeux qui retiennent l'attention

Ces activités de consultation ont permis de dégager 10 grandes catégories de préoccupations des citoyens et des acteurs socio-économiques en matière de santé démocratique et de participation citoyenne :

- les effets négatifs, sur la démocratie, de certaines des décisions récentes de nos gouvernements (loi spéciale 78, Plan Nord, loi omnibus C-38, etc.) ;
- la distance entre les élus et les citoyens et le peu de confiance mutuelle ;
- l'individualisme et la désaffection ambiants, l'absence de leaders sociaux et de vision collective basée sur des valeurs communes, la déresponsabilisation et le manque d'intérêt des citoyens et leur faible participation (électorale, publique) ;
- le manque d'éducation civique et de compétences citoyennes ;
- la méconnaissance des décideurs en ce qui concerne les mécanismes de consultation publique ;
- la nécessité de réformer le mode de scrutin ;
- l'importance de l'information, du rôle des médias traditionnels et sociaux – et la nécessité de faire un usage optimal des technologies de l'information ;
- la nécessité de soutenir et de multiplier les lieux de débats et de créer des structures permanentes de consultation ;
- la nécessité de mettre en lumière, auprès des citoyens et des décideurs, les effets bénéfiques de la participation citoyenne dans la prise de décision collective ;
- l'importance d'une réflexion sur les conditions d'efficacité et de succès de la participation citoyenne et sur les moyens pour la favoriser.

L'INM a également préparé un dossier d'information en ligne sur la démocratie et la participation citoyenne (PC). Ce dossier vise à initier le lecteur aux concepts de base et à l'historique récent de la PC. Il présente un état de la situation des enjeux démocratiques à l'échelle municipale, régionale et provinciale. Il met en évidence ce qui se fait au Québec en matière de participation, ainsi que les effets positifs, individuels et collectifs, de la PC. Enfin, il en décrit aussi les limites. Ce dossier, que l'on peut trouver sur le site Internet de l'INM (www.inm.qc.ca), sera constamment bonifié.

### Les citoyens nous disent...

L'INM a également réalisé une vingtaine de «Conversations de cuisine», des séances de discussion chez les gens. Près de 200 personnes ont participé aux Conversations de cuisine dans un total de 13 villes réparties dans 9 régions du Québec.

Selon la majorité des participants rencontrés, le citoyen doit être partie prenante au dialogue collectif; les élus et les institutions doivent se rapprocher de lui. Chaque citoyen a toutefois la responsabilité de s'informer et de s'impliquer.

Deux freins importants liés à l'implication dans les débats et les consultations publiques ont été relevés: le sentiment d'impuissance face aux décisions prises par les élus et l'impression de ne pas avoir les connaissances nécessaires pour se prononcer sur des enjeux de plus en plus complexes.

Pour les habitués des espaces de consultation et de participation qui existent déjà, ces mécanismes ne sont pas suffisants. L'information diffusée est rarement simple et concise. Elle devrait systématiquement être vulgarisée et présentée de façon accessible, sans quoi l'appel à la participation du public ne peut être pris au sérieux. Quant aux non-initiés, ils se disent peu informés de l'existence de mécanismes de consultation et de délibération, à l'exception des séances de leur conseil municipal. Ils considèrent qu'ils gagneraient à les connaître. Pour plusieurs, l'accessibilité de ces espaces de discussion n'est pas à négliger: des procédures trop protocolaires sont intimidantes et repoussent la participation. Des cadres de consultation moins formels devraient être proposés.

Plusieurs contraintes ont également été notées: manque de temps, de ressources pour s'impliquer, indifférence. Il faudrait consolider les mécanismes de consultation et de délibération déjà existants, les rendre plus ouverts, créatifs, innovateurs, objectifs, crédibles et flexibles. À la question «Qu'est-ce qui vous motiverait à être plus actif?», les participants ont répondu qu'ils souhaitaient que leur opinion soit valorisée et sollicitée. Ils veulent avoir le sentiment d'être écoutés. Les enjeux pour lesquels les citoyens sont prêts à se mobiliser sont souvent liés à leurs intérêts, et ils souhaitent être directement interpellés pour agir.

Le mandat que confient les citoyens à leurs élus n'est plus illimité. Les citoyens désignent leurs représentants, mais exigent d'être informés, d'être consultés et d'exercer une influence sur les choix des décideurs. Les citoyens joueraient également un rôle de chiens de garde vis-à-vis des engagements pris par les élus, soutiennent certains participants. Ils souhaitent renouer les liens de confiance avec les élus. À leurs yeux, il est de la responsabilité de ces derniers d'aller vers les citoyens, en faisant du porte-à-porte entre les campagnes électorales, en organisant des cafés-rencontres pour discuter avec les citoyens d'enjeux importants, mais également pour socialiser

➤

et apprendre à se connaître. Les réseaux informels et les médias sociaux ne seraient pas assez utilisés par les élus et l'appareil administratif.

Les citoyens sont nombreux à penser qu'il faudrait diversifier les moyens d'atteindre les différents groupes de la population. Mais au-delà des propositions spécifiques, il s'agit aussi de provoquer un changement de culture : les administrations des différents paliers gouvernementaux devraient au minimum avoir une attitude favorable à la participation du public, avec des processus inclusifs et transparents. Selon la vaste majorité des participants, il faudrait valoriser les expériences de délibération qui fonctionnent et les modèles à suivre, et enseigner dès le jeune âge le fonctionnement des institutions politiques. L'analphabétisme et les inégalités sociales ont également été désignés comme des freins importants à la participation citoyenne.

Tout au long des discussions, les participants ont vivement manifesté leur souhait que des moyens autres que les grandes consultations puissent faire partie de l'arsenal de la démocratie québécoise.

### Activités à venir

Afin de poursuivre sa tâche de bien cerner les enjeux de la participation, et aussi d'outiller ceux qui souhaitent la pratiquer, l'INM prépare la mise sur pied d'un Observatoire de la participation citoyenne, dont l'une des premières activités sera la publication d'un indice de la PC, en 2014.

L'INM tiendra également en 2014 son 7e Colloque annuel sur la participation citoyenne dans le cadre du congrès annuel de l'Association francophone pour le savoir – Acfas, ainsi qu'un colloque international sur les nouveaux acteurs de la participation.

**Institut du Nouveau Monde**

# Pourquoi la participation citoyenne ?

Le sondage mené par l'Institut du Nouveau monde (voir pages 66-71) a révélé que la majorité des Québécois sondés veulent jouer un plus grand rôle dans la vie collective. Qu'en pensent les leaders de notre société ?

L'essor de la participation citoyenne est largement tributaire de la volonté des décideurs d'écouter les citoyens qui veulent s'exprimer, de partager avec le public une partie du pouvoir qui leur incombe. C'est pourquoi nous avons demandé à une quinzaine de chefs d'entreprise et d'association, de militants, d'anciens élus ou de leaders d'opinion de répondre à la question suivante : « D'après vous, à quoi la participation citoyenne peut-elle être utile ? »

Peu de personnalités publiques oseraient se prononcer carrément contre la participation citoyenne. Nous avons donc formulé notre question de manière à ce qu'elle révèle non pas si, oui ou non, les répondants considèrent la participation comme une bonne chose en soi, mais plutôt quelle(s) forme(s) et quelle intensité de participation chacun d'entre eux juge acceptables, constructives ou nécessaires.

**Léopold Beaulieu**
Président-directeur général,
Fondaction

**Françoise Bertrand**
Présidente-directrice générale,
Fédération des chambres de commerce du Québec

**Josée Blanchette**
Journaliste et animatrice

**Josée Boileau**
Rédactrice en chef, *Le Devoir*

**Claire Bolduc**
Présidente, Solidarité rurale
du Québec

**Roméo Bouchard**
Ex-président-fondateur, Union paysanne, et auteur, *Y a-t-il un avenir pour les régions ?*

**Jonathan Brun**
Cofondateur, Montréal Ouvert

**Charles-Mathieu Brunelle**
Directeur général, Espace pour la vie

Élise-Ariane Cabirol
Présidente, Table de concertation des
forums jeunesse régionaux du Québec

Yves-Thomas Dorval
Président, Conseil du patronat
du Québec

Éric Forest
Maire, Ville de Rimouski, et président,
Union des municipalités du Québec

André Lavoie
Critique de cinéma

Monique F. Leroux
Présidente et chef de la direction,
Mouvement Desjardins

Karel Mayrand
Directeur général pour le Québec,
Fondation David Suzuki

Nancy Neamtan
Présidente-directrice générale,
Chantier de l'économie sociale

Benoît Pelletier
Professeur titulaire, Faculté
de droit, Université d'Ottawa,
et ex-député et ministre

Me Pierre Renaud
Avocat-conseil, McCarthy Tétrault,
et chef, groupe Droit de
l'environnement pour la région
du Québec

Lire leurs textes à letatduquebec.qc.ca.

# Quelle sorte d'engagement politique par les médias sociaux?

## Réflexions inspirées par la grève étudiante au Québec

**Henry Milner**

*Chercheur et professeur invité, Chaire de recherche du Canada en études électorale, Département de science politique, Université de Montréal*

**Dans nos démocraties représentatives modernes, l'action politique contestataire joue essentiellement un rôle complémentaire, incorporant des idées, des acteurs ou des perceptions autrement exclus ou mal représentés. Récemment, les médias sociaux ont transformé ce rapport en donnant naissance à des manifestations ou à des événements organisés au moyen du réseautage numérique. Cela nous place devant une question primordiale: peut-il exister une relation complémentaire entre la politique parlementaire, d'une part, et la politique extraparlementaire générée par les médias sociaux? La grève étudiante de 2012 au Québec fournit une étude de cas fort instructive à cet égard.**

La grève étudiante de 2012 était un cas classique d'action collective de protestation, coordonnée par des regroupements étudiants bien structurés. Contrairement à d'autres actions récentes semblables, elle avait comme cible une mesure législative en particulier et a provoqué le déclenchement d'une élection.

Or, sur cette toile de fond, il devenait de plus en plus évident qu'il y avait une incompatibilité entre les actions vers lesquelles les médias sociaux amenaient les étudiants et la logique inhérente à la démocratie représentative. Une telle incompatibilité aurait été flagrante devant des résultats électoraux différents – une issue qui aurait été tout à fait plausible.

## Démocratie représentative et militantisme

Dans la joute politique, les institutions parlementaires doivent être ouvertes à opérer des transformations qui reflètent la volonté exprimée par les actions politiques collectives. Inversement, les mouvements de contestation doivent être ouverts à la redéfinition de leurs buts et tactiques lorsque l'opinion publique évolue. Je crois que la capacité des mobilisations de masse de s'adapter au contexte changeant est incompatible avec le fait que ces mobilisations se font par le biais des médias sociaux.

La participation politique sur les médias sociaux est le mode de participation d'une génération dont le contact avec le monde de la politique se fait principalement par le truchement d'Internet, contrairement aux générations précédentes, pour qui ce contact se faisait par le biais de la presse écrite, de la radio et de la télévision. Dans ces derniers cas, l'information politique était sur-tout linéaire, pouvant être comprise dans un contexte de temps et de lieu; cette information fournissait les éléments nécessaires pour aider à identifier quelles politiques publiques promouvoir

par le biais des institutions de la politique représentative (comme les élections). Ce contexte d'information favorisait une perception de la politique comme un processus progressif caractérisé par des compromis complexes. Avec Internet, l'information ordonnée, imposée d'en haut, cède la place à un contenu choisi, structuré – voire créé – de l'intérieur et individuellement. Le pouvoir est transféré des institutions aux réseaux; il passe de territoires aux confins bien définis au territoire du cyberespace.

## Les orientations politiques issues des médias sociaux

Dans les années 1960 et 1970, les mouvements de contestation de la démocratie représentative avaient pour but de faire en sorte que celle-ci reflète pleinement les principes dont elle se réclamait. On

> **Les étudiants disaient « non » à la démocratie représentative.**

demandait la représentation des travailleurs dans les conseils d'administration des entreprises et des étudiants dans les structures de l'enseignement supérieur. On contestait les élus en place; il n'y avait pourtant pas de rejet de la politique partisane proprement dite.

Aujourd'hui, la politique représentative est plombée par un déficit démocratique : on constate une baisse de la participation électorale et de l'adhésion aux partis politiques, en particulier par la «génération Internet». Quel lien peut-on faire entre ce phénomène et l'avènement de l'engagement politique protestataire sur les médias sociaux?

Avec la disparition progressive des générations pré-Internet, de nouveaux défis apparaîtront. Selon l'ancien modèle, les militants cherchent à gagner l'appui du public par des manifestations de rue qui créent une pression sur les acteurs politiques dans l'arène publique, où, pour l'essentiel, tout le monde a accès aux mêmes informations. Lorsque la question est complexe, il arrive qu'on mette sur pied une commission ayant le mandat de préparer un rapport sur les

## Les médias sociaux, source d'activisme et de démocratie? Réponse à Henry Milner

Henry Milner soulève des questions importantes touchant la jeune génération de citoyens, pour qui les médias sociaux, selon lui, constituent la principale source d'activisme politique. Milner néglige cependant de prendre en compte un élément clé de la réaction d'une génération qu'il décrit – de façon plutôt imprécise – comme exerçant essentiellement des «actions politiques issues des médias sociaux»: ces jeunes ne se considèrent pas comme représentés par l'élite politique. Le raisonnement de Milner pose problème par: a) son approche déterministe et généraliste selon laquelle la technologie conditionne à elle seule la participation de personnes qui emploient des moyens numériques, et b) son raisonnement touchant la genèse, la dissémination et l'exercice de cette participation par le biais exclusif d'Internet. D'où sa conclusion plutôt inquiétante que l'engagement politique de la jeune génération correspond à un rejet passif de la démocratie représentative. Ne se pourrait-il pas que, au contraire, certains groupes de jeunes gens fortement engagés sur le plan politique cherchent à leur façon à améliorer la démocratie représentative, par des messages lancés haut et fort?

Henry Milner semble concevoir la technologie comme une fin plutôt que comme un moyen. Mais les médias sociaux sont-ils vraiment la seule façon de structurer un récit d'actions de protestation à l'intérieur d'une démocratie représentative – ou représentent-ils simplement une des multiples façons de participer à un tel processus? La logique du premier argument attache trop d'importance à un outil technologique utilisé largement pour la socialisation et le divertissement, avec, comme résultat, une réduction de l'importance de la construction narrative et du processus de prise de décision employés dans les camps et les assemblées générales du mouvement «Occupons» ou du mouvement étudiant. (Et n'est-il pas vrai que ces actions ont fini par perturber les activités quotidiennes, ajouter de la couleur aux manchettes des journaux du monde entier et marquer à la fois les orientations de l'État et l'opinion

➤

éléments les plus pertinents et de recommander un plan d'action. Par la suite, un ou plusieurs partis politiques peuvent décider de se baser sur les orientations ainsi diffusées pour adopter des engagements électoraux visant à gagner l'appui de la population.

Dans quelle mesure ce modèle s'applique-t-il aux actions collectives entreprises par le biais des médias sociaux[1] ? En premier lieu, ce qui a changé est que le processus de mobilisation par les médias sociaux est plus individuel et immédiat, et comporte un niveau moins élevé d'engagement ou de participation organisationnels ; les personnes concernées définissent et identifient elles-mêmes les objectifs visés et les moyens

---

publique ?) La politique n'est pas déterminée par l'utilisation des médias sociaux, et les médias sociaux ne font pas partie intégrante du processus politique – du moins dans la plupart des pays occidentaux.

Reste aussi la question de savoir *qui*, au juste, fait des actions politiques issues des médias sociaux et si ceux qui le font parlent effectivement au nom des jeunes de la société, ou même au nom des jeunes *politisés*. Le nombre de jeunes adultes qui utilisent les médias sociaux, à des fins politiques est remarquablement faible et ne reflète d'aucune façon la jeune génération. Selon une enquête réalisée au Royaume-Uni, seulement 14 % des jeunes avaient déjà signé une pétition en ligne, 9 % avaient envoyé un message d'appui à une cause politique, 9 % avaient fait un commentaire politique dans les médias sociaux, et une minuscule fraction de 2 % avait fait une contribution monétaire à un groupement politique. La situation aux États-Unis est légèrement meilleure : 38 % des utilisateurs des médias sociaux ont fait des gestes d'ordre politique à coût réduit ou sans coût, tels que cliquer sur une case *« like »* ou faire circuler du matériel d'ordre politique ou social, 31 % se sont servis des médias sociaux pour encourager d'autres personnes à agir par rapport à une situation politique ou sociale et 20 % se sont servis de cet instrument pour suivre les actions de leurs élus ou de candidats à des charges publiques. Ce bas niveau de participation nous oblige-t-il à conclure à un rejet de la démocratie représentative ? Si c'est le cas, il faudrait questionner également toutes les autres formes de participation : selon les dernières données disponibles (2010) de l'Enquête sociale européenne, 6 % des répondants avaient porté une épinglette ou un macaron, 6 % avaient participé à une manifestation légale, 12 % avaient communiqué avec un élu, 12 % avaient boycotté certains produits et 17 % avaient signé une pétition. Si un niveau élevé d'engagement est une condition essentielle à la démocratie représentative, nous ne devrions considérer le geste de voter que comme une des différentes formes de participation politique – et là encore, on serait en droit de se demander si une participation d'un peu plus que 50 % (aux États-Unis) ou de 71 % (en Europe) est plus représentative[1].

La confiance des électeurs est un autre facteur à considérer. Pourquoi participer politiquement si, depuis des années, on se sent non pas *représenté*, mais plutôt *ignoré* – ou si on ne fait pas confiance aux élus ? Depuis 1997, les indicateurs de confiance

à employer en fonction de leurs propres expériences du moment.

Une deuxième transformation importante concerne le « contenu », les défis à relever. L'attention est beaucoup plus axée sur les événements que sur les questions sous-jacentes. Plus ces événements sont spectaculaires et conflictuels, plus ils détournent l'attention des buts visés et des moyens pour les atteindre. Le modèle des médias sociaux part du principe qu'un contenu qui attire immédiatement l'attention monte en tête de liste au moyen des icônes *« like »* ou *« (re)tweet »*.

L'effet global qui en résulte est que la mobilisation générée par le réseau social, quand elle atteint un certain degré d'in-

---

relatifs à plusieurs gouvernements nationaux ou parlements ont baissé sensiblement, surtout dans les pays où les citoyens ont le plus protesté contre un manque de représentativité – l'Espagne, la Grèce, le Portugal, le Royaume-Uni. En même temps, des données de la Banque mondiale et de Transparency International révèlent qu'une forte majorité de citoyens de ces pays perçoivent leurs élus comme étant très corrompus.

Des recherches sur Internet font ressortir un modèle semblable de méfiance, constituant une autre indication que l'utilisation des médias sociaux à des fins politiques n'est pas nécessairement incompatible avec la démocratie représentative, et qu'elle peut même représenter une voie à emprunter pour le développement et le renforcement de la représentation. La démocratie électronique (e-démocratie) a connu bon nombre d'échecs spectaculaires, certes, mais aussi de grandes réussites, comme la campagne d'Obama en 2008, les initiatives numériques d'après-crise en Islande soutenues par le gouvernement, et le parti des Pirates, qui, en avril 2012, s'est classé troisième parmi les partis politiques en Allemagne. Les trois cas se sont passés dans des systèmes de démocratie représentative, où ils ont exercé une influence considérable et pris beaucoup d'importance. Il faudrait peut-être nous demander comment il se fait que la plupart des projets en e-démocratie n'ont eu que très peu ou pas du tout d'effets sur la politique représentative en général, surtout dans les pays dont le public réclamait passionnément de meilleures formes de représentation. Certaines études au Royaume-Uni et aux États-Unis ont démontré que les agences gouvernementales et les représentants élus entretiennent principalement une communication unidirectionnelle avec les citoyens plutôt que des échanges symétriques bidirectionnels susceptibles de contribuer à leur réflexion. L'ennui, c'est que cela ne fait que confirmer ce qui ressort depuis plus d'une décennie des recherches sur la perception qu'ont les jeunes citoyens de leurs élus. Nombreuses sont les études publiées pendant cette période qui décrivent les sentiments de désillusion et d'impuissance des jeunes, leur perception qu'il n'existe pas de véritables occasions où ils peuvent influencer le paysage politique, leur sentiment que les gouvernements et les élus les ignorent toujours, et leur impression qu'on les traite de façon injuste et inéquitable.

➤

tensité, ne suit que sa propre logique, une logique de plus en plus incompatible avec la démocratie représentative. C'est une logique d'expression personnelle qui valorise la création de «zones libérées» devant rester ouvertes à cause de leur valeur propre intrinsèque; des zones où tout recul est exclu, même dans l'attente du rapport d'une commission quel-conque. Tout compromis négocié est inacceptable. La réussite exige une capi-tulation totale de la part des autorités.

## La grève étudiante au Québec

Au printemps 2012, des actions étu-diantes pour contester une hausse des frais de scolarité ont provoqué la ferme-ture des cégeps du Québec et de plu-

Les conclusions de Milner n'offrent qu'une réponse partielle au problème de la participation politique des jeunes. Sa ligne de pensée situe le problème sur le plan de la *demande* (comment réformer la politique électorale de manière à intéresser les jeunes), tandis qu'une bonne partie du problème se trouve chez les élites politiques, donc sur le plan de l'*offre*. Une deuxième dimension de son analyse devrait également préoccuper le lecteur : en mettant trop l'accent sur des activités citoyennes dans l'arène électorale, il est facile de perdre de vue la valeur démocratique d'autres gestes de participation citoyenne et de finir par adopter une conception réductrice de la démocratie participative. Or, n'est-il pas vrai que l'on réduit énormément la significa-tion de la démocratie en considérant la «démocratie électorale» comme le seul moyen dont disposent les citoyens pour influencer les décisions gouvernementales ? À une époque où les formes de participation se sont diversifiées, pouvons-nous nous per-mettre de conclure que des mobilisations perturbatrices et des actions de rue (géné-rées par les médias sociaux) ne constituent pas, elles aussi, des formes de participation légitimes et acceptables ? Au fond, ne serait-il pas plus productif, dans le cadre des réformes que réclament ces citoyens indignés, d'entamer une réflexion en profondeur sur leurs plaintes relatives aux limites de l'accès à la démocratie et sur leurs demandes d'une meilleure représentation ?

**Ellen Quintelier**
Chercheure postdoctorale, Centre for Citizenship and Democracy,
Université de Leuven

**Yannis Theocharis**
Chercheur postdoctoral, Université de Mannheim

*Traduction : Margaret Whyte*

**Note**
1.  Parmi les personnes couvertes, 7 % n'étaient pas éligibles à voter et 22 % n'ont pas voté.

sieurs facultés universitaires, touchant ainsi entre 150 000 et 200 000 étudiants et étudiantes. Au départ, les actions étudiantes semblaient viser un objectif fort simple : la défense de l'accessibilité. Les étudiants ont pourtant rejeté une offre gouvernementale d'augmentation des prêts et bourses pour rendre le système effectivement plus accessible aux étudiants à faible revenu. Une offre subséquente aux étudiants de faire partie d'un supercomité de surveillance des budgets et des dépenses universitaires[2] a reçu la même réponse.

Déjà, à ce point, le rejet de toute réponse gouvernementale autre qu'un gel des frais de scolarité avait fait passer les étudiants d'une position de négocia-

> **La mobilisation générée par le réseau social ne suit que sa propre logique.**

tion à une position fixant des conditions sine qua non. Non seulement le piquetage pour maintenir la fermeture des milieux d'enseignement était-il renforcé – au mépris d'injonctions judiciaires –, mais les protestations dans les rues de Montréal, avec l'arrivée du temps printanier et des journées plus longues, se sont intensifiées, en nombre et par la panoplie de tactiques utilisées, provoquant par le fait même des confrontations avec la police à cause de dommages causés à la propriété publique et privée, de l'interruption de la circula-

tion automobile et d'autres actions de la sorte.

L'action étudiante s'est heurtée au projet de loi 78, lui-même devenu ensuite le principal point de mire de la mobilisation, notamment par les « casserolades » ou concerts de casseroles ; ces derniers ont amené des appuis aux étudiants même de la part d'organisations à l'extérieur du Québec, qui sont venues y ajouter leurs propres revendications. Une organisation extérieure qui coordonnait ces appuis, Leadnow, décrivait ainsi la situation : « Ces protestations au moyen de batteries de casseroles sont l'expression d'une frustration par rapport à un système dysfonctionnel, où nos gouvernements prodiguent des milliards de dollars en réductions d'impôt à des entreprises rentables et à des personnes qui ont un revenu élevé, tout en invoquant des moyens économiques réduits pour justifier les coupes dans les programmes sociaux. Aujourd'hui, c'est le Québec qui fait figure de proue, et la multiplication rapide et naturelle de ces protestations à la casserole, avec toute la joie, l'amour et l'engagement communautaire ainsi manifestés, montre que le reste de la planète est plus que prêt à lui emboîter le pas[3]. »

Des exigences constamment en mutation, parfois contradictoires, toujours immédiates et intenses, sont des caractéristiques naturelles des orientations politiques des médias sociaux. Ce qui constituait le fil conducteur permanent et cohérent de l'action protestataire était l'importance de maintenir la mobilisation. Dans des entrevues avec des manifestants, Pascale Dufour et Louis-Philippe Savoie[4] ont identifié l'enclenchement d'un processus émotionnel de radicalisation, provoqué par des informations touchant la répression policière et le «refus de négocier» de la part du gouvernement. Ces mêmes manifestants ont fait part de leur colère et d'un fort sentiment d'injustice, même de haine; certains d'entre eux se sentaient coupables de ne pas avoir fait tout ce qu'on attendait d'eux.

Le gouvernement libéral, incertain du nombre d'étudiants qui suivraient les cours de rattrapage prévus par le projet de loi 78, et devant l'éventualité de collèges fermés lors de l'arrivée d'une nouvelle cohorte d'étudiants, a déclenché une élection-surprise au mois d'août. Malgré l'impopularité générale du parti, sa position sur les grèves jouissait d'un taux d'appui d'environ 60 %[5].

Or, comme on le sait, l'opposition péquiste, bénéficiant de l'appui invariable d'un petit peu moins que le tiers de l'électorat, a réussi de justesse à former un gouvernement minoritaire. Le taux de participation électorale de 74,6 % était fort respectable[6]. Une fois au pouvoir, Pauline Marois a procédé par décret pour annuler l'augmentation des frais de scolarité. Avec le retour d'un certain calme, personne ne s'est interrogé sur ce qui serait arrivé si la composition du gouvernement avait reflété les 58 % d'électeurs qui avaient appuyé les partis opposés aux revendications étudiantes. (Au cours de la campagne électorale, je n'ai pu trouver aucun porte-parole étudiant prêt à laisser entendre que les étudiants devraient accepter le verdict populaire et retourner en classe si le gouvernement libéral restait au pouvoir.)

## La logique des actions politiques issues des médias sociaux

Une partie de l'incapacité à résoudre la question par la négociation – une partie seulement – est attribuable à la médiocrité des communications de la part des porte-parole gouvernementaux. Les étudiants, pour leur part, en défiant des injonctions, en bloquant des routes et en facilitant les actions d'anarchistes masqués, disaient en effet «non» à la démocratie représentative. Leurs tactiques n'étaient pas le résultat de débats publics ouverts à d'autres personnes touchées et concernées; il s'agissait plutôt de formes individuelles d'expression encouragées par les réseaux sociaux. Par leurs actions, non seulement ils bloquaient l'accès à des services essentiels, mais, par le fait même, ils niaient le droit des institutions de la démocratie représentative d'offrir légitimement de tels services.

Comment se fait-il que 200 000 jeunes Québécois, dont seule une petite minorité sont des altermondialistes, puissent en pratique s'opposer à la démocratie représentative? D'ordinaire, la plupart des jeunes Québécois ne participent pas

– n'accordent même guère d'attention – aux processus politiques. Or, lors de situations intenses comme celle qu'a connue le Québec, une minorité motivée peut mobiliser un nombre important de personnes, surtout des jeunes, autour d'actions collectives de protestation. Toutefois, comme on fait de plus en plus appel aux médias sociaux pour y arriver, le résultat est qu'on sape la démocratie représentative au lieu de la renforcer. En effet, cette dernière exige un espace public commun où on peut identifier, débattre et, à la longue, résoudre différentes questions, d'une façon ou d'une autre. Un tel processus est l'antithèse absolue du flou et de l'absence de frontières claires qui caractérisent les actions politiques issues des médias sociaux[7].

S'il est vrai que les intérêts partagés constituent la base des liens qui unissent les individus dans les médias sociaux, on doit toutefois reconnaître que ces médias ne fournissent pas d'informations essentielles sur le contexte plus large et qu'ils sont loin de constituer un forum pour discuter avec d'autres personnes qui ne partagent pas ces mêmes intérêts, même pour chercher leur appui. Comparativement à la mobilisation collective classique, la mobilisation par le truchement des médias sociaux atteint beaucoup plus rapidement un haut niveau d'intensité. Par le fait même, on perd la capacité d'influencer l'opinion publique, et donc d'affecter les décisions d'institutions représentatives. En conséquence, toute décision adoptée par la démocratie

représentative est perçue comme insuffisante, et le résultat est interprété non pas comme une incapacité de gagner la confiance d'autres citoyens, mais comme une preuve de l'immobilisme d'un système où le vrai pouvoir se trouve dans les mains d'intérêts corporatifs, de politiciens corrompus et de médias qui diffusent des mensonges. Il en résulte un retour à la passivité ou – suivant les appels d'une minorité radicale – une inten-sification des gestes antisociaux, qui contribuent à une délégitimisation accrue des institutions de la démocratie représentative.

Tout cela peut sembler un verdict cruel. Je n'ai cependant pas encore vu de preuves convaincantes de l'argument contraire voulant que les actions de rue dans les démocraties représentatives constituent une belle leçon de démocratie, amenant plus de jeunes citoyens à s'engager en politique que ce qu'on aurait pu voir autrement[8].

Peut-être aurons-nous besoin d'envisager le recours à des référendums électroniques en réponse à ce phénomène? Que serait-il arrivé si les étudiants québécois avaient pu contourner l'assemblée législative élue et présenter leurs demandes directement dans le cadre d'un référendum électronique? Il aurait sans doute été embêtant, même pour le plus extrême des leaders étudiants, de refuser d'envisager une telle éventualité – qui exigerait que l'on convainque l'opinion publique, plutôt que de se la mettre à dos.

Si Internet laisse entrevoir la possibilité de tels référendums, il reste un grand nombre d'obstacles significatifs à franchir afin de pouvoir mettre en place des moyens pour que le processus soit à l'abri de la manipulation ou de la fraude. Il y a aussi des questions plus larges relatives à l'absence d'imputabilité, car les électeurs – contrairement aux législateurs – ne peuvent pas être tenus responsables de leur choix (et ils le savent). Ce sont là des considérations qui exigent une réflexion sérieuse, qui permettra de riposter à ceux qui, encore une fois, ici et ailleurs, vont sans aucun doute descendre la démocratie dans la rue.

*Traduction: Margaret Whyte*

Notes

1. Comme dans le cas d'actions collectives précédentes, les participants sont assez jeunes, généralement plus scolarisés que la moyenne, et la pauvreté relative ne conditionne d'aucune façon leur participation. Une étude détaillée de plus de 15 000 étudiants québécois a montré qu'il y avait « deux fois plus de probabilités de protester chez quelqu'un venant d'une famille beaucoup plus à l'aise sur le plan financier que la famille québécoise moyenne, comparativement à quelqu'un d'une famille beaucoup moins riche que la moyenne ». Voir Dietlind Stolle *et al.*, « Maple Spring Up Close: The Role of Self-Interest and Socio-Economic Resources for Youth Protest », étude présentée devant l'Association canadienne de science politique, Victoria (C.-B.), juin 2013. [Nous traduisons.]
2. Pierre-Gerlier Forest, « What Happened When Quebec's 20th-century Government Encountered its 21st-century Social Movement », *Inroads*, vol. 32, 2013.
3. « An independent Advocacy Organization that Brings Generations of Canadians Together to Achieve Progress through Democracy. » En ligne: www.leadnow.ca. [Nous traduisons.]
4. Pascale Dufour et Louis-Philippe Savoie, « Quand les mouvements sociaux changent le politique: le cas du mouvement étudiant de 2012 au Québec », étude présentée devant l'Association canadienne de science politique, Victoria (C.-B.), juin 2013.
5. *Ibid.*, p. 13-14.
6. C'était certes mieux que les 70 % et 71 % de 2003 et 2007, mais toujours inférieur aux 82 % et 78 % de 1994 et 1998. Le grand bond au-delà des désastreux 57 % de 2008 reflétait une lutte serrée entre les trois grands partis, à la différence de 2008, où les résultats étaient prévisibles et où l'élection provinciale, à seulement 18 mois d'intervalle de la précédente, était éclipsée par l'élection fédérale.
7. Bien sûr, en l'absence d'une réelle démocratie représentative, l'engagement politique par les médias sociaux peut être à l'origine de mobilisations massives contre les régimes autoritaires, et peut même les faire tomber. Il est en cela illégitime d'associer les événements québécois du printemps 2012 à ceux du Printemps arabe par le truchement de l'expression populaire « Printemps érable ».
8. À cet égard, je ne suis pas convaincu que les assemblées étudiantes ayant abouti à la fermeture des établissements d'enseignement constituaient des écoles de démocratie. Alors que les militants les présentaient comme les seules voies valables de démocratie, en opposition à la fausse démocratie de la législature, la réalité ne va pas dans ce sens. En fait, les gens qui y votaient formaient souvent des groupes non représentatifs: la charge émotive présente lors des assemblées et le fait qu'elles se prolongeaient sur plusieurs heures avaient souvent pour effet de décourager les étudiants qui voulaient poursuivre leurs études d'y participer.

# L'éducation civique à l'école québécoise

**L'école n'est pas la seule institution à laquelle est confiée une mission d'éducation civique, mais c'est peut-être celle à laquelle l'État donne le plus explicitement cette fonction de socialisation, tout en lui déléguant bien sûr celle d'instruire. L'un des programmes ayant, à ce jour, le plus expressément la tâche d'éduquer à la citoyenneté est justement le programme Histoire et éducation à la citoyenneté.**

Distinguons deux formes de socialisation : l'éducation civique, plus identitaire, et l'éducation à la citoyenneté, plus critique. L'éducation civique vise à amener les habitants d'un territoire à se conformer aux règles, valeurs, us et coutumes ayant cours dans la société qui occupe ce territoire. Ils doivent connaître, accepter et défendre l'ordre établi, s'identifier à « leur » cité, voire aux intérêts économiques, politiques ou sociaux des individus ou classes qui la dirigent. Dans certains cas, il s'agit d'inciter les élèves à faire l'aumône aux pauvres, dans d'autres, à organiser la charité. L'éducation à la citoyenneté cherche plutôt à amener les citoyens à s'interroger sur la légitimité ainsi que sur les tenants et aboutissants des normes et des rapports sociaux, et à agir de façon autonome. Plutôt que de solliciter l'aumône pour les autres, les élèves se demandent alors pourquoi il y a de la pauvreté et que faire pour qu'il n'y en ait plus.

Le curriculum québécois comprend divers programmes disciplinaires (axés sur les compétences liées aux « matières » afférentes) et des éléments communs à toutes les disciplines. Certains de ces éléments communs relèvent de l'éducation civique ou de l'éducation à la citoyenneté ; la plupart de ceux-ci étant controversés, le gouvernement libéral les a rayés du régime pédagogique en 2010[1]. C'est le cas des compétences transversales (apprendre à travailler en équipe, à exercer son jugement, etc.). L'essentiel de ce qui touche à la citoyenneté se retrouve désormais dans les disciplines, qui sont regroupées sous le terme « domaines de formation ».

## Visées citoyennes et civiques des programmes de sciences sociales

Dans la formation générale des jeunes au primaire, les disciplines de l'univers social (c'est-à-dire l'histoire, la géographie et l'éducation à la citoyenneté) sont enseignées de façon formelle, dans un même programme, de la troisième à la sixième année. Elles doivent cultiver l'esprit d'ouverture et de tolérance des élèves et les amener à mieux comprendre comment une société fonctionne, se transforme dans le temps et se compare à d'autres. Il s'agit donc, par exemple, de voir que ceux qui s'appelaient les Canadiens français au XIXe siècle sont devenus les Québécois à la fin du XXe siècle, ou encore que la société québécoise des années 1980 est organisée différemment de la société sud-africaine, que l'histoire de ces deux sociétés a influencé l'évolution de leurs cultures respectives. Les analyses de ce programme, ainsi que de son enseignement et des manuels qui lui sont destinés, montrent qu'il tend à présenter le Québec comme une société idyllique, une nation civique parvenue à un niveau de démocratie politique et sociale élevé (voire optimal) sans que des conflits sociaux ou politiques aient joué un rôle significatif dans son évolution.

➤

Au secondaire, l'univers social comprend le cours de géographie (en première et deuxième année du secondaire), axé notamment sur le développement durable et la gestion équitable des ressources à l'échelle planétaire, ainsi qu'un cours intitulé « Monde contemporain » (en cinquième), qui met l'accent sur les grands enjeux : l'environnement (opposant le confort et la nature), la population (reprenant Malthus), le pouvoir sur la scène internationale (exposant les contraintes qui briment les États), la richesse (opposant la justice et le développement) et les tensions et conflits (traitant du « devoir d'ingérence » des États).

Les deux cours touchés le plus directement par l'appel identitaire sont cependant ceux d'Histoire et éducation à la citoyenneté. Le cours qui est donné en première et en deuxième année du secondaire compare l'histoire du monde occidental à celle d'autres sociétés pour explorer divers concepts : démocratie, État, droits, impérialisme, etc. Celui de troisième et de quatrième porte sur l'histoire du Québec. Les deux cours souscrivent, eux aussi, à une vision édifiante de l'histoire, des institutions parlementaires québécoises et des rapports sociaux capitalistes, tout en reconnaissant que quelques réformes sont encore nécessaires.

Parallèlement à ces aspects d'éducation civique, ces programmes comportent aussi des aspects d'éducation à la citoyenneté. Les élèves doivent en effet y développer trois compétences : 1) se questionner sur les origines des phénomènes sociaux ; 2) interpréter ces phénomènes à l'aide de la méthode historique ; 3) se percevoir comme des agents historiques, prendre une position raisonnée et identifier une zone d'action citoyenne. Il est postulé que c'est à partir des techniques (pour analyser diverses sources, les mettre en contexte, en corroborer les informations, etc.) et des connaissances disciplinaires (concepts ou faits permettant de problématiser ou de contextualiser les événements, les traces ou les interprétations à l'étude, etc.) acquises explicitement en développant et en exerçant les compétences disciplinaires que se bâtissent l'autonomie générale et l'esprit critique des élèves, et on croit que ces techniques et connaissances peuvent ensuite être utilisées dans d'autres situations, notamment pour argumenter ou évaluer les arguments d'autrui à propos d'une question politique faisant l'objet d'un débat, voire pour prendre conscience de problèmes qui ne sont pas débattus[2].

### L'enseignement autour des classes ou dans les classes

Certains aspects de l'éducation civique passent souvent inaperçus. C'est notamment le cas des pratiques en classe ou autour de la classe. Plusieurs projets d'activités de service communautaire et social ou d'éducation aux médias, à la loi, au parlementarisme, à l'environnement ou à la solidarité internationale y prennent une place importante et mériteraient d'être évalués de façon critique.

Cependant, quelques études doctorales pionnières ont été menées récemment sur l'éducation à la citoyenneté en histoire[3]. Elles montrent qu'en dépit de la diversité des apprentissages des élèves ou des pratiques et représentations des enseignants, la vie de la classe change peu. Malgré l'occurrence significative de pratiques centrées sur les concepts, les habiletés intellectuelles, le débat et la critique, la narration d'un récit occupe toujours l'essentiel du temps de la plupart des élèves, si bien que l'observateur, passant d'une classe ou d'une école à l'autre, ne perdrait pas le fil du discours magistral.

Ce récit sert généralement à faire naître un patriotisme civique québécois, plus rarement un nationalisme chauvin québécois (les recherches manquent sur le nationalisme canadien, mais on peut supposer qu'il s'exprime également dans certaines régions).

## Conclusion

Que l'école favorise la reproduction sociale, nul n'en sera étonné! On s'étonnera plutôt que, malgré la présence d'objectifs d'éducation civique des élèves, les programmes visent aussi en partie des finalités d'éducation à la citoyenneté. Certes, peu d'élèves sont exposés à des outils mentaux ou à des situations leur permettant d'atteindre ces finalités. Cela s'explique sans doute notamment par les conditions de travail que connaissent les enseignants (manque de moyens et de liberté, classes nombreuses et surpeuplées, etc.) et par la manière dont les programmes ont été créés et implantés.

Ce n'est toutefois pas une nouveauté, comme l'attestent des discours d'éducation à la citoyenneté tenus depuis longtemps, de Mgr Langevin à Freire, en passant par Dewey et Mgr Parent.

**Stéphanie Demers**
Professeure, Département des sciences de l'éducation,
Université du Québec en Outaouais

**Marc-André Éthier**
Professeur, Département de didactique, Université de Montréal

**David Lefrançois**
Professeur, Département des sciences de l'éducation,
Université du Québec en Outaouais

## Notes

1. Ministère de l'Éducation du Québec, *Programme de formation de l'école québécoise*, Québec, gouvernement du Québec, 2006.
2. Marc-André Éthier, David Lefrançois et Stéphanie Demers, « La construction des identités et l'enseignement des sciences sociales et de l'histoire au Québec », dans Joan Pagès et González Neus Monfort (dir.), *La construcció de les identitats i l'ensenyament de les Ciències Socials, de la Geografia i de la Història*, Bellaterra, Universitat Autònoma de Barcelona, 2010, p. 101-119.
3. Voir notamment les mémoires et thèses de Vincent Boutonnet (*L'exercice de la méthode historique proposé par les ensembles didactiques d'histoire du 1er cycle du secondaire pour éduquer à la citoyenneté*, Université de Montréal, 2009), Stéphanie Demers (*Relations entre le cadre normatif et les dimensions téléologique, épistémologique et praxéologique des pratiques d'enseignants d'histoire et d'éducation à la citoyenneté : étude multicas*, Université du Québec à Montréal, 2012), Mathieu Gagnon (*Étude sur la transversalité de la pensée critique comme compétence en éducation : entre « science et technologie », histoire et philosophie au secondaire*, Université Laval, 2008), Viateur Karwera (*La transposition didactique du concept de citoyenneté à travers des pratiques d'enseignement de l'histoire au secondaire*, Université du Québec à Chicoutimi, 2012), Alexandre Lanoix (*Le manuel d'histoire pancanadien : l'histoire d'un audacieux projet sans fin*, Université du Québec à Montréal, 2005), Sabrina Moisan (*Fondements épistémologiques et représentations sociales d'enseignants d'histoire du secondaire à l'égard de l'enseignement de l'histoire et de la formation citoyenne*, Université de Montréal, 2010) et Paul Zanazanian (*Historical Consciousness and the Construction of Inter-Group Relations : The Case of Francophone and Anglophone History School Teachers in Quebec*, Université de Montréal, 2009).

# Le débat public dans l'ombre du management

**Florence Piron**

*Professeur, Département d'information et de communication, Université Laval*

**Le format des consultations et des débats publics organisés par l'État révèle une orientation managériale visant l'efficacité de la prise de décision, au risque d'ignorer les débats multiformes de l'espace public qui aspirent à mettre au jour les valeurs et les différends qui traversent toute société. Renoncer à cette perspective managériale permettrait à l'État de revaloriser les institutions démocratiques et la citoyenneté.**

Énergie, gaz de schiste, droits de scolarité, libre-échange, étalement urbain, laïcité, etc. : « Il faut un véritable débat public ! » scandent les médias ou les commentateurs de l'actualité politique québécoise chaque fois qu'une décision collective d'importance est en jeu. Mais qu'est-ce qu'un « véritable » débat public ? De quel « faux » ou « mauvais » débat public se distingue-t-il ? Et surtout, pourquoi et à qui apparaît-il nécessaire ?

Ces questions sont à la fois complexes et simples. Complexes parce qu'elles touchent au cœur de la démocratie, entendue ici à la fois comme un idéal moral de justice et d'égalité entre les personnes, et comme le mode d'organisation politique d'une société qui s'engage à prendre en compte dans toutes ses décisions collectives la pluralité des valeurs et des positions de ses membres, mais qui demande à l'État et aux institutions démocratiques de jouer le rôle d'arbitre et de trancher. Un « débat public » désigne alors l'ensemble des voix, des paroles et des citoyens qui ont exprimé publiquement des idées ou des positions à l'égard d'un enjeu. Un « véritable » débat public serait-il un débat qui permet à des gens de toutes les positions de se faire entendre équitablement dans l'espace public ?

Ces mêmes questions sont simples parce que tous les citoyens québécois savent bien ce qu'ils ne veulent pas : une mascarade de débat organisé par l'État alors que les décisions ont déjà été prises ; un gaspillage d'énergie et de fonds publics pour entendre ce que tout le monde sait déjà ; une cacophonie de points de vue qui embrouille les enjeux plutôt que de les éclairer ; des consultations qui ne font que retarder la prise de décision et l'accomplissement du processus démocratique « normal » ; des débats superficiels et pompeux où règne la langue de bois, dans lesquels les « vrais enjeux » sont mis de côté ou qui ne laissent la parole qu'à une poignée de personnes ou d'organismes, toujours les mêmes.

Ces griefs doivent être pris au sérieux, car ils indiquent, en filigrane, un idéal politique : au nom des valeurs démocratiques communes, tous les citoyens devraient pouvoir se faire entendre dans l'espace public par leurs concitoyens et par l'État et toute parole ainsi exprimée

---

**Les citoyens québécois savent bien ce qu'ils ne veulent pas : une mascarade de débat.**

---

publiquement, qu'elle soit critique ou approbatrice des projets du gouvernement ou de la société civile, devrait bénéficier du même respect ou de la même attention qu'une autre – même si elle est minoritaire et dissidente par rapport aux idées les plus courantes, aux idées dominantes. Certes, le gouvernement décide, mais devrait le faire en arbitrant parmi les propositions des citoyens et non en imposant ses projets comme s'ils étaient les seuls valides.

L'appel récurrent à un « véritable débat public » indique aussi une méfiance envers les grandes consultations organisées par l'État québécois depuis plusieurs décennies, souvent à grands frais (États généraux, sommets, commissions spéciales, etc.). Toujours accessibles aux médias ou sur le Web, plus ou moins ouvertes à la participation directe des citoyens, ces consultations sont présentées comme des débats publics, car elles ont un enjeu, en général une décision à prendre ou une politique publique à préparer, qui peut susciter des positions différenciées chez les citoyens, l'État restant toutefois maître de leur agenda. Or, nombreux sont les citoyens qui ont fini par s'en méfier. En effet, l'histoire a montré que les recommandations issues de ces consultations étaient facilement oubliées au gré des changements de gouvernement (rapport Pronovost, rapport Bouchard-Taylor, rapport Béland, etc.) et que ce qui semblait relever du débat démocratique sur de grands enjeux de société (ruralité, laïcité, institutions démocratiques) devenait trop vite un pion sur l'échiquier de la partisanerie politique. Cette situation a de quoi décourager la participation des citoyens,

qu'elle vise à infléchir les projets du pouvoir ou simplement à donner un avis.

Au-delà de ce constat classique, il existe une deuxième tension, bien moins visible, qui s'est progressivement installée depuis une quinzaine d'années dans les rapports entre l'État québécois et les citoyens. Elle oppose deux conceptions du rôle de l'État dans les débats publics. Selon la première, que j'appelle la conception politique, l'État a une res-

ponsabilité d'arbitrage juste et démocratique des débats de valeurs et d'idées entre les citoyens. Les institutions démocratiques sont les moyens au service de cette responsabilité. La seconde conception provient du management et s'inscrit dans le sillage de la pensée néolibérale actuellement dominante dans la plupart des gouvernements des pays de l'Organisation de coopération et de développement économiques (OCDE)[1].

Cette conception managériale du débat public vise la prise de décision rapide et efficace dans un État minimal qui s'efforce de ne pas nuire à la croissance économique.

Je voudrais montrer dans ce qui suit que cette conception managériale a pour effet de dépolitiser la participation citoyenne et, ce faisant, d'affadir l'idéal de citoyenneté défini comme « cette responsabilité que les membres d'une Cité ont à l'égard les uns des autres, mais également d'eux-mêmes, de la former délibérément et d'en fixer, de façon directe ou indirecte, mais démocratiquement et souverainement, les règles de constitution et de fonctionnement[2] ».

## La conception managériale du débat public

Plantons le décor. Depuis les années 1980, les pays de l'OCDE sont entraînés, quelle que soit la sensibilité politique de leurs gouvernements, vers le modèle de l'État néolibéral qui vise sa propre réduction de taille au profit du libre marché économique. Ce dernier exige, pour s'épanouir, une croissance constante de la production et de la consommation. Dans ce nouvel État, la fonction publique elle-même a été « managérialisée », devenant un outil de gestion au détriment, par exemple, de son rôle politique et moral de préservation des valeurs collectives. Elle doit appliquer les principes du nouveau management public : les « 3 E » (économie, efficience et efficacité) et les « 3 D » (*downsizing*,

*devolution* et *defunding*), ainsi que les partenariats public-privé (PPP), la gestion par résultats, etc.[3].

Cet idéal managérial, implanté au Québec par la Loi sur l'administration publique de 2000, espère rendre l'État plus efficient et productif, de façon qu'il coûte moins cher aux contribuables. Ces derniers auront alors « plus d'argent dans leur portefeuille », comme le répètent nombre de partis politiques québécois, et pourront consommer davantage, au bénéfice de l'industrie.

Inspiré par le nouvel esprit du capitalisme et ses pratiques de marketing[4], cet idéal fait la part belle à la consultation des citoyens, considérés comme les clients des services publics (même si l'État n'est pas une entreprise !). Les gestionnaires de l'État ont ainsi dû apprendre à tester leurs idées ainsi que leurs produits et services auprès de leurs « consommateurs » afin de vérifier leur acceptabilité et leur qualité.

Cette vision marketing de la consultation des citoyens-clients est à la base de la conception managériale du débat public. Selon cette perspective, il est intéressant de se mettre à l'écoute de la pluralité des idées et des valeurs des citoyens dans la mesure où cela peut renseigner les « décideurs » sur la manière dont leurs projets, notamment économiques ou de transformation de l'État, seront reçus par la population. Lorsque l'OCDE tente de convaincre ses États membres qu'« impliquer les citoyens dans le processus de décision est un investissement profitable et un élément au cœur de la bonne gouvernance[5]», c'est exactement à ce processus qu'elle fait allusion. C'est pour recueillir cette information précieuse et ainsi améliorer l'efficacité du processus décisionnel que l'État (incluant toutes ses composantes) s'est mis à organiser des «débats publics». Superposés aux institutions parlementaires, ces débats sont en fait des processus de consultation très formalisés, centrés sur les projets du pouvoir ou les questions qui l'intéressent.

Comme le dit l'OCDE, c'est un «investissement» que de tenir de telles consultations, qu'il s'agisse d'une rencontre publique d'une soirée dans un quartier, du Bureau d'audiences publiques sur l'environnement, d'une grande commission nationale chargée de faire rapport au gouvernement ou même du Parlement, lieu de débat entre élus. Non seulement elles coûtent cher, mais elles prennent du temps. C'est ainsi qu'on a vu, à Québec, des promoteurs immobiliers et des conseillers municipaux exaspérés par le pouvoir des citoyens de bloquer des projets à la suite des consultations publiques prévues par la loi[6]. Même le premier ministre n'hésite pas à proroger le Parlement pour gouverner sans devoir débattre de chacune de ses décisions publiques[7]. Mais ces périodes de consultation des idées et des points de vue des citoyens sont profitables pour l'État et ses partenaires si elles permettent d'obtenir rapidement un consensus, même superficiel, qui permettra le passage à l'action le plus rapide possible.

Une déclaration récente du gouvernement du Québec l'illustre bien : «Un gouvernement ouvert, c'est un gouvernement qui encourage la participation, en plaçant les citoyens au cœur du processus décisionnel de l'État. L'apport du public est essentiel à l'amélioration de l'efficacité et de l'efficience du gouvernement[8].» Alors que la première phrase semble évoquer un idéal de démocratie

> **La conception managériale du débat public vise la prise de décision rapide et efficace dans un État minimal.**

participative, la deuxième circonscrit l'objectif de cette participation : l'amélioration de la performance managériale de l'État, c'est-à-dire, d'une part, l'application du programme de réduction de sa taille et, d'autre part, la réalisation efficace et sans obstacle des projets des élus au pouvoir et de leurs partenaires (Plan Nord, libre-échange, Projet Saint-Laurent, exploration pétrolière, etc.). Cet objectif est à l'opposé de l'idéal démocratique qui fait des citoyens non pas des clients passifs à qui l'on demande d'approuver ou rejeter des projets qu'on leur soumet, mais la source même des projets que l'État doit arbitrer.

Alors que la perte de temps et l'inefficacité deviennent la hantise de décideurs qui s'inscrivent dans une «compétition» mondiale qu'ils considèrent comme perpétuellement menaçante, je vois dans ce tournant managérial du débat public organisé par l'État un piège pour la culture politique démocratique de la société québécoise.

### Idéal délibératif et gouvernance participative

Une question de fond taraude les responsables de ces débats publics «techniques»[9]. Comment, concrètement, faire discuter ensemble des citoyens de différents horizons pour les amener vers une compréhension commune des questions qui leur sont posées et construire le consensus recherché? De manière intéressante, ce questionnement évoque l'idéal «délibératif» imaginé par de nombreux philosophes ces dernières décennies pour revitaliser la démocratie représentative[10]. Selon cet idéal, une discussion publique démocratique, aussi appelée délibération, menée de manière polie et policée, entre égaux, sans violence ni effets d'autorité, sur la base d'arguments rationnels

---

**L'idéal démocratique fait des citoyens la source même des projets que l'État doit arbitrer.**

---

échangés publiquement, pourra, minimalement, clarifier les désaccords de fond et les compromis possibles, mais

aussi, potentiellement, construire les consensus qui orienteront les décisions publiques. Or ce sont de tels consensus que recherchent les décideurs lorsqu'ils mettent en place des dispositifs de démocratie technique (pensons au Sommet socioéconomique de 1996 sur le déficit zéro ou au Forum des générations de 2004 sur le fonds des générations). D'où un rapprochement fascinant entre le management et la démocratie délibérative.

La gouvernance participative est le rejeton de ce rapprochement. Elle repose sur une croyance : si on installe ensemble, à une même table (symbolique), des acteurs politiques ou des citoyens représentatifs de la population et qu'on leur fournit le meilleur encadrement possible, notamment pour assurer la neutralité du débat jugée nécessaire à l'efficacité du processus, ils vont finir par dépasser leurs différends et s'entendre sur une solution de compromis, nécessaire à l'efficacité du processus de prise de décision – une sorte de réduction au plus petit commun dénominateur de la variété des valeurs et des positions chérie par la démocratie.

Ces dispositifs délibératifs visent aussi à dépasser le point faible des multiples «arènes[11]» qui compose l'espace public, à savoir la «rue», les médias, Internet, les grandes organisations et les petites associations de la société civile, les pétitions, etc. dans lesquelles les citoyens peuvent espérer trouver un lieu qui accueillera leur parole politique. Ce point faible est l'inégalité des moyens d'action propres à ces arènes, de leur poids politique et de l'intérêt qu'elles suscitent auprès des médias et du pouvoir. Les institutions démocratiques, notamment le vote, visent à compenser cette inégalité d'influence politique, mais la crise qu'elles traversent, notamment l'abstentionnisme des votants, émousse cette capacité de compensation. La mise en place de dispositifs délibératifs neutres, dans lesquels des animateurs tentent d'effacer les rapports de pouvoir pour mieux mettre en lumière les arguments rationnels des uns et des autres, se réclame aussi de cette volonté d'égalisation des paroles politiques.

Les critiques ne manquent pas. Peut-on réellement créer, par des techniques de communication et d'animation ou par un encadrement procédural serré, un contexte complètement neutre permettant à des individus de s'exprimer comme s'ils n'étaient pas liés par des rapports sociaux et politiques en dehors du dispositif de discussion? Comme si les conflits de valeurs et les rapports sociaux n'étaient que des problèmes issus d'une mauvaise communication? Les individus sont liés aux autres par des rapports de sexe, de classe, de domination économique ou culturelle, d'ethnicité, etc., qui influent inévitablement sur leurs discussions et leurs échanges, à commencer par leur compréhension de ce qui est en jeu dans ces discussions[12] et de ce que sont des «arguments rationnels» ainsi que par leur présence même à ces discussions. L'ignorer est typique de la pensée néolibérale incarnée par la célèbre citation de Margaret Thatcher «There is no such thing as society[13]» [la société, ça n'existe pas].

Malgré ces critiques, l'idéal délibératif continue de fasciner les chercheurs et les animateurs, qui ne cessent d'inventer et de tester des méthodes ou des «dispositifs» de délibération publique, censés suppléer à la démocratie représentative défaillante[14]: jurys de citoyens, conférences de consensus, ateliers scénarios, etc. Les experts de la gouvernance participative s'identifient sans peine aux objectifs managériaux du pouvoir, notamment la recherche de consensus pour accélérer la prise de décision – qu'ils espèrent liée au bien commun. Un phénomène intéressant est la place occupée dans ces dispositifs par les experts scientifiques, parfois appelés comme arbitres ultimes en cas de différend insoluble. À ces experts sont associés la science basée sur des «données probantes», c'est-à-dire issues de la recherche évaluée par les pairs. La valorisation de ces données vise à les démarquer du fouillis des valeurs et des opinions de la «masse». Ce faisant, elle oublie qu'un discours expert peut nuire aux efforts parfois malhabiles d'expression d'idées dissidentes face aux idées dominantes et donc à l'expression démocratique.

Du point de vue managérial, ces délibérations doivent s'inscrire dans des cadres très précis qui prennent la forme de «mandats», de procédures, d'échéances, d'ordres du jour soigneusement contrôlés, en somme d'artéfacts bureaucratiques dont la finalité principale est l'efficacité du processus de prise de décision. Le «dissensus», l'incompatibilité fondamentale de certaines valeurs au sein d'une même société, les différends, pourtant caractéristiques de la vie collective et raison d'être de la démocratie, deviennent, selon cette approche, autant d'obstacles sur le chemin vers le développement (économique) espéré par les décideurs.

Cette conception managériale du débat émousse ce qu'il y a de tranchant, d'insoluble, d'incompatible dans une démocratie de modernité avancée. En se substituant à l'idéal démocratique arbitrant entre majorité et minorité, la gouvernance transforme les rapports sociaux en conflits communicationnels solubles techniquement et, ce faisant, contribue à dépolitiser la citoyenneté. Alors que la citoyenneté est la responsabilité collective de construire ensemble des institutions justes exprimant une vision du bien commun à partir des valeurs et des savoirs de chacun, c'est l'approbation des projets du pouvoir qui devient l'enjeu politique principal.

Pourtant, si l'objet de ces délibérations ne coïncide pas avec un enjeu social important et si le dispositif ne donne pas à la société civile l'occasion de se faire entendre, les citoyens adopteront la seule stratégie efficace qui leur reste : le refus de participer. Il n'est pas anodin de se rappeler le taux de participation de 93,5 % au référendum de 1995 sur la souveraineté du Québec… L'enjeu comptait !

## Débattre toutes valeurs dehors

Au cours du printemps 2012, l'enjeu des droits de scolarité à l'université a mobilisé un nombre considérable de personnes et de médias, bien plus que ne l'ont fait la plupart des débats organisés par l'État. Les organisations étudiantes (de la société civile) ont décidé de prendre la parole dans l'espace public par des manifestations, des discours publics, des vidéos, des publications, des performances, etc. Le débat s'est constitué dans l'espace public parce que le rapport politique ne laissait pas d'autre voie à la société civile, dont font partie les organisations étudiantes, que de hurler ce que le gouvernement refusait d'entendre ; parce que le gouvernement n'a pas su ou voulu construire un dispositif de débat public capable d'entendre la parole critique touffue et non unanime de ses citoyens.

La société québécoise s'est rappelée, lors du printemps 2012, qu'il était possible et bon, dans une société démocratique, que les citoyens expriment clairement et avec des arguments solides non seulement leurs idées, mais aussi leurs désaccords de fond les uns avec les autres. Malgré la démagogie de certains politiciens et les tendances répressives des autres, on peut penser que ce que John Rawls[15] appelle l'idéal de la raison publique s'est incarné à ce moment-là dans les efforts, même minimes, des uns et des autres pour s'écouter et se convaincre mutuellement à l'aide d'arguments transformés en raisons que chacun, en tant que citoyen libre et égal aux autres, pourrait vouloir adopter.

Lorsque le temps vint de prendre une décision (temporairement) définitive sur les droits de scolarité, le nouveau gouvernement organisa un débat public technique, le Sommet sur l'enseignement supérieur, qui ne laissa au hasard ni l'ordre du jour, ni les invités, ni le déroulement. Ce Sommet soigneusement planifié, diffusé en direct sur le Web, est devenu un outil de prise de décision collective qui a effectivement fonctionné et produit un résultat, à la surprise de certains observateurs. Certes, la lassitude de l'affrontement a joué un rôle dans le relatif consensus construit entre les participants au Sommet, qui ont accepté publiquement de faire les compromis nécessaires. Mais on peut aussi faire l'hypothèse que les mois de débats dans l'espace public pendant lesquels la parole des acteurs sociaux avait été amplement prise, donnée et partagée ont aussi facilité l'acceptation publique de cet arbitrage par l'État.

### Urgence : sortir le débat public de la pensée managériale

Ma réflexion critique sur le tournant managérial des débats publics organisés par l'État me conduit à souhaiter que l'État québécois renonce à assujettir son intérêt pour les débats publics à ses efforts de gouvernance, autrement dit qu'il sorte délibérément de la pensée

> **L'État peut faire beaucoup pour favoriser l'expression politique des citoyens.**

managériale pour retrouver et revaloriser le modèle politique de la démocratie. Voici quelques suggestions plus précises :

- résister à la tentation de bureaucratiser les occasions de dialogue entre État, société civile et citoyens, sous prétexte de les institutionnaliser. L'État pourrait plutôt voir dans ces moments l'occasion d'une écoute privilégiée de la diversité des arguments, des positions, des visions du monde et même des langages qui coexistent dans la société, afin de mieux saisir ce qu'il doit arbitrer ;
- assumer son rôle d'arbitre, quitte à renoncer à construire des consensus artificiels et éphémères si les différends apparaissent insolubles ;
- apprendre à accueillir la créativité et l'imagination politiques des citoyens, ce qui implique de l'imprévu, du spontané, du fouillis, des paroles coupées, des malentendus à réparer, de la médiation ou même de la traduction, et bien sûr du temps, au risque de

« ralentir » l'aboutissement de certains projets. Le tour de table méthodique, bien policé, quasi scolaire ne doit plus être un modèle sacrosaint, mais faire place à d'autres pratiques culturelles de la discussion, propices à l'émergence de nouveaux angles de vue, de nouveaux possibles ;

- s'assurer que le recours aux experts n'éteint pas le débat ni l'imagination politique des citoyens. Si cette condition est respectée, les universités en tant que laboratoires d'idées et de connaissances pourraient être plus impliquées dans les débats publics techniques.

L'État peut, en effet, faire beaucoup pour favoriser l'expression politique des citoyens – dont il devrait reconnaître sans réticence la compétence à débattre. En premier lieu, il peut, dans le système

> **Les institutions démocratiques pourraient retrouver une légitimité et un sens qu'ils ont perdus en cette ère du tout-management.**

d'éducation, renforcer l'enseignement des compétences démocratiques de base : argumenter, écouter, négocier, interpréter, évoluer, justifier son point de vue à l'aide d'arguments raisonnables qu'autrui pourrait vouloir adopter, notamment.

Il peut aussi encourager la diffusion, dans le grand public, des connaissances scientifiques sur les « conséquences toujours plus grandes et confusément ramifiées des activités sociales [...], de sorte qu'un public organisé et articulé en viendra à naître[16] ». En effet, une culture politique nourrie par les sciences sociales et humaines améliore la qualité des débats publics, c'est-à-dire celle des références, des arguments et des interventions des uns et des autres. L'État peut aussi, par ses politiques publiques, préserver l'existence de médias de référence, diversifiés, fiables et justes, indispensables à cette qualité.

À ces conditions, les dispositifs de débat public mis en place par l'État, même dans une visée managériale, peuvent jouer un rôle majeur sur le plan politique : celui de « pépinière », de lieu d'apprentissage politique pour des personnes qui, ensuite, aspireront peut-être à s'engager dans la société civile et la vie politique. Emmanuelle Hébert, membre du Comité directeur des États généraux sur la réforme des institutions démocratiques, qui se sont tenus en février 2003, souligne ainsi qu'« il y a des gens qui se sont rencontrés aux États généraux, qui se sont alliés et qui ont continué de se mobiliser. Le Mouvement Démocratie et Citoyenneté du Québec, l'Institut du Nouveau Monde, le Collectif Féminisme et démocratie ont tous profité de l'élan donné par ces États généraux[17] ».

Récemment, au Québec, a eu lieu un autre débat public qui peut indiquer une voie d'action possible : la Commission spéciale sur la question de mourir dans la dignité[18]. Issue de l'Assemblée nationale, donc des institutions démocratiques, cette commission formée de députés a sillonné le Québec pour entendre les raisons d'agir des uns et des autres et a produit un rapport éclairé et nuancé dont les recommandations semblent illustrer le concept de « raison publique », basée sur des arguments que chacun pourrait vouloir adopter. Ce débat public, piloté par deux députées de deux partis politiques différents, a clarifié les enjeux, les valeurs et les différends, tout en ayant la légitimité politique de la démocratie représentative. Sans avoir recherché ni imaginé un consensus artificiel, il a tranché. Il est donc à souhaiter que les députés n'hésitent plus à prendre les devants de la mise en débat des grands enjeux politiques et que l'État leur en donne les moyens. Les députés et les institutions démocratiques qu'ils incarnent pourraient ainsi retrouver une légitimité et un sens qu'ils ont peut-être perdus en cette ère du tout-management.

À la différence de la pensée managériale, qui fait miroiter l'idéal de l'efficience gestionnaire comme projet de société, la repolitisation du débat public, si elle est appuyée adéquatement par des médias justes et équitables et un État arbitre, permet l'expression d'arguments politiques qui mettent en lumière les divergences de valeurs parfois insolubles. Elle pourrait redonner du lustre aux institutions démocratiques, à l'avantage de la démocratie. Voilà une raison de sa nécessité.

*Un grand merci à Miriam Fahmy, François Demers, Micheline Bélisle et Jocelyne Dorion pour leurs commentaires éclairants et constructifs.*

Notes

1. Pierre Dardot et Christian Laval, *La nouvelle raison du monde. Essai sur la société néolibérale*, Paris, La Découverte, 2010.
2. Étienne Picard, « La notion de citoyenneté », dans Yves Michaud (dir.), *Qu'est-ce que la société ?*, vol. 3, Paris, Odile Jacob, coll. « Université de tous les savoirs », 2005, p. 711-731.
3. Florence Piron, « La production politique de l'indifférence dans le Nouveau management public », *Anthropologie et Sociétés*, vol. 27, n° 3, 2003.
4. Luc Boltanski et Eve Chiapello, *Le nouvel esprit du capitalisme*, Paris, Gallimard, 1999.
5. Organisation de coopération et de développement économiques, *Des citoyens partenaires. Information, consultation et participation à la formulation des politiques publiques*, Paris, OCDE, 2002, p. 11. En ligne : www.oecd-ilibrary.org/governance/des-citoyens-partenaires_9789264295568-fr.
6. Valérie Gaudreau, « Politique municipale : trop de pouvoir aux citoyens ? », *Le Soleil*, 25 mai 2013. En ligne : www.lapresse.ca/le-soleil/actualites/la-capitale/201305/24/01-4654273-politique-municipale-trop-de-pouvoir-aux-citoyens.php.
7. La Presse canadienne, « Stephen Harper va proroger le Parlement jusqu'en octobre », *Le Devoir*, 19 août 2013. En ligne : www.ledevoir.com/politique/canada/385467/stephen-harper-a-annonce-qu-il-va-proroger-le-parlement-jusqu-en-octobre.
8. Gouvernement du Québec, « Données ouvertes – Déclaration du gouvernement du Québec ». En ligne : www.donnees.gouv.qc.ca/?node=/declaration. Site consulté le 14 juillet 2013.
9. Michel Callon, Pierre Lascoumes et Yannick Barthe, *Agir dans un monde incertain. Essai sur*

*la démocratie technique*, Paris, Seuil, 2001.

10. Loïc Blondiaux, « Une introduction critique à la démocratie délibérative », dans *La science et le débat public*, Paris, Actes Sud/IHEST, 2012, p. 101-116.

11. Bastien François et Érik Neveu (dir.), *Espaces publics mosaïques. Acteurs, arènes et rhétoriques des débats publics contemporains*, Rennes, Presses universitaires de Rennes, 1999.

12. Frank Fischer, « Participatory Governance as Deliberative Empowerment: The Cultural Politics of Discursive Space », *The American Review of Public Administration*, vol. 36, n° 1, 1er mars 2006, p. 19-40.

13. « Margaret Thatcher in quotes », *Spectator Blogs*. En ligne : blogs.spectator.co.uk/coffee-house/2013/04/margaret-thatcher-in-quotes. Site consulté le 5 octobre 2013.

14. Loïc Blondiaux et Yves Sintomer, « L'impératif délibératif », *Rue Descartes*, vol. 63, n° 1, 2009.

15. John Rawls, *Paix et démocratie. Le droit des peuples et la raison publique*, Paris, La Découverte, 2006.

16. John Dewey, *Le public et ses problèmes*, Joëlle Zask (trad.), Paris, Folio, 2010, p. 283.

17. Emmanuelle Hébert, citée dans Simon St-Onge, « Réforme des institutions démocratiques : dix ans plus tard, où en sommes nous ? », *Kaléidoscope*, février 2012. En ligne : www.mediak.ca/reforme-des-institutions-democratiques.aspx.

18. Gouvernement du Québec, « Dépôt du rapport de la Commission spéciale sur la question de mourir dans la dignité – Pour une bonification des soins palliatifs et une option de plus pour des cas de souffrances exceptionnelles », Portail Québec, 22 mars 2012. En ligne : communiques.gouv.qc.ca/gouvqc/communiques/GPQF/Mars2012/22/c6950.html.

# Les données ouvertes : la matière première du nouvel engagement citoyen

**Jean-Noé Landry**

*Cofondateur, Montréal Ouvert et Québec Ouvert*

**Tracey Lauriault**

*Chercheure postdoctorale, National Institute for Regional and Spatial Analysis, National University of Ireland at Manooth*

**Au croisement des mouvements sociaux et technologiques, les données ouvertes ont continué à s'enraciner au Québec en 2013. Dans un contexte où les discours sur le gaspillage, la corruption et la collusion occupent l'espace public, des groupes citoyens militent pour l'ouverture des données gouvernementales afin d'accroître leur rôle de vigilance face aux décideurs publics et leur participation aux affaires publiques.**

La plupart des données sur le fonctionnement du gouvernement québécois n'existent pas dans un format numérique pouvant être lu par un ordinateur ou bien existent, mais ne sont pas disponibles publiquement. Or, un accès commode à ces informations nous permettrait de mieux comprendre le fonctionnement de nos institutions… pour agir plus adéquatement.

Le mouvement des données ouvertes va plus loin : il entend croiser différentes bases de données – autrefois inaccessibles – afin de créer des applications mobile utiles. Nous pouvons par exemple croiser des informations sur l'état des patinoires extérieures avec une carte de la ville, afin de créer une application mobile indiquant les glaces en bon état à proximité. Une application permettant de comparer les rapports de salubrité des restaurants de la ville aux critiques gastronomiques des internautes pourrait également être appréciée.

Au Québec, l'ouverture des données, fortement lié à l'histoire du Web mais aussi à celle des mouvements sociaux, a progressé rapidement depuis cinq ans.

## Avant l'ouverture des données

Il est parfois difficile de s'en souvenir, mais nos vies étaient bien différentes avant l'avènement, au début des années 1990, d'Internet pour le grand public. Trouver l'information à laquelle nous avons désormais coutume d'accéder en quelques clics nécessitait alors des recherches longues et fastidieuses, et un déplacement dans une bibliothèque municipale, universitaire ou autre, ou encore aux archives gouvernementales.

Non seulement les données étaient plus difficilement accessibles, mais ceux qui les possédaient se permettaient de les vendre. C'était notamment le cas de l'Institut de la statistique du Québec et de Statistique Canada, qui pendant longtemps ont fait commerce de l'information publique, et ce, même si plusieurs rapports gouvernementaux avaient pris parti contre cette politique de recouvrement des coûts[1].

Des regroupements d'universitaires, de libraires et de représentants d'organismes communautaires devaient se mobiliser pour obtenir les données essentielles à leurs recherches[2]. Même

une fois les données en main, leur utilisation était souvent limitée par des licences très contraignantes, des infrastructures de partage d'information déficientes et des formats incompatibles.

Quelques initiatives isolées sont néanmoins nées à cette époque : c'est le cas de l'Atlas du ministère Ressources naturelles Canada (RNCan), de l'Infrastructure canadienne de données géospatiales (ICDG) et du portail GéoGratis, qui permettent le partage sur le Web, gratuitement, d'un certain nombre de données dans un format ouvert[3]. Une première, même si on était encore bien loin de l'état actuel d'ouverture.

## La communauté Web : revendications, émergence, outils

Ce qui unit ces projets, c'est qu'ils entendent rendre accessibles, de manière permanente et sans frais, des ensembles de données gouvernementales dans un format normalisé. Il importe de mentionner que celles-ci sont toujours non nominatives, c'est-à-dire qu'elles ne peuvent en aucun cas permettre d'identifier un individu. Il s'agit donc généralement de budgets, de statistiques ou de données géographiques.

Les données en question existent souvent déjà quelque part, mais elles ne sont pas accessibles dans un format numérique qui facilite leur croisement, leur analyse et leur modification, ou elles sont éparpillées sur plusieurs sites Web. C'est pour cette raison que les tenants des

## Quand les bidouilleurs unissent leurs forces

C'est sur le Web que les demandes d'ouverture des données gouvernementales prennent racine. Le milieu des années 2000 a notamment été marqué par l'émergence fulgurante du Web 2.0, pendant laquelle une nouvelle génération d'internautes, désormais habitués à la production collective de contenu, a commencé à exiger une véritable ouverture gouvernementale.

Le groupe pancanadien Accès civique, fondé en 2005, est alors devenu le forum de discussion principal au sujet des questions liées à l'accès à l'information, aux licences, aux données ouvertes et aux logiciels libres. Se sont tissés là des liens entre des acteurs de la société civile qui militaient pour l'ouverture des données gouvernementales[1].

Parallèlement, de nouvelles formes d'événements sont apparues, à l'image du mode organisationnel mis sur pied par les communautés informatiques de logiciels libres. Parmi ces «non-conférences», notons les TransitCamps, ChangeCamps et autres GovCamps, premières lueurs de ce qui deviendrait par la suite des «hackathons», ces événements informatiques collaboratifs et créatifs au cœur du mouvement des données ouvertes.

Les groupes qui se réunissent lors de ces événements font valoir que l'ouverture des données est nécessaire au bon fonctionnement de la démocratie et à une véritable participation citoyenne. Le logiciel OpenParliament[2] en est un bon exemple. Grâce à l'agrégation de plusieurs sources ouvertes (Bleus du Hansard, Twitter, couverture médiatique), il permet de suivre facilement les débats qui se tiennent à la Chambre des communes et au Sénat.

J-N. L. et T. L.

### Notes

1. Accès civique est un groupe de citoyens et de citoyennes fondé sur la conviction qu'un accès libre et gratuit à l'information et aux données civiques dans des formats ouverts est une nécessité pour la démocratie. Consulter le site de l'organisme au civicaccess.ca.
2. Voir openparliament.ca.

données ouvertes avancent que la mise à disposition de l'information gouvernementale, de façon libre, accessible et utilisable dans un format standardisé, outille les citoyens et les groupes, encourage la transparence, stimule l'activité économique et aide à prendre de meilleures décisions fondées sur les faits.

La population est ainsi de plus en plus souvent invitée à participer de manière constructive aux débats. Certaines personnes ont la possibilité de se mettre elles-mêmes dans la peau de leurs élus. C'est notamment ce qu'offre l'administration Ferrandez, dans l'arrondissement du Plateau Mont-Royal, à Montréal, avec son budget interactif sur le Web, grâce auquel les citoyens sont invités à indiquer dans quelle enveloppe ils alloueraient les deniers publics s'ils étaient aux commandes, tout en devant s'assurer de préserver l'équilibre budgétaire[4]. Devrait-on, par exemple, déneiger les rues seulement la semaine et verser les économies ainsi réalisées aux bibliothèques publiques? Ou alors baisser le prix des parcomètres, mais réduire le montant alloué au nettoyage des parcs?

Ce modèle de participation citoyenne évolue rapidement. ÉcoHack, un «hackathon» sur la durabilité urbaine appuyé par la Ville de Montréal, qui s'est tenu en octobre 2013, a proposé, en marge de l'événement principal, un atelier sur l'utilisation des données ouvertes à un auditoire provenant davantage du milieu communautaire que de celui des bidouilleurs[5]. Créer de telles activités permet d'élargir la portée du mouvement des données ouvertes à un auditoire tout aussi engagé politiquement, mais qui n'a pas les mêmes connaissances ni les mêmes ressources en informatique.

Depuis quelques années, de nombreuses municipalités, de même que des instances régionales, des gouvernement provinciaux et de multiples initiatives fédérales, rendent désormais accessibles des données publiques sur des portails réservés à ces fins. Si la quantité et la qualité de ces données ouvertes varient, il n'en demeure pas moins que des progrès majeurs ont été réalisés depuis le début des revendications.

### L'approche distincte du Québec

Lorsque l'initiative citoyenne Montréal Ouvert a été créée en 2010, les villes de Vancouver, de Toronto, d'Edmonton et d'Ottawa avaient déjà toutes des politiques publiques régissant l'ouverture des données à la population. Mais au-delà des premiers ensembles de données libérés, la société civile du reste du Canada ne semble pas se rallier pour saisir l'occasion de créer des projets, de nouvelles applications, des services.

Ailleurs au pays, en effet, les initiatives d'ouverture des données ont surtout été mises sur pied par les services informatiques des appareils municipaux de façon technocratique, c'est-à-dire qu'elles émanaient moins de demandes citoyennes que de la nécessité de répondre à des impératifs de bonnes pratiques en matière d'administration publique.

C'est ainsi que la démarche de Montréal Ouvert pour encourager la Ville à adopter sa propre politique d'ouverture des données se distingue de ce qui s'est fait ailleurs au Canada[6].

Provenant notamment du secteur communautaire et entrepreneurial des technologies de l'information, le noyau multidisciplinaire de Montréal Ouvert adopte une approche collaborative pour organiser des rencontres publiques, déposer des mémoires et tisser des liens avec des intervenants municipaux. Plutôt que de voir les données ouvertes uniquement comme une façon d'obtenir des gains d'efficacité pour l'administration municipale, ce groupe citoyen voit lesdites données comme un bénéfice pour la collectivité. Parmi les combats de Montréal Ouvert, l'organisme a

par exemple tenté de faire modifier la Charte montréalaise des droits et responsabilités afin de forcer la Ville à publier de façon proactive toutes les données non nominatives.

L'importance de l'enjeu a également été reconnue en 2011 par le gouvernement libéral provincial qui, sous la houlette du député Henri-François Gautrin, a publié un rapport majeur sur les données ouvertes et l'utilisation du Web 2.0 par le gouvernement[7].

## Les données ouvertes pour la résolution des problèmes de société

C'est donc d'abord au Québec que le mouvement des données ouvertes a réussi à mobiliser les données, l'expertise et les intervenants du milieu socio-économique pour s'inscrire dans des débats de société allant de l'accès à un logement à prix abordable à l'intégration des personnes à mobilité réduite[8].

L'année 2013 a été marquée par la sortie au grand jour, notamment à la commission Charbonneau, des pratiques de corruption et de collusion qui rapprochent le crime organisé, le milieu de la construction et le monde politique.

C'est alors que Québec Ouvert – un organisme parapluie regroupant divers groupes dont Montréal Ouvert, Gatineau Ouvert et Capitale Ouverte – a lancé une série de démarches portant sur des ensembles numériques beaucoup plus sensibles : les contributions

## Un cadre juridique pour favoriser les cyberéchanges entre le citoyen et l'État

L'évolution vers une « Administration québécoise 2.0 » suppose une relecture et, dans bien des cas, une réinterprétation de plusieurs principes juridiques fondamentaux présidant à la détermination des droits et des obligations de l'administration publique et des citoyens. Les cultures, les réflexes bureaucratiques, de même que les hiérarchies qui les accompagnent constituent des obstacles normatifs majeurs au développement de la cyberdémocratie. Non seulement faut-il envisager la mise à niveau des lois, mais il faut surtout assurer les changements dans les réflexes et les mentalités.

Lorsque l'on considère le déploiement de services publics en ligne ou de mécanismes virtuels destinés à renforcer la participation citoyenne, on doit se demander dans quelle mesure les lois favorisent ou entravent le développement de ces nouvelles façons de faire. La cyberdémocratie, le gouvernement en ligne (e-government) ou le « gouvernement ouvert » supposent des échanges continus et conviviaux entre les citoyens et les différentes composantes de l'État. Ces échanges s'accommodent mal de l'organisation bureaucratique fondée sur l'information consignée sur le papier qui, à ce jour, caractérise l'administration publique.

Lorsque tout citoyen est investi de la capacité de débattre, de décider et de transiger en ligne, il est à prévoir qu'il tolère de moins en moins les lourdeurs associées aux procédures bureaucratiques centralisées. Après tout, s'il est désormais possible de réserver un voyage autour du monde en quelques clics, il devrait en être de même pour demander un passeport ou introduire une demande de prestations.

Dans l'univers bureaucratique dominé par le papier, les lois insistent sur la délimitation des droits d'obtenir ou non tel ou tel document sous la responsabilité d'un ministère ou d'une autre instance gouvernementale. La transposition de ces droits au cyberespace oblige à revoir les catégories des « documents publics » et des « renseignements personnels ». Dans l'univers en réseau, le droit réglemente plutôt les permissions d'accéder à des informations qui sont là, présentes et disponibles à l'intérieur du réseau. Par exemple, la modernisation des lois sur l'accès aux documents et sur la protection des renseignements personnels requiert de passer d'une approche dans laquelle les documents sont, oui ou non, « accessibles » à un cadre législatif qui régit les autorisations d'accéder aux documents de manière à assurer la protection des droits des personnes et l'intégrité des processus décisionnels.

➤

aux partis politiques et les appels d'offres publics du gouvernement du Québec[9].

Parmi ces démarches, Québec Ouvert a organisé, fin 2012 à Montréal, un hackathon contre la corruption auquel ont participé 250 personnes dans une compétition de bidouilleurs visant à trouver des solutions pour lutter contre la corruption en utilisant des données ouvertes. L'application ContratsNet a

## Un cadre juridique qui donne confiance

Le développement du gouvernement en ligne est tributaire d'un cadre juridique qui reconnaît la validité des interactions et surtout des transactions effectuées en ligne. Les interactions entre l'État et les personnes morales ou physiques comportant des conséquences juridiques nécessitent un cadre juridique qui reflète les conditions qui règnent dans le cyberespace, notamment sur le plan des garanties d'intégrité des «documents technologiques», c'est-à-dire les documents issus de l'usage des technologies de l'information.

Depuis le début des années 2000, les lois québécoises sont modifiées afin de tenir compte de l'importance que prennent désormais les échanges se déroulant en tout ou en partie dans le cyberespace. Il existe maintenant des règles rendant obligatoire la diffusion automatique sur des sites Internet des documents que les lois désignent comme publics. Plusieurs organismes publics sont assujettis à l'obligation d'évaluer leurs systèmes d'information en fonction des risques que ces environnements peuvent présenter pour la vie privée.

Au Québec, la Loi concernant le cadre juridique des technologies de l'information (L.R.Q., chapitre C-1.1), entrée en vigueur le 1er novembre 2001, lève les doutes qui pouvaient exister à l'égard de la validité des transactions réalisées avec des documents technologiques. Cette loi a modernisé plusieurs notions fondamentales du droit québécois afin de le rendre pleinement compatible avec l'usage sécuritaire des technologies de l'information, notamment dans les rapports entre les citoyens et l'État.

Ainsi, la Loi fournit un cadre en vue d'assurer la sécurité juridique des transactions effectuées à l'aide des technologies de l'information. Elle énonce les règles déterminant la validité des documents, qu'ils émanent de l'univers de l'écrit sur papier ou de l'univers de l'écrit électronique. Ce cadre juridique vise à faire en sorte que les citoyens aient suffisamment confiance dans les technologies de l'information pour les utiliser dans leurs transactions ou dans leurs rapports avec l'État.

La législation québécoise reconnaît le principe de la liberté du choix des moyens technologiques par lesquels un citoyen interagit avec l'administration ou d'autres organisations. L'environnement de confiance résulte également de la protection effective de la vie privée des citoyens. Les mécanismes mis en place à cette fin doivent garantir la transparence des pratiques gouvernementales faisant appel à des renseignements personnels. Par exemple, les règles de protection doivent prévoir qui, au sein d'une instance gouvernementale, peut accéder à des données personnelles, et faire obligation de documenter et de justifier les accès à ces informations. L'Agence du revenu du Québec, entre autres, applique ce type de règles à l'égard des données fiscales.

remporté le grand prix en exploitant des données de contrats muni-cipaux extraites du quotidien *The Gazette* à partir des procès-verbaux des conseils de ville de Montréal et de Laval[10].

Constatant le succès de l'événement, l'ancien chef de l'Unité permanente anti-corruption (UPAC) Jacques Duchesneau a accepté d'endosser une pétition en ligne visant à rendre publique, dans un

### Redéfinition des rôles

Le basculement des fonctions de délibération et de gouvernance dans le cyberespace peut nécessiter une redéfinition du rôle des élus. Ceux-ci pourraient de moins en moins être appelés à assurer l'interface entre l'État et les citoyens désormais en position d'interagir directement avec les décideurs ou l'administration. La cyberdémo-cratie et le gouvernement en ligne impliquent de nouveaux acteurs comme les inter-médiaires qui, sur Internet, assurent la transmission, l'hébergement ou l'archivage des documents. Par exemple, l'informatisation des dossiers médicaux afin de les rendre accessibles en ligne à tout professionnel de la santé que consulte un citoyen suppose de préciser les obligations des gestionnaires de ces renseignements haute-ment confidentiels.

Par ailleurs, la cyberdémocratie facilite la participation des citoyens aux débats et aux délibérations sur les affaires publiques. Actuellement, cette participation est freinée par le droit de la diffamation, qui, au Québec, est surtout favorable aux per-sonnalités publiques, de sorte que le citoyen qui ose critiquer une entreprise qu'il juge polluante ou des élus dont il réprouve les décisions s'expose à des poursuites, habi-tuellement financées par les ressources des municipalités ou des entreprises.

Un cadre juridique renforçant la confiance et obligeant à définir et à prévenir les risques associés aux environnements qui résultent de l'usage des technologies de l'information constitue un gage de succès du passage vers une « administration qué-bécoise 2.0 » capable de tirer profit des possibilités offertes par ces technologies.

### Références

Pierre Trudel, « The Development of Canadian Law with Respect to E-Government », dans J. E. J. Prins (dir.), *Designing e-Government*, Alphen-sur-le-Rhin (Pays-Bas), Kluwer Law International, 2007, p. 113-164.

Pierre Trudel, « État de droit et e-gouvernement », dans Karim Benyekhlef et Pierre Trudel (dir.), *État de droit et virtualité*, Montréal, Éditions Thémis, 2009, p. 373-410.

Pierre Trudel, « Gouvernement électronique et interconnexion de fichiers administratifs dans l'État en réseau », *Revista catalana de dret públic*, n° 35, 2007, p. 243-280. En ligne : www10. gencat.net/eapc_revistadret/revistes/revista.

**Pierre Trudel**

Directeur, Centre d'études sur les médias, et titulaire, Chaire L. R. Wilson sur le droit des technologies de l'information et du commerce électronique, Centre de recherche en droit public, Faculté de droit, Université de Montréal

format ouvert et gratuit, la base de données complète des appels d'offres du Québec[11]. Pendant ce temps, l'équipe de Québec Ouvert a développé des partenariats avec des élus, des administrateurs publics et des groupes de la société civile dans le but d'ajouter du poids à ces revendications.

Cédant à la pression, le gouvernement a finalement rendu accessible, en juin 2013, sur son tout nouveau portail de données ouvertes, l'intégralité des contrats accordés par les ministères, les organismes publics et les municipalités du Québec[12]. Ce fut un gain majeur du mouvement, puisque tous les citoyens sont désormais en mesure de consulter l'ensemble des contrats octroyés par l'État. Les données ne sont pas parfaites[13], mais un partenariat a été créé avec le Conseil du Trésor afin de répondre de mieux en mieux à la demande citoyenne[14].

### Les perspectives d'avenir

Si plusieurs villes canadiennes ont adopté une approche technocratique et les Québécois une vision plutôt citoyenne, il appert qu'une convergence se produit naturellement entre ces deux impératifs : les citoyens ont besoin de l'appui des administrations pour libérer les données, et la crédibilité démocratique de la classe politique bénéficie de la nécessaire vigilance de la société civile.

Mais bien que des progrès aient été réalisés, surtout à l'échelon municipal, il y a encore place à amélioration. La très grande partie des données disponibles sur les portails gouvernementaux actuels concerne des informations géographiques souvent éloignées du politique : routes, frontières, parcs, toilettes publiques. Cela pousse certains à se demander si l'intérêt affiché des gouvernements envers les données ouvertes n'est pas un simple exercice de relations publiques, un engagement de façade. À terme, si les gouvernements désirent prendre position de façon décisive pour les données ouvertes, ce sont des données administratives, démographiques et relatives à la santé publique qu'il faudra rendre publiques[15].

L'ouverture des données gouvernementales pose le même genre de problème que celui auquel étaient confrontés les décideurs publics vis-à-vis de l'ouverture des premières bibliothèques : que feront les citoyens de ces informations ? Vont-ils les utiliser pour nous critiquer ? Devrions-nous nous en méfier ?

Dans un contexte où le gouvernement fédéral abolit le recensement et coupe dans la recherche, ce mouvement pose la question cruciale de l'utilisation des faits comme fondement des politiques publiques, mais il va plus loin en démontrant que l'existence de données fiables, gratuites et utilisables par les citoyens fournit la rétroaction nécessaire au bon fonctionnement démocratique de la société. En somme, le mouvement des données ouvertes au Québec offre la « matière première » à l'appui de la mobilisation citoyenne en général.

## Notes

1. Après un exercice d'évaluation informationnel approfondi entre 1984 et 1986, le groupe de travail Nilsen a recommandé que les données gouvernementales soient accessibles gratuitement et sans frais de rediffusion. Voir Kirsti Nilsen, *The Impact of Information Policy: Measuring the Effects of the Commercialization of Canadian Government Statistics*, Ablex Publishing, 2001, 272 p.

2. Pour un exemple d'un regroupement provenant du milieu communautaire, consulter le site Programme de données communautaires: don neescommunautaires.ca.

3. Voir atlas.nrcan.gc.ca/site/francais/dataser vices/freedata.html; geoconnexions.rncan.gc.ca et geoconnexions.rncan.gc.ca/985. Le programme GéoConnexions demeure le plus innovant en matière d'infrastructures de partage de données et de production de politiques opérationnelles. En outre, le plus grand nombre d'ensembles de données sur le portail des données ouvertes du gouvernement fédéral sont issus de ce programme.

4. Accéder à la page du budget interactif à l'adresse suivante: www.budgetplateau.com.

5. Accéder à la page de l'événement à l'adresse suivante: www.ecohackmtl.org.

6. L'initiative citoyenne Montréal Ouvert a été fondée en 2010. Elle a pour but d'encourager la Ville de Montréal à adopter une politique sur les données ouvertes. Consulter le site à l'adresse suivante: www.montrealouvert.net.

7. Henri-François Gautrin, député de Verdun et leader parlementaire adjoint du gouvernement, «Gouverner ensemble. Comment le Web 2.0 améliorera-t-il les services aux citoyens?», gouvernement du Québec, 2012. En ligne: www.mce. gouv.qc.ca/publications/rapport-gautrin-web-2-2012-03-06.pdf.

8. L'initiative Logements insalubres Montréal rassemble une panoplie d'acteurs du monde communautaire. Consulter son site à l'adresse suivante: lim.do101.org/index.php/Accueil. De son côté, Montréal accessible est un projet collaboratif mené par le Regroupement des activistes pour l'inclusion au Québec (RAPLIQ). Consulter son site à l'adresse suivante: www.rapliq.org/montreal-accessible-cest-possible.

9. Québec Ouvert, fondé en 2011, vise l'adoption d'une politique sur les données ouvertes et souhaite que le Québec évolue de manière durable vers un avenir encore plus ouvert et transparent. Consulter le site de l'organisme à l'adresse suivante: www.quebecouvert.org.

10. Pour plus d'information à ce sujet, consulter les sites de Contrats Net et du journal *The Gazette* aux adresses suivantes: contratsnet.wordpress. com et documents.montrealgazette.com.

11. Pour lire le texte de la pétition dans son intégralité, consulter le site à l'adresse suivante: https://www.assnat.qc.ca/fr/exprimez-votre-opinion/petition/Petition-3687/index.html.

12. Les données du Système électronique d'appel d'offres sont disponibles sur le site des données ouvertes du gouvernement du Québec à l'adresse suivante: www.donnees.gouv.qc.ca/?node=/donnees-details&id=542483bf-3ea2-4074-b33c-34828f783995.

13. Les données sont «imparfaites» parce qu'elles ne sont pas pensées pour faire des cumuls et des regroupements aux fins de statistiques; chaque soumissionnaire est entré de multiples fois dans le système par différents organismes; les noms des soumissionnaires ne sont pas standardisés puisqu'ils sont lus sur les pages couvertures des soumissions et parfois retranscrits de façon erronée; les entreprises ont beaucoup de raisons sociales et de filiales qui rendent l'analyse comparative difficile.

14. Des groupes de discussion en ligne facilitent le dialogue entre le gouvernement du Québec et la communauté des développeurs. On peut joindre ces groupes en écrivant à l'adresse courriel suivante: open-data-montreal@googlegroups.com.

15. Pour un exemple d'ouverture, consulter le site de L'Espace montréalais d'information sur la santé (EMIS), une plateforme regroupant de l'information sur la santé des Montréalais et ses déterminants ainsi que de l'information relative au système de santé à Montréal, à l'adresse suivante: emis.santemontreal.qc.ca.

# Une approche sociale de la gouvernance

**Julie Daubois**
*Titulaire d'une maîtrise en sciences de la communication, Université de Montréal*

**Sébastien Jodoin**
*Doctorant, Université Yale, et boursier, Fondation Trudeau*

**Au Québec, comme dans la plupart des démocraties occidentales, les processus d'élaboration des politiques publiques continuent à perdre de leur légitimité aux yeux des citoyens. Plusieurs décisions récentes, par exemple en ce qui concerne les droits de scolarité ou le port de symboles religieux ostensibles par les employés de l'État, ont été perçues comme étant injustes par des segments importants de la population. Un changement s'inspirant de l'approche sociale de la gouvernance est nécessaire pour accroître la légitimité des politiques publiques et promouvoir la coopération auprès des citoyens.**

Inspiré de la psychologie sociale, cet article reprend les résultats des travaux de Tom R. Tyler, professeur de droit et de psychologie à l'Université Yale, qui reconnaissent l'importance des jugements que portent les individus sur l'équité procédurale de leurs interactions avec les autorités, comme la police ou les tribunaux. En effet, les travaux de Tyler démontrent que les individus sont plus susceptibles d'accorder une certaine légitimité aux autorités lorsqu'ils ont le sentiment que leurs interactions avec elles se font de manière équitable, indépendamment de leur satisfaction quant aux résultats[1].

Par exemple, Tyler a effectué une étude au sujet des facteurs influant sur la décision d'un individu de restreindre sa consommation d'eau pendant les pénuries d'eau. L'étude a montré que les gens étaient plus enclins à respecter les limites de consommation s'ils croyaient que le processus décisionnel qui avait mené à la détermination de ces limites était légitime, et ce, indépendamment des effets sur leur consommation personnelle. Ainsi, même les individus les plus atteints par les limites de consommation d'eau étaient prêts à les respecter s'ils considéraient le processus de prise de décision comme légitime[2].

Selon Tyler, les individus évaluent l'équité procédurale de leurs échanges avec les autorités en fonction de quatre critères : la neutralité, la fiabilité, le degré de respect interpersonnel et le

---

**L'approche sociale souligne le rôle des relations interpersonnelles dans la motivation humaine.**

---

degré de participation permis. La *neutralité* est évaluée par les gens en fonction du degré d'honnêteté et d'impartialité des autorités, notamment si celles-ci prennent des décisions fondées sur des faits plutôt que sur des opinions[3]. La *fiabilité* fait référence à «la motivation de la tierce partie de traiter [l'individu] de manière équitable, de se préoccuper de ses besoins et de considérer ses arguments[4]». Le *respect interpersonnel* renvoie au sentiment d'avoir été traité avec politesse, dignité et respect[5]. Finalement, le *degré de participa-*

*tion* est évalué par l'individu en fonction de la possibilité qui lui est donnée d'exprimer son point de vue sur la résolution de problèmes ou de conflits[6].

La capacité à respecter ces critères de l'équité procédurale constitue un facteur de réussite important pour les institutions publiques : ainsi, leurs décisions et leurs actions seront perçues comme légitimes.

Les travaux de Tyler révèlent également que le sentiment de légitimité généré par un processus d'élaboration de politiques publiques équitable incite les individus à respecter les décisions des institutions publiques[7] et à coopérer avec celles-ci pour assurer la réussite de la société[8].

## L'importance de la légitimité pour la gouvernance

Insistant sur l'importance de la perception d'une équité procédurale dans le comportement des individus, Tyler appuie l'adoption d'une approche sociale de la motivation humaine plutôt qu'une approche instrumentale[9]. Cette dernière privilégie la mise en œuvre de mesures extrinsèques, incitatives ou coercitives, pour influencer le comportement des individus – par exemple les crédits d'impôt ou la menace de peines d'emprisonnement. L'approche sociale souligne plutôt le rôle des relations interpersonnelles dans la motivation humaine, d'où l'importance d'établir des processus d'élaboration des politiques publiques qui seront jugés légitimes et qui fourniront une base intrinsèque pour la promotion de la coopération.

De plus, l'approche sociale élimine les effets secondaires nuisibles de l'approche instrumentale de la motivation humaine, soit les sentiments de méfiance, de colère et d'injustice que peuvent susciter des pratiques coercitives[10]. Elle favorise également les relations sociales, qui sont si importantes pour le fonctionnement d'une société, au contraire de l'approche instrumentale, qui est plutôt susceptible de contribuer à l'émergence d'une culture de l'intérêt personnel. Dans un contexte économique où les institutions publiques, au Québec, disposent de budgets réduits pour faire face à des problèmes de politiques publiques, le coût relativement moindre de l'approche sociale et ses bienfaits pour la coopération devraient la rendre d'autant plus attrayante aux yeux des politiciens et des fonctionnaires.

**Un contexte favorable à l'approche sociale de la gouvernance**

L'éclatement de la société en matière d'idéologies et de valeurs politiques rend laborieuse la mise en place de processus équitables et légitimes pour l'élaboration de politiques publiques. Comprendre et repenser la gouvernance publique au Québec signifie essentiellement reconnaître l'importance accordée par les individus à l'équité procédurale de leurs échanges avec les autorités. Cela

pourrait notamment redonner aux institutions publiques une certaine légitimité, dans un laps de temps relativement court. En effet, les interactions avec les autorités jouent un rôle primor-

> **Le sentiment de légitimité incite les individus à respecter les décisions des institutions publiques.**

dial dans l'évaluation que fait un individu de son statut au sein de la société – son identité sociale. Et puisque la qualité des relations avec les autorités est vue comme des plus importantes « par ceux qui se considèrent comme exclus, marginalisés ou en périphérie de la société[11] », cela en augmente d'autant plus la pertinence : on favorisera ainsi la coopération de ces populations, souvent désabusées quant aux institutions publiques, avec les décisions des autorités.

L'approche sociale impose un changement important dans les pratiques décisionnelles des institutions publiques au Québec : il est nécessaire, notamment, de prendre des décisions sur la base des faits (neutralité), de considérer les arguments des différentes parties (fiabilité), de traiter les citoyens avec dignité et respect (respect interpersonnel) et de leur donner l'occasion de contribuer à la prise de décision (participation). Plus une institution publique tendra à respecter ces paramètres de l'équité procédurale, plus la légitimité dont elle bénéficiera auprès des citoyens sera grande, et plus elle profitera des effets positifs qui en découlent quant à la décision de ces derniers de respecter la loi et de contribuer au succès de la société.

## Cas de figure : la crise étudiante

Le débat entourant l'augmentation des droits de scolarité universitaire au Québec, au cours des trois dernières années, illustre les effets néfastes que peuvent avoir des processus inéquitables sur l'appréciation de la légitimité des décisions publiques. Après avoir annoncé qu'il envisageait d'augmenter les droits de scolarité universitaire, le gouvernement de Jean Charest a tenu une rencontre avec le monde universitaire, en décembre 2010, pour débattre de cette proposition. Les associations étudiantes n'ont aucunement senti qu'elles avaient la possibilité d'infléchir les orientations du gouvernement sur ce sujet, jugeant au contraire que « les dés étaient pipés et les décisions déjà prises[12] ». Le sentiment que le gouvernement n'était pas neutre ni fiable, qu'il manquait de respect envers les étudiants et qu'il limitait les occasions de participation a alimenté le mouvement étudiant tout au long de la crise. Dans ce contexte, l'adoption du projet de loi spéciale 78, qui visait à limiter les possibilités de mobilisation et de manifestation des étudiants, n'a fait qu'accroître leur méfiance envers « un gouvernement qui se retourne contre sa propre jeunesse[13] », en plus

d'étendre le mécontentement bien au-delà du conflit étudiant[14].

Avec la volonté affichée de rebâtir une relation de confiance avec les étudiants, le gouvernement de Pauline Marois a par la suite organisé le Sommet sur l'enseignement supérieur, tenu en février 2013. Malgré le fait que cet événement d'envergure a rassemblé 350 personnes de tous les horizons – associations étudiantes, syndicats, regroupements de gens d'affaires, politiciens, représentants d'établissements universitaires et citoyens – et qu'il a été précédé de rencontres thématiques dans les universités du Québec, d'animations citoyennes, d'une école d'hiver de l'Institut du Nouveau Monde et de discussions sur le Web[15], on ne peut pas dire qu'il a su satisfaire aux critères d'évaluation de l'équité procédurale. En effet, plusieurs ont affirmé avoir l'impression que certaines décisions avaient été prises avant la tenue du sommet, et le choix du gouvernement de ne pas inscrire l'option de la gratuité universitaire à l'ordre du jour a alimenté le sentiment d'impuissance des participants ; en l'absence de consensus, le gouvernement a maintenu l'indexation des droits de scolarité de 3 % proposée[16].

## Des avantages, des défis

Ce dossier illustre le manque d'équité procédurale qui caractérise souvent les processus d'élaboration de politiques publiques au Québec, et qui affecte considérablement le degré de confiance et de respect des individus envers le gouvernement. Il démontre également les défis de l'approche sociale de la gouvernance. D'une part, les décideurs sont souvent réticents à mettre en place des mécanismes réellement participatifs, mais adoptent tout de même des pratiques consultatives alors que l'aboutissement de ces exercices est décidé d'avance. D'autre part, lorsqu'une organisation a un historique caractérisé par un faible degré de confiance et un manque d'équité, sa capacité à susciter des sentiments positifs sur la base de nouvelles expériences justes s'en trouve, du moins à court terme, diminuée[17]. Ainsi, si les institutions publiques du Québec souhaitent prendre le virage de la gouvernance sociale et profiter de ses effets positifs sur la société, elles devront changer leurs pratiques en profondeur en fonction du respect du citoyen et de l'importance qu'il accorde à sa participation à des processus décisionnels neutres, fiables et équitables. Revoir leurs façons de faire actuelles sera nécessaire si elles veulent rebâtir des liens de confiance avec les citoyens et bénéficier de la légitimité sociale qui amène ces derniers à respecter les décisions gouvernementales et à contribuer au succès de la société.

Notes

1. Tom R. Tyler, « The Psychology of Legitimacy: A Relational Perspective on Voluntary Deference to Authorities », *Personality and Social Psychology Review,* vol. 1, n° 4, 1997, p. 326.

2. Tom R. Tyler et Peter Degoey, « Collective Restraint in Social Dilemmas: Procedural Justice and Social Identification Effects on Support for Authorities », *Journal of Personality and Social Psychology,* vol. 69, n° 3, 1995, p. 482.

3. Tom R. Tyler, « The Psychology of Legitimacy », *loc. cit.,* p. 337.

4. *Ibid.,* p. 336.

5. *Ibid.,* p. 337.

6. Tom R. Tyler, « Procedural Fairness and Compliance with the Law », *Swiss Journal of Economics and Statistics,* vol. 133, n° 2, 1997, p. 232.

7. Tom R. Tyler, *Why People Obey the Law: Procedural Justice, Legitimacy, and Compliance,* New Haven (Conn.), Yale University Press, 2006, p. 161-169.

8. Tom R. Tyler, *Why People Cooperate: The Role of Social Motivations,* Princeton (N. J.), Princeton University Press, 2011, p. 22.

9. *Ibid.,* p. 27-47.

10. *Ibid.,* p. 152.

11. *Ibid.,* p. 138.

12. La Presse canadienne, « Éducation : les syndiqués et les associations étudiantes claquent la porte », *Le Devoir,* 6 décembre 2010.

13. G. Blouin Genest, « Le conflit étudiant québécois : une "épidémie" de sens pour un Québec politiquement malade », *Culture & Conflits,* n° 87, 2012, p. 149.

14. Violaine Lemay et Marie-Neige Laperrière, « Contestation étudiante et soubresauts étatiques : le printemps québécois sous une perspective droit et société », *Canadian Journal of Law and Society,* vol. 27, n° 3, 2012, p. 427-438.

15. Ministère de l'Enseignement supérieur, de la Recherche, de la Science et de la Technologie, « Sommet ». En ligne : www.mesrst.gouv.qc.ca/sommet/sommet.

16. Robert Dutrisac et Lisa-Marie Gervais, « Fin du Sommet sur l'enseignement supérieur – Vers le printemps des réformes », *Le Devoir,* 27 février 2013.

17. Tom R. Tyler, « Procedural Fairness and Compliance with the Law », p. 224.

# Démographie

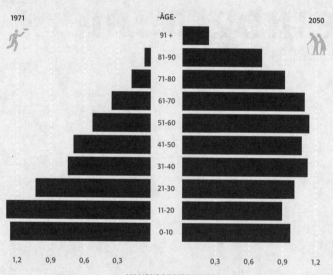

# POPULATION QUÉBÉCOISE PAR
# TRANCHE D'ÂGE, 1971 et 2050*

1971

-ÂGE-

2050

| 91 + |
| 81-90 |
| 71-80 |
| 61-70 |
| 51-60 |
| 41-50 |
| 31-40 |
| 21-30 |
| 11-20 |
| 0-10 |

1,2   0,9   0,6   0,3        0,3   0,6   0,9   1,2

-MILLIONS DE PERSONNES-

*Projections

# Une décennie dynamique

**Simon Langlois**

*Professeur, Département de sociologie, Université Laval*

D'importants changements sont survenus dans le portrait démographique du Québec depuis les années 2000 par rapport à la décennie précédente. De nouvelles tendances sont apparues et d'autres ont modifié leur trajectoire. Il faut souligner en particulier l'avènement du solde migratoire en terrain positif, la diminution des départs vers les autres provinces, la hausse de la fécondité des couples, l'accentuation de la diversité culturelle, la concentration de la population en milieu urbain et une amélioration du bilan migratoire interrégional. Ce sont là autant de contrastes avec les tendances marquantes de la fin du xxᵉ siècle, qui étaient porteuses d'un certain pessimisme.

Par ailleurs, plusieurs tendances passées se consolident et peu de tendances nouvelles émergent. C'est le cas pour l'espérance de vie, l'accroissement naturel de la population, la conjugalité, les modes de vie familiaux, le mode de vie en solitaire ou la création de ménages.

Ce bilan démographique caractérise ce que les sociologues nomment la « morphologie sociale d'une société ». En bien cerner les différents traits est essentiel pour mettre en perspective les enjeux discutés sur la place publique.

## Une population encore en croissance

La population totale du Québec a dépassé la barre des huit millions d'habitants (8 100 000 en 2013). La croissance de la population québécoise est cependant plus lente qu'auparavant, et les démographes ont repoussé le moment où celle-ci commencera à décroître. Cette éventualité est plus lointaine qu'on ne le prévoyait au tournant de l'an 2000, à cause de la reprise de la natalité, du bilan migratoire en redressement et de la hausse de l'espérance de vie.

Il est difficile de prévoir en quelle année au juste commencera le déclin net de la population québécoise totale. Selon le scénario le plus probable élaboré par l'Institut de la statistique du Québec, il devrait survenir à partir des années 2020-2025, car la structure par âge est encore très favorable à la croissance démographique de la population. Il faut cependant préciser que le déclin de la population en âge de travailler va s'amorcer plus tôt.

## Affaiblissement de l'accroissement naturel

Depuis 2001, l'accroissement de la population par la migration nette a dépassé le niveau de l'accroissement naturel de la population (solde des naissances moins les décès), malgré la remontée de la fécondité (voir le tableau 1). En 2012, l'accroissement naturel de la population québécoise a été de 27 900 habitants et le solde migratoire, de 40 306 habitants. L'accroissement naturel poursuivra son déclin, car le nombre de décès est appelé à s'accroître à mesure que vieilliront les baby-boomers. La croissance démographique du Québec sera donc dépendante des migrations de populations.

TABLEAU 1

**Accroissements naturel et migratoire (en nombre et en ‰), 2001-2012**

| Année | Naturel | | Migratoire | |
|---|---|---|---|---|
| | N | ‰ | N | ‰ |
| 2001 | 19 327 | 2,6 | 23 127 | 3,1 |
| 2002 | 16 730 | 2,2 | 29 017 | 3,9 |
| 2003 | 18 944 | 2,5 | 34 725 | 4,6 |
| 2004 | 18 454 | 2,4 | 35 472 | 4,7 |
| 2005 | 20 353 | 2,7 | 30 160 | 4,0 |
| 2006r | 27 528 | 3,6 | 27 817 | 3,6 |
| 2007r | 27 705 | 3,6 | 25 537 | 3,3 |
| 2008r | 30 716 | 4,0 | 27 230 | 3,5 |
| 2009r | 30 848 | 3,9 | 37 779 | 4,8 |
| 2010p | 30 036 | 3,8 | 42 035 | 5,3 |
| 2011p | 29 200 | 3,7 | 39 422 | 4,9 |
| 2012p | 27 900 | 3,5 | 40 306 | 5,0 |

r: données révisées, seulement pour le solde migratoire
p: données provisoires
Source: Institut de la statistique du Québec, www.stat.gouv.qc.ca, calculs de l'auteur.

## Lent recul du poids démographique relatif du Québec

Le poids relatif du Québec au sein du Canada n'a cessé de diminuer dans la seconde moitié du XX$^e$ siècle, parce que la population canadienne a progressé plus vite. Pour la première fois de son histoire, la part de la population québécoise est tombée, en 1994, en dessous des 25 % de l'ensemble canadien. La diminution du poids relatif du Québec ne pourra que se poursuivre, mais lentement. En 2012, la population du Québec représentait 23,1 % de la population totale du Canada.

## Un nouveau rapport entre les groupes d'âge

L'examen des pyramides des âges laisse entrevoir de nouveaux rapports entre les cohortes et, conséquemment, entre les générations qui se succèdent. Le nombre de jeunes demeure important, ce qui contribue au dynamisme de la société, mais la hausse de l'espérance de vie et l'avancée en âge des baby-boomers vont contribuer à accroître les effectifs dans les strates d'âge supérieures de la pyramide (voir le graphique 1). Cela signifie qu'un nouvel équilibre entre les différents groupes d'âge s'est dessiné et que ce rééquilibrage se poursuivra à mesure que les cohortes issues du baby-boom d'après-guerre vieilliront.

Ce phénomène, que l'on voit nettement dans les différentes pyramides,

**GRAPHIQUE 1**
**Pyramides des âges (Québec, 2013)**

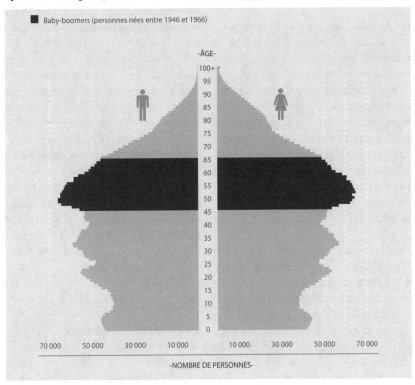

■ Baby-boomers (personnes nées entre 1946 et 1966)

Source : Institut de la statistique du Québec.

s'observe aussi dans les familles et les couples. Les grands-parents des années 2010-2020 auront eu environ deux enfants, leurs enfants presque autant, et leurs petits-enfants devraient eux aussi avoir une fécondité assez semblable. La descendance finale de ces trois générations devrait se situer entre 1,8 enfant

---

**Un nouvel équilibre entre les différents groupes d'âge s'est dessiné.**

---

par femme pour les plus âgés et 1,6 ou 1,5 pour les plus jeunes. C'est là tout un contraste avec la très forte fécondité des grands-parents des baby-boomers.

À mesure que les cohortes qui ont connu une forte fécondité et les familles nombreuses d'autrefois disparaîtront les Québécois vivront dans une société marquée par une fécondité moins contrastée entre les générations que par le passé – d'où le nouvel équilibre entre les strates d'âge, qui aura des retombées considérables sur la société.

**Une jeunesse encore bien présente**

Il est vrai que la part des jeunes âgés de 0 à 14 ans a fortement diminué, mais cela ne doit en aucun cas donner à penser que la jeunesse québécoise a perdu de son dynamisme, ni même de son importance démographique. En nombre, il y a autant de jeunes aujourd'hui qu'il y a 20 ans; c'est plutôt la force relative de ce nombre dans l'ensemble social qui a changé. Les

jeunes des années 1960 et 1970 avaient des cohortes moins nombreuses devant eux, dans les strates supérieures de la pyramide. Ils bénéficiaient non seulement du poids du nombre, mais aussi d'un poids relatif plus marqué. Les choses ont changé par la suite, et les jeunes d'aujourd'hui – toujours aussi nombreux – doivent composer avec des cohortes plus vieilles aux effectifs plus élevés que par le passé. Il n'y a plus de pyramide, mais plutôt une nouvelle structure d'âge qui pose de nouveaux défis sociaux, dont celui d'un partage équitable des ressources de la société entre les générations. Les discours publics insistent de plus en plus (avec raison) sur les conséquences du vieillissement, mais il faudrait aussi ajouter que les jeunes vont continuer à être fort présents dans la société québécoise, y constituant un noyau relativement stable.

La part des jeunes âgés de moins de 14 ans a été surpassée en 2001 (15,6 %) par celle des personnes âgées de 65 ans et plus (15,7 %). Ce changement majeur mérite d'être souligné. La proportion de personnes âgées est appelée à augmenter lentement dans les années à venir, certes, mais il ne faudrait pas en conclure que la jeunesse aura nécessairement moins de poids dans la société.

**Un vieillissement amorcé**

Le Québec n'a pas encore une population vieille, mais la tendance au vieillissement est nettement présente et va continuer de s'accélérer, comme l'indiquent les projections de population faites par l'Institut de la statistique du Québec : la part de la population âgée de 65 ans et plus passera de 16,2 % en 2011 à 21,3 % en 2021 et à environ 30 % au milieu du siècle.

L'âge médian de la population – l'âge qui départage la population entre deux groupes égaux – fera un bond considérable, passant de 41,5 ans en 2011 à 43,1 en 2021 et à 46 vers les années 2050. Rappelons que la moitié de la population avait moins de 25 ans en 1951, une proportion qui caractérise en ce moment la démographie des nations amérindiennes.

### Une nouvelle dépendance

Le rapport de dépendance – soit le rapport entre le nombre d'enfants et de personnes de 65 ans et plus, d'une part, et la population âgée de 15 à 64 ans, d'autre part – est en hausse, et il a atteint le niveau observé dans les années 1950 et 1960. Ce rapport de dépendance doit être interprété avec précaution, notamment parce qu'une partie des personnes ayant dépassé l'âge de la retraite pourront rester actives sur le marché du travail ou encore effectuer des travaux à titre de bénévoles. Dans les années 1950, les personnes dépendantes étaient surtout des enfants qui n'avaient pas de ressources économiques propres ; dans les années 2015-2020, les personnes dépendantes seront de plus en plus des personnes âgées possédant pour la plupart un patrimoine, ce qui modifiera l'impact socioéconomique de la dépendance sur la société.

### Le poids du centre

Quand on évoque les changements démographiques en cours, tous pensent spontanément à la baisse de la natalité et au vieillissement de la population ; mais il faut aussi avoir en tête que le centre de la distribution se gonfle à mesure que vieillit la génération du baby-boom, une tendance qui va se poursuivre jusque dans les années 2020, alors que les baby-boomers délaisseront en plus forte proportion le marché du travail. Entre-temps, c'est plutôt le centre de la distribution démographique qui pèse de tout son poids sur la société.

La tranche d'âge la plus nombreuse est en ce moment celle des 40 à 49 ans, et les personnes qui se situent de chaque côté de cette catégorie modale (disons dans la fourchette des 35-50 ans) ont une grande influence dans la société : leurs comportements modèlent ce qui s'y

> **La part de la population âgée de 65 ans et plus sera d'environ 30 % en 2050.**

passe. Cela apparaît clairement dans la sphère de la consommation marchande et dans le développement périurbain. Les banlieues des villes se sont en effet beaucoup développées avec l'arrivée des ménages en âge d'élever des enfants, alors que les centres-villes sont en train de connaître un nouveau dynamisme avec le retour des ménages à la phase du «nid vide» *(empty nesters)* qui s'y retrouvent dans des condos en nombre grandissant.

## La décroissance démographique des régions est amorcée

Le déclin démographique est déjà amorcé dans plusieurs régions du Québec. D'après les données révisées de la population (voir le tableau 2), six régions ont connu un certain dépeuplement entre 1991 et 2012 : Côte-Nord (10 063), Gaspésie–Îles-de-la-Madeleine (15 695), Bas-Saint-Laurent (9 809), Saguenay–Lac-Saint-Jean (19 580) et Abitibi-Témiscamingue (8 753). La région de la Mauricie–Bois-Francs (970) a été la dernière à s'ajouter à la liste. Il faut cependant prendre en compte un facteur important : ces régions comptent

TABLEAU 2

**Population, variation de la population et accroissement selon les régions administratives, 1991, 2001 et 2012**

| Régions administratives | Population | | | | Variation de la population 1991-2012 % | Accroisse- ment 1991-2012 |
|---|---|---|---|---|---|---|
| | 1991 % | 2001 % | 2012 % | 2012 | | |
| Bas-Saint-Laurent (01) | 3,0 | 2,8 | 2,5 | 199 834 | -4,9 | -9 809 |
| Saguenay–Lac-Saint-Jean (02) | 4,1 | 3,8 | 3,4 | 273 009 | -7,2 | -19 580 |
| Québec (03) | 8,9 | 8,8 | 8,8 | 707 984 | 10,8 | 76 385 |
| Mauricie–Bois-Francs (04) | 3,7 | 3,5 | 3,3 | 263 269 | -0,4 | -970 |
| Estrie (05) | 3,9 | 3,9 | 3,9 | 315 487 | 12,9 | 40 715 |
| Montréal (06) | 25,7 | 25,0 | 24,6 | 1 981 672 | 8,4 | 165 748 |
| Outaouais (07) | 4,1 | 4,4 | 4,6 | 372 329 | 21,7 | 80 920 |
| Abitibi-Témiscamingue (08) | 2,2 | 2,0 | 1,8 | 146 753 | -6,0 | -8 753 |
| Côte-Nord (09) | 1,5 | 1,3 | 1,2 | 95 647 | -10,5 | -10 063 |
| Nord-du-Québec (10) | 0,5 | 0,5 | 0,5 | 42 993 | 13,4 | 5 776 |
| Gaspésie–Îles-de-la-Madeleine (11) | 1,5 | 1,3 | 1,1 | 92 536 | -17,0 | -15 695 |
| Chaudière-Appalaches (12) | 5,3 | 5,3 | 5,1 | 408 188 | 7,9 | 32 059 |
| Laval (13) | 4,6 | 4,7 | 5,1 | 409 718 | 21,4 | 87 653 |
| Lanaudière (14) | 4,8 | 5,4 | 5,9 | 476 941 | 27,9 | 132 992 |
| Laurentides (15) | 5,5 | 6,4 | 7,0 | 563 139 | 30,5 | 171 612 |
| Montérégie (16) | 17,5 | 17,7 | 18,3 | 1 470 252 | 16,0 | 235 351 |
| Centre-du-Québec (17) | 3,0 | 3,0 | 2,9 | 235 005 | 9,8 | 23 019 |
| **Québec** | **100** | **100** | **100** | **8 054 756** | **10,0** | **987 360** |

Source : Institut de la statistique du Québec, www.stat.gouv.qc.ca, calculs de l'auteur.
À noter que les données de Statistique Canada sont légèrement différentes de celles présentées ici.

pour 13,3 % de la population totale. La décroissance de la population ne touche donc qu'une faible proportion des régions habitées, même si les territoires touchés sont vastes.

La région administrative de Montréal connaît une croissance faible et a perdu une partie de sa population au profit des régions adjacentes – la Montérégie, surtout, mais aussi Lanaudière et les Laurentides. L'Outaouais, l'Estrie, la région de la Capitale-Nationale et celle de Chaudière-Appalaches connaissent aussi une hausse démographique. Ces régions en croissance ont augmenté leur poids relatif dans l'ensemble du Québec.

GRAPHIQUE 2
**Population par régions métropolitaines de recensement et variation en %, 1991 et 2012**

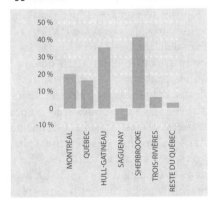

Source : Statistique Canada, tableau 051-0046, et Institut de la statistique du Québec, www.stat.gouv.qc.ca. Calculs de l'auteur.

## De plus en plus d'urbains

La population québécoise se concentre davantage dans les grandes régions métropolitaines, qui connaissent toutes (sauf celle de Saguenay et, dans une moindre mesure, celle de Trois-Rivières) une croissance démographique plus forte que celle de l'ensemble du Québec (voir le graphique 3). Le Québec est de plus en plus urbain, et un peu moins de la moitié de toute sa population (49 %) se retrouve dans la grande région montréalaise. C'est la région métropolitaine de Sherbrooke qui croît le plus vite depuis 10 ans, suivie de celle de Gatineau.

## Nouveau dynamisme de la fécondité

Le nombre de naissances et le taux de natalité ont été en forte baisse dans les années 1990, atteignant un creux en 2000 avec 72 010 naissances. La natalité s'est par la suite redressée de manière importante, voire surprenante, après des années de sous-fécondité, le nombre de nouveau-nés atteignant 88 700 en 2012 (voir le tableau 3). L'indice synthétique de fécondité est même remonté à 1,68 enfant par femme en âge d'enfanter en 2012.

Les enfants des premières cohortes du baby-boom d'après-guerre sont en âge d'avoir leurs propres enfants, et on peut présumer que le nombre de naissances se maintiendra au même niveau pendant un certain temps avant de

TABLEAU 3
**Divers indicateurs de fécondité, 2000-2012**

| Année | Naissances | Taux de natalité | Indice synthétique de fécondité |
|---|---|---|---|
| 2000 | 72 010 | 9,8 | 1,45 |
| 2001 | 73 699 | 10,0 | 1,50 |
| 2002 | 72 478 | 9,7 | 1,48 |
| 2003 | 73 916 | 9,9 | 1,50 |
| 2004 | 74 068 | 9,8 | 1,50 |
| 2005 | 76 341 | 10,1 | 1,54 |
| 2006 | 81 962 | 10,7 | 1,65 |
| 2007 | 84 453 | 11,0 | 1,69 |
| 2008 | 87 865 | 11,3 | 1,74 |
| 2009 | 88 891 | 11,4 | 1,74 |
| 2010 | 88 436 | 11,2 | 1,71 |
| 2011p | 88 500 | 11,1 | 1,69 |
| 2012p | 88 700 | 11,0 | 1,68 |

p : données provisoires
Source : Institut de la statistique du Québec, www.stat.gouv.qc.ca.

continuer à régresser lorsque le nombre de mères potentielles diminuera.

Le taux de fécondité a diminué de façon importante dans le groupe des jeunes femmes âgées de moins de 25 ans. Plus scolarisées qu'auparavant, les jeunes femmes ont en fait reporté à plus tard la venue des enfants : l'âge moyen de la mère à la naissance était de 30,2 ans en 2012. Les femmes attendent aussi d'être stables professionnellement avant de devenir mères.

L'adoption internationale est en nette régression depuis 2003. Ainsi, 908 enfants nés à l'étranger avaient été adoptés cette année-là par des parents québécois, mais ce nombre a chuté par la suite pour tomber à seulement 256 en 2012. Au total, 7 678 enfants nés à l'étranger ont été adoptés par des couples québécois depuis l'an 2000.

Enfin, le nombre d'interruptions volontaires de grossesse (IVG) s'est maintenu autour de 26 000 entre 2007 et 2011, contre environ 28 000 par année pendant les 10 années précédentes. L'IVG n'est pas seulement répandue chez les adolescentes et les jeunes femmes ; elle est également fréquente dans le groupe des femmes plus âgées. Le taux d'IVG est le plus élevé dans la tranche d'âge des 20-24 ans, mais il régresse chez les femmes plus jeunes.

## Hausse continue de l'espérance de vie

En 2012, l'espérance de vie était de 79,8 ans pour les hommes et de 83,8 ans pour les femmes. On observe depuis une quinzaine d'années une réduction marquée de l'écart entre hommes et femmes, qui est maintenant de quatre ans (contre huit en 1980).

La différence entre hommes et femmes observée après 65 ans est cependant moindre, soit 2,9 ans. En effet, s'ils se rendent jusqu'à 65 ans, les hommes peuvent espérer vivre encore 19 ans et les femmes, 21,9 ans (estimation faite pour l'année 2012). L'écart entre les hommes et les femmes est encore plus réduit pour ce qui est de l'espérance de vie sans perte d'autonomie fonctionnelle après 65 ans : une partie des années supplémentaires vécues par les femmes le sont au prix d'une perte d'autonomie.

## Augmentation du nombre de décès

Le nombre de décès est en hausse régulière depuis 2006, et il a dépassé pour la première fois la barre des 60 000 personnes en 2012. Le taux de décès – mesure qui tient compte de la taille de la population – est maintenant de 7,5 ‰, contre 7 ‰ en 1990.

## Le Québec, de nouveau attirant

Globalement, le Québec est gagnant dans ses échanges de population avec l'étranger, mais il est perdant dans ses échanges avec les provinces canadiennes.

Le solde migratoire total comprend en effet deux types de mouvements de population, soit les échanges entre le Québec et les provinces canadiennes, et les entrées et sorties en provenance de (ou vers) l'étranger. Le Québec a eu un solde migratoire total négatif jusqu'en 1985. Cette tendance a été renversée par la suite, le solde migratoire total étant positif jusqu'à aujourd'hui (sauf en 1997). Il a été d'environ 30 000 depuis les années 2000, et il est en hausse (40 206 en 2012). Après des décennies de solde négatif, ce changement de tendance mérite d'être souligné.

Le solde migratoire interprovincial est quant à lui négatif depuis au moins un demi-siècle ; mais, encore là, la tendance est au changement et à la réduction. Le solde des migrations nettes entre le Québec et les autres provinces était de 3 886 en 2012 (dernière année pour laquelle les chiffres sont disponibles). Le solde migratoire tournait autour de 10 000 migrants dans les années 1990, et il était plus bas dans les années 2000, sauf en 2007 et en 2008.

En 40 ans, le Québec a perdu 540 042 personnes dans ses échanges de population avec le reste du Canada. Rappelons que d'autres provinces canadiennes ont aussi connu un solde migratoire négatif important au cours de la même période, de même que plusieurs États américains de taille comparable au Québec dans leurs échanges de population avec d'autres États. Outre l'« incertitude » qui a entouré l'avenir politique du Québec – un facteur qui a souvent été évoqué par les analystes pour expliquer ce phénomène dans les années 1970-1980 –, bien d'autres causes expliquent les mouvements de population d'une région à l'autre, notamment des facteurs économiques et même géographiques, comme le montre la situation comparable de provinces ou d'États américains voisins.

## Québec-Ontario aller-retour

Où vont les Québécois qui migrent ailleurs au Canada? En Ontario, surtout, et de loin (voir le tableau 4). La proportion de migrants québécois qui choisissent de s'y établir a été d'environ deux sur trois pendant un quart de siècle, avec quelques hauts et bas au fil de la conjonc-

ture économique. La part des migrants qui ont choisi l'Ontario a chuté entre 2006 et 2009 – tombant même à 54 % en 2008 –, alors que les immigrants s'établissent plus nombreux dans l'ouest du pays. Les Prairies – l'Alberta en tête – ont effectivement attiré davantage de migrants québécois, dont le nombre a été en progression importante depuis le boom pétrolier. La région des Prairies (surtout l'Alberta) a attiré 18,9 % des migrants québécois en 2012 et la Colombie-Britannique, 8,5 %. La région de l'Atlantique suit avec 9,1 %. Bref, il y a un changement très net dans la destination choisie par les personnes sortant du Québec depuis 1975, l'Ontario perdant du terrain au profit de l'Alberta, alors que la part des provinces de l'Atlantique,

TABLEAU 4

**Migrations interprovinciales, du 1er juillet au 30 juin, entrants et sortants du Québec (en %) et solde migratoire selon la région, 2001-2012**

| | 2001 | 2002 | 2003 | 2004 | 2005 | 2006 | 2007 | 2008 | 2009 | 2010 | 2011 | 2012 |
|---|---|---|---|---|---|---|---|---|---|---|---|---|
| **Entrants au Québec à partir de** | | | | | | | | | | | | |
| Atlantique | 15,2 | 13,5 | 14,1 | 13,4 | 13,3 | 15,1 | 13,7 | 13,6 | 12,8 | 12,0 | 12,7 | 13,5 |
| Ontario | 61,4 | 64,0 | 63,8 | 66,8 | 66,1 | 64,5 | 63,3 | 60,6 | 58,8 | 59,5 | 59,3 | 56,7 |
| Prairies/ territoires | 12,6 | 11,9 | 12,4 | 11,1 | 11,2 | 11,2 | 12,8 | 15,1 | 17,6 | 17,7 | 15,9 | 18,2 |
| C.-B. | 10,8 | 10,6 | 9,7 | 8,7 | 9,3 | 9,3 | 10,2 | 10,8 | 10,8 | 10,7 | 12,1 | 11,7 |
| **Sortants du Québec vers** | | | | | | | | | | | | |
| Atlantique | 9,1 | 10,0 | 10,6 | 10,7 | 10,1 | 9,6 | 8,5 | 8,9 | 8,7 | 10,6 | 10,0 | 9,1 |
| Ontario | 72,2 | 68,6 | 68,1 | 66,2 | 63,8 | 58,3 | 54,7 | 54,0 | 56,3 | 61,5 | 61,9 | 63,5 |
| Prairies/ territoires | 9,8 | 12,3 | 11,9 | 12,6 | 15,5 | 21,0 | 26,0 | 27,0 | 24,2 | 17,5 | 17,6 | 18,9 |
| C.-B. | 8,9 | 9,1 | 9,3 | 10,5 | 10,6 | 11,1 | 10,8 | 10,1 | 10,8 | 10,5 | 10,4 | 8,5 |
| **Solde** | **-9 442** | **-4 350** | **-1 829** | **-822** | **-4 963** | **-9 411** | **-12 865** | **-11 682** | **-7 419** | **-3 258** | **-4 763** | **-3 886** |

Source : Statistique Canada, Cansim tableau 051-0019, calculs de l'auteur.

qui avait régressé de moitié depuis les années 1970, se maintient.

D'où viennent les Canadiens qui migrent vers le Québec ? Là encore, l'échange de population avec l'Ontario domine largement, mais le nombre de migrants ontariens est en baisse dans les années 2000. La proportion de migrants venant de cette province est passée d'une moyenne de 66 % dans les années 1990 à moins de 60 % en 2012. La part relative des migrants en provenance des Prairies (18,2 %) et de la Colombie-Britannique (11,7 %) a quant à elle augmenté. Les provinces de l'Atlantique suivent avec 13,5 % de l'ensemble en 2011 – une proportion relativement stable depuis 30 ans.

L'Ontario demeure de très loin la première province avec laquelle le Québec échange des habitants, mais un changement s'est dessiné dans les années 2000, avec la progression du nombre de migrants venant de – et allant vers – l'Alberta, au détriment de l'Ontario.

### Famille et natalité

L'état matrimonial des individus varie beaucoup selon les étapes du cycle de vie. Si les jeunes sont davantage célibataires et les personnes âgées plus souvent veuves, ce qui est une évidence connue, des différences entre les sexes apparaissent à ces deux moments du cycle de vie : les femmes se marient plus tôt que les hommes et terminent leur vie veuves en plus forte proportion. La vie commune (en couple) intervient main-

tenant plus tard, mais elle domine chez les individus qui ont entre 30 et 60 ans. Cette fois encore, des différences entre les sexes apparaissent : les trois quarts des hommes âgés de 50 à 70 ans vivent en union, alors que cette proportion est moindre chez les femmes, à cause d'une plus forte part de personnes divorcées et de veuves, de plus en plus nombreuses à mesure qu'on avance en âge.

Le nombre absolu de mariages a diminué de plus de la moitié depuis 1970, alors que la population a augmenté. Au total, 22 898 mariages ont été célébrés en 2011, contre 30 000 20 ans plus tôt. On peut en fait parler d'une véritable désaffection envers le mariage, qui apparaît de moins en moins comme une institution normative aux yeux des nouveaux couples. Mais les données

---

**Le nombre absolu de mariages a diminué de plus de la moitié depuis 1970.**

---

annuelles sur les nouveaux mariés ne donnent pas une idée juste de l'ampleur du phénomène. Il faut examiner l'état matrimonial de tous les couples et considérer les changements survenus au cours de leur vie pour en prendre la mesure exacte.

D'après le recensement de 2011, 37,1 % de tous les couples québécois vivaient en union libre. L'union libre a donc fait un bond considérable en 20 ans (elle touchait 19 % des couples en 1991). La popularité de l'union libre varie fortement selon l'âge (voir le graphique 3). Elle est de 85 % chez les jeunes couples âgés de moins de 24 ans (d'après l'âge de la femme). Après l'âge de 30 ans, la proportion de couples mariés augmente sensiblement, indiquant un effet du cycle de vie : en vieillissant, une part des couples ont tendance à se marier lorsqu'ils envisagent d'avoir des enfants.

Mais cet effet d'âge s'atténue d'une génération à l'autre : les nouvelles générations se marient moins, même à un âge plus avancé. L'ampleur de la désaffection vis-à-vis du mariage se vérifie dans les cohortes qui avancent en âge. Tout indique qu'elle restera bien réelle au Québec, même si le mariage gagne un peu de terrain lorsque les cohortes vieillissent. Signalons enfin que la diminution du nombre de mariages au Québec est plus prononcée chez les francophones d'ascendance canadienne-française.

## La proportion de naissances hors mariage plafonne

La proportion de naissances hors mariage a connu une hausse fulgurante dans le dernier tiers du XX$^e$ siècle, en lien avec la mutation de la conjugalité. Elle touchait deux naissances sur trois en 2012. Cette proportion est encore plus élevée pour les naissances de rang 1 (69,1 % en 2012). Les naissances hors mariage sont maintenant devenues la norme, mais la hausse tendancielle a ralenti. Notons que le phénomène des naissances hors mariage est moins marqué dans les villes où se trouve une forte présence anglophone, notamment dans

GRAPHIQUE 3
**Types d'union des couples selon l'âge de la femme, 2011**

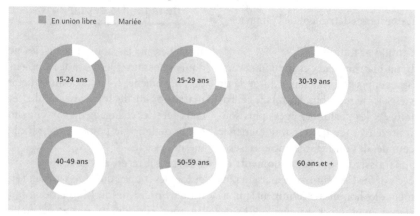

Source : Institut de la statistique du Québec, recensement de 2011, calculs de l'auteur.

l'ouest de Montréal, là où l'union libre est aussi beaucoup moins répandue.

### Hausse tendancielle du divorce

Le nombre total de divorces tournait autour de 20 000 entre le milieu des années 1980 et le milieu des années 1990. Depuis 10 ans, il est en diminution (moins de 15 000), sans doute parce qu'il y a moins de couples mariés susceptibles de divorcer. En fait, le seul examen du nombre annuel de divorces est trompeur, car l'incidence du divorce augmente très nettement d'une génération à l'autre : quelle que soit la durée du mariage, le taux de rupture d'union s'élève de façon régulière d'une cohorte annuelle de mariés à l'autre. Par exemple, la proportion de couples mariés en 1975 qui n'ont pas fêté leurs noces d'argent en 2000 est de 33,9 %. Or, cette proportion est plus élevée pour la cohorte des couples mariés 10 ans plus tard (1985), soit 40,7 % après 25 ans de mariage. Les données sur les taux de divorce montrent clairement qu'à mesure qu'on se rapproche des années récentes, les chances de divorcer augmentent, quel que soit le nombre d'années depuis le mariage. Ces statistiques donnent cependant une vue partielle de la situation des couples à cause de la désaffection vis-à-vis du mariage. Les ruptures d'union dans le cas des couples non mariés ne sont pas prises en compte dans cette analyse, alors que ces couples pèsent de plus en plus lourd dans l'ensemble de la société.

### Trois modes de vie dominants

Les modes de vie familiaux et non familiaux sont de plus en plus diversifiés, sur le plan tant synchronique – coupe transversale – que diachronique, c'est-à-dire au cours du cycle de vie des individus. Globalement, trois modes de vie différents sont maintenant dominants : en famille, en couple et en solitaire.

Les couples avec enfant présent au foyer représentaient 26,5 % des ménages au Québec lors du dernier recensement (2011). Cette donnée à elle seule révèle bien l'ampleur des changements survenus en quelques décennies seulement. L'unité de vie typique dans la société n'est plus le couple entouré d'enfants, et l'enfant occupe un espace plus limité qu'auparavant dans la vie des adultes

> **L'unité de vie typique dans la société n'est plus le couple entouré d'enfants.**

parce que ceux-ci en ont moins. Ils doivent en conséquence s'occuper activement des enfants durant une période plus courte de leur vie. Moins de la moitié des adultes vivent en présence quotidienne d'enfants dans leur ménage. C'est là une situation nouvelle dans l'histoire, car les adultes du siècle dernier passaient la majeure partie de leur vie à s'occuper d'enfants, après avoir eux-mêmes été élevés dans des familles nombreuses. Le rapport à l'enfant est l'un des changements majeurs qui caractérisent les modes de vie contemporains.

Les couples sans enfant présent au foyer représentent une catégorie en forte croissance : ils comptent pour plus du quart des ménages (27,2 %). Si l'on additionne les couples avec et sans enfant présent, on note un autre changement majeur : les couples forment un peu plus de la moitié des ménages (53,7 %).

Trois types de ménages quasi inexistants il y a encore 50 ans se partagent maintenant presque la moitié des unités de vie. Les familles monoparentales représentent un dixième des ménages (10,7 %), les ménages composés de personnes seules constituent 32 % de l'ensemble, et les ménages non familiaux, 3,7 %. De plus en plus d'adultes vivent donc seuls.

Les unités de vie sont aussi plus petites. Le tiers des individus ne côtoient qu'une seule autre personne dans leur ménage au quotidien, et seulement 18,4 % d'entre eux vivent dans un ménage comptant quatre personnes ou plus (par exemple, la famille de deux adultes et deux enfants, souvent considérée comme famille type). Il faut préciser que les types de ménages sont changeants dans le temps, au cours du cycle de vie : la probabilité de vivre une certaine période de temps dans une unité de taille réduite est par conséquent très élevée.

## Les types de familles changent

Les modes de vie changent avec le départ des enfants, et il semble donc nécessaire de distinguer les familles et les couples sans enfant présent. Il s'agit là d'une mutation majeure qui n'a pas assez retenu l'attention. La famille au sens sociologique a maintenant deux formes bien distinctes : la famille institution – celle dans laquelle l'enfant est en interaction quotidienne avec ses parents ou au moins l'un d'entre eux – et la famille réseau – formée de liens maintenus entre membres consanguins appartenant à des unités de vie différentes.

Plusieurs changements majeurs ont marqué la famille contemporaine : avènement de la famille à parent unique ou à parents vivant séparément (familles monoparentales), mutation du type d'union conjugale entre les parents, chute du nombre d'enfants qui affecte la fratrie, sans oublier la recomposition des familles après une rupture d'union.

La famille à deux parents est encore dominante (75,2 %), mais elle a cédé du terrain avec la montée de la monoparentalité (24,8 % des familles). La taille moyenne des familles avec enfant présent continue de décroître avec la dénatalité. Plus d'un enfant sur quatre (27,1 %) est maintenant élevé dans une famille à enfant unique, un modèle qui est stable depuis 10 ans. L'historien Edward Shorter qualifie ce type de famille de « triade », pour bien montrer que la position de l'enfant y est différente, celui-ci étant minoritaire devant deux adultes, sans interaction avec un frère ou une sœur, le plus souvent avec un nombre limité de cousins. La famille à deux enfants est en quelque sorte devenue la norme, comptant pour 44,3 % de l'ensemble. Un peu moins de 30 % des enfants ont au moins deux frères ou sœurs. Ces chiffres portent sur les enfants présents, et ils ne prennent pas en compte les enfants qui ont quitté le foyer. Les parents mariés ont plus d'enfants que les autres familles biparentales et que les familles monoparentales.

La famille est donc bien vivante comme institution. Il est par ailleurs certain que les unions se fragilisent ; elles se succèdent dans le cours d'une vie, et le mariage formel connaît une baisse de popularité. Nous pouvons par conséquent avancer que c'est l'union conjugale elle-même, plus que la famille, qui se transforme de manière radicale, étant entendu que la famille doit aussi s'ajuster aux perturbations qui marquent la vie de couple.

### Le couple sans enfant présent à la maison

Avec les années 1990 s'est imposé un nouveau type de ménage qui a gagné en importance : le couple sans enfant présent à la maison. L'allongement de l'espérance de vie et la baisse de la natalité sont les deux facteurs qui ont causé la forte croissance de ce type de ménage. À côté des personnes vivant seules et des familles avec enfants présents à la maison s'est donc imposée une nouvelle catégorie modale de ménages qui ont des comportements de consommation et des habitudes de vie différents de ceux des autres.

Il y avait 1 838 115 couples au Québec en 2011, et 50,6 % d'entre eux n'avaient pas d'enfant présent à la maison. Cela représente une hausse importante en 15 ans : cette proportion n'était que de 40,4 % en 1996. Vivre en couple sans enfant présent est donc devenu en quelques années un mode de vie important sur le plan statistique. Il est à prévoir que le phénomène deviendra plus important dans les années à venir. Notons enfin que ces couples ont aussi de plus en plus tendance à vivre en union libre.

### Montée du mode de vie en solitaire

Le mode de vie en solitaire a connu une progression spectaculaire depuis une trentaine d'années. Les ménages constitués de personnes vivant seules hors famille comptent maintenant pour 32,2 % de l'ensemble, contre 12,1 % 30 ans plus tôt. L'examen des chiffres absolus est encore plus parlant : on passe d'un peu moins de 200 000 ménages en 1971 à plus d'un million d'après le recensement de 2011. D'une décennie à l'autre, de plus en plus de personnes vivent hors famille. Le mode de vie en solitaire caractérise au total 19,8 % de la population âgée de 15 ans et plus en 2011 ; elle est en croissance prononcée depuis 30 ans (8,4 % en 1981 et 11,8 % en 1991).

## La création de ménages augmente plus vite que la population

Les mutations dans les modes de vie ont eu une conséquence importante : le nombre de ménages a augmenté beaucoup plus rapidement que la population québécoise. Le ménage ne doit pas être confondu avec la famille. Un ménage est une unité de vie autonome. Une personne qui vit seule forme un ménage, au même titre qu'une famille comptant cinq enfants. Entre le recensement de 1981 et celui de 2011, la croissance de la

---

### De plus en plus d'adultes vivent seuls.

---

population a été de 23,1 % et celle du nombre de ménages, de 56,3 %. Cela signifie que les individus vivent dans des unités de plus en plus petites et que celles-ci se multiplient. La création de nouveaux ménages a été une source de croissance pour l'économie (plus de logements, plus d'achats de biens durables dans les foyers, etc.). En fait, c'est elle qui a soutenu la croissance économique des dernières années, bien plus que la hausse de la population, nettement plus faible.

### Une plus grande diversité culturelle

Le nombre d'immigrants qui se sont établis au Québec a été de 55 040 au cours de l'année 2012 ; c'est le nombre le plus élevé des dernières décennies (le double de ce qu'on a pu observer au

milieu des années 1990). Le Québec accueille une part de l'immigration canadienne moins élevée que son poids démographique, mais cette part est en hausse : elle est passée de 14,3 % en 2000 à 21,4 % en 2012, un changement majeur.

Le Québec (tout comme le Canada) a été très ouvert à l'accueil de réfugiés dans le passé. Ces derniers représentaient en effet 30 % des immigrants entrés au Québec en 1996. Depuis, cette proportion a régressé ; elle n'était plus que de 9,7 % en 2011 (dernier chiffre disponible). Ce sont les immigrants indépendants qui sont maintenant majoritaires parmi les nouveaux arrivants (69,8 %), alors que 19,4 % d'entre eux se sont inscrits dans le cadre du programme de réunification des familles.

L'origine nationale des immigrants qui entrent au Québec est fort diversifiée. Le Maroc et l'Algérie viennent au premier rang des pays qui ont fourni le plus fort contingent d'immigrants au cours des dernières années (de 2007 à 2011), soit respectivement 21 655 personnes (8,8 % du total) et 20 664 (8,4 %). La France (7,4 %), la Chine (6,5 %) et Haïti (5,6 %) suivent.

### Le nombre d'Amérindiens et d'Inuits augmente

Il est difficile d'estimer de manière précise le nombre de personnes déclarant une identité autochtone ou métisse, car certaines nations et bandes amérindiennes boycottent les recensements. Les Amérindiens vivant au

Canada sont surtout concentrés dans l'ouest du pays, et environ 8 % ou 9 % d'entre eux se retrouvent au Québec. Le dernier chiffre disponible (2010) est de 92 090 Autochtones au Québec, soit un peu plus de 1 % de la population totale. Les Innus ou Montagnais (20,4 %), les Cris (18,6 %) et les Mohawks (13,7 %) sont les communautés les plus populeuses, suivies des Inuits (12,9 %) et des Algonquins (12 %).

## Les minorités visibles concentrées à Montréal

Le Canada compte maintenant 19,1 % de sa population qui s'identifie comme faisant partie d'une minorité visible, ce qui reflète les mutations récentes de l'immigration internationale. Cette proportion est inférieure au Québec (11 %), et ces personnes sont presque toutes concentrées à Montréal, où les minorités visibles représentent 20,3 % de la population. Montréal se situe donc dans la moyenne canadienne, mais loin derrière Toronto (47 %) et Vancouver (45,2 %).

\* \* \*

Le bref bilan démographique qui vient d'être dressé est globalement positif et porte moins au pessimisme que celui qui caractérisait la fin du xx^e siècle. La hausse de la fécondité et l'amélioration du bilan migratoire, notamment, constituent de bonnes nouvelles en lien avec le développement économique et social. La société québécoise a relativement bien traversé les périodes de turbulences économiques qui ont marqué la première décennie du xxi^e siècle. Les facteurs explicatifs du dynamisme québécois sont complexes, mais les tendances qui marquent la vitalité démographique y ont sans doute contribué.

*L'auteur remercie Marie-Michèle Tremblay, David Gaudreault et Hubert Doyon, étudiants à la maîtrise et assistants de recherche au Département de sociologie de l'Université Laval, qui ont travaillé à la mise à jour de la base de données utilisée pour cette analyse. Ses remerciements vont aussi au Conseil de recherches en sciences humaines du Canada et au Fonds québécois de recherche sur la société et la culture pour l'aide accordée à la poursuite de ses recherches.*

# Politique

# TAUX DE PARTICIPATION AUX ÉLECTIONS QUÉBÉCOISES DEPUIS 1960

PARTI ÉLU
- Parti libéral
- Union nationale
- Parti québécois

— Proportion de femmes élues à l'Assemblée nationale

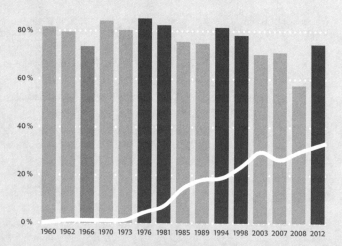

-ANNÉE-

# Le Québec politique en quelques statistiques

**Dave Noël**

*Journaliste à la recherche,* Le Devoir

**Pendant les deux dernières années, les périodes de questions de l'Assemblée nationale ont été marquées par la grève étudiante et la commission Charbonneau sur l'octroi et la gestion des contrats publics dans l'industrie de la construction. Les enjeux liés à ces événements ont été débattus avec vigueur par les 125 députés réunis au salon bleu de l'hôtel du Parlement, dont la composition a été renouvelée au lendemain des élections générales de la fin de l'été 2012.**

La carte électorale a été modifiée en 2011 : la grande région de Montréal a gagné trois circonscriptions aux dépens des régions de Chaudière-Appalaches, du Bas-Saint-Laurent et de la Gaspésie. En date du 31 août 2013, la composition de l'Assemblée nationale était la suivante : Parti québécois (PQ), 54 députés ; Parti libéral du Québec (PLQ), 49 députés ; Coalition avenir Québec (CAQ), 18 ; Québec solidaire (QS), 2 ; indépendant, 1 ; et une circonscription vacante (Viau).

Les dernières élections générales ont eu lieu le 4 septembre 2012. Le PQ de

Pauline Marois a pris le pouvoir avec 31,95 % des voix ; il forme un gouvernement minoritaire. Le PLQ, alors dirigé par Jean Charest, a recueilli 31,20 % des suffrages et forme l'opposition officielle. La CAQ de François Legault a obtenu 27,05 % des voix ; elle forme le deuxième groupe d'opposition. Québec solidaire a récolté 6,03 % des suffrages.

Le taux de participation aux élections de 2008 avait atteint un creux de 57,4 %, le taux plus bas depuis 1927. Il est remonté à 74,6 % en 2012, surtout grâce à une participation accrue des jeunes électeurs : 25,9 % de plus chez les 18 à

24 ans et 24,5 % de plus chez les 25 à 34 ans. Il s'agit en fait d'un retour au taux des élections de 2007, qui s'élevait à 71,2 %.

## Quelques caractéristiques sociodémographiques des députés de la 40ᵉ législature

L'Assemblée nationale n'a jamais été parfaitement représentative de l'ensemble de la population québécoise sur le plan sociodémographique. Depuis l'élection de Marie-Claire Kirkland-Casgrain, en 1961, le nombre d'élues a augmenté graduellement pour atteindre un sommet de 41 députées aux élections générales de 2012. Le tiers des sièges (32,8 %) sont occupés par des femmes, qui se répartissent comme suit : 18 appartiennent au PLQ, 17 au PQ, 5 à la CAQ et 1 à QS. Les femmes représentaient 28,5 % de l'ensemble des candidats au terme des mises en candidature, comparativement à 31 % en 2008. Qué-

---

**32,8 % des sièges de l'Assemblée nationale sont occupés par des femmes.**

---

bec solidaire était le parti qui comptait le plus de femmes, avec 50 % de candidates, suivi du PLQ avec 38,4 %, du PQ avec 27,2 % et de la CAQ avec 21,6 %.

La moyenne d'âge des députés de l'Assemblée nationale est de 54 ans, une hausse par rapport à la dernière cohorte, qui était âgée en moyenne de 50 ans et

9 mois. Le représentant péquiste de Laval-des-Rapides, Léo Bureau-Blouin, est devenu le plus jeune député de l'histoire du Québec, à l'âge de 20 ans et 8 mois. Le précédent record avait été établi en 2007 par l'adéquiste Simon-Pierre Diamond, qui avait 22 ans et 1 mois à son arrivée à l'Assemblée nationale. Les membres de la 40ᵉ législature ont une expérience parlementaire de six ans en moyenne. Le salon bleu compte 38 recrues et 34 vétérans qui entament un quatrième mandat ou plus, dont François Gendron, qui en est à son dixième. Député péquiste d'Abitibi-Ouest depuis 1976, il se classe au second rang de l'histoire de l'Assemblée nationale pour ce qui est de l'ancienneté. Il n'est devancé à ce chapitre que par l'ancien député libéral de Bonaventure, Gérard D. Levesque, qui a occupé son siège de 1956 à 1993, soit pendant 37 ans et 5 mois.

## Dépenses électorales et financement politique

Selon les données publiées par le Directeur général des élections du Québec (DGEQ), la limite des dépenses électorales permises pour l'ensemble des partis politiques et des candidats aux élections du 4 septembre 2012 était de 81 232 106 $. Le total des dépenses effectuées au cours de la période électorale s'élève à 20 383 804 $. Les dépenses totales du PLQ ont atteint 8 272 520 $ ; celles du PQ, 7 347 215 $ ; celles de la CAQ, 3 040 594 $ ; et celles de QS, 1 452 069 $.

## Les partis politiques autorisés

Au total, il existe 19 partis politiques autorisés par le DGEQ. Ce sont, avec leur chef actuel (en date du 31 août 2013):

- Bloc pot (Hugô St-Onge);
- Coalition avenir Québec – L'équipe François Legault (François Legault);
- Coalition pour la constituante (Daniel Guersan);
- Équipe autonomiste (Guy Boivin);
- Mon pays le Québec (Claude Dupré);
- Option nationale (Nathaly Dufour; intérim);
- Parti conservateur du Québec (Adrien Pouliot);
- Parti de la classe moyenne du Québec (Jean Lavoie);
- Parti équitable (Yvan Rodrigue);
- Parti indépendantiste (Michel Lepage);
- Parti libéral du Québec/Quebec Liberal Party (Philippe Couillard);
- Parti marxiste-léniniste du Québec (Pierre Chenier);
- Parti nul (Renaud Blais);
- Parti québécois (Pauline Marois);
- Parti unité nationale (Paul Biron);
- Parti vert du Québec/Green Party of Quebec (Jean Cloutier);
- Québec – Révolution démocratique (Robert Genesse);
- Québec solidaire (Pierre-Paul St-Onge);
- Union citoyenne du Québec/Quebec Citizens' Union (Alexis St-Gelais).

## Le Conseil des ministres

Le cabinet Marois compte 23 ministres (excluant la première ministre), dont 8 femmes. En date du 31 août 2013, le Conseil des ministres se composait de:

**Pauline Marois,** première ministre;

**François Gendron,** vice-premier ministre, ministre de l'Agriculture, des Pêcheries et de l'Alimentation;

**Stéphane Bédard,** président du Conseil du trésor et ministre responsable de l'Administration gouvernementale;

**Nicolas Marceau,** ministre des Finances et de l'Économie;

---

**La moyenne d'âge des députés de l'Assemblée nationale est de 54 ans.**

---

**Agnès Maltais,** ministre du Travail, ministre de l'Emploi et de la Solidarité sociale et ministre responsable de la Condition féminine;

**Jean-François Lisée,** ministre des Relations internationales, de la Francophonie et du Commerce extérieur;

**Nicole Léger,** ministre de la Famille;

**Marie Malavoy,** ministre de l'Éducation, du Loisir et du Sport;

**Bernard Drainville,** ministre responsable des Institutions démocratiques et de la Participation citoyenne;

**Sylvain Gaudreault,** ministre des Transports et ministre des Affaires municipales, des Régions et de l'Occupation du territoire;

Maka Kotto, ministre de la Culture et des Communications;

Bertrand St-Arnaud, ministre de la Justice et ministre responsable de l'Application des lois professionnelles;

Réjean Hébert, ministre de la Santé et des Services sociaux et ministre responsable des Aînés;

Alexandre Cloutier, ministre délégué aux Affaires intergouvernementales canadiennes, à la Francophonie canadienne et à la Gouvernance souverainiste;

Martine Ouellet, ministre des Ressources naturelles;

Pierre Duchesne, ministre de l'Enseignement supérieur, de la Recherche, de la Science et de la Technologie;

Diane de Courcy, ministre de l'Immigration et des Communautés culturelles et ministre responsable de la Charte de la langue française;

Yves-François Blanchet, ministre du Développement durable, de l'Environnement, de la Faune et des Parcs;

Stéphane Bergeron, ministre de la Sécurité publique;

Véronique Hivon, ministre déléguée aux Services sociaux et à la Protection de la jeunesse;

Pascal Bérubé, ministre délégué au Tourisme;

Élaine Zakaïb, ministre déléguée à la Politique industrielle et à la Banque de développement économique du Québec;

Élizabeth Larouche, ministre déléguée aux Affaires autochtones;

Gaétan Lelièvre, ministre délégué aux Régions.

Participent également au Conseil des ministres le whip en chef du gouvernement, Marjolain Dufour, et le président du caucus du gouvernement, Sylvain Pagé.

# Qui vote pour qui ?

**Éric Bélanger**
*Professeur agrégé, Département de science politique, Université McGill*

**Richard Nadeau**
*Professeur titulaire, Département de science politique, Université de Montréal*

**Les résultats de l'élection provinciale du 4 septembre 2012 ont été intéressants à bien des égards. Les Québécois ont élu pour la première fois une femme afin de diriger le Québec et ramené au pouvoir le Parti québécois après presque 10 ans de domination libérale. Le caractère le plus marquant de ce scrutin reste toutefois la fragmentation du vote, qui a débouché sur l'élection d'un gouvernement minoritaire pour la deuxième fois en cinq ans.[1]**

Le scrutin du 4 septembre 2012 s'est tenu dans un contexte politique bien particulier. Le gouvernement libéral en place faisait l'objet d'allégations de corruption de plus en plus insistantes. Une nouvelle formation politique, la Coalition avenir Québec (CAQ), dirigée par l'ancien péquiste François Legault, proposait aux Québécois de laisser la question nationale de côté pour remettre le Québec sur les rails. Enfin, la province était encore sous le choc de la crise étudiante du printemps, provoquée par la décision du gouvernement Charest de hausser significativement les droits de scolarité universitaire. Tous ces facteurs expliquent sans doute la hausse de la participation à cette élection. Après s'être effondrée à 57 % en 2008, la participation électorale a remonté de façon spectaculaire, pour s'établir à 75 % le 4 septembre 2012.

## Plus de participation, plus de fragmentation

Outre la participation plus forte, la fragmentation des votes constitue la caractéristique la plus remarquable du dernier scrutin provincial au Québec. Les deux principaux partis de la province, le Parti québécois (PQ) et le Parti libéral du Québec (PLQ), ont obtenu, à cette occasion, 63 % des votes (32 % pour le PQ et 31 % pour le PLQ), ce qui signifie que presque 4 Québécois sur 10 ont jeté leur dévolu sur un « jeune » parti comme la CAQ (27 %), Québec solidaire (QS) (6 %), ou encore Option nationale (ON) (2 %).

La division des suffrages, le 4 septembre 2012, soulève deux questions principales. On peut se demander d'abord quel est le profil de ceux qui ont voté pour un parti « traditionnel » comme le PQ et le PLQ, par opposition

---

**Les partisans de QS sont les plus éduqués à l'université.**

---

à ceux qui ont plutôt opté pour un « jeune » parti. On peut aussi se demander si les clientèles électorales au Québec présentent des différences marquées en termes de caractéristiques sociodémographiques ou de préférences politiques et idéologiques.

Les données du tableau 1, qui sont tirées d'un sondage que nous avons mené dans les semaines ayant suivi l'élection, permettent de répondre à ces

questions. L'effet de la langue sur les choix politiques ressort avec évidence. Alors que moins de trois électeurs du PLQ sur cinq (57 %) ont le français comme langue d'usage, cette proportion avoisine ou dépasse 90 % pour les autres partis, soit respectivement 88 %, 91 %, 94 % et 98 % pour QS, ON, la CAQ et le PQ.

Le caractère très typé des partisans de QS – francophones, jeunes, éduqués à l'université, moins fortunés et vivant surtout à Montréal – apparaît clairement. Ce profil présente des similarités avec celui des partisans d'Option nationale (il faut toutefois noter, dans ce cas, que l'échantillon est limité à seulement 30 individus ; les résultats pour ce parti doivent donc être interprétés avec prudence) : des électeurs francophones, urbains, très jeunes et fréquentant l'université. Une première constatation s'impose. Comme c'est souvent le cas, ce sont les électeurs plus jeunes et plus scolarisés qui sont les plus susceptibles d'appuyer les partis politiques en émergence. Il est intéressant de noter à cet égard que les partisans de QS et d'ON présentent des traits communs avec la première génération d'électeurs du PQ durant les années 1970.

La présence de quatre forces politiques signifiantes semble avoir contribué à affirmer le profil sociodémographique des groupes partisans au Québec. La clientèle restée fidèle au PLQ en 2012 est non francophone, plus âgée et plus fortunée. L'appui reçu par la

CAQ présente aussi des traits distinctifs : c'est un électorat plus masculin, un peu moins scolarisé, mieux nanti et dont la distribution régionale recoupe les zones de force de la défunte Action démocratique du Québec (ADQ). Le soutien au PQ, comme le soutien à la CAQ, est francophone, mais moins bien nanti. La division gauche-droite semble donc se manifester essentiellement dans l'électorat francophone, les plus fortunés appuyant le PLQ et la CAQ, et les moins nantis, le PQ et QS.

Il est intéressant de constater que les partis dirigés (ou codirigés) par des femmes, le PQ et QS, sont aussi ceux qui ont obtenu le plus d'appuis dans ce groupe d'électeurs. Cette situation peut s'expliquer par l'expression d'un vote de sympathie envers ces candidates féminines, mais aussi en raison de leur orientation politique plus marquée à gauche. Le vote des femmes, traditionnellement plus à droite, est maintenant plus favorable à la gauche dans la plupart des démocraties. Il semble que le Québec n'échappe pas à cette tendance.

Les différences régionales dans les appuis accordés aux différents partis sont aussi très prononcées. Le caractère montréalais de QS est frappant. Le PQ obtient ses meilleurs appuis dans la couronne montréalaise et dans les régions périphériques. Les zones de force du PLQ restent l'Ouest-de-l'Île et l'Outaouais. La CAQ, de son côté, bénéficie d'un soutien plus marqué dans la banlieue de Montréal et dans la région de Québec.

Les attitudes et les opinions des électeurs relativement aux grands enjeux constituent des clivages décisifs dans plusieurs sociétés. Deux dimensions ont traditionnellement structuré l'espace partisan au Québec, soit la question

## L'électorat de la CAQ est plus masculin et moins scolarisé.

nationale et, dans une moindre mesure, l'opposition entre la gauche et la droite. La distribution des clientèles partisanes en fonction de leur identification (exclusive, dominante ou partagée) au Québec ou au Canada permet de rendre compte de la première dimension. Les résultats du tableau 1 ne sauraient être plus clairs. Alors que seulement 16 % des partisans libéraux se définissent d'abord ou seulement comme Québécois, cette proportion atteint 93 % chez les électeurs péquistes. Les électeurs de QS s'identifient aussi de façon prédominante au Québec, alors que la clientèle de la CAQ est, au contraire, beaucoup plus divisée à ce propos.

L'opposition entre les sensibilités de gauche et de droite, longtemps occultée par la question nationale, a été traditionnellement moins prononcée au Québec que dans le reste du Canada. La montée de la CAQ, avec son discours qui évacue la question constitutionnelle, semble avoir contribué à changer partiellement les choses. Le positionnement à gauche des partisans de QS ressort clairement

(67 % d'entre eux se définissent comme étant de gauche). Ce même penchant ressort aussi chez les électeurs du PQ, bien que de façon moins marquée. Par rapport à ces deux partis, les partisans de la CAQ et du PLQ logent plus à la droite de l'échiquier politique.

Un des aspects cruciaux d'une campagne électorale concerne l'enjeu sur lequel portent principalement les débats.

**TABLEAU 1**
**Composition des clientèles électorales au Québec en 2012 (en %)**

|  | PLQ | CAQ | PQ | QS | ON |
|---|---|---|---|---|---|
| **Profil sociodémographique** | | | | | |
| Francophones | 57 | 94 | 98 | 88 | 91 |
| 18-34 ans | 18 | 22 | 27 | 46 | 48 |
| 35-54 ans | 32 | 43 | 34 | 30 | 32 |
| 55 ans et plus | 50 | 35 | 39 | 24 | 20 |
| Femmes | 55 | 43 | 54 | 58 | 44 |
| Université | 58 | 54 | 55 | 71 | 65 |
| Revenu (56 000 $ +) | 60 | 64 | 51 | 46 | 51 |
| Montréal | 38 | 15 | 19 | 43 | 27 |
| Régions ressources | 8 | 8 | 14 | 11 | 9 |
| Québec/Chaudière-Appalaches | 8 | 25 | 13 | 5 | 14 |
| **Sentiment d'appartenance** | | | | | |
| Québec seulement | 1 | 4 | 34 | 12 | 52 |
| Québec d'abord | 15 | 44 | 59 | 63 | 38 |
| Québec et Canada | 34 | 33 | 6 | 16 | 5 |
| Canada d'abord | 35 | 16 | 1 | 7 | 4 |
| Canada seulement | 16 | 3 | 0 | 1 | 0 |
| **Sentiment politique** | | | | | |
| Gauche | 10 | 13 | 45 | 67 | 38 |
| Centre | 32 | 33 | 34 | 23 | 40 |
| Droite | 58 | 55 | 21 | 10 | 22 |
| Nombre total de répondants | 320 | 326 | 499 | 83 | 30 |

Source : Enquête postélectorale de Éric Bélanger, Richard Nadeau, Eve Hepburn et Ailsa Henderson (administrée en ligne par la firme Léger Marketing). Pour de plus amples détails sur cette enquête, consulter le texte de Nadeau et Bélanger, « Un modèle général d'explication du vote des Québécois[2] ».

Notes : Le revenu est une variable dichotomique basée sur le revenu médian de l'échantillon. Les régions ressources sont le Bas-Saint-Laurent, le Saguenay, l'Abitibi, le Nord-du-Québec, la Côte-Nord et Gaspésie–Îles-de-la-Madeleine. L'identification à la gauche ou à la droite est mesurée à l'aide d'une question demandant au répondant de se situer sur une échelle allant de l'extrême gauche (0) à l'extrême droite (10). La catégorie du centre est formée des catégories 4, 5 et 6.

À l'élection de 2003, par exemple, la santé était l'enjeu dominant. En 2007, c'étaient les accommodements raisonnables. En 2008, l'économie était au cœur des débats. Qu'en a-t-il été de 2012? Trois enjeux semblent avoir dominé la scène: la corruption, l'économie, et la crise étudiante et ses suites. Une analyse de l'effet statistique de ces questions sur le vote[3] montre que la CAQ a tiré profit du premier enjeu. Les électeurs satisfaits de la tenue de l'économie du Québec ont maintenu leur appui au PLQ. Finalement, les électeurs opposés à la hausse des droits de scolarité et à l'encadrement des manifestations ont davantage appuyé le PQ et, surtout, QS.

L'élection québécoise de 2012 a été marquée par une hausse de la participation et par la présence de quatre forces politiques signifiantes (sans compter Option nationale). Un autre aspect intéressant de cette élection a été la place occupée par les enjeux économiques et sociaux et la configuration plus marquée des appuis partisans selon une logique

gauche-droite. La stabilité de ce nouvel équilibre reste à voir. Une prochaine campagne dominée par la question nationale ou identitaire pourrait ramener une dynamique politique à deux

---

**Le vote des femmes est souvent plus favorable à la gauche.**

---

partis centrée sur le PQ et le PLQ, alors qu'une élection dominée par les questions économiques ou sociales pourrait, au contraire, contribuer au maintien d'un système politique à quatre partis.

Notes
1. Ce texte est en partie tiré d'une version plus longue parue sous le titre «Un modèle général d'explication du vote des Québécois», dans Frédérick Bastien, Éric Bélanger et François Gélineau (dir.), *Les Québécois aux urnes: les partis, les médias et les citoyens en campagne*, Montréal, Presses de l'Université de Montréal, 2013, p. 191-207.
2. *Ibid.*
3. Pour une analyse détaillée, voir *ibid.*, p. 198-206.

# La participation électorale monte en flèche : renouveau ou anomalie de parcours ?

**Carl Charest**

*Agent d'information, Directeur général des élections du Québec*

**Les Québécois n'avaient pas prévu qu'ils devraient inclure une campagne électorale dans la planification de leurs vacances estivales de 2012. Bien que moins rares que ce qu'on a pu dire au cours de cette période, les campagnes électorales estivales ne sont pas la norme[1]. De nombreuses craintes ont été formulées à la suite de la dissolution de l'Assemblée nationale, concernant, par exemple, le taux de participation, en baisse constante depuis le milieu des années 1990, et qui avait atteint un plancher au scrutin précédent. Les résultats de 2012 sont-ils une sorte d'anomalie dans la tendance généralisée à la baisse de la participation électorale, ou bien marquent-ils plutôt le début d'une nouvelle donne dans la participation des citoyens à la politique ? Retour sur cette élection qui a marqué l'été 2012.**

La Loi électorale du Québec prévoit la révision de la carte électorale à toutes les deux élections. Ce mandat est confié à la Commission de la représentation électorale (CRE), dont le directeur général des élections, M. Jacques Drouin, est président d'office. La carte précédente ayant servi aux élections générales de

2003 et de 2007, la CRE a donc entrepris ses travaux de révision au lendemain de ce second scrutin. Le processus de révision a été interrompu à quelques reprises, notamment par l'élection générale précipitée de 2008 et l'adoption d'un projet de loi pour suspendre les travaux de la CRE. Depuis l'adoption de la Loi électorale, c'était la première fois qu'une carte électorale était utilisée pour plus de deux scrutins, conséquence de l'élection, en 2007, du premier gouvernement minoritaire du Québec moderne. La dernière carte a été adoptée en octobre 2011, après plus de quatre ans de travaux.

### La carte électorale

Pour la révision de la carte électorale, certains principes doivent être respectés afin d'assurer la représentation effective des électeurs. Les critères qui guident la CRE sont l'égalité du vote des électeurs et le respect des communautés naturelles. Comme le nombre maximal de circonscriptions a été fixé à 125 en 1988, il faut revoir leurs délimitations en fonction des mouvements de la population et des principes énoncés ci-dessus. Les 125 circonscriptions de la carte électorale précédente, celle de 2001, comptaient en moyenne 42 713 électeurs chacune. À la dernière révision, la moyenne a connu une hausse, pour se situer à 45 207 électeurs. Certaines circonscriptions ont un statut particulier qui mérite d'être souligné. Celle des Îles-de-la-Madeleine, par exemple, est inscrite dans la Loi électorale, et la CRE n'a aucune compétence sur sa délimitation. Un statut d'exception a aussi été accordé à la circonscription d'Ungava, au nord du Québec, qui ne compte qu'environ 25 000 électeurs, soit beaucoup moins que la moyenne. Les circonscriptions d'Abitibi-Est et de Gaspé se sont aussi vu accorder un statut d'exception dans la carte actuelle, en raison de la grande étendue et de l'éloignement des régions auxquelles elles appartiennent.

Les changements apportés dans les régions de Laurentides–Lanaudière, de Laval et de la Montérégie sont majeurs.

> **En 2012, le Québec a atteint un taux de participation de 74,6 %.**

En effet, trois nouvelles circonscriptions – Repentigny, Sainte-Rose et Sanguinet – ont été ajoutées dans ces régions. Cependant, les régions de Chaudière-Appalaches, du Bas-Saint-Laurent et de la Gaspésie–Îles-de-la-Madeleine se sont vu retirer chacune une circonscription à la suite de la révision de la carte électorale.

### Résultats électoraux

Le 4 septembre en fin de soirée, le Québec avait un nouveau gouvernement. Le Parti québécois (PQ) a été porté au pouvoir, avec à sa tête M^me Pauline Marois, première femme première ministre du Québec. Le PQ a obtenu 31,95 % des voix et a remporté 54 sièges à l'Assemblée nationale. Le Parti libéral du Québec (PLQ) a recueilli 31,20 % des voix et fait élire 50 députés. La Coalition

---

**La participation dans la région de Montréal est inférieure à celle de l'ensemble du Québec.**

---

avenir Québec – L'équipe François Legault (CAQ) a quant à elle obtenu 27,05 % des votes, qui ont permis d'élire 19 députés. Québec solidaire (QS) ferme la marche avec 2 élus et 6,03 % des suffrages. Avec un taux de participation de 74,57 %, le Québec a retrouvé ses lettres de noblesse, si l'on considère le taux très

décevant, qualifié de catastrophique, de 57,06 % enregistré en 2008. À titre de comparaison, le taux de participation moyen des huit dernières élections générales (incluant celle de 2012) est de 72,78 %, ce qui est en deçà de ce qui a été enregistré au dernier scrutin. Il sera cependant intéressant de suivre le taux de participation à la prochaine élection, afin de s'assurer que l'élection de 2012 n'était pas un cas isolé. En effet, c'est cette dernière qui est venue briser la décroissance du taux de participation observée depuis 1998.

## Participation par groupe d'âge et par région administrative

Le taux de participation des électeurs selon leur âge jette aussi un nouvel éclairage sur les résultats de l'élection

TABLEAU 1

**Estimation du taux de participation par groupe d'âge aux élections générales du Québec, 1998-2012 (%)**

|  | 1998 | 2003 | 2007 | 2008 | 2012 |
|---|---|---|---|---|---|
| 18-24 ans | 65,38 | 52,66 | 54,46 | 36,15 | 62,07 |
| 25-34 ans | 71,11 | 59,99 | 60,91 | 41,83 | 66,36 |
| 35-44 ans | 80,29 | 69,33 | 69,88 | 51,65 | 73,23 |
| 45-54 ans | 84,27 | 77,49 | 76,34 | 62,06 | 77,65 |
| 55-64 ans | 86,69 | 80,11 | 78,23 | 70,40 | 82,72 |
| 65-74 ans | 85,43 | 82,50 | 78,81 | 75,20 | 84,38 |
| 75 ans et plus | 71,73 | 65,57 | 64,50 | 61,34 | 70,23 |
| **Total** | **78,39** | **70,13** | **69,87** | **57,06** | **74,57** |

Source: François Gélineau et Ronan Teyssier, «Le déclin de la participation électorale au Québec, 1985-2008», dans *Cahiers de recherche électorale et parlementaire*, Chaire de recherche sur la démocratie et les institutions parlementaires, Université Laval, n° 6, août 2012. En ligne: www.democratie.chaire.ulaval.ca. Mise à jour des tableaux: www.fss.ulaval.ca/cms_recherche/upload/chaire_democratie/fichiers/participation2012_communique.pdf.

de 2012. Chez les jeunes de 18 à 34 ans, par exemple, le taux de participation a été de 64,22 %, un taux qui n'avait pas été atteint depuis les élections de 1998. Avec les récentes modifications à la Loi électorale, prévoyant des bureaux de vote dans les établissements d'enseignement postsecondaire et dans les centres de formation professionnelle, il sera d'autant plus intéressant d'observer l'évolution du taux de participation des jeunes Québécois aux prochaines élections, alors que les bureaux de vote leur seront encore plus accessibles.

Le scénario est semblable pour toutes les classes d'âge, bien que plus marqué chez les jeunes. Dans toutes les catégories, il faut remonter à l'élection de 1998 pour trouver un taux de participation plus élevé que celui du dernier scrutin. Le tableau 1 ventile les taux de participation entre les groupes d'âge depuis 1998.

En ce qui concerne les taux de participation dans chacune des régions administratives du Québec, on ne relève pas de très grands écarts. Il est cependant intéressant de constater que la participation dans la région de Montréal (69,96 %) est inférieure à celle de l'ensemble du Québec (74,60 %). Inversement, plusieurs régions ont enregistré des taux supérieurs à la moyenne, surtout dans la ceinture de l'île de Montréal et dans la région de Québec et ses alentours (voir le tableau 2).

TABLEAU 2

**Taux de participation (%) par région administrative aux élections provinciales du 4 septembre 2012[1]**

| Région | Taux de participation (%) |
|---|---|
| Bas-Saint-Laurent | 73,29 |
| Saguenay–Lac-Saint-Jean | 75,15 |
| Capitale-Nationale | 78,52 |
| Mauricie | 75,42 |
| Estrie | 77,17 |
| Montréal | 69,96 |
| Outaouais | 65,11 |
| Abitibi-Témiscamingue | 68,16 |
| Côte-Nord | 64,01 |
| Nord-du-Québec | 41,70 |
| Gaspésie–Îles-de-la-Madeleine | 69,17 |
| Chaudière-Appalaches | 78,00 |
| Laval | 75,20 |
| Lanaudière | 78,25 |
| Laurentides | 76,97 |
| Montérégie | 78,14 |
| Centre-du-Québec | 78,08 |
| Ensemble du Québec | 74,60 |

1. Certaines circonscriptions chevauchent deux régions administratives. Elles ont été considérées arbitrairement dans l'une ou l'autre des deux régions concernées.

Source : Institut du Nouveau Monde, compilation à partir de données du Directeur général des élections du Québec.

## Des modalités qui changent

Les règles du jeu de la politique provinciale ont beaucoup évolué depuis le début de l'année 2013. De nombreux projets de loi ont été adoptés à l'Assemblée nationale qui sont venus changer plusieurs éléments de la vie politique québécoise. Ainsi, le 1er janvier 2013, des modifications importantes concernant

> **Désormais, les élections générales auront lieu à date fixe.**

les règles du financement politique sont entrées en vigueur. Un projet de loi a été adopté en avril relativement à la mise en place de bureaux de vote dans les établissements d'enseignement postsecondaire et dans les centres de formation professionnelle. Finalement, en juin, un autre projet de loi a été voté, qui prévoit que, désormais, les élections générales auront lieu à date fixe. Il reste maintenant à s'assurer d'être prêt pour les prochaines élections, qui devraient être tenues le 3 octobre 2016, si le gouvernement minoritaire n'est pas défait avant cette date.

**Note**

1. Des 40 scrutins qui ont eu lieu depuis 1867, 13 ont eu lieu l'été (entre le 21 juin et le 21 septembre).

# Ah ! ce vote ethnique

**Frédéric Castel**

*Géographe, historien, religiologue, Chaire de recherche en immigration, ethnicité et citoyenneté, Université du Québec à Montréal*

**Si les minorités ethnolinguistiques du Québec sont historiquement étiquetées comme libérales – et en conséquence tenues pour acquises par les uns et considérées comme «perdues» pour les autres, tant au fédéral qu'au provincial –, il est temps de se demander si ce schème de pensée ne cache pas une réalité plus complexe et évolutive. Verrait-on des brèches de diversification dans le vote de la diversité?**

Les sondages préélectoraux et les résultats du scrutin provincial du 4 septembre 2012 nous permettent d'examiner cette question (voir le tableau 1). Précisons toutefois que l'étude sociologique du «vote ethnique» ne peut être limitée aux groupes culturels minoritaires puisque le concept d'ethnicité englobe tout individu.

## La tradition libérale

Les anglophones québécois ont un lien ancien avec le Parti libéral du Québec (PLQ) : ce dernier a pu défendre la sensibilité et les intérêts de cette communauté qui a toujours été représentée par des députés et des ministres libéraux au sein des divers gouvernements québécois. Depuis la fin des années 1970, la joute politique a essentiellement opposé les libéraux aux péquistes, de sorte que les anglophones constituent un électorat captif.

Cette situation, vécue avec un certain agacement par les premiers intéressés, a fini par se traduire par une chute du

TABLEAU 1

**Répartition des intentions de vote selon la langue et résultats des élections du 4 septembre 2012 (en %)**

| | Intentions de vote dans les sondages | | | | | Résultats officiels |
|---|---|---|---|---|---|---|
| | Léger-QMI 23-24 août | | | CROP-Gesca 27-29 août | | |
| | Autres* | Franco. | Total | Franco. | Total | |
| Parti québécois | 9 | 38 | 33 | 37 | 32 | 32,0 |
| Parti libéral du Québec | 67 | 18 | 27 | 19 | 26 | 31,2 |
| Coalition avenir Québec | 15 | 31 | 28 | 30 | 28 | 27,1 |
| Québec solidaire | 2 | 8 | 7 | 10 | 9 | 6,0 |
| Option nationale | 0 | 3 | 2 | 2 | 2 | 1,9 |
| Parti vert | 4 | 1 | 2 | 2 | 2 | 1,0 |
| Autres partis et indépendants | 2 | 0 | 1 | 1 | 1 | 0,9 |

* Anglophones et allophones.

Sources: sondage Léger Marketing-QMI, résultats en ligne: www.leger360.com/admin/upload/publi_pdf/Election_Quebec240812.pdf; sondage CROP-Gesca, Denis Lessard, « Une chaude lutte », *La Presse*, 31 août 2012, p. A2-A3; Directeur général des élections du Québec, *Élections générales, Résultats par parti politique*, 4 septembre 2012. En ligne: www.electionsquebec.qc.ca/francais/provincial/resultats-electoraux/elections-generales.php.

taux de participation électorale plus marquée que chez les francophones. Entre les élections générales québécoises de 1998 et celles de 2008, dans les circonscriptions à forte concentration anglophone de l'ouest de Montréal, ce taux, qui variait selon les cas de 65 % à 80 %, est passé à une fourchette de 35 % à 50 %. Aux dernières élections, avec l'annonce d'une victoire péquiste probable, le taux a remonté pour atteindre 60 % à 75 % selon les circonscriptions.

Depuis le siècle dernier, tant au fédéral qu'au provincial, les immigrants ont naturellement voté pour les deux partis libéraux, d'abord pour leur libéralisme social et l'idéologie multiculturaliste qu'ils professent, ensuite parce que ces derniers ont, pendant des décennies, été des partis de pouvoir, incarnant pour les nouveaux arrivants la stabilité et le connu, voire une approche gestionnaire du quotidien. Depuis plusieurs années, les Montréalais d'origine italienne, grecque, juive, antillaise et autres – des communautés souvent proches de la langue anglaise – ont pu se faire représenter, dans les deux Parlements, par des députés libéraux issus de leurs communautés respectives, sinon par des ministres. Cette dynamique risque toutefois de nourrir quelques réflexes communautaristes.

Selon le sondage Léger Marketing-QMI effectué les 23 et 24 août 2012 (L-Q), seulement les deux tiers (67 %)

des électeurs anglophones et allophones prévoyaient voter pour la formation de Jean Charest, alors qu'aux élections de 2007 près des trois quarts (73 %) déclaraient une telle intention[1], ce qui semble témoigner d'une légère rupture avec la tradition. Dans les derniers jours de la campagne, l'écart s'est apparemment resserré.

À l'élection, dans la plupart des circonscriptions de l'ouest de l'île de Montréal, entre la moitié et les trois quarts des électeurs ont favorisé la formation de Jean Charest, qui a aussi dominé dans les circonscriptions à forte présence anglophone ou allophone, tout en glissant sous la barre des 30 % dans les circonscriptions à majorité francophone de l'est de Montréal et de Laval.

Non seulement le PLQ bénéficie de l'appui massif des anglophones dans certaines régions (Montréal, Outaouais, sud frontalier) et de celui des allophones, mais il domine chez les francophones du Bas-du-Fleuve, de la Beauce et de l'Estrie.

### L'avenue caquiste

Hormis le Parti vert (PVQ), qui attire des Anglo-Montréalais de gauche, une nouvelle option s'est offerte avec l'arrivée en 2011 de la Coalition avenir Québec (CAQ), parti qui repousse les questions constitutionnelles.

Comparée à la plateforme de l'Action démocratique du Québec (ADQ), celle de la CAQ est plus proche de la droite économique que de la droite sociale. Si

l'ADQ avait mis au premier plan la question des accommodements raisonnables, voire celle de l'immigration, la CAQ a quant à elle présenté un programme fortement basé sur des préoccupations économiques, ce qui ne l'a pas empêchée de proposer un modèle de laïcité inspiré par les recommandations de la commission Bouchard-Taylor. Ainsi, par rapport aux adéquistes, les caquistes ont effectué un virage à 180 degrés dans leur approche de la diversité, au point d'avoir présenté, aux dernières élections, la brochette la plus importante de candidats issus des « minorités visibles », ce qui est singulier pour un parti associé à la droite. Selon un représentant du parti, toutefois, ce phénomène ne serait que le reflet de la réponse à l'appel de candidatures qui avait été lancé des mois plus tôt.

Tout comme l'ADQ en 2007, la CAQ a canalisé, en 2012, une partie de la colère populaire – qui n'était pas liée, cette fois, au registre identitaire –, en

**La CAQ a attiré un vote largement francophone.**

proposant de faire la « lutte à la corruption et [au] gaspillage de fonds publics ».

Le changement de stratégie et d'image de la CAQ est allé de pair avec un glissement géographique de la base électorale. Alors que celle-ci s'est consolidée dans les régions de Québec et des Bois-Francs, la CAQ a perdu la majorité des sièges adéquistes de la Beauce et du Bas-du-Fleuve. En revanche, l'équipe de François Legault a vu s'étendre ses appuis dans les Laurentides et la Montérégie, phénomène qui est passé quasi inaperçu étant donné le peu de sièges remportés. Ce recentrement géographique signifie une plus grande urbanisation de la base, qui s'accompagne d'appuis anglophones et allophones.

Le sondage L-Q indique que 15 % des électeurs dits non francophones[2] pensaient voter pour le nouveau parti. Ce pourcentage rend compte d'un vent favorable qui a soufflé chez les Anglo-Montréalais, surtout après que Robert Libman, fondateur de l'ancien parti Égalité, les eut invités à voter pour cette formation. Publié le 31 août 2012, le sondage CROP-Gesca indique que les appuis à la CAQ des seuls anglophones avaient glissé de 20 % à 18 %[3]. De l'avis de partisans caquistes, devant les propos alarmistes quant au spectre référendaire, les anglophones sont largement retournés au bercail libéral dans les derniers jours pour contrer un éventuel gouvernement péquiste[4].

Les allophones n'ont pas été moins sensibles à l'usure du pouvoir des libéraux, ce qui les a amenés à lorgner en direction des caquistes, qui tenaient par ailleurs un discours anticorruption. Certains ont aussi pu apprécier l'axe entrepreneurial de l'équipe de François Legault, la moitié des candidats venant du monde des affaires. Mais il reste que la CAQ a attiré un vote largement francophone.

Curieusement, le parti a recueilli moins de 20 % des voix dans les circonscriptions à concentration francophone du sud-est et du nord de Montréal ainsi qu'à Laval, tout en récoltant plus de 15 % des suffrages dans les circonscriptions mixtes (francophones, allophones, anglophones). En dépit des résultats décevants à Montréal, la nouvelle formation a nettement franchi la barrière sur laquelle butait jadis l'ADQ. Dorénavant, quelques sièges sont à portée de main.

## L'avenue péquiste

Historiquement associé à la tradition sociale-démocrate – un positionnement certes remis en cause depuis quelques années –, souverainiste et protecteur de la langue française et de la culture québécoise, le Parti québécois (PQ) obtient la faveur de la majorité des francophones. Les régions au sud-est de Québec demeurent cependant réfractaires, le parti arrivant partout troisième en 2008 et en 2012.

Avant l'élection, le sondage L-Q indiquait que 9 % des non-francophones prévoyaient voter pour ce parti. Les anglophones étant rares à appuyer le PQ, la part des allophones dans ce pourcentage est significative. Cette percée, qui ne peut être de fraîche date, est sensible parmi les minorités ethnoculturelles qui ont adopté le français (Haïtiens, Maghrébins, Africains, Latino-Américains)[5].

Au milieu de la décennie 2000, bénéficiant du travail de réflexion du Bloc québécois au fédéral[6], le PQ s'était efforcé de se rapprocher des électeurs des minorités ethnoculturelles; mais depuis le choc du scrutin de 2007, qui lui a donné la troisième place, le parti a révisé ses stratégies pour se concentrer sur l'électorat francophone.

Les péquistes sont desservis par une stratégie qui se contente de reproduire celle des libéraux, en vertu de laquelle les candidats issus de la diversité se présentent dans les circonscriptions marquées par cette réalité. Or ces candidats du PQ ont peu de chances de se faire élire dans des bastions libéraux, par ailleurs souvent tenus par des ministres. Quelques candidats des minorités ont compris qu'il fallait se présenter dans des circonscriptions où la victoire à court terme est envisageable.

Depuis quelque temps, le parti de Pauline Marois met de l'avant un discours sur l'identité québécoise qui reprend le thème des accommodements raisonnables associé à la laïcité. Considérée comme une des «valeurs fondamentales de la nation québécoise», la laïcité, dont les modalités «seront à débattre», est présentée comme la réponse à cette question, bien que l'on ne semble pas en avoir anticipé ou mesuré les effets sociaux, notamment en regard de l'accès au travail si certaines habitudes vestimentaires sont proscrites pour les représentants de l'État ainsi que pour les employés du secteur parapublic et du privé subventionné.

Plusieurs Maghrébins s'interrogent sur cette évolution, redoutant que l'on importe ici la dynamique sociale de la France. Bien que le PQ ait compté cinq candidats arabes ou musulmans en 2007, cette appréhension s'est cristallisée aux élections de 2012 avec la candidature de Djemila Benhabib (auteure de *Ma vie à contre-Coran*), plusieurs craignant que son discours ne favorise une montée de l'islamophobie alors que le chômage sévit chez ces immigrants

---

**En 2012, 9% des non-francophones prévoyaient voter pour le PQ.**

---

francophones, qui se sentent délaissés. Ironiquement, la nouvelle orientation du parti aura refroidi les ardeurs de plusieurs sympathisants appartenant à une des communautés qui s'étaient le plus rapprochées de ce parti au fil des ans. Bon nombre de ses membres se sont tournés vers Québec solidaire, ce qui a pu «troubler» certains résultats électoraux à Montréal.

### L'avenue solidaire

Formé en 2006 par la fusion de l'Union des forces progressistes (UFP) et d'Option citoyenne, Québec solidaire (QS) est un parti de gauche, féministe, souverainiste et écologiste. Bien que son électorat soit très majoritairement francophone, il a réussi une percée notable dans les milieux allophones de certaines circonscriptions du centre et du nord de Montréal. Les plus nombreux à avoir répondu à l'appel sont les Québécois d'origine arabe (maghrébine, libanaise), latino-américaine et haïtienne. Plusieurs jeunes adultes sont attirés par le modèle de participation citoyenne que propose QS.

Le parti de Françoise David et d'Amir Khadir n'a pas de stratégie globale pour rallier les minorités, mais, dans certaines associations de circonscription, on a compris qu'il fallait aller activement à la rencontre des communautés culturelles locales.

Au lendemain du scrutin de 2012, plusieurs ont reproché à Option nationale (ON) et à Québec solidaire d'avoir divisé le vote souverainiste. Cependant, l'examen de l'évolution des résultats électoraux dans les circonscriptions où le vote solidaire a été relativement important permet de voir qu'au-delà du fond péquiste ce parti émergent a réussi à gagner les suffrages d'anciens partisans verts et libéraux ainsi que de gens qui ne votaient pas[7]. Vraisemblablement, plusieurs allophones sont du nombre.

**Du trafic au centre de Montréal**

Notre recherche sur le terrain[8] nous a permis de constater que, dans les milieux communautaires et politiques, trois univers ethniques se montrent plus susceptibles de diversifier leurs appuis, soit les Québécois d'origine arabe, latino-américaine et haïtienne.

**GRAPHIQUE 1**

**Intentions de vote par groupe ethnique (en %), sondage MarkEthnik, août 2012**

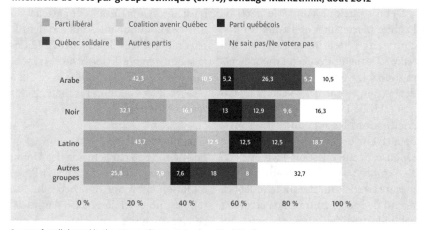

Source : fr.scribd.com/doc/104695972/Rapport-Sondage-MarkEthnik.

Dans son sondage, dont les résultats ont été dévoilés le 2 septembre 2012[9], l'agence MarkEthnik s'est justement intéressée à ces trois populations, qu'elle a toutefois désignées comme Arabes, Latinos et Noirs (ces derniers ne se réduisant pas aux seuls Haïtiens). Avant la répartition des indécis, 1 électeur arabe sur 10 avait l'intention de voter pour la CAQ – un rapport qui s'élevait à 1 sur 8 chez les Latinos et à 1 sur 7 parmi les Noirs[10]. Le PQ et QS bénéficiaient d'une popularité égale auprès des Latinos et des Noirs, ralliant dans des proportions équivalentes les suffrages du quart d'entre eux. Cette frange favorable à des partis souverainistes dépassait les 30 % chez les Arabes. Selon ce sondage, ces groupes ethnoculturels n'ont pas non plus négligé le Parti vert (PV) ni Option nationale (voir le graphique 1).

En regard des réalités ethniques, la bataille dans la circonscription de Laurier-Dorion donne une idée de ce qui pourra se passer dorénavant à Montréal. Bien conscients de cette dynamique, les candidats qui défendaient les couleurs libérales, péquistes et solidaires[11], eux-mêmes issus de minorités culturelles, ont tous réussi à gagner des électeurs allophones. Occupant le troisième rang

TABLEAU 2

**Circonscription de Laurier-Dorion, résultats des élections générales, 2003-2012**

| | Bulletins valides (en %) et variation (en pts de %) | | | | | | | |
|---|---|---|---|---|---|---|---|---|
| | 2003 | 2007 | Var. | 2008 | Var. | 2012 | Var. | Var. 2007-2012 |
| Parti libéral du Québec | 53,1 | 39,7 | -13,4 | 42,9 | 3,2 | 34,1 | -8,8 | -5,6 |
| Parti québécois | 32,4 | 36,1 | 3,7 | 33,8 | -2,3 | 26,4 | -7,4 | -9,7 |
| Québec solidaire* | 3,1 | 8,0 | 4,9 | 13,0 | 5,0 | 24,3 | 11,3 | 16,3 |
| Action démocratique du Québec** | 6,6 | 9,5 | 2,9 | 4,1 | -5,4 | 9,8 | 5,7 | 0,3 |
| Option nationale | s. o. | s. o. | s. o. | s. o. | s. o. | 2,8 | 2,8 | 2,8 |
| Parti vert | 2,0 | 5,4 | 3,4 | 4,8 | -0,6 | 1,5 | -3,3 | -3,9 |
| Autres | 2,9 | 1,4 | -1,5 | 1,3 | -0,1 | 1,0 | -0,3 | -0,4 |
| **Nombre de bulletins valides** | 30 209 | 30 417 | | 22 770 | | 32 236 | | |
| **Taux de participation (en %)** | 64 | 65 | | 49 | | 70 | | |

\* Union des forces progressistes en 2003.

\*\* Coalition avenir Québec en 2012.

Source : Directeur général des élections du Québec, Élections générales, Résultats par circonscription pour chaque année concernée. En ligne : www.electionsquebec.qc.ca/francais/provincial/resultats-electoraux/elections-generales.php.

TABLEAU 3

**Évolution de la répartition des voix (en %), élections générales provinciales, 2003-2012**

| | 2003 | 2007 | 2008 | 2012 |
|---|---|---|---|---|
| Parti québécois | 33,2 | 28,4 | 35,2 | 32,0 |
| Parti libéral du Québec | 46,0 | 33,1 | 42,1 | 31,2 |
| Action démocratique du Québec* | 18,2 | 30,8 | 16,4 | 27,1 |
| Québec solidaire** | 1,1 | 3,6 | 3,8 | 6,0 |
| Option nationale | s. o. | s. o. | s. o. | 1,9 |
| Parti vert | 0,4 | 3,9 | 2,2 | 1,0 |
| Autres partis et indépendants | 0,5 | 0,2 | 0,4 | 0,9 |
| **Taux de participation (en %)** | **70,4** | **71,2** | **57,4** | **74,6** |

\* Coalition avenir Québec en 2012.
\** Union des forces progressistes en 2003.

Source : Directeur général des élections du Québec, *Élections générales, Résultats par parti politique pour chacune des années concernées*. En ligne : www.electionsquebec.qc.ca/francais/provincial/resultats-electoraux/elections-generales.php.

dans cette circonscription, QS est la formation qui a le plus profité des changements d'allégeance depuis l'élection de 2007 (voir le tableau 2).

**Un modèle obsolète**

Les trois principaux partis – PLQ, PQ et CAQ – ont obtenu chacun autour de 30 % des suffrages, ce qui n'est pas sans rappeler la situation de 2007 (voir le tableau 3). Les thématiques identitaire et économique du PQ et de la CAQ n'ont cependant pas remporté un très grand succès dans le sud-est de Québec, où le vote conservateur, plus fédéraliste que ce qui était escompté, a continué de glisser, depuis l'élection de 2008, vers le PLQ.

Le déclin annoncé des libéraux et le nombre plus important de joueurs politiques ont ouvert la porte à une diversification du vote des allophones à Montréal, au moment où plusieurs de ces derniers, surtout les plus jeunes, repensent leur rôle dans le jeu politique[12].

Bien que les trois formations principales comptent un nombre comparable de candidatures issues des minorités, il semble que certains stratèges abordent le comportement électoral des divers groupes ethnoculturels à partir d'une lecture sociologique qui n'est plus en phase avec l'évolution des communautés et des individus. Il faut d'abord prendre acte du fait que la nouvelle immigration venue d'Amérique du Sud, d'Afrique ou d'Asie, en dépit des stéréotypes ambiants, est dans l'ensemble plus instruite que l'ancienne immigration

GRAPHIQUE 2
**Circonscription de Laurier-Dorion, résultats des élections générales, 2003-2012**

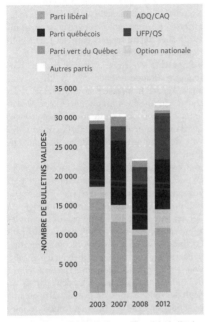

Note : Québec solidaire (QS) prend le relais de l'Union des forces progressistes (UFP) en 2007 ; la Coalition avenir Québec (CAQ) prend le relais de l'Action démocratique du Québec (ADQ) en 2012.

Source : Directeur général des élections du Québec, *Élections générales, Résultats par parti politique pour chacune des années concernées.* En ligne : www.elections quebec.qc.ca/francais/provincial/resultats-electoraux/elections-generales.php.

européenne. Que ce soit par leur degré d'instruction ou à cause des conditions sociopolitiques des pays qu'ils ont quittés, ces nouveaux Québécois sont souvent très politisés et plus progressistes qu'on ne se l'imagine, malgré la persistance de poches traditionalistes.

Ensuite, il faut prendre conscience du fait que la deuxième génération ne vote plus comme celle des parents. Ces derniers ont pu fuir la pauvreté ou un régime autoritaire et connaître ici, pendant un certain temps, l'insécurité économique. Parmi les enfants dont les parents ont quitté des régimes autoritaires, on peut noter une forte politisation appuyée par l'acquisition des outils discursifs de la participation citoyenne. Pour les « enfants de la loi 101 » – en partie classés parmi les « francophones » par les sondeurs –, la palette des choix politiques envisageables s'élargit, notamment sous l'effet d'intérêts de classe (avec sa polarisation gauche/droite) ou de préoccupations individualistes ou collectives. Les enfants d'immigrants se sentent le plus souvent québécois, ce qui les incite à contribuer, avec l'appropriation d'une posture citoyenne, à l'édification du Québec. On a pu le voir pendant le « Printemps érable ».

De plus en plus, on souhaite un nouveau modèle d'échanges entre les minorités culturelles et les formations politiques, où les relations ne seraient ni folkloriques, ni pusillanimes, ni superficielles. Il ne s'agit pas de favoriser le communautarisme, mais simplement de mieux entendre les problèmes propres à chacun des univers citoyens. C'est particulièrement vrai lorsque des immigrants, choisis en fonction des besoins du Québec, souffrent plus que d'autres du chômage.

## Notes

1. Sondage Léger Marketing des 19-23 mars 2007. En ligne : fr.canoe.ca/archives/infos/quebec canada/quebec2007/2007/03/20070323-112530. html.

2. Dans une approche sociologique des minorités ethnoculturelles, cette catégorie, qui mélange anglophones et allophones, peut se discuter. Par ailleurs, elle entraîne un certain biais du fait qu'une partie de la seconde génération est « francophone ».

3. Denis Lessard, « Sondage : le PQ minoritaire, chaude lutte pour l'opposition », dans *La Presse*, 31 août 2012, p. A2-A3. On remarquera que ce sondage donne des résultats similaires à ceux de Léger Marketing-QMI dévoilés quelques jours plus tôt.

4. Aussi évoqué dans le sondage Léger Marketing-*Le Devoir-The Gazette* dans *Le Devoir*, 8 septembre 2012.

5. Voir Éric Bélanger et Richard Nadeau, *Le comportement électoral des Québécois*, Montréal, Presses de l'Université de Montréal, 2009. Les auteurs évoquent cette tendance pour les élections de 2007. Selon nos sources, les premiers appuis remontent à 1976, notamment sous l'impulsion du travail de Gérald Godin dans la circonscription de Mercier et dans la foulée de l'élection du premier député noir au Québec, Jean Alfred.

6. Au milieu de la décennie, le Bloc québécois avait amorcé un travail de réflexion théorique sur la laïcité (de type ouvert) et adopté une démarche proactive pour rencontrer des membres des communautés culturelles afin de mieux les connaître et de les sensibiliser à la souveraineté. Pendant la décennie, plusieurs candidats venant de divers groupes ethniques ont été élus.

7. Entre les élections de 2007 et de 2012, le transfert de votes issus des verts et des libéraux se laisse deviner dans certaines circonscriptions comme Laurier-Dorion, Gouin, Crémazie, Bourassa-Sauvé et Sainte-Marie–Saint-Jacques. Le taux de participation a dépassé les 70 % dans les trois premières.

8. Depuis 13 ans, dans le cadre de nos recherches sur les groupes ethnoreligieux, nous circulons d'un milieu à l'autre pour mieux comprendre ces univers. Au cours des dernières années, au fil des discussions, nous avons pris note des préoccupations, perceptions et opinions des premiers intéressés en matière politique, partisane ou non. Nous avons aussi recueilli les confidences et les analyses de responsables de parti et de partisans sur la question du rapport entre les partis politiques et les minorités ethnoculturelles.

9. Résultats en ligne : fr.scribd.com/doc/104695972/Rapport-Sondage-MarkEthnik. Voir aussi Agence de presse Média Mosaïque, « La couleur du vote des immigrants révélée », *Mediamosaique.com*, 2 septembre 2012. En ligne : www.mediamosaique.com/Canada/la-couleur-du-vote-des-immigrants-revelee-quebecsondage.html.

10. Ce sondage comprend un pourcentage élevé d'indécis (14,2 %) et de répondants qui prévoyaient ne pas aller voter (4,8 %). Le grand nombre de répondants (9,5 %) qui songent à donner leur voix à un « autre parti », hormis les appuis au Parti vert et à Option nationale, peut être interprété, selon le sondeur (communication personnelle), comme une recherche d'une solution de remplacement, ce qui n'est pas exactement de l'indécision (hésitation entre deux partis). En dépit des réserves que l'on peut émettre quant à ce sondage réalisé sur Internet, celui-ci éclaire certaines tendances de fond mal connues du grand public.

11. Gerry Sklavounos pour le PLQ, Badiona Bazin pour le PQ et Andrés Fontecilla pour QS. Depuis plusieurs années, les trois ont fait des efforts pour rejoindre les minorités culturelles.

12. Cette évolution est apparue plus clairement aux élections fédérales de 2011 : des groupes culturels ont joué un rôle décisif dans certaines circonscriptions en favorisant un candidat du Nouveau Parti démocratique (NPD), du Parti conservateur ou du Bloc québécois. Il faut dire que, depuis le milieu des années 2000, le Bloc québécois et, plus récemment, le NPD ont développé des initiatives originales dans leurs rapprochements avec les groupes ethnoculturels.

# Un an plus tard, le gouvernement Marois a-t-il tenu ses promesses?

**François Pétry**

*Professeur et directeur, Département de science politique, Université Laval*

**Même si l'opinion publique a tendance à croire le contraire, les gouvernements québécois et canadien remplissent bel et bien la plupart de leurs engagements électoraux. Le gouvernement de Pauline Marois semble l'exception à la règle. Une étude exhaustive de la réalisation des promesses de la plateforme péquiste *L'avenir du Québec est entre vos mains* montre qu'après un an, un peu plus d'un tiers des engagements ont été réalisés ou sont en voie de l'être. Les promesses sur les enjeux sociaux et l'environnement ont été mieux tenues que celles sur l'économie et la question nationale. Qu'est-ce qui empêche le gouvernement de tenir parole? Son statut minoritaire est, bien sûr, une raison. Mais d'autres gouvernements ont déjà réussi à faire avancer leur programme malgré cette contrainte. Le Parti québécois a-t-il bien choisi ses batailles?**

La méthode de classement des promesses électorales sur laquelle repose notre analyse est très semblable à celles qui sont appliquées pour classer les promesses du président américain, Barack Obama[1], et du président français, François Hollande[2]. Pour être classée comme «réalisée», une promesse doit avoir fait l'objet d'une action gouvernementale officiellement sanctionnée (loi, règlement, traité diplomatique) ou sa sanction officielle prochaine doit être une certitude. Une promesse est classée «en voie de réalisation» si une action pour la réaliser a été officiellement entreprise (un livre blanc, par exemple), même si la réalisation n'est pas achevée. Si elle a été bloquée par l'opposition ou si le gouvernement l'a reniée de son propre chef, elle est classée comme « non tenue ». Enfin, les promesses qui n'ont encore donné lieu à aucune action officielle sans pour autant avoir été reniées ou bloquées demeurent

> ## C'est dans le domaine de la justice que la réalisation des promesses est la plus avancée.

dans la catégorie « en suspens ». Le classement est provisoire tant que dure le mandat d'un gouvernement. Une promesse « en suspens » aujourd'hui pourra être réalisée plus tard, de même qu'une promesse non tenue aujourd'hui pourra (mais rarement) être réalisée ultérieurement[3].

### Évaluation des promesses par les instances du PQ

Examinons d'abord la perception qu'a le Parti québécois (PQ) de la manière dont il a rempli ses promesses électorales sur la base du rapport interne intitulé *Nos réalisations,* qu'on peut consulter sur son site Internet[4]. Ce document dresse un bilan plutôt positif. Sur 99 engagements répertoriés, 23 ont été « réalisés », selon le PQ, dont 4 « avec ajustements », 51 sont « en voie de réali-

sation » et 25 sont encore « à venir » (autrement dit, il est trop tôt pour juger). Aucune promesse n'est déclarée « non tenue » dans le rapport.

Il est évident que le PQ a dû rompre certaines de ses promesses. Le fait qu'aucune promesse ne soit déclarée non tenue dans le rapport invite donc à la prudence dans l'interprétation. Les justifications du diagnostic sont données pour les promesses déclarées « réalisées » ou « réalisées avec ajustements ». Mais ces diagnostics, et les justifications à l'appui, sont parfois erronés. Par exemple, la promesse de créer une banque de développement économique est déclarée réalisée, alors qu'en réalité le projet de loi de la ministre Élaine Zakaïb a été rejeté par la majorité des députés ; autrement dit, la promesse n'a pas été tenue, au moins jusqu'à nouvel ordre. Certaines promesses – par exemple celle de tenir le même jour les élections municipales et les élections scolaires – sont déclarées en voie d'accomplissement sans qu'une justification soit fournie.

La publication de rapports sur l'état de réalisation des promesses électorales est une tradition au PQ lorsqu'il est au pouvoir (et aussi au Parti libéral dans la même situation). Il ne faut pas se tromper sur la nature de l'exercice, qui ne peut de toute façon pas aller trop loin dans la critique du gouvernement en place sous peine de l'embarrasser. De tels rapports doivent être vus comme étant destinés autant à apaiser les militants du parti qu'à informer les citoyens.

## Couverture médiatique
## précise mais partielle

Les médias donnent-ils des informations fiables sur la réalisation des promesses? Plusieurs bilans de réalisation des promesses du gouvernement de Pauline Marois ont été publiés à l'occasion du premier anniversaire de son élection. Un article du *Devoir* du 31 août 2013 énumère 33 promesses, dont 17 (56,7%) sont déclarées « réalisées », 5 (16,7%), « réalisées en partie », et 8 (26,7%), « non tenues[5] ». *La Presse,* dans sa livraison en ligne du 2 septembre 2013, rapporte 24 promesses, dont 12 sont considérées comme « réalisées ou en voie de réalisation » et 12 sont déclarées « non tenues[6] ». Un article paru dans *Le Journal de Montréal* du 2 septembre fait état de 10 promesses, dont 5 ont été « non tenues » et 5 « réalisées[7] ». Enfin, *L'actualité* du 3 septembre 2013 mentionne 40 promesses, dont 15 (37,5%) sont déclarées « réalisées[8] ». Les chiffres dont rend compte la presse écrite paraissent plus réalistes que ceux du PQ. Mais ils sont partiels: dans ces quatre publications, les journalistes ont passé sous silence la majorité des promesses du PQ, et, même si leurs diagnostics sont exacts pour la plupart des promesses mentionnées, le lecteur reste sur sa faim en ce qui concerne les promesses, parfois importantes, qui n'ont pas été recensées.

Pour donner l'heure juste, l'équipe du projet Poltext du Centre d'analyse des politiques publiques (CAPP) de l'Université Laval a effectué une analyse neutre et exhaustive de la réalisation des promesses électorales du parti de Pauline Marois en consultant les documents officiels. Les résultats sont exposés dans la section qui suit.

## Des réalisations dans les domaines social et environnemental

Le tableau 1 présente les 120 promesses du PQ regroupées en 16 domaines de politiques publiques pour lesquels le parti a pris des engagements. Les domaines sont classés par ordre décroissant de la proportion de promesses réalisées et en voie de réalisation. Le tableau rend compte de l'état des promesses à la fin du mois d'août 2013. Le diagnostic détaillé, avec citation à l'appui pour chaque promesse, est accessible dans la section « Promesses du gouvernement Marois » du volet 3 du site Poltext[9].

C'est dans le domaine de la justice que la réalisation des promesses est la plus avancée: 3 promesses sur 4 ont été réalisées. Dans le domaine de l'intégration sociale, 8 des 11 mesures promises ont été instituées ou sont en voie de l'être. C'est le cas, par exemple, du projet de loi concernant les soins de fin de vie (« Mourir dans la dignité »), qui sera très probablement adopté durant la session parlementaire de l'automne 2013.

Dès ses premières semaines au pouvoir, le gouvernement de Pauline Marois a agi pour tenir 3 promesses sur les 7 énoncées au sujet de l'environnement (déclassement de la centrale nucléaire de Gentilly-2; moratoire sur le gaz de

TABLEAU 1

**État des promesses du gouvernement Marois après un an au pouvoir**

| Domaine | Promesses réalisées | Promesses en voie de réalisation | Proportion de promesses réalisées et en voie de réalisation | Promesses en suspens | Promesses non tenues | Total |
|---|---|---|---|---|---|---|
| Justice | 3 | 0 | 75,0 % | 1 | 0 | 4 |
| Intégration sociale | 1 | 7 | 72,7 % | 3 | 0 | 11 |
| Environnement | 3 | 2 | 71,4 % | 2 | 0 | 7 |
| Famille | 2 | 0 | 66,7 % | 1 | 0 | 3 |
| Démocratie et mode de scrutin | 4 | 0 | 50,0 % | 4 | 0 | 8 |
| Santé | 1 | 4 | 50,0 % | 1 | 4 | 10 |
| Gestion de l'État | 0 | 3 | 42,9 % | 3 | 1 | 7 |
| Culture | 1 | 2 | 37,5 % | 5 | 0 | 8 |
| Enjeux régionaux | 1 | 0 | 20,0 % | 4 | 0 | 5 |
| Rayonnement international | 0 | 1 | 20,0 % | 4 | 0 | 5 |
| Transports | 0 | 1 | 20,0 % | 4 | 0 | 5 |
| Secteur alimentaire | 0 | 1 | 20,0 % | 2 | 0 | 3 |
| Éducation | 2 | 0 | 18,2 % | 9 | 0 | 11 |
| Économie | 1 | 1 | 15,4 % | 7 | 4 | 13 |
| Employabilité | 0 | 1 | 10,0 % | 8 | 1 | 10 |
| Nationalisme | 0 | 1 | 10,0 % | 6 | 3 | 10 |
| **Total** | **19** | **24** | **s. o.** | **64** | **13** | **120** |
| **Pourcentage total** | **15,8 %** | **20,0 %** | **s. o.** | **53,3 %** | **10,8 %** | **100 %** |

Source : calculs de l'auteur.

schiste ; fonds de diversification économique pour le Centre-du-Québec) ; 2 autres sont en voie de réalisation, y compris celle de protéger les milieux humides, mais il est trop tôt pour juger ce qu'il adviendra des 2 autres promesses, en particulier en ce qui a trait à la révision à la hausse des objectifs de réduction des gaz à effet de serre par rapport aux objectifs du plan de lutte aux changements climatiques du gouvernement précédent. Dans le domaine de la famille, 2 promesses sur 3 ont été réalisées.

Le gouvernement péquiste a tenu, entièrement ou en partie, la moitié de ses promesses dans le domaine de la démocratie et du mode de scrutin. La modification de la Loi électorale par le ministre Bernard Drainville a limité les dons annuels d'un électeur aux partis politiques et instauré des élections à date fixe. La Loi sur le vérificateur général a été modifiée pour étendre le mandat de ce dernier aux sociétés d'État, comme promis. Par contre, aucune initiative notable n'a été prise pour réaliser la promesse de tenir simultanément les élections municipales et scolaires ou celle de limiter le nombre de mandats consécutifs d'un premier ministre ou d'un maire de municipalité de 5 000 habitants ou plus.

Dans le domaine de la santé, seul l'engagement de réorganiser l'effort de lutte contre le cancer a été rempli, mais 4 autres promesses sont en voie de réalisation, y compris l'adoption d'une politique de soins à domicile à propos de laquelle le ministre Réjean Hébert a déposé un livre blanc au printemps 2013. Outre l'abolition de la taxe santé, 3 autres promesses concernant la fiscalité liée à la santé n'ont pas été tenues.

### Économie, souveraineté : peu d'engagements réalisés

Dans les domaines restants, le gouvernement a réalisé moins de la moitié de ses engagements. La plupart des promesses dans ces domaines n'ont pas officiellement fait l'objet d'initiatives notables, de telle sorte qu'elles ont été classées « en suspens » en attendant leur éventuelle réalisation (ou leur éventuel blocage). Dans le domaine de l'éducation, le plus important avec la santé et

> **Le gouvernement a renoncé à taxer les surprofits des entreprises minières.**

l'économie, seulement 2 promesses sur 11 ont été réalisées (abolition de la hausse des droits de scolarité et tenue du Sommet sur l'enseignement). Aucune action notable n'ayant été officiellement entreprise en vue de réaliser les 9 autres promesses dans ce domaine, elles ont été classées dans la catégorie « en suspens ».

Dans le domaine de l'économie, la seule promesse réalisée est le dévoilement, par la ministre Martine Ouellet, de la Charte du bois, pour accroître l'utilisation du bois dans la construction tout en réduisant les émissions de gaz à effet de serre. Le premier budget du gouvernement Marois, déposé en novembre 2012 par le ministre Nicolas Marceau, a mis en place des mesures visant à renouer avec l'équilibre budgétaire promis pour 2014. Mais ces mesures ont eu pour effet de contrecarrer certaines promesses électorales : outre l'abandon de la promesse d'annuler la taxe santé, le gouvernement a renoncé, entre autres choses, à taxer les surprofits des entreprises minières[10]. Dans le tableau 1, ces promesses sont classées comme « non tenues ».

L'annonce de la création d'un fonds de 200 millions de dollars pour l'électrification dans le dernier budget du gouvernement réalise en partie un engagement en matière de transports. Dans le secteur alimentaire, la politique de souveraineté alimentaire, présentée par le ministre François Gendron en mai 2013, réalise en partie un engagement de la plateforme. Toutefois, les critiques sévères par de nombreux observateurs de la société civile à l'encontre de cette politique laissent planer un doute sur

**La promesse d'abolir la taxe santé n'a pas été tenue.**

son éventuelle réalisation. Dans le domaine de l'employabilité, la promesse de créer une banque de développement économique ayant pour mission de favoriser l'emploi n'a pas été tenue. Il est trop tôt pour juger si les autres promesses dans ce domaine seront tenues ou pas.

Aucune des 10 promesses dans le domaine du nationalisme n'a été entièrement réalisée à ce jour. Le gouvernement de Pauline Marois a entamé en septembre 2013 des démarches en vue de faire adopter son projet de Charte des valeurs québécoises. Cette promesse est donc classée « en voie de réalisation »,

même si les chances que les partis d'opposition soutiennent le projet sont minces. Rien de sérieux n'a encore été fait pour enclencher la réalisation de 6 autres promesses dans ce domaine; il est donc trop tôt pour juger si elles seront réalisées. Toujours en ce qui a trait au nationalisme, 3 promesses n'ont pas été tenues, notamment celle d'étendre l'application de la Charte de la langue française aux entreprises de 10 employés et plus ainsi qu'aux cégeps.

L'impuissance du gouvernement de Pauline Marois à tenir ses promesses est surtout apparente dans deux domaines : le nationalisme, où 1 seul engagement sur 10 est en voie de réalisation, et l'économie, où seulement 2 engagements sur 13 ont été tenus ou sont en voie de l'être.

### Comparaison avec les gouvernements minoritaires de Jean Charest et de Stephen Harper

Au total, 44 promesses sur 120 (35,8 %) ont été réalisées ou sont en voie de l'être; 13 (10,8 %) n'ont pas été tenues et 68 (53,3 %) sont en suspens. Comment ces résultats se comparent-ils avec ceux d'autres gouvernements ? Le tableau 2 compare les pourcentages de promesses réalisées, entièrement ou en partie, du gouvernement Marois avec ceux de quatre gouvernements canadiens et de trois gouvernements québécois, tels qu'ils ont été établis dans des recherches utilisant des méthodologies similaires à celle de la présente analyse.

TABLEAU 2

**Réalisation des promesses d'autres gouvernements au Québec et au Canada**

| Cas analysés | Promesses réalisées |
|---|---|
| Canada, gouvernement conservateur de Brian Mulroney, 1984-1987 | 74 % |
| Canada, 1er mandat du gouvernement conservateur de Stephen Harper, 2006-2008 | 67 % |
| Canada, 2e mandat du gouvernement conservateur de Stephen Harper, 2008-2011 | 54 % |
| Canada, 3e mandat du gouvernement conservateur de Stephen Harper, 2011-2012 (mandat en cours) | 65 % |
| Québec, gouvernement péquiste de Jacques Parizeau, puis de Lucien Bouchard, 1994-1998 | 75 % |
| Québec, 1er mandat du gouvernement libéral de Jean Charest, 2003-2007 | 70 % |
| Québec, 2e mandat du gouvernement libéral de Jean Charest, 2007-2008 | 45 % |
| Québec, gouvernement péquiste de Pauline Marois, 2012-2013 (mandat en cours) | 36 % |

Sources : Pour le Canada, les données du gouvernement de Brian Mulroney sont tirées de Denis Monière, *Le discours électoral : les politiciens sont-ils fiables ?*, Montréal, Québec Amérique, 1988 ; les données des trois gouvernements de Stephen Harper proviennent de François Pétry, « A Tale of Two Perspectives : Election Promises and Government Actions in Canada », dans Elisabeth Gidengil et Heather Bastedo (dir.), *Canadian Democracy in the 21st Century*, Vancouver, UBC Press, à paraître. Pour le Québec, les données proviennent de François Pétry, « Les partis tiennent-ils leurs promesses ? », dans Réjean Pelletier (dir.), *Les partis politiques québécois dans la tourmente. Mieux comprendre et évaluer leur rôle*, Québec, Presses de l'Université Laval, 2012, p. 195-225.

Le taux de réalisation moyen s'établit à 64,3 % (avec un maximum de 75 % pour le gouvernement péquiste de Jacques Parizeau et Lucien Bouchard et un minimum de 45 % pour le deuxième mandat, minoritaire, de Jean Charest), sensiblement plus que le taux enregistré par le gouvernement de Pauline Marois[11]. Qu'est-ce qui explique le faible niveau de réalisation des promesses du gouvernement de Pauline Marois comparativement à la moyenne des autres gouvernements ? Il faut reconnaître que notre évaluation a été menée un an seulement après l'élection du PQ ; il n'a donc peut-être pas eu le temps encore de réaliser toutes ses promesses. Toutefois, d'autres gouvernements ont rempli la plupart de leurs promesses bien avant la fin de leur mandat. Ce fut en particulier le cas du gouvernement de Stephen Harper au début de son mandat actuel : seulement 16 mois après avoir été élu, il avait déjà réalisé en tout ou en partie 65 % de ses promesses (tableau 2). Le gouvernement de Pauline Marois tiendra-t-il l'essentiel de ses promesses non réalisées si on lui en laisse le temps ? C'est possible, mais il est permis d'en douter. En règle générale, les gouvernements réalisent leurs engagements électoraux ou les mettent sur la voie de la réalisation en début de mandat. Plus le processus de réalisation d'une promesse tarde à être enclenché, plus les chances qu'elle soit tenue diminuent. Même en supposant que le gouvernement de Pauline Marois reste au pouvoir jusqu'à l'échéance de son mandat, il ne faudrait pas s'attendre à une riche moisson de promesses réalisées durant les prochaines sessions.

> **En règle générale, les gouvernements réalisent leurs engagements électoraux en début de mandat.**

Une autre explication repose sur le statut minoritaire du gouvernement de Pauline Marois. A priori, l'explication semble valable. En effet, plusieurs promesses électorales du gouvernement péquiste n'ont pas été tenues en raison d'un blocage fait par l'opposition en Chambre. Elles auraient sans doute été réalisées, entièrement ou en partie, si le gouvernement avait été majoritaire. Toutefois, il semble que certains gouvernements minoritaires aient moins de difficulté que d'autres à tenir leurs promesses électorales. Par exemple, le premier gouvernement conservateur de Stephen Harper, élu en 2006, a rempli 67 % de ses engagements en dépit du fait qu'il était minoritaire (tableau 2). Mais il est peut-être plus judicieux de comparer le gouvernement de Pauline Marois au gouvernement minoritaire de Jean Charest en 2007-2008. Selon nos estimations, le gouvernement minoritaire de Jean Charest a réalisé, entièrement ou en partie, 41 des 97 promesses (45 %)

de sa plateforme électorale présentée lors des élections de 2007, un chiffre se rapprochant plus de la performance du gouvernement de Pauline Marois que de celle du premier gouvernement de Stephen Harper.

L'évaluation de la réalisation des promesses électorales des gouvernements minoritaires de Pauline Marois et de Jean Charest doit sans doute se faire à la lumière du contenu de leurs discours d'ouverture respectifs. Voyant qu'il ne pouvait compter sur l'appui d'une majorité de députés pour mener à bien toutes les promesses de sa plateforme électorale aux élections de 2007, Jean Charest a ajusté le tir dans son discours d'ouverture de mai 2007 en écartant certaines promesses dont la réalisation paraissait incertaine dans un contexte minoritaire, et a établi un échéancier comprenant des objectifs moins ambitieux, y compris des engagements à très court terme qu'il a presque tous atteints[12]. Cette stratégie conciliatrice lui a réussi sur le plan du travail parlementaire et sur le plan politique, puisque son gouvernement a été réélu avec une majorité de sièges en 2008.

Dans son discours d'ouverture d'octobre 2012, Pauline Marois a elle aussi ajusté ses promesses électorales pour faire face à la situation minoritaire de son gouvernement. Selon nos calculs, 65 % des engagements de la plateforme électorale péquiste se trouvant également dans le discours d'ouverture ont été réalisés entièrement ou en partie, alors que seulement 17 % des engagements de la plateforme ne se trouvant pas dans le discours d'ouverture ont été réalisés entièrement ou en partie. L'avenir nous dira si les mesures de conciliation de Pauline Marois lui permettront de mener son mandat à terme et de réaliser la plupart de ses promesses électorales.

*L'auteur remercie Dominic Duval pour sa précieuse assistance de recherche et Jocelyne Dorion pour ses commentaires judicieux.*

**Notes**

1. Bill Adair *et al.*, *PolitiFact*, « The Obameter : Tracking Obama's Campaign Promises ». En ligne : www.politifact.com/truth-o-meter/promises/obameter.

2. Maxime Vaudano, Clément Parrot et Corentin Dautreppe, *Lui Président*, « Toutes les promesses ». En ligne : www.luipresident.fr/toutes-promesses.

3. Seules les promesses contenues dans la plateforme électorale sont analysées dans notre étude.

4. Parti québécois, site officiel, « Nos réalisations ». En ligne : pq.org/nos_realisations. Consulté le 23 août 2013. Deux ou plusieurs pro-

messes de la plateforme sont parfois regroupées sous un seul engagement du rapport. Comme nous le verrons, la plateforme contient 120 promesses distinctes.

5. Jessica Nadeau, « Le PQ au pouvoir, un an plus tard. Deux pas en avant, un pas en arrière, un pas de côté », *Le Devoir*, 31 août 2013.

6. Paul Journet, « PQ : promesses tenues et promesses brisées », *La Presse*, 2 septembre 2013.

7. Louis Gagné, « Un an de gouvernement péquiste », *Le Journal de Québec*, 2 septembre 2013.

8. Josée Legault, « L'an 1 du gouvernement Marois : un virage déterminant », *L'actualité*, 3 septembre 2013.

9. Le site peut être consulté au www.poltext.org.

10. Le gouvernement de Pauline Marois a également renoncé à geler les tarifs d'électricité du bloc patrimonial, contrairement à une promesse faite durant la campagne. Cette promesse n'est toutefois pas comptée dans notre analyse parce qu'elle ne figure pas dans la plateforme électorale du Parti québécois.

11. Les enquêtes comparées sur la réalisation des promesses électorales ailleurs dans le monde donnent des résultats semblables à ceux du tableau 2. Voir, par exemple, Elin Naurin, *Election Promises, Party Behaviour and Voter Perceptions*, New York, Palgrave, 2011.

12. François Pétry et Louis Massicotte, « Quelles leçons tirer ? », *La Presse*, 27 mars 2008.

# Quitte ou double : le dangereux pari du PQ

**Jean-Herman Guay**
*Professeur, École de politique appliquée, Université de Sherbrooke*

**Depuis sa courte victoire du 4 septembre 2012, le Parti québécois projette une image d'indécision : le gouvernement Marois avance, puis recule ; il provoque du mécontentement à la fois chez les gens d'affaires et parmi les assistés sociaux, et tout autant dans les commissions scolaires que dans les collèges et les universités. Pas étonnant que le taux d'insatisfaction soit particulièrement élevé, et ce, après seulement un an de pouvoir. Contrairement à ce qu'on peut croire, cette apparence d'incohérence n'est pas accidentelle. Et le fait qu'il s'agisse d'un gouvernement minoritaire n'est pas la première clé pour comprendre la démarche du Parti québécois. Celle-ci relève plutôt de choix stratégiques à haut risque qui s'inscrivent dans le court, le moyen et le long terme.**

Rappelons-nous. En août 2011, Bernard Drainville estimait que le Parti québécois (PQ) était « au bord de l'abîme », voué à une mort quasi certaine. Rien d'étonnant, le parti se portait alors très mal dans les sondages et une vague de démissions venait de le secouer. L'hécatombe qui avait frappé le Bloc québécois en mai 2011 nourrissait par ailleurs les pires craintes. Après avoir vu réaffirmé le leadership de Pauline Marois, en poste depuis juin 2007, les stratèges savaient très bien que, pour prendre le pouvoir dans un horizon rapproché, le PQ devrait récupérer des appuis des deux côtés de l'échiquier politique.

L'actualité fournirait à Pauline Marois l'occasion de deux déplacements à gauche : elle arborerait d'abord le carré rouge pendant tout le printemps 2012, puis elle souscrirait à des éléments du discours écologiste, notamment par une critique catégorique du Plan Nord de Jean Charest. L'objectif: damer le pion à Québec solidaire (QS), qui gagnait alors en popularité.

En septembre 2012, Pauline Marois l'emporte, mais de justesse, avec 32 % des votes, contre 31 % pour les libéraux, accusés pourtant de tous les maux. Québec solidaire ne recueille que 6 % des suffrages, tandis que la Coalition avenir Québec (CAQ) en rafle 27 %. Au moment de l'assermentation des ministres, l'enjeu ne fait pas de doute: le PQ dispose d'un an, peut-être deux, pour gagner des segments du vote que ses rivaux, anciens alliés, lui ont ravis. Dans le cas contraire, le scénario de la division, voire d'une mort du PQ sera de nouveau sur toutes les lèvres. Par ses propositions gouvernementales et législatives, le PQ tente donc de récupérer les votes perdus. L'arithmétique lui donne raison. Si la moitié du total des voix obtenues par la CAQ, par QS et par Option nationale (ON) en 2012 revenait au PQ, le parti se retrouverait dans une situation hégémonique, frôlant les 50 % d'appuis. Plus modestement, si le PQ regagnait le tiers du vote de ces partis, il s'approcherait des résultats obtenus par René Lévesque en 1976, soit 41 %.

## Rivaliser avec la CAQ

Après le déplacement à gauche de l'été 2012, une fois le pouvoir remporté, le PQ marche dans l'autre direction – et ce, à l'instar de bien d'autres partis avant lui –, plutôt à droite. On « corrige le tir » sur la taxe santé, on recule sur les redevances minières, et le premier budget Marceau est très « libéral ». L'opération réussit en bonne partie: la CAQ, principale cible pour renflouer le vote péquiste, perd presque le tiers de ses appuis. Et la bonne gestion de la catastrophe ferroviaire de Lac-Mégantic provoque un rebond en faveur du gouvernement au milieu de l'été 2013.

Dans les intentions de vote, le PQ reste cependant deuxième, derrière les libéraux. En dévoilant son projet de Charte des valeurs québécoises, le 10 septembre 2013, le gouvernement péquiste voulait frapper un grand coup et marquer l'imaginaire grâce à un discours identitaire fort. D'autres ajouteront que le PQ doit aussi occuper (distraire) les médias: l'économie québécoise se porte mal, la création d'emplois est faible, quasi anémique. La thèse de la diversion est évidemment réductrice puisque l'idée d'une telle charte était inscrite dans la plateforme électorale. Ce qui est cependant révélateur du caractère téméraire de la stratégie, c'est que la charte présentée en 2013 radicalise les propositions défendues par le PQ en octobre 2007 devant la commission Bouchard-Taylor[1].

À moins de croire que le PQ sortira indemne d'un court passage au pouvoir d'un ou deux ans, on peut conclure que sa démarche contradictoire et éclectique depuis 2011 s'inscrit dans une volonté compréhensible, du moins de son point de vue, d'éviter le pire en contrôlant l'ordre du jour.

## Le moyen terme

L'arithmétique électorale est cependant plus complexe : ce qu'on gagne d'un côté, on peut le perdre de l'autre. En mettant de l'avant la Charte des valeurs québécoises, le PQ peut, par exemple, gagner des points à l'extérieur de Montréal, auprès d'un électorat plus âgé et moins scolarisé, mais il peut du même coup perdre des votes dans les grands centres, auprès des intellectuels et des artistes, ses alliés de toujours, lesquels épousent les grandes lignes du postmodernisme. Le nombre des premiers l'emporte évidemment sur celui des seconds, mais, à moyen terme, le poids médiatique des seconds est tel que si ceux-ci prennent leurs distances par rapport au PQ ou lui deviennent hostiles, la cause viendra de perdre l'un de ses vecteurs.

Les sondages ont aussi indiqué que les inquiétudes au sujet des religions de certaines minorités étaient plus courantes en région qu'à Montréal. La « crise des accommodements » relève donc des perceptions plutôt que d'une réalité quotidienne. À court terme, des gains sont possibles, mais, à moyen terme, le PQ devra peut-être subir des pertes auprès de ses clientèles habituelles. Là aussi, il joue gros. Et une fois de plus, il est animé par l'impératif de l'urgence.

Plusieurs observateurs ont également relevé les incohérences du projet de charte lui-même. Celles-ci s'expliquent

cependant de la même manière. En mettant l'accent sur l'égalité des hommes et des femmes, la laïcité, la neutralité et la séparation de l'Église et de l'État, le projet joue sur les cordes sensibles d'un électorat progressiste. Inversement, en permettant le maintien du crucifix à l'Assemblée nationale et l'ensemble des éléments religieux au nom du patrimoine, il tente de satisfaire les attentes de l'électorat plus traditionaliste. En accordant aux municipalités et aux établissements universitaires et hospitaliers le droit de déroger à l'éventuelle charte, le parti crée une contradiction analogue, qui renvoie à la même volonté de séduire des clientèles en opposition sur le spectre des valeurs.

Le caractère antinomique du projet de charte est cependant si manifeste – et carrément symbolique – que la charte peut aussi plaire ou déplaire à tout le monde.

L'autre pari du PQ reste son comportement électoral lui-même. Il n'est pas évident que l'électorat plus âgé et traditionaliste de certaines régions, favorable à la charte, appuiera pour autant le PQ. Il est difficile de prédire comment les électeurs, lorsqu'ils seront invités à se prononcer à l'occasion d'un scrutin et non dans un sondage, combineront les différents enjeux de l'élection, et quel poids aura leur adhésion à la Charte des valeurs québécoises. Les sondages, dont la fiabilité a été mise en doute au dernier scrutin québécois, peuvent ici se méprendre sur le comportement final de l'électeur.

## Le long terme

Quand on examine la stratégie du PQ sur le long terme, le projet de charte s'inscrit dans une démarche plus fondamentale, qui peut être mise en lumière par une analyse comparative.

Dans le monde, les différents nationalismes sont éminemment polymorphes. Pierre Birnbaum, dans un ouvrage monumental publié en 1997 et intitulé *Sociologie des nationalismes*, avait relevé un dénominateur commun : l'affirmation d'un Nous – la nation – versus l'Autre, le Eux. Le discours nationalitaire constitue une réplique à une menace, qu'elle soit réelle, appréhendée ou imaginée.

Ici, au Québec, de 1960 jusqu'au début des années 2000, cette opposition a pris une allure spécifique, peut-être unique : la menace avait un caractère essentiellement institutionnel. L'Autre, c'était Ottawa, le fédéralisme canadien, les chevauchements ou le déséquilibre fiscal, à la limite le Canada anglais, mais considéré comme majorité arithmétique. Conséquemment, le mouvement souverainiste a connu ses expansions les plus fortes lorsque les Québécois avaient le sentiment d'être bafoués par les institutions fédérales : l'échec de l'accord du lac Meech (1990), le scandale des commandites (2004) et, plus loin dans le passé, la crise des gens de l'air (1976), ou divers jugements de la Cour suprême.

À la différence de beaucoup de nationalismes européens, la menace n'était pas l'immigrant, ni l'étranger, ni même la mondialisation. Les Québécois, et les souverainistes en particulier, ont été, par exemple, plus nombreux que les Canadiens anglais à souscrire au libre-échange en 1988. Contrairement à ce qui se passe souvent ailleurs, le mouvement souverainiste avait ses appuis les plus forts chez les urbains, dans les couches plus scolarisées et chez les plus jeunes. Et pendant toutes ces années, la réponse à cette menace institutionnelle a été elle-même institutionnelle, soit la souveraineté du Québec. Le segment du mouvement qui s'apparentait davantage à l'affirmation identitaire, ethnique, restait minoritaire, voire marginal, au sein de la mouvance souverainiste.

L'échec du deuxième référendum, en 1995, l'aveu de Lucien Bouchard de son incapacité à ranimer la flamme souverainiste en 2001, la défaite électorale de 2003, mais surtout celle de 2007, ont cependant ébranlé les bases du mouvement nationaliste et réorienté à la fois les motivations des militants et la rhétorique des chefs. Le projet institutionnel – et l'ensemble des aspects stratégiques comme la mécanique référendaire – relégué au second plan, le nationalisme québécois s'est trouvé face à un déficit de sens ; l'Autre s'est transmué, passant peu à peu de la « menace institutionnelle » à la « menace communautaire ». Le PQ s'approcha alors, et ce, pour la première

fois de son histoire, du modèle des mouvements nationalitaires d'ailleurs.

Maria Mourani, lors de sa démission fracassante du Bloc québécois, en septembre 2013, a dit tout haut ce que chacun pouvait constater au cœur du mouvement : « Tout au long de ma militance, j'ai vu qu'il existait une tension au sein du mouvement indépendantiste. Mais les leaders du mouvement et la majorité militante réussissaient toujours à chasser les démons de l'intolérance populiste lorsque venait le temps d'élaborer des politiques. Ce temps est-il révolu ? Le mouvement nationaliste québécois a-t-il sombré, pour des décennies, dans une façon de faire la politique qui divisera les Québécoises et les Québécois[2] ? »

Le discours intitulé *Le cœur de la nation* que prononce Pauline Marois le 29 août 2007, à l'occasion de sa nomination officielle comme candidate à l'élection partielle dans la circonscription de Charlevoix, annonce un changement de perspective : « Depuis une dizaine d'années, nous avons été saisis d'une espèce de mauvaise conscience qui nous a empêchés de dire "nous". Comme si le "nous" était un mot tabou. [...] Depuis plusieurs années, nous avons été incapables de présenter notre projet de manière stimulante tant nous étions occupés à en démontrer les vertus démocratiques. [...] Mais nous ne devons plus être gênés ou avoir peur de dire qu'au Québec, la majorité francophone veut être reconnue et qu'elle est le cœur de la nation[3].» Pauline Marois soutient aussi, dans ce même discours fondateur de sa posture : « Ce qu'il nous faut expliquer à la population du Québec passe maintenant par le cœur autant que par l'esprit. C'est justement parce que nous sommes engagés dans cette pédagogie des cœurs que les aspects plus directement stratégiques doivent être mis en veilleuse.»

Nul doute que la Charte des valeurs québécoises, de même qu'un ensemble d'initiatives qui visent à raviver les éléments nationalitaires, comme l'ajout d'un cours d'histoire nationale au collégial ou le projet de loi 14 modifiant la Charte de la langue française, prend racine dans cette volonté de combiner la raison et le cœur : une approche institutionnelle, mais aussi une approche plus émotive, populiste, faisant référence à des marqueurs identitaires ethniques, en opposition explicite avec le multiculturalisme canadien ou le communautarisme anglo-saxon. En agissant comme il le fait depuis sa victoire de septembre 2012, le PQ n'est pas en rupture avec ce qu'il annonce depuis près de cinq ans. Son statut d'opposition lui avait simplement épargné l'attention des observateurs sur le détail de ses propositions.

En somme, qu'il s'agisse du court terme, du moyen terme ou du long terme, l'objectif stratégique du PQ renvoie au même dilemme : oser en vue de redonner au parti l'hégémonie qui était la sienne, afin d'échapper au destin tragique qui a frappé tous les partis nationalistes québécois, soit la chute, puis la mort au bout d'une ou deux générations. En 1984, René Lévesque avait lancé le «beau risque», lequel appelait les nationalistes à voter pour les conservateurs de Brian Mulroney. Ce choix stratégique qui créa son lot de crises et de dissensions au PQ était lui aussi la conséquence d'échecs et d'impasses. Par un jeu de dominos difficilement prévisible alors, ce «beau risque» provoqua cependant Meech, puis son échec et le formidable rebond du mouvement souverainiste à partir de 1990. En sera-t-il de même cette fois, avec ce «grand risque» qui touche aux valeurs? Il est évidemment beaucoup trop tôt pour le dire, mais certains ont probablement échafaudé de tels scénarios en vue de relancer le dossier de la souveraineté.

Notes

1. Seules les personnes qui occupent des postes d'autorité et qui sont en contact avec le public devraient s'abstenir de porter des signes religieux ostentatoires, soutenait alors le PQ. Voir Parti québécois, *Mémoire,* présenté à la Commission de consultation sur les pratiques d'accommodement reliées aux différences culturelles, 17 octobre 2007, p. 11. En ligne : www.accommo dements-quebec.ca/documentation/memoires/ A-N-Montreal/parti-quebecois.pdf.

2. Déclaration de Maria Mourani, députée fédérale d'Ahuntsic, 13 septembre 2013. En ligne : www.ctvnews.ca/polopoly_fs/1.1453659!/http File/file.pdf.

3. Pauline Marois, «Le cœur de la nation», allocution présentée à l'occasion de son assemblée de nomination, Centre communautaire de Beaupré, Beaupré, 29 août 2007. En ligne : www.vigile.net/ Le-coeur-de-la-nation.

# Autochtones et réconciliation : avec quelle vérité ?

**Pierre Trudel**

*Chargé de cours, Département de science politique, et chercheur associé,
Chaire de recherche du Canada en études québécoises et canadiennes,
Université du Québec à Montréal*

**Dans leurs histoires respectives, rares sont les peuples qui n'ont pas
été victimes d'un autre et rares sont ceux qui n'ont pas fait de victimes. Comment rappeler les faits de façon juste, en évitant à la fois
de banaliser ou d'exagérer le statut de victime ? L'une des dispositions de la Convention de règlement relative aux pensionnats
indiens, issue du plus important recours collectif au Canada, prévoyait la création de la Commission de vérité et de réconciliation.
En tenant des audiences publiques au Québec en 2013, la Commission
nous lance un défi : réconcilier nos mémoires collectives.**

Les assemblées publiques organisées par la Commission de vérité et de réconciliation (CVR), au cours desquelles d'anciens pensionnaires ont levé le voile sur maints détails des abus subis, ont marqué les Québécois, y compris une partie de ceux et celles qui ne sont habituellement pas très sensibles aux réalités des Premières Nations. Mais ces témoignages et ces révélations soulèvent une question délicate : que feront les Autochtones de cette mémoire retrouvée sur les abus des pensionnats ? Au-delà du devoir de mémoire, de la justice, de la réconciliation et de la guérison, faut-il craindre des « abus de mémoire » ?

Cette question ne doit pas être interprétée comme un encouragement à ne pas respecter notre devoir de mémoire ou à continuer de méconnaître les peuples autochtones. Mais il faut voir qu'une mémoire d'événements aussi tragiques ne mène pas toujours à la « réconciliation ». Au contraire, elle peut servir au développement d'une identité qui maintient une grande distance par rapport à l'Autre, alimenter une trop grande méfiance, de la rancune et du ressentiment. Des groupes d'intérêts peuvent l'exploiter pour détourner l'attention afin d'éviter des responsabilités, des enjeux bien contemporains.

Tzvetan Todorov, dans un opuscule intitulé *Les abus de la mémoire*[1], établit deux types de mémoire : la mémoire littérale et la mémoire exemplaire. « L'usage littéral, qui rend l'événement ancien indépassable, revient en fin de compte à soumettre le présent au passé. L'usage exemplaire, en revanche, permet d'utiliser le passé en vue du présent, de se servir des leçons des injustices subies pour combattre celles qui ont cours aujourd'hui, de quitter le soi pour aller vers l'autre[2]. » Il rappelle que l'état d'esprit créé par une mémoire trop littérale a mené des Israéliens et des Palestiniens à déclarer, à propos des discussions sur Jérusalem, que « pour simplement commencer à parler, il faut mettre le passé entre parenthèses[3] ». Todorov critique aussi une mémoire de l'Holocauste qui lui donne un caractère unique et incomparable.

Dès le départ, Todorov reconnaît que, pour les victimes d'abus exercés à grande échelle par des États, la douleur reste unique. Passer à un autre niveau et remettre en question l'usage de la mémoire apparaissent offensants pour les victimes. La réflexion proposée par Todorov ne sert pas à justifier ni à mini-miser les crimes à grande échelle perpétrés par des États, bien qu'elle puisse être perçue comme telle par des victimes. Les cas d'abus choisis par l'auteur, commis dans des pays totalitaires, montrent que, parfois, nous sommes en présence d'excès de comparaisons qui mènent à des abus de mémoire, tandis que, dans d'autres cas, la comparaison encourage une mémoire « exemplaire » qui permet de « quitter le soi pour aller vers l'autre ».

## Le poids des mots

Les pensionnats, la Loi sur les Indiens, les réserves, etc., ont-ils constitué un « génocide », comme certains le soutiennent ? On peut se reporter à la Convention pour la prévention et la répression du crime de génocide du Haut-Commissariat des Nations unies

### Faut-il craindre des « abus de mémoire » ?

aux droits de l'homme pour une définition du concept. Elle établit qu'un génocide est un acte commis dans « l'intention de détruire, en tout ou en partie, un groupe national, ethnique, racial ou religieux ». Parmi les cinq actes énumérés qui constituent un génocide figure, bien sûr, le « meurtre de membres du groupe », mais aussi l'« atteinte grave à l'intégrité physique ou mentale de membres du groupe » et le « transfert forcé d'enfants du groupe à un autre groupe », ces deux derniers actes se rapprochant de la situation des autochtones au Canada. Il faut surtout tenir compte de l'esprit de la définition quant à la notion d'«intention de détruire» plutôt que de s'attacher aux seuls moyens employés par les génocidaires. Serions-nous plutôt face à ce que certains appellent un «génocide culturel»? À mon avis, il s'agit d'un non-sens. L'intention première du génocidaire n'est pas de détruire la culture, bien qu'il le fasse en s'attaquant physiquement aux gens. Le terme «ethnocide» serait plus conforme à la réalité. L'«ethnocide» ne vise pas à détruire physiquement un peuple, mais plutôt son identité culturelle. Néanmoins, l'ethnocide peut être très brutal, par exemple en séparant des familles et en tâchant d'assimiler un

---

**Dans certains cas,
la comparaison encourage
une mémoire «exemplaire».**

---

peuple au cours d'une seule génération, comme a tenté de le faire le gouvernement du Canada avec les Autochtones au moyen des pensionnats.

L'usage de ces termes encourage-t-il des courants de pensée qui entretiennent le ressentiment, ou tout simplement une distance contraire à la réconciliation, bien que ce ne soit pas l'intention de tous ceux qui en font l'usage? Utiliser le mot «génocide» peut exagérer le statut de victime, mais il peut aussi rendre l'autre monstrueux,

surtout si cet autre, tel le Canada, se définit comme un champion des droits humains... L'arroseur – celui qui a créé le «sauvage» ou le monstrueux citoyen qui abuse et ne respecte pas les lois – se retrouve alors arrosé[4]. Notons cependant que l'usage du concept de génocide envers les autochtones du Canada ne semble pas généralisé, quoiqu'en juillet 2013 le Musée canadien des droits de la personne, situé à Winnipeg, se soit trouvé confronté à cette question épineuse. Malgré les pressions de l'Assemblée des chefs du Manitoba, le Musée a refusé d'employer le terme «génocide» dans le titre d'une exposition sur les pensionnats, mais l'a accepté dans des textes portant sur les autochtones des Amériques. L'expression «génocide culturel» est plus courante.

Par ailleurs, le Canada, depuis 25 ans, par ses institutions qu'ont été la Fondation autochtone de guérison et la CVR, a généralisé l'usage de l'expression «survivant des pensionnats». Des auteurs et des organisations autochtones ont également contribué à généraliser l'expression. Bien que le concept de «survivant» ne renvoie pas strictement aux survivants de l'Holocauste, il se pourrait que dans l'esprit de certains cela soit le cas et que, par ailleurs, l'usage du terme «survivant» favorise l'usage du terme génocide.

Il importe ici de souligner que l'institution scolaire et religieuse qu'ont été les pensionnats se distingue des autres institutions coloniales. Moins administratives, telle la Loi sur les Indiens, ou territoriales, telle la réserve, ces écoles s'attaquaient plus directement à la conscience et à l'intégrité des individus. En vue de «civiliser», d'évangéliser et d'assimiler les populations autochtones, des pensionnats dits indiens ont été institués. Déjà en 1879, un mandataire du gouvernement recommandait l'instauration des pensionnats, parce que là où il y avait des écoles de jour, «l'influence des *wigwams* demeurait plus forte que l'influence de l'école[5]». Des écoles de jour existaient depuis longtemps dans l'est du pays, mais «personne ne croyait que ces écoles seraient efficaces dans l'Ouest[6]». L'intention de faire disparaître la culture amérindienne en en rompant la transmission, assurée traditionnellement par la famille, a caractérisé une bonne partie de l'histoire des pensionnats.

Marie Wilson, commissaire à la CVR, a déclaré au journal *Le Devoir* que 100 000 autochtones ayant fréquenté les pensionnats vivent toujours, dont 80 000 ont porté plainte dans le cadre du recours collectif; 30 000 de ceux-ci ont été indemnisés pour abus sexuels et physiques. Mme Wilson précise aussi que «70 % des religieux impliqués dans les pensionnats étaient catholiques, et plusieurs de ces pensionnats fonctionnaient en français, même en dehors du Québec[7]». Toutefois, en comparaison avec l'Ouest du pays, les pensionnats sont récents au Québec. Ils se sont surtout développés à partir des années

1950 et n'ont pas reçu autant d'enfants qu'ailleurs.

Écouter les témoignages de ces adultes qui ont vu leur enfance, parfois leur famille et leur sexualité, brisées, constitue un préalable incontournable avant d'évoquer l'éventualité d'abus de mémoire[8]. Cela peut aussi aider à comprendre les raisons pour lesquelles d'anciens pensionnaires se sont appropriés le concept de «survivant». Leurs propres enfants ont aussi souffert de cette situation, l'expérience vécue dans ces pensionnats ayant eu des répercussions intergénérationnelles. Rappelons également que pour une partie des anciens pensionnaires, le concept de génocide est tout aussi justifié, parce qu'à une certaine époque, surtout dans les années 1930 et 1940, les mauvais traitements, la malnutrition, le sous-financement et la négligence de l'État, qui ne corrigeait pas une situation pourtant connue, ont été à l'origine d'un taux alarmant de mortalité infantile.

Certains brossent un portrait ambigu de leur expérience au pensionnat, tel l'auteur attikamek Gilles Ottawa[9], qui écrit en avoir tiré des avantages, tout en dénonçant les abus et les séquelles. D'autres sont beaucoup plus sévères. Sur plus de 100 ans, l'histoire des pensionnats demande à être nuancée. Vers 1880, le gouvernement canadien a commencé timidement, dans l'ouest du pays, à regrouper quelques milliers d'enfants afin de leur apprendre un métier – on nommait alors ces premiers pensionnats

« écoles industrielles » et ils étaient copiés sur le modèle des États-Unis. Parfois, dans les années 1960 et 1970, les pensionnats ont fini par servir, en quelque sorte, d'établissements de protection de la jeunesse, vu l'ampleur des problèmes sociaux vécus dans certaines communautés autochtones. Il importe de rappeler que ces difficultés existent encore de nos jours et sont à l'origine d'une rupture des liens familiaux, car une proportion importante des enfants autochtones ont été et sont retirés de leurs familles pour être placés dans d'autres familles, souvent non autochtones. Dans bien des cas, ces problèmes sont directement liés au fait que les enfants des pensionnats ont grandi sans véritable vie de famille, que plusieurs ont subi des abus, et qu'ils se sont retrouvés eux-mêmes parents. Il s'agit des conséquences intergénérationelles des pensionnats. Mais ces institutions n'expliquent pas tout. Si l'on considère ce qu'écrit Todorov, la mémoire des pensionnats ne devrait pas diriger démesurément l'attention des contemporains vers un passé « sacralisé » tout en occultant les responsabilités actuelles des problèmes sociaux. L'enjeu est important; en 2011, dans *Le Devoir,* citant la Société de soutien à l'enfance et à la famille des Premières Nations du Canada, Caroline Montpetit indiquait que certains sont allés jusqu'à affirmer qu'il y a actuellement plus d'enfants autochtones hors de leurs familles – et souvent dans des familles non autoch-

tones – pour des motifs de mauvais traitements (27 000 au Canada) qu'aux pires années des pensionnats (8 900). En fait, 10 % des enfants autochtones se retrouvent de nos jours dans des familles d'accueil[10]. Selon Statistique Canada, près de la moitié des enfants canadiens qui grandissent en famille d'accueil sont autochtones[11].

## Reconnaître pour guérir

L'année 2013 constitue une année charnière. Les témoignages recueillis depuis 25 ans, d'abord par la Commission royale sur les peuples autochtones (1991-1995), ensuite par la Fondation autochtone de guérison (1998-2005), et finalement ceux qui ont été livrés dans le cadre du recours collectif entrepris contre l'État canadien, ont tous servi au devoir de mémoire pour les Autochtones. Une partie de cette population et des générations plus jeunes ont appris et mieux saisi la source de leurs problèmes sociaux grâce à ces témoignages. Ils ont compris que ces problèmes ne provenaient pas de la « nature des Indiens » et que des comportements de leurs parents ou de leurs compatriotes découlaient de ce passé maintenant reconnu. Depuis plus d'une génération, les Autochtones ont développé, parfois avec le soutien de l'État, un processus de guérison. Il faut maintenant se demander si, dans une seconde étape que veut franchir la CVR, la vérité retrouvée rejoindra une partie significative de la population en général. Dans l'affirmative, celle-ci réagira de diverses façons et contribuera inévitablement à établir un équilibre entre une mémoire trop centrée sur les victimes et une autre qui les ignore. La réconciliation se fait à deux, et les uns et les autres sont invités à ajuster leurs mémoires. Sarah Gensburger et Marie-Claire Lavabre observent de façon très juste que c'est dans le débat politique et citoyen que les notions de devoir de mémoire et d'abus de mémoire trouveront leur pertinence, plutôt que, strictement, dans l'analyse savante[12].

### Rencontre des mémoires

En 2014, les Canadiens et les Québécois s'approprieront-ils le processus mis en place par la CVR pour faire en sorte que ses travaux ne contribuent pas à un « abus de mémoire », ni d'un côté, ni de l'autre, et ne favorisent pas une mémoire « littérale » plutôt qu'« exemplaire » ? Les autochtones de plusieurs pays, tels ceux de l'Australie et des États-Unis, vont sûrement partager leur expérience des pensionnats, contribuant à une mémoire collective qui, comme la Déclaration des Nations unies sur le droit des peuples autochtones, favorise le développement de leur identité[13]. Une question se pose cependant : pour être véritablement exemplaire, ne devrait-il pas y avoir une rencontre des mémoires collectives de pensionnats autochtones et non autochtones, même si celle-ci ne favorise pas strictement le développement d'une identité autochtone ? La mémoire

autochtone peut-elle amener des Québécois et des Canadiens à retrouver un passé également douloureux ? Peut-elle contribuer à la mise au jour de la réalité de leurs pensionnats et de l'ampleur des abus qui y ont été commis ? Le « soi »

---

**Depuis plus d'une génération, les Autochtones ont développé un processus de guérison.**

---

autochtone qui va vers l'« autre » non autochtone, ici, dans le pays. Une mémoire « exemplaire » devrait aussi nous aider à saisir, quoique sans doute imparfaitement, les différences et les ressemblances entre ces pensionnats. Cependant, les termes employés, tels que « génocide », « génocide culturel » ou « survivant », qui se rattachent à une certaine perspective, ne facilitent peut-être pas la démarche. Et pourtant, des Autochtones pourraient également tirer profit de cet échange en se décentrant de leur problème et en découvrant que des enfants du « colonisateur » ont vécu des situations comparables. L'interface de nos mémoires constitue une bonne occasion d'apprendre des uns et des autres. Les débats de nos sociétés respectives, à savoir dans quelle mesure nous avons été victimes, mériteraient d'être connus de part et d'autre.

N'oublions pas, cependant, que la culture influence la façon de se rappeler les événements passés. Ce qui pourrait nous apparaître comme étant des abus de mémoire fait peut-être plutôt partie des traditions des Autochtones en lien avec leurs cultures spécifiques. Leurs façons de se souvenir sont sans doute différentes des nôtres. Il s'agit d'une dimension à ne pas négliger dans le contexte d'une réconciliation associée aux événements passés. L'analyse qui nous permet à l'occasion de distinguer des catégories de récits, par exemple celui de notre histoire officielle, celui de notre histoire nationale ou encore celui de notre histoire savante, devrait également nous permettre de mieux comprendre le rapport des cultures autochtones avec le passé et leur façon de générer des mémoires collectives.

## Notes

1. Tzvetan Todorov, *Les abus de la mémoire*, Paris, Arléa, 1998, 61 p. Il s'agit de la version remaniée d'une communication que Todorov a présentée au congrès *Histoire et mémoire des crimes et génocides nazis* tenu à Bruxelles en 1992.

2. *Ibid.*, p. 31.

3. *Ibid.*, p. 26.

4. Pierre Trudel, « De la négation de l'Autre dans les discours nationalistes des Québécois et des Autochtones », dans Michel Sara-Bournet (dir.), *Les nationalismes au Québec*, Québec, Presses de l'Université Laval, 2001, p. 202-230.

5. Brian Titley, « Isoler et embrigader : la tendance coercitive des politiques d'éducation pour enfants autochtones (1870-1932) », *Recherches amérindiennes au Québec*, vol. 41, n° 1, 2001, p. 4.

6. *Ibid.*

7. Caroline Montpetit, « Commémoration, guérison et indemnisations », *Le Devoir*, 30 novembre 2012, p. A1.

8. Voir le site de la CVR au www.trc.ca.

9. Gilles Ottawa, *Les pensionnats indiens au Québec, un double regard*, Québec, Cornac, 2013.

10. Caroline Montpetit, « Communautés autochtones. Des familles saignées de leurs enfants », *Le Devoir*, 29 mars 2011.

11. Statistique Canada, *Les peuples autochtones au Canada : Premières Nations, Métis et Inuits*. En ligne : www12.statcan.gc.ca/nhs-enm/2011/as-sa/99-011-x/99-011-x2011001-fra.cfm.

12. Sarah Gensburger et Marie-Claire Lavabre, « Entre "devoir de mémoire" et "abus de mémoire" : la sociologie de la mémoire comme tierce position », dans Bertrand Müller (dir.), *L'histoire entre mémoire et épistémologie. Autour de Paul Ricœur*, actes d'un colloque tenu en novembre 2001 à l'Université de Genève, Lausanne, Payot, 2005, p. 76-95.

13. Françoise Morin, « L'autochtonie comme processus d'ethnogenèse », dans Natacha Gagné, Thibault Martin et Marie Salaün (dir.), *Autochtonies. Vues de France et du Québec*, Québec, Les Presses de l'Université Laval, 2009, 530 p.

# Administration publique

# BUDGET DE DÉPENSES, GOUVERNEMENT DU QUÉBEC, 2013-2014

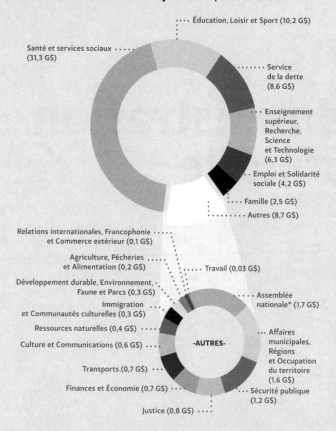

Éducation, Loisir et Sport (10,2 G$)

Santé et services sociaux (31,3 G$)

Service de la dette (8,6 G$)

Enseignement supérieur, Recherche, Science et Technologie (6,3 G$)

Emploi et Solidarité sociale (4,2 G$)

Famille (2,5 G$)

Autres (8,7 G$)

Relations internationales, Francophonie et Commerce extérieur (0,1 G$)

Agriculture, Pêcheries et Alimentation (0,2 G$)

Travail (0,03 G$)

Développement durable, Environnement, Faune et Parcs (0,3 G$)

Immigration et Communautés culturelles (0,3 G$)

Assemblée nationale* (1,7 G$)

Ressources naturelles (0,4 G$)

Culture et Communications (0,6 G$)

-AUTRES-

Affaires municipales, Régions et Occupation du territoire (1,6 G$)

Transports (0,7 G$)

Finances et Économie (0,7 G$)

Sécurité publique (1,2 G$)

Justice (0,8 G$)

\* Inclut le Conseil exécutif, l'Assemblée nationale et les personnes désignées par l'Assemblée nationale, le Conseil du trésor et l'administration gouvernementale.

Source : Conseil du trésor, *Crédit des ministères et organismes pour l'année financière se terminant le 31 mars 2014*, gouvernement du Québec, 2013.

# Le premier budget Marceau : austérité et optimisme

**Mathieu Carrier**
*Professionnel de recherche, École nationale d'administration publique*

**Marie-Soleil Tremblay**
*Professeure, École nationale d'administration publique*

**Le dépôt d'un premier budget est l'occasion, pour un gouvernement nouvellement élu, de définir les principales orientations de l'État. Dans un contexte de gouvernement minoritaire et de dégradation de la situation économique, la tâche qui attendait le ministre Nicolas Marceau était complexe. Certains engagements électoraux du Parti québécois (PQ) ont ainsi été mis de côté, et des efforts additionnels ont été demandés à certaines catégories de contribuables, notamment ceux dont les revenus sont plus élevés. Ces efforts, combinés à des compressions budgétaires plus importantes, devraient permettre au gouvernement de revenir à l'équilibre budgétaire en 2013-2014, dans la mesure où les revenus anticipés sont au rendez-vous.**

Le récent changement de gouvernement à Québec a précipité le dépôt, à l'automne 2012, d'un nouveau budget, alors que ce genre d'exercice se déroule habituellement au printemps, avec le début de l'année financière du gouvernement. C'était, pour le gouvernement péquiste, l'occasion de donner sa propre direction à l'État québécois. Plusieurs faits marquants se dégagent de cet exercice. Nous traiterons tout d'abord de certaines hypothèses contenues dans le budget, puis nous aborderons les principaux choix budgétaires qui découlent de ces hypothèses, en les comparant aux engagements électoraux du PQ. Finalement, nous discuterons du défi persistant du retour à l'équilibre budgétaire et de la réduction de la dette, qui relève d'un optimisme naïf, selon certains, et d'un dogmatisme insolite, selon d'autres.

## Les hypothèses de revenus et de dépenses : prudentes, optimistes ou réalistes ?

Tous les budgets gouvernementaux se fondent, en premier lieu, sur des hypothèses quant aux revenus et aux dépenses de l'État. Ces hypothèses sont fondamentales, puisqu'elles sous-tendent les choix budgétaires. Dans le contexte actuel de retour à l'équilibre

> L'équilibre budgétaire est prioritaire et non négociable.

budgétaire, le gouvernement mise sur une hausse modeste des revenus autonomes et un contrôle plus serré de ses dépenses de programmes (voir le tableau 1).

Un des principaux défis auxquels a été confronté le nouveau gouvernement Marois est lié à ses revenus autonomes et, plus précisément, aux prévisions faites par le gouvernement précédent dans le dernier budget Bachand. En effet, celui-ci misait sur des prévisions de croissance de l'économie québécoise de l'ordre de 1,5 % en 2012 et de 1,9 % en

2013[1]. Le premier budget Marceau a revu ces prévisions à la baisse[2], entraînant, pour 2012, une diminution de 500 millions des revenus autonomes projetés par le gouvernement[3]. Ce changement d'hypothèse, qui reste malgré tout optimiste puisqu'il contribue à l'atteinte de l'équilibre budgétaire, force donc le gouvernement à trouver d'autres sources de revenus ou à réduire encore davantage ses dépenses.

Autre défi de taille : les dépenses de programmes seront limitées à une croissance de 1,9 % en 2012-2013 et de 1,8 % en 2013-2014. Cet objectif, qui aurait été atteint, voire dépassé selon les données préliminaires fournies par le ministère des Finances pour l'année 2012-2013[4], envoie un signal clair : l'équilibre budgétaire est prioritaire et non négociable.

En conséquence, et compte tenu de la levée de boucliers provoquée par la mise en œuvre de certaines propositions qu'il avait formulées au cours de la campagne électorale de 2012, compte tenu aussi de la « dure réalité des finances publiques », le PQ a été contraint de revoir des mesures qu'il s'était engagé à introduire, comme l'ajout de deux nouveaux paliers d'imposition pour financer l'abolition de la contribution santé.

## La conciliation difficile des engagements électoraux et de l'équilibre budgétaire

Parmi les mesures du budget Marceau qui ont fait l'objet de nombreux débats,

TABLEAU 1

**Sommaire des opérations budgétaires de 2012-2013 à 2014-2015 (en millions de dollars)**

| | 2012-2013 | 2013-2014 | 2014-2015 |
|---|---|---|---|
| **Revenus budgétaires** | | | |
| Revenus autonomes | 53 192 | 56 215 | 58 580 |
| Transferts fédéraux | 15 705 | 16 145 | 15 892 |
| **Total** | **68 897** | **72 360** | **74 472** |
| **Dépenses budgétaires** | | | |
| Dépenses de programmes | -62 642 | -63 791 | -65 350 |
| Service de la dette | -7 917 | -8 601 | -8 735 |
| **Total** | **-70 559** | **-72 392** | **-74 085** |
| **Entités consolidées** | | | |
| Organismes autres que budgétaires et fonds spéciaux | 462 | 432 | -317 |
| Réseaux – santé et services sociaux, et éducation | -100 | – | – |
| Fonds des générations | 879 | 1 039 | 1 386 |
| **Total** | **1 241** | **1 472** | **1 069** |
| Provisions pour éventualités | -200 | -400 | -500 |
| Écart à résorber | – | – | 430 |
| Perte exceptionnelle – Fermeture de Gentilly-2 | -1 805 | – | – |
| **Surplus (déficit)** | **-2 426** | **1 039** | **1 386** |
| **Loi sur l'équilibre budgétaire** | | | |
| **Surplus (déficit)** | **-2 426** | **1 039** | **1 386** |
| Versement des revenus dédiés au Fonds des générations | -879 | -1 030 | -1 386 |
| Exclusion de la perte exceptionnelle | 1 805 | – | – |
| **Solde budgétaire**[1] | **-1500** | **–** | **–** |

1. Solde budgétaire au sens de la Loi sur l'équilibre budgétaire. Pour 2010-2013, le solde budgétaire exclut l'impact comptable de 1,8 G$ découlant de la perte exceptionnelle d'Hydro-Québec pour la fermeture de la centrale nucléaire Gentilly-2. L'impact final sera établi aux états financiers d'Hydro-Québec au 31 décembre 2012.

Source : Ministère des Finances et de l'Économie du Québec, *Plan budgétaire : budget 2013-2014*, p. C5.

l'une des plus importantes est la modulation de la contribution santé. En campagne, le PQ avait fortement dénoncé cette « taxe » jugée régressive et prôné son abolition. Pour y parvenir, le parti s'engageait à :

- faire passer le nombre de paliers d'imposition de trois à cinq ;

- augmenter le taux d'inclusion partielle de certains gains en capital, qui passerait de 50 % à 75 % ;
- réduire de moitié les crédits d'impôt pour dividendes.

Au total, ces trois mesures devaient permettre d'augmenter les revenus de l'État de près d'un milliard de dollars, soit exactement le montant que lui ferait perdre l'abolition de la contribution santé. Or des pressions exercées par certains groupes, qui, entre autres choses, craignaient que la hausse du fardeau fiscal des plus riches n'entraîne l'exode d'un certain nombre d'entre eux, contraignent le nouveau gouvernement minoritaire à faire des compromis.

Le budget Marceau n'ajoute finalement qu'un seul nouveau palier d'imposition, qui introduit une augmentation de 1,75 % sur les revenus imposables supérieurs à 100 000 $. Ainsi, plutôt que la hausse annuelle de revenus projetée de 610 millions de dollars grâce aux deux nouveaux paliers prévus, le gouvernement doit se contenter d'un revenu additionnel de 322 millions. Conséquemment, le PQ renonce à son engagement électoral d'abolir la contribution santé et propose plutôt une mesure progressive : il élimine ou réduit la contribution santé pour 3,1 millions de contribuables et augmente significativement celle des contribuables dont le revenu net est supérieur à 130 000 $. À elle seule, cette dernière mesure permet à l'État d'accroître ses revenus de

> **Le PQ renonce à son engagement électoral d'abolir la contribution santé.**

80 millions de dollars. Avec les 322 millions que rapporte le nouveau palier d'imposition, le ministre Marceau peut compenser la diminution des revenus du gouvernement de 402 millions liée à l'élimination ou à la réduction de la contribution santé pour les contribuables moins bien nantis, et maintenir le financement de la santé.

Si, dans cet exercice, le PQ a dû s'éloigner de certaines propositions formulées au cours de la campagne électorale de 2012, il remplit toutefois, du moins dans une certaine mesure, son engagement de hausser le fardeau fiscal des plus riches afin de « répartir équitablement l'effort budgétaire nécessaire au retour à l'équilibre financier ». Mais une question se pose ici : jusqu'où peut-on augmenter la charge fiscale des contribuables sans nuire à la croissance économique et au retour à l'équilibre budgétaire ?

### Équilibre budgétaire ou déficit zéro pour 2013-2014 ?

En introduisant le concept de solde budgétaire au sens de la Loi sur l'équilibre budgétaire, laquelle a vu le jour en 1996[5], le gouvernement du Québec ne se réfère plus uniquement aux terminologies comptables de surplus et de déficits budgétaires pour mesurer l'état des finances publiques. Ainsi, le retour à l'équilibre budgétaire, au sens où l'entend le ministère des Finances dans son budget 2013-2014, implique dans les faits le dégagement d'un surplus de 1 039 millions, qui équivaut au montant des revenus de ses redevances hydrauliques et de placements générés par le solde du

Fonds des générations, évalué à 4,3 milliards au 31 mars 2012. M^me Marois avait d'ailleurs envisagé, en campagne électorale, d'abolir ce Fonds et de rembourser immédiatement une partie des dettes du Québec, chiffrées à 165 milliards de dollars[6]. Cependant, la décision de maintenir le Fonds pour y accueillir certaines redevances issues de l'exploitation de nos ressources naturelles a été prise, ne serait-ce que pour donner l'impression morale qu'en enrichissant le Fonds des sommes que procure cette exploitation, on léguera une dette moins lourde aux prochaines générations.

## Conclusion

L'élaboration d'un budget, dans un contexte de prévisions de croissance économique incertaines, alors que l'endettement atteint des niveaux historiques et que le gouvernement est dans une position minoritaire, n'est certes pas une tâche facile. Le nouveau ministre des Finances et de l'Économie a donc tenté de doser ses actions selon les minces moyens à sa disposition. Il s'est rapidement rendu compte que sa marge de manœuvre était limitée et qu'il ne pourrait respecter plusieurs des engagements électoraux de son parti. Ce budget austère vise l'équilibre, voire un surplus comptable – une première depuis l'exercice 2007-2008 –, surplus qui servira à réduire les déficits cumulés et peut-être aussi à renforcer, dans la population, l'impression que les finances et l'endettement du gouvernement sont sous contrôle.

Notes
1. Ministère des Finances et de l'Économie du Québec, *Plan budgétaire : budget 2012-2013*, p. A8.
2. Les prévisions sont de 0,9 % pour 2012 et de 1,5 % pour 2013.
3. Ministère des Finances et de l'Économie du Québec, *op. cit.*, p. A12.
4. Ministère des Finances et de l'Économie du Québec, *Rapport mensuel des opérations financières*, p. 2. En ligne : www.finances.gouv.qc.ca/documents/mensuel/fr/MENFR_rmof_7_11.pdf.
5. Sous le titre original de Loi sur l'élimination du déficit et l'équilibre budgétaire.
6. Ministère des Finances et de l'Économie du Québec, *Comptes publics 2011-2012*, vol. 1, p. 73.

# Évaluer la dette du gouvernement du Québec : un exercice complexe

**Mathieu Carrier**
*Professionnel de recherche, École nationale d'administration publique*

**Marie-Soleil Tremblay**
*Professeure, École nationale d'administration publique*

**Depuis la récente crise économique, l'état des finances publiques et l'endettement des gouvernements soulèvent de plus en plus d'inquiétude, et le Québec n'y échappe pas. Les débats autour de la dette publique sont cependant particulièrement compliqués et il est parfois difficile de s'y retrouver, d'autant plus que les mesures ne donnent pas toutes une image fidèle de la situation financière d'un gouvernement. Ce texte examine les principales façons de calculer la dette afin de présenter des données comparatives qui permettent de situer la dette du gouvernement du Québec par rapport à celle d'autres administrations.**

Avant de traiter des différents concepts liés à la dette, il faut tout d'abord circonscrire le périmètre comptable du gouvernement, c'est-à-dire les entités prises en considération par le gouvernement du Québec dans ses états financiers. Ce périmètre a beaucoup évolué au fil du temps et comprend actuellement les ministères, les organismes, fonds spéciaux et autres fonds, les organismes des réseaux de la santé et des services sociaux ainsi que de l'éducation, et, dans une certaine mesure, les entreprises du gouvernement.

La figure 1 donne un portrait détaillé du périmètre comptable du gouvernement et des autres entités qui ont une incidence sur lui.

FIGURE 1

**Périmètre comptable du gouvernement et autres entités\*, 2011**

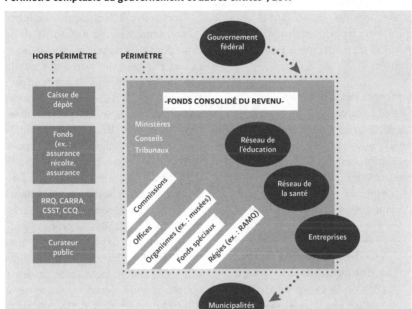

\* Le périmètre comptable comprend toutes les entités faisant partie du carré turquoise. Les autres entités (comme le gouvernement fédéral et les municipalités) ne font pas partie de ce périmètre, mais leurs actions peuvent avoir une certaine incidence sur lui.

Le périmètre comptable actuel du gouvernement du Québec est le produit des diverses réformes comptables des dernières années. Ces réformes ont eu pour principale conséquence d'élargir significativement le périmètre afin de donner une image plus fidèle de la situation financière du gouvernement québécois et d'améliorer les comparaisons interprovinciales. Par exemple, les réformes de 2007 et de 2010 ont permis d'inclure, d'abord partiellement, puis intégralement, les entités des réseaux de l'éducation et de la santé et des services sociaux dans les états financiers du gouvernement. Selon le vérificateur général du Québec, depuis les derniers changements apportés en 2010, les états financiers du gouvernement « présentent maintenant un portrait beaucoup plus complet et réel de la situation des finances publiques du Québec[1] ». Toutefois, pour bien évaluer la situation et faire des comparaisons avec d'autres gouvernements, encore faut-il savoir à quoi correspondent les différentes notions d'endettement pouvant être utilisées.

### Concepts liés à la dette

*La dette brute*

La dette brute comprend la dette du fonds consolidé du revenu (c'est-à-dire les sommes empruntées par le gouvernement pour faire l'acquisition d'actifs et compenser le manque à gagner qui découle des activités des ministères, des

---

**Les méthodes de l'OCDE ne donnent pas une image fiable de la santé financière d'un gouvernement.**

---

organismes budgétaires et de l'Assemblée nationale) et celle des entités des réseaux de la santé et de l'éducation, auxquelles on ajoute le passif net des régimes de retraite et celui des avantages sociaux des employés des secteurs public et parapublic. Pour établir la dette brute du gouvernement du Québec, il faut donc faire la somme de tous ces éléments et en soustraire le solde du Fonds des générations, car les sommes qui se trouvent dans ce fonds serviront exclusivement à rembourser la dette. Il est à noter que les principaux actifs du gouvernement (comme les placements et les immobilisations) ne sont pas pris en considération dans la dette brute.

Au chapitre de la comparaison intergouvernementale, la notion de dette brute pose un certain problème : puisque la comparaison ne porte que sur la somme des principaux éléments de passifs, sans que la nature de ces derniers soit prise en compte, une partie importante de la santé financière des entités comparées est négligée. En effet, supposons que deux gouvernements ont une dette brute équivalente, mais que l'un d'eux a des actifs beaucoup plus importants que ceux de son vis-à-vis : il serait alors faux de conclure que ces deux gouvernements sont dans la même situation financière. Pour faire des comparaisons utiles de l'endettement entre plusieurs gouvernements, il vaut mieux se fier à d'autres mesures de la dette, comme la dette nette et la dette représentant les déficits cumulés.

*La dette nette*

Pour déterminer la dette nette, il faut soustraire du passif total du gouvernement certains éléments d'actifs, dits financiers. Les actifs financiers sont constitués des éléments d'actifs qui pourraient être consacrés à rembourser les dettes existantes ou à financer des activités futures. Le concept de dette nette permet donc de comparer la santé financière de plusieurs gouvernements, mais ne rend pas compte du fait que certains ont des actifs non financiers plus importants que d'autres. Les actifs non financiers sont constitués des éléments d'actifs acquis, construits, développés ou mis en valeur qui, normalement, ne produisent pas de ressources servant à rembourser les dettes existantes et dont la durée de vie utile s'étend au-delà d'une année financière. Les immobilisations corporelles sont des actifs non financiers et comprennent les terrains, les bâtiments, les routes, les équipements et le matériel informatique (comme les logiciels et les ordinateurs). Par conséquent, pour faire une étude comparative aussi exacte que possible de la santé financière de plusieurs gouvernements, le concept de dette représentant les déficits cumulés est plus utile.

### La dette représentant les déficits cumulés

Surnommée la « mauvaise dette », la dette représentant les déficits cumulés correspond à la somme de tous les déficits qui ont été enregistrés dans l'histoire du gouvernement, de laquelle on retranche la somme des surplus dégagés. Elle correspond à la dette nette dont on soustrait les actifs non financiers. Il s'agit donc d'une mesure plus fiable et plus exacte de la santé financière gouvernementale. La dette représentant les déficits cumulés se révèle fort utile pour établir des comparaisons intergouvernementales puisque, n'étant attachée à aucun actif, elle traduit l'incapacité d'un gouvernement à limiter à un niveau égal ou inférieur à ses revenus les dépenses qui ne sont pas liées à des investissements.

### La dette selon l'OCDE

L'Organisation de coopération et de développement économiques (OCDE) utilise certaines méthodes qui permettent de comparer la dette publique (brute et nette) de ses pays membres. Étant destinées à mesurer l'endettement public total, tous ordres de gouvernement confondus, les méthodes de l'OCDE ne donnent pas une image fiable de la santé financière d'un gouvernement. En effet, comme les mesures de l'OCDE prennent en considération les dettes de tous les ordres de gouvernement (fédéral, provincial et municipal), elles donnent une image de ce que serait la réalité si tous ces ordres de gouvernement n'en formaient qu'un seul. Or, dans les faits, chaque administration a sa propre capacité d'emprunt.

Appliquées au Québec, les méthodes de l'OCDE consistent essentiellement à enlever à la dette[2] (brute ou nette, selon le cas) du gouvernement québécois le passif net au titre des régimes de retraite et à y ajouter les dettes des municipalités, la part de la dette du gouvernement fédéral (calculée en fonction de la proportion de la population du Québec au Canada) ainsi que certains éléments de passifs du gouvernement (créditeurs et frais à payer, revenus reportés, etc.)[3].

Cette adaptation des méthodes de l'OCDE par le ministère des Finances est contestable puisque sont considérés plusieurs éléments sur lesquels le gouvernement québécois n'exerce aucun contrôle, à savoir une partie de la dette du gouvernement fédéral et les dettes des municipalités. Il en résulte une image très alarmante de l'endettement du Québec, la dette brute passant de 50,1 % à 94,5 % du produit intérieur brut (PIB) et la dette nette, de 42,6 % à 55,9 % du PIB (dette au 31 mars 2009[4]).

## État de la situation de la dette du gouvernement du Québec

Les données présentées dans le tableau 1 par rapport à l'endettement du gouvernement du Québec montrent clairement que la dette publique est en progression au Québec.

**TABLEAU 1**

**Endettement du gouvernement du Québec au 31 mars 2012**

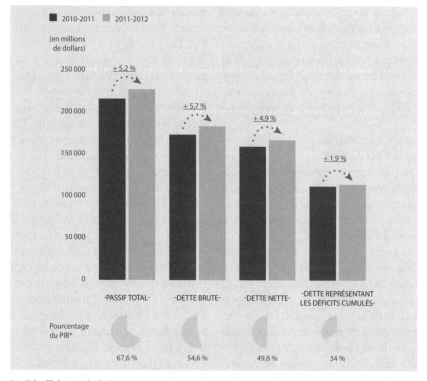

* Le PIB utilisé pour calculer les pourcentages est de 335 871 millions de dollars. Il s'agit du PIB en termes de dépenses au Québec pour l'année 2011. Voir Institut de la statistique du Québec, *Produit intérieur brut selon les dépenses, données désaisonnalisées au taux annuel, Québec, 2010-2012*, 2012. En ligne : www.stat.gouv.qc.ca/donstat/econm_finnc/conjn_econm/compt_econm/tabo2int.htm.

Source : Finances Québec, *Comptes publics 2011-2012*, vol. 1, *États financiers consolidés du gouvernement du Québec*, gouvernement du Québec, 2012.

Un des éléments particulièrement préoccupants de cette situation est la hausse de la dette représentant les déficits cumulés malgré une certaine reprise économique. En effet, puisque ce type de dette n'est adossé à aucun actif, il s'agit de la «mauvaise dette» du gouvernement, qui fait état, comme nous l'avons mentionné précédemment, de son incapacité à limiter ses dépenses à la hauteur de ses revenus. La conséquence principale de cette tendance est la hausse importante du service de la dette[5] (9 451 millions en 2011-2012), une augmentation de 5,8 % par rapport à l'exercice précédent[6]. Ainsi, les sommes consacrées au service de la dette représentent :

- 12,8 % des dépenses totales du gouvernement (excluant le service de la dette) ;
- 153 % des dépenses pour le soutien aux personnes et aux familles ;
- 150 % des dépenses pour la gouverne et la justice ;
- 94,4 % des dépenses pour l'économie et l'environnement ;
- 49,6 % des dépenses pour l'éducation et la culture ;
- 29,5 % des dépenses pour la santé et les services sociaux.

En remboursant sa dette, ou du moins une partie de celle-ci, le gouvernement du Québec pourrait dégager une marge de manœuvre par rapport à sa situation actuelle. Cependant, ce remboursement aurait forcément un prix. En effet, pour rembourser sa dette, le gouvernement devra soit hausser substantiellement ses revenus, ce qui nuirait à la croissance économique, soit réduire substantiellement ses dépenses, ce qui se traduirait par une diminution importante des services à la population.

GRAPHIQUE 1

**Comparaison interprovinciale de la dette brute et de la dette représentant les déficits cumulés au 31 mars 2012, en pourcentage du PIB**

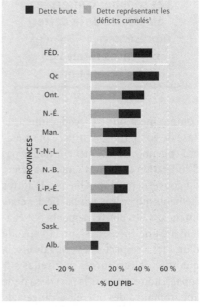

1. Un signe négatif signifie que le gouvernement est en position de surplus cumulés.

Sources : Comptes publics des gouvernements, Statistique Canada et ministère des Finances et de l'Économie du Québec.

Si on la compare à celle des autres provinces canadiennes, la dette du gouvernement du Québec est préoccupante, surtout lorsqu'elle est mise en relation avec le PIB (graphique 1).

En ce qui concerne, finalement, les comparaisons internationales de la dette, calculées selon les méthodes de l'OCDE, soulignons que les discours pessimistes au sujet de cette position nous semblent exagérés. En effet,

---

**Les sommes consacrées au service de la dette représentent 12,8 % des dépenses totales du gouvernement.**

---

comme mentionné précédemment, la base de comparaison utilisée pour établir ce genre de classement ne donne pas d'indication quant à la santé financière du gouvernement du Québec. D'autres éléments qui ne font pas partie des états financiers des gouvernements ont également une incidence sur la capacité d'un État à respecter ses obligations : la quantité de ressources naturelles sur son territoire national, la part de sa dette appartenant à des intérêts étrangers, la vigueur de son marché de l'emploi, le taux d'alphabétisation de ses citoyens, etc. Par conséquent, les discours alarmistes selon lesquels le Québec se trouve dans une situation semblable à celle de pays comme la Grèce ou l'Italie semblent

excessifs, mais pouvaient être opportuns dans un contexte où le gouvernement était en négociation avec les employés de l'État et devait annoncer des hausses de tarifs (électricité, droits de scolarité, taxe de vente du Québec, etc.). Il est certes vrai que le Québec a une dette importante, notamment quand on la compare à celle des autres provinces canadiennes, mais cette dette est encore bien loin de celle des pays qui éprouvent actuellement des difficultés à rembourser la leur (comme la Grèce). D'ailleurs, si la dette du gouvernement du Québec était si problématique, il ne bénéficierait pas de conditions d'emprunt supérieures à celles de pays dont la dette, calculée selon les méthodes de l'OCDE, est beaucoup moins élevée.

Pour conclure, il n'y a pas de réponse tranchée à la question de savoir si le gouvernement du Québec devrait ou non rembourser sa dette. À notre avis, le gouvernement devrait au moins s'assurer que la dette représentant les déficits cumulés n'augmente pas pour les raisons évoquées plus haut. Toutefois, il serait peu judicieux de limiter certains investissements sous le seul prétexte de ne pas faire augmenter la dette nette du Québec. En effet, certaines dépenses peuvent engendrer un retour sur l'investissement bien supérieur aux sommes qui sont ajoutées à la dette : l'exemple de la nationalisation de l'électricité au Québec représente bien ce genre de situation.

**Notes**

1. Vérificateur général du Québec, *Rapport du Vérificateur général du Québec à l'Assemblée nationale pour l'année 2010-2011 : vérification de l'information financière et autres travaux connexes*, p. 1-6. En ligne : www.vgq.gouv.qc.ca/fr/fr_publications/fr_rapport-annuel/fr_2010-2011-VIF/fr_Rapport2010-2011-VIF-Chap01.pdf.

2. Excluant les emprunts par anticipation.

3. Finances Québec, *La dette du gouvernement du Québec*, mars 2010, p. 31-34. En ligne : www.finances.gouv.qc.ca/documents/Autres/fr/AUTFR_dettegouvquebec-Mars2010.pdf.

4. *Ibid.*

5. Le service de la dette représente les sommes qui sont allouées exclusivement au remboursement des intérêts sur la dette.

6. Finances Québec, *Comptes publics 2010-2011*, vol. 1, *États financiers consolidés du gouvernement du Québec*, gouvernement du Québec, 2011, p. 28.

# La capacité d'analyse des politiques publiques au gouvernement du Québec

**Luc Bernier**

*Professeur, École nationale d'administration publique, Québec*

**Michael Howlett**

*Professeur, Département de science politique, Université Simon Fraser*

**L'État québécois est-il encore en mesure de formuler et de mettre en œuvre lui-même ses politiques publiques, ou doit-il être aidé ? Les fonctionnaires qui sont engagés pour ce travail ont-ils les compétences et la formation nécessaires ? Disposent-ils des outils adéquats ? Un sondage pancanadien a été effectué auprès de fonctionnaires afin d'évaluer la capacité des administrations publiques en matière d'élaboration et d'analyse des politiques publiques. Des fonctionnaires du gouvernement fédéral et de toutes les provinces ont été interrogés sur leur formation, leurs équipes, leur position dans l'appareil administratif, etc. Ce texte présente les résultats québécois de ce sondage.[1]**

Des auteurs[2] ont souligné que pendant longtemps, dans les administrations publiques, on a négligé la gestion pour favoriser le « conseil stratégique » *(policy advice)*. Il était bien vu de s'intéresser aux politiques plutôt qu'à la gestion, une orientation que certains reprochent encore aujourd'hui à la haute fonction publique fédérale[3]. Le mouvement de la nouvelle gestion publique, qui a tout d'abord touché les pays anglo-saxons à partir des années 1980, proposait pourtant d'améliorer la prestation de services à la population et, à cette fin, de mettre l'accent sur la gestion. Après des décennies à rechercher plus d'efficience par une meilleure gestion, s'est-on trop éloigné du conseil stratégique, de l'avis éclairé sur les politiques ? Où en sommes-nous, au Québec, quant à la capacité étatique d'élaborer des politiques publiques ?

Il n'est pas possible de savoir exactement combien de fonctionnaires au Québec travaillent à l'élaboration de politiques publiques, parce que la méthode de classification des emplois, au Secrétariat du Conseil du trésor, ne permet pas d'en dresser une liste, comme nous a répondu un haut fonctionnaire. Nous avons finalement écrit à tous les sous-ministres en titre pour leur demander d'autoriser leurs fonctionnaires à répondre au questionnaire, qui ont relayé la demande à leurs subordonnés. Au ministère du Revenu, on nous a répondu qu'on n'y faisait pas de politiques publiques.

Le seul fait de relever diverses interprétations de ce qu'est une politique publique est en soi intéressant. Précisons que, de façon courante, une politique publique correspond en gros à ce qu'un gouvernement décide de faire (ou de ne pas faire) concernant un sujet d'intérêt public.

Finalement, 86 personnes ont rempli le questionnaire au complet et 44 partiellement, pour un total de 130 répondants. En tout, 326 personnes ont visité le site du sondage. Si l'on ne peut parler d'un échantillon scientifique, les données obtenues fournissent néanmoins des pistes intéressantes à creuser, notamment en regard des améliorations qui pourraient être apportées.

## Qui s'occupe de politiques publiques ? Et où ?

Ceux qui ont répondu à la question sur leur statut professionnel sont cadres (18), et d'autres sont professionnels (49). Plusieurs ont mentionné qu'ils étaient au 18e échelon, le plus élevé chez les professionnels, et 108 des 130 répondants ont indiqué leur sexe, soit 72 hommes (67 % des répondants) et 36 femmes (33 %). Parmi les répondants, 75 % ne travaillent jamais à l'extérieur du pays et 54 % ne travaillent jamais à

---

**Les répondants dénoncent un manque de perspective à long terme.**

---

l'extérieur de la province. Un sur quatre va travailler au moins une fois par année ailleurs au Canada ; 85 % travaillent tous les jours à Québec et 13 %, à Montréal. Parmi ces derniers, de 80 % à 90 % ne vont jamais dans une région autre que Montréal. Les politiques publiques sont donc élaborées au centre de l'État. Toutefois, 65 % des répondants correspondent avec leurs homologues du gouvernement fédéral chaque année, dont 24 % tous les mois. Ils sont 49 % à faire affaire avec les autres gouvernements provinciaux tous les ans et 11 % tous les mois. Près du quart (23 %) des fonctionnaires sondés ont des contacts avec des gouvernements étrangers. La moitié (51 %) des répondants font partie d'un comité interministériel ou intergouvernemental.

Les répondants se répartissent inégalement selon l'âge : 43 % ont 51 ans ou plus, alors que seulement 29 % ont 40 ans ou moins. La majorité d'entre eux (84 %) travaillent dans une unité chargée d'élaborer des politiques publiques. Sur le plan de l'expérience, 64 % font des politiques publiques depuis plus de 5 ans, dont 42 % depuis plus de 10 ans. Ils travaillent dans tous les secteurs d'intervention du gouvernement du Québec. Employés à temps plein pour la plupart (92 %), ils sont stables dans leur organisation : 60 % d'entre eux travaillent depuis six ans ou plus dans leur unité actuelle et 43 % prévoient y travailler encore dans six ans ou plus. Ces unités sont petites : 78 % comptent 10 employés ou moins.

## La nature du travail d'élaboration des politiques

Pour les répondants, les rôles de conseiller et d'analyste sont ceux qui décrivent le mieux leur travail d'élaboration de politiques publiques. Au troisième rang vient celui de coordonnateur, puis ceux de planificateur et de directeur. Il est rare que ces activités soient quoti-diennes ou même hebdomadaires. Parmi les répondants, 12 % collectent des données toutes les semaines, mais aucun ne négocie toutes les semaines avec les organismes centraux (ministère du Conseil exécutif, Secrétariat du Conseil du trésor, etc.). Il est plus étonnant de constater que 35 % ne négocient jamais avec les gestionnaires de programmes et que 41 % ne s'occupent jamais de la mise en œuvre des politiques publiques. L'élaboration et la gestion des politiques sont-elles éloignées à ce point ? Pourtant, les répondants font aussi, dans 30 % des cas, de la gestion de programme. Environ 20 % d'entre eux effectuent les diverses tâches liées à l'élaboration des politiques au moins une fois par an. Les tâches plus conceptuelles de recherche, de collecte d'informations et d'évaluation sont accomplies par près de 30 % d'entre eux au moins une fois par mois ou, dans une même proportion, une fois par semaine. Un peu plus de la moitié (55 %) ne participe jamais à des consultations avec le public et 32 %, seulement une fois par année. Curieusement, plusieurs (18 %) disent faire moins de consultations avec les intervenants du domaine qu'avec le public en général. Les répondants passent plus de temps avec des subalternes ou des supérieurs : 64 % tiennent des réunions avec leurs subalternes au moins tous les mois et 52 % participent à des réunions avec leurs supérieurs. Ils travaillent moins en évaluation : 29 % ne font jamais d'évaluation des résultats et

33 % ne font jamais d'évaluation des processus.

Parmi les techniques proposées dans le questionnaire, le remue-méninges (76 % des répondants), les avis d'experts (70 %) et les analyses de scénarios (73 %) sont les plus populaires, suivis des exercices de consultation (61 %) et des groupes de consultation (55 %). Un peu moins de la moitié des répondants (47 %) effectuent des analyses coûts-avantages et 30 %, des analyses du risque. Les obstacles que les répondants disent rencontrer dans l'élaboration de politiques sont principalement le manque de perspective à long terme et donc des changements trop nombreux (50 %), le manque de ressources (35 %) et le manque de temps (32 %). Viennent ensuite la délégation de pouvoir insuffisante des organismes centraux ou de la direction du ministère (20 %), le manque d'appui au sein du ministère (19 %) et le fait que les organismes centraux ne tiennent pas compte de leur expertise (18 %).

### Recrutement et formation

Parmi les fonctionnaires du Québec qui ont de l'expérience dans l'élaboration de politiques, seulement 7 % ont travaillé au gouvernement fédéral, 7 % dans un autre gouvernement provincial, 5 % dans un autre pays. Plus du quart (27 %) ont travaillé dans un organisme à but non lucratif et 19 %, en milieu universitaire. Enfin, 58 % des répondants ont travaillé dans un autre ministère du gouvernement du Québec, ce qui témoigne d'une assez grande mobilité.

Ils sont formés à l'université : 57 % des répondants ont un diplôme de premier cycle universitaire et 41 %, un diplôme de deuxième ou de troisième cycle. Les champs d'études sont variés : 15 % ont étudié en gestion, 11 %, en administration publique, 16 %, en science politique, 18 %, en science économique, 14 %, en géographie, 8 %, en droit. Près des trois

---

**Les enjeux nécessitent une expertise technique approfondie.**

---

quarts des répondants n'ont suivi aucun cours universitaire en élaboration de politiques ni aucun cours en analyse des politiques (respectivement 71 % et 73 %). Plusieurs (47 %) ont suivi des cours de perfectionnement, 50 % ont participé à des ateliers sur l'analyse des politiques publiques et 71 % ont assisté à des conférences sur le sujet.

Parmi les fonctionnaires interrogés, 68 % jugent qu'une formation professionnelle supplémentaire en analyse des politiques leur serait utile. Les notions qu'ils souhaitent acquérir concernent surtout la mise en œuvre des politiques et l'utilisation de données probantes pour l'élaboration de celles-ci. La rédaction de notes d'information les intéresse nettement moins, tout comme la gestion des finances.

## Le contenu du travail

Ce sont les enjeux d'ordre provincial qui occupent le plus les répondants au jour le jour. Ils consacrent peu de temps aux enjeux de nature internationale et canadienne. Pour 43 % d'entre eux, ce sont les priorités gouvernementales (politiques) qui structurent leur travail, alors que pour seulement 11 %, ce sont des demandes formulées par le public.

Les fonctionnaires sondés estiment que le court terme prime le long terme. Ils disent aussi consulter peu le public dans leur travail d'élaboration de politiques publiques, mais tenir compte de l'impact de la politique partisane sur les politiques publiques. Ils considèrent que la capacité étatique d'analyse et de formulation des politiques publiques ne s'améliore pas, et ils réclament plus de

> **Les méthodes utilisées sont des méthodes simples et peu scientifiques.**

relations avec les autres gouvernements. Les enjeux nécessitent une expertise technique approfondie. Ils jugent en outre que les organismes centraux devraient jouer un plus grand rôle de coordination.

Par ailleurs, ils estiment qu'une plus grande implication du public rend les politiques plus efficaces, tout comme la prise en compte des opinions des groupes d'intérêt et le travail en réseau

avec d'autres ministères du gouvernement et des organisations non gouvernementales. À leurs yeux, la réduction de la taille des gouvernements a peu d'incidence sur l'efficacité des politiques, mais un plus grand contrôle de la part du siège social du ministère les rend plus efficaces. L'accès à plus de renseignements et à des données pertinentes contribue également à les rendre plus efficaces, de même que la création d'unités de politiques publiques. La plus grande difficulté que les fonctionnaires ont à surmonter pour améliorer le processus d'élaboration de politiques est, pour 25 % des répondants, l'insuffisance de temps et de ressources pour effectuer une analyse de qualité convenable. Les fonctionnaires mentionnent aussi un temps d'attention trop court consacré au développement de politiques, un manque de politiques multisectorielles communes et une insuffisance du partage de l'information.

Si 74 % des fonctionnaires qui ont répondu au sondage disent n'avoir jamais entendu parler de la notion de « données probantes », ils considèrent néanmoins qu'une information de qualité peut mieux guider leur travail que des considérations d'ordre politique. À cet égard, ils consultent assez souvent des experts gouvernementaux, et parfois des experts non gouvernementaux. Ils utilisent diverses sources d'information, dont les expériences personnelles, mais aussi les études universitaires et scientifiques, ou les données fournies par l'industrie ou d'autres gouvernements. Les données qu'ils préfèrent pour élaborer des politiques viennent des recherches sur les meilleures pratiques et des consultations avec les parties intéressées. Pour la prise de décision, ils privilégient les consultations avec les parties intéressées, mais surtout les consultations avec les ministres et le personnel de direction. Pour la mise en œuvre des politiques, ce sont encore les consultations avec les parties intéressées qui ressortent, les données probantes et les recherches sur les meilleures pratiques.

## Conclusion

Quelles conclusions peut-on tirer de ce sondage ? Premièrement, l'État québécois a de la difficulté à repérer ceux et celles qui s'occupent de politiques publiques au sein de la fonction publique. C'est une faiblesse à corriger dans la gestion des ressources humaines. Les besoins futurs en main-d'œuvre dans ce domaine pourraient ainsi être mieux circonscrits. Cette main-d'œuvre pourrait également être mieux formée, comme en témoignent les réponses à la question portant sur les données probantes. Les méthodes utilisées sont des méthodes simples et peu scientifiques. Les fonctionnaires sont rarement formés en analyse des politiques à proprement parler, mais ils le sont dans des domaines proches. Le public pourrait être consulté au-delà des parties directement intéressées, et les politiques

pourraient être conçues sur un horizon temporel plus long.

Il y a aussi la question du vieillissement et de l'âge de ceux qui font de l'analyse des politiques, variables difficiles à croiser à cause du faible nombre de répondants. Il serait intéressant de savoir si, par exemple, ce sont les plus jeunes qui ont l'expérience des organismes à but non lucratif, parce que les possibilités d'embauche ont été plus limitées à leur arrivée sur le marché du travail. Toujours en relation avec l'âge, est-ce que la formation est plus élevée chez les plus jeunes ? Il est possible que les lacunes constatées seront corrigées avec le temps, après le départ à la retraite des plus âgés, qui ont connu l'époque où l'État *savait* ce qui était bien pour la population.

Un élément étonnant est le peu de liens qui semblent exister entre les fonctionnaires chargés de l'élaboration des politiques et le public ou les spécialistes hors du gouvernement. En fait, les réponses donnent l'impression d'une élaboration en circuit quasi fermé dans de très petites unités, malgré certains échanges avec des fonctionnaires d'autres gouvernements. De plus, il semble y avoir une faible interaction entre le centre et les directions de politiques publiques, que ce centre soit défini comme les organismes centraux ou les directions des ministères. La même distance existe entre ceux qui sont responsables de la formulation des politiques et ceux qui sont chargés de leur mise en œuvre. Nos résultats laissent aussi entrevoir une organisation gouvernementale quelque peu confuse sur le plan des politiques publiques, et faiblement coordonnée. On a, en définitive, l'impression d'un État brouillon qui parvient à faire son travail, mais qui n'est pas organisé pour le faire en fonction de ce que les meilleures pratiques préconisent.

## Notes

1. Ce texte est une version remaniée de notre article « La capacité d'analyse des politiques au gouvernement du Québec : résultats du sondage auprès de fonctionnaires québécois », paru dans *Canadian Public Administration/Administration publique du Canada,* vol. 54, n° 1, 2011, p. 143-152. Pour l'ensemble canadien, voir Michael Howlett, « Policy Analytical Capacity and Evidence-Based Policy-Making : Lessons from Canada », dans *Canadian Public Administration/Administration publique du Canada,* vol. 52, n° 2, 2009, p. 153-175.
2. Voir notamment Les Metcalfe, « Conviction Politics and Dynamic Conservatism : Mrs. Thatcher's Managerial Revolution », dans *International Political Science Review,* vol. 14, 1993, p. 351-371.
3. Voir notamment Donald J. Savoie, *Whatever Happened to the Music Teacher? How Government Decides and Why,* Montréal/Kingston, McGill/Queen's University Press, 2013.

# Moralité et administration publique au Québec

**André Lacroix**

*Professeur, Département de philosophie et d'éthique appliquée, et titulaire, Chaire d'éthique appliquée, Université de Sherbrooke*

**Pour plusieurs, le Québec serait devenu l'eldorado de la corruption. Ils en veulent pour preuve les 10 dernières années qui ont connu leur lot de scandales, au point de provoquer une crise de confiance des citoyens à l'égard des administrations publiques : de la commission Bastarache[1] à la commission Charbonneau, l'histoire québécoise récente se résumerait à une litanie d'affaires louches. N'en déplaise, toutefois, à ces pourfendeurs du Québec, le phénomène ne semble pas restreint au seul État québécois. Il s'étendrait plutôt à l'Occident.**

En Floride, plus de 700 dirigeants municipaux ont été traduits en justice entre 2000 et 2010 pour des questions de corruption, comme le rapportait le journaliste Yves Boisvert dans le journal *La Presse* du 4 septembre 2013. De telles poursuites révèlent un problème de gestion des marchés publics, voire un problème d'ordre politique, professionnel et citoyen qui touche tout l'Occident. L'Organisation de coopération et de développement économiques (OCDE) a d'ailleurs publié un document dans lequel elle insiste sur l'importance de renforcer l'intégrité dans les marchés publics[2].

Comment expliquer que ce phénomène soit aussi largement répandu ? Et surtout, comment expliquer que les citoyens semblent s'y résigner plutôt que de descendre dans la rue pour renverser ces administrations publiques délinquantes et corrompues? Comment expliquer leur attitude cynique à l'égard de la chose publique? Est-ce que ce cynisme, qui se traduit, entre autres, par une baisse de la participation électorale, reflète l'acceptation tranquille d'une situation à laquelle on croit ne rien pouvoir changer? Cela reflète-t-il la

---

**L'éthique est une affaire de société, de système, de culture et de valeurs, donc de contexte.**

---

croyance selon laquelle nos politiciens seraient « naturellement » corrompus? Se pourrait-il d'ailleurs que nos politiciens soient « naturellement corruptibles » et qu'ils le soient plus que le citoyen alpha, comme on l'entend si souvent dire? À moins que la résignation de la population et la corruption ne découlent d'un même phénomène: l'abandon des repères éthiques permettant une gestion politique fondée sur le bien commun, au profit des seuls normes individualistes et corporatistes? La réponse que nous apporterons à ces questions nous aidera à rendre compte de l'« état moral » du Québec en 2013.

### Infection transmissible culturellement

Pour traiter correctement ces questions, commençons par établir que l'éthique est une affaire de société, de système, de culture et de valeurs, donc de contexte.

Les individus exercent des jugements en fonction de ces contextes et la corruption est une manifestation de la déformation du jugement personnel. La corruption augmente lorsque l'exercice du jugement se complexifie ou lorsqu'on substitue à ce jugement une manière de décider fondée sur les seules appartenances individuelles, communautaires et corporatistes – et non les valeurs sociales plus globales – qui serviront de justification.

Edwin Sutherland a bien balisé ce type de réflexion dans l'un de ses ouvrages maîtres, paru en 1947[3]. Selon lui, l'adoption d'un comportement criminel, auquel on peut associer la corruption, est en bonne partie un phénomène culturellement transmissible. L'apprentissage de ce type de comportement se fait au contact d'autres personnes, suivant un processus au cours duquel on apprend d'abord les techniques de corruption, pour ensuite les rationaliser grâce à un cadre de référence dans lequel ce comportement peut être expliqué et légitimé. La personne fait référence à ses réseaux d'appartenance afin de justifier à ses propres yeux sa transgression des normes sociales – l'acte de corruption. C'est pourquoi elle cherchera tout naturellement à justifier son action en l'ancrant dans le système dans lequel son comportement s'inscrit, puisque ce système est le plus à même de la « couvrir moralement », même si elle sait par ailleurs son action illégitime aux yeux de la société. En agissant de la sorte, la personne rend sa délinquance légitime.

La fréquence, la durée, l'antériorité et l'intensité de ce type de comportement viendront ensuite aggraver cette délinquance tout en lui donnant encore plus de légitimité aux yeux de celui qui commet de tels actes. Voilà pour l'explication sociologique qui fait école depuis le milieu du xxᵉ siècle. Sans faire l'unanimité, ce type d'explication a le mérite d'attirer notre attention sur l'importance, lorsqu'on examine des situations de corruption, de prendre en considération l'état de santé éthique du système ou du réseau dans lesquels s'inscrivent les gestes corrompus.

L'action de nos hommes et de nos femmes publics s'inscrit dans le contexte de l'espace public. Doit-on conclure que notre société est dans un état moral déplorable[4]? À moins que cet espace public ne soit justement plus le système de référence des titulaires de charges publiques. Que leurs univers soient réduits à des systèmes de référence individuels et corporatistes, laissant libre cours à toutes les dérives.

Si l'on ajoute à la grille de Sutherland celle que Luc Boltanski et Laurent Thévenot ont développée au début des années 1990, on obtient un portrait encore plus troublant. Boltanski et Thévenot insistent en effet, dans leur ouvrage *De la justification*[5], sur différentes formes de légitimation de l'action. Pour ces deux chercheurs, l'action doit être envisagée non pas selon divers angles d'analyse, mais selon différentes dimensions qui coexistent au sein de l'espace public. À leurs yeux, les acteurs publics – et nous pourrions extrapoler en disant les titulaires de charges publiques – justifieraient leur action en fonction, entre autres, des cinq principes suivants: le principe domestique (prendre appui sur la tradition pour se justifier), le principe de renom (reconnaissance et crédibilité accordées par le groupe majoritaire), le principe civique (actions orientées vers le bien commun et la solidarité), le principe marchand (concurrence et harmonie de l'offre et de la demande) et le principe industriel (fondé sur l'efficacité, la productivité et la prévisibilité). Ainsi, non seulement le système serait-il important à prendre en considération, comme l'a montré Sutherland, mais les principes de légitimation à l'œuvre au sein de l'espace public le seraient également. En croisant la grille de Boltanski et Thévenot avec

> **Leur jugement semble aveuglé par leur sentiment d'appartenance à leur réseau.**

celle de Sutherland, on voit bien que la culture et le système de référence jouent un grand rôle dans l'incidence de la corruption autant que dans le déni qu'entretiennent ceux qui participent de près ou de loin à la corruption. On constate aussi que la tradition dans laquelle ces systèmes de référence s'enracinent, de même que la prédominance des principes marchand et industriel, peuvent causer un certain nombre de dysfonctionnements au sein d'une communauté. Appliquées au Québec de 2013, ces deux grilles d'analyse mettent en évidence le fait que plusieurs titulaires de charges publiques, que ces charges soient électives, comme celles des maires et des députés québécois, ou administratives, comme celle des fonc-

## La difficile tâche de découvrir la vérité

Quelle est la vraie nature d'une commission d'enquête comme la commission Charbonneau? Les personnes qui passent aux aveux devant celle-ci bénéficient-elles d'une immunité de poursuite devant les tribunaux civils ou criminels? Quelles sont les obligations d'une commission d'enquête à l'égard de la réputation des personnes? Voilà certaines des questions qui n'ont pas toujours trouvé de réponses intelligibles dans le débat médiatique au sujet de la commission Charbonneau.

### Objectifs d'une commission d'enquête

L'un des objectifs poursuivis par un gouvernement en créant une commission d'enquête est d'obtenir des recommandations pour l'avenir. Mais le premier objectif est celui de «découvrir la vérité», selon les mots employés à l'article 6 de la Loi sur les commissions d'enquête. Pour établir cette vérité, la commission interroge des personnes, qu'elle peut contraindre à témoigner devant elle sous peine de sanctions, et consulte des documents, dont elle peut ordonner la production devant elle. L'enquête de la commission est une enquête administrative, et non une enquête policière, bien que plusieurs membres des corps policiers y apportent leur aide. Aussi, les procureurs qui assistent les commissaires dans leur enquête n'ont pas de cause à perdre ou à gagner; ils ne sont là que pour permettre le déroulement ordonné des témoignages devant éclairer la commission dans sa recherche de la vérité.

### Responsabilité légale des acteurs

Au terme de son enquête, la commission Charbonneau devra faire rapport au sujet des faits dont elle a pris connaissance, et qui sont relatifs à son mandat. Dans son rapport, elle devra déterminer s'il y a ou non une preuve de l'existence de stratagèmes de collusion et de corruption dans l'octroi et la gestion des contrats publics dans l'industrie de la construction au Québec. Elle devra également établir s'il y a infiltration du crime organisé dans l'industrie de la construction.

Du point de vue légal, le rapport de la commission Charbonneau constitue uniquement une opinion sur l'existence de faits concernant la collusion dans l'octroi des contrats publics et l'infiltration du crime organisé. Cette opinion ne peut donner lieu à aucune conclusion au sujet de la responsabilité civile ou criminelle de quelque personne ou entité que ce soit. Il revient à d'autres instances de juger de la responsabilité légale des personnes qui ont participé à la collusion et à la corruption. L'État peut intenter ou non des poursuites criminelles contre les individus qui ont avoué avoir

tionnaires, ont perdu le sens du vivre-ensemble pour réduire l'espace moral de leur jugement et le subordonner à leurs réseaux d'appartenance. Que ces réseaux soient politiques, comme l'ont fait voir les commissions Bastarache et Charbonneau, ou économiques (ce qui permettrait de comprendre en partie les phénomènes de collusion observés à Montréal), comme l'ont fait voir les scandales à répétition dans le domaine financier (ainsi que l'a illustré l'affaire

participé à des systèmes de collusion. Toutefois, il devra le faire à l'aide d'une preuve entièrement indépendante de celle qu'aura recueillie la Commission. L'État ne pourra pas non plus se servir des témoignages incriminants que ces personnes ont rendus devant la Commission pour établir leur culpabilité. Il n'y a donc pas d'immunité de poursuite conférée aux personnes qui « collaborent » avec la Commission, seulement une interdiction d'utiliser la preuve obtenue au cours de l'enquête.

L'État et les municipalités pourront également intenter des poursuites en recouvrement des sommes qui ont été reçues illégalement par certaines personnes du fait de leur participation à un système de collusion. Encore là, l'utilisation de la preuve recueillie par la Commission est proscrite, quoique des exceptions existent en ce qui concerne les poursuites civiles. Enfin, les ordres professionnels – par exemple, l'Ordre des ingénieurs du Québec, qui l'a déjà fait – pourront également porter plainte devant le Conseil de discipline de leur organisation s'ils jugent que le comportement d'un de leurs membres, dévoilé au cours des travaux de la Commission, constitue une infraction au code de déontologie que chaque ordre professionnel est tenu d'adopter en vertu du Code des professions du Québec.

### Crédibilité des témoins

Tous ont pu constater déjà que des témoignages rendus aux audiences de la Commission étaient contradictoires, tandis que certains se corroboraient les uns les autres. Pour établir la « vérité », la Commission devra évaluer la crédibilité de ces témoignages, déterminer ceux qui lui apparaissent crédibles et écarter les autres. Aussi, étant donné que les conclusions d'un rapport d'enquête peuvent porter atteinte à la réputation des personnes, le principe d'équité exige que les commissions d'enquête permettent à ces personnes de venir justifier leur conduite et dire pourquoi la Commission ne devrait pas tirer de conclusions défavorables sur celle-ci. Les rapports des commissions d'enquête peuvent être attaqués devant les tribunaux supérieurs par les personnes qui sont visées par leurs conclusions. Ces rapports doivent donc être rédigés avec soin, car les conclusions des commissaires qui seront jugées déraisonnables par les tribunaux supérieurs pourront être retirées du rapport d'enquête.

La tâche ultime d'une commission d'enquête est la formulation de recommandations à l'intention du gouvernement au sujet des problèmes relevés pendant l'enquête. Il serait sage d'attendre ce moment pour faire un bilan des travaux de la commission Charbonneau.

**Martine Valois**
Professeure adjointe, Faculté de droit, Université de Montréal

Vincent Lacroix), le jugement exercé par ces titulaires de charges publiques semble avoir été entièrement aveuglé par leur sentiment d'appartenance à leur réseau.

Une analyse par réseaux vient d'ailleurs conforter une telle lecture[6]. L'analyse de l'action publique par réseaux se penche sur les liens qui existent entre les organisations, et entre les individus, pour expliquer les décisions prises par ces derniers. Ainsi, l'analyse par réseaux nous permet de repérer des réseaux

> **Les élus ne sont pas plus corruptibles que le système et la société qui les engendre.**

d'influence qui passent par la présence des mêmes individus au sein des conseils d'administration des organisations publiques et privées. Elle nous permet aussi de mieux comprendre l'influence des lobbys sur les décisions publiques et de trouver les liens informels que les entreprises tissent entre elles pour « gérer les incertitudes de la demande et de l'offre qui minent leurs résultats financiers[7] ». Mais est-ce là un phénomène proprement québécois ? Sans doute pas.

Il semble plutôt que les modifications qui se sont produites dans les systèmes de gouvernance, sous l'impulsion de l'OCDE depuis le début des années 1980, aient ouvert la voie aux dysfonc-

tionnements actuellement observés et à la perte de sens de l'action publique qui engendre la corruption. Ces modifications ont en quelque sorte « privatisé » non seulement l'État, mais également l'administration publique. Cette privatisation n'a pas tellement à voir avec le rôle économique des États, puisque ces derniers restent encore très présents dans nos vies, mais agit sur le plan « psychologique et managérial ». En souhaitant dynamiser les administrations publiques, on a en quelque sorte créé une conception en silo du travail politique et du travail de l'administration, leur finalité devenant la productivité et l'efficacité. Le travail étant ainsi d'abord conçu dans une perspective d'efficacité, il apparaît dès lors légitime aux titulaires de charges publiques, qu'elles soient électives ou administratives, de s'en remettre à leurs réseaux naturels pour nourrir ce travail et parvenir aux résultats espérés.

Les élus sont donc corruptibles parce que les systèmes dans lesquels ils interviennent engendrent, voire autorisent, cette corruption. Ces systèmes favorisent de tels dysfonctionnements en laissant beaucoup trop de place, dans le processus de prise de décision, à l'intérêt individuel au détriment de l'intérêt collectif, lequel doit primer lorsqu'on occupe une charge publique. La volonté d'être efficace ne justifie pas tous les moyens puisque cette finalité doit aussi être tributaire du contexte de son exécution[8]. On retrouve là le sens même de

l'engagement public et la principale valeur qui devrait guider les titulaires de charges publiques.

### Des référents corrompus

Dans le contexte actuel, l'instrumentalisation de bon nombre de charges publiques à des fins corporatistes entraîne les titulaires de ces charges à utiliser les mauvais référents normatifs pour évaluer leurs actions. À un tel point que le premier prisme d'analyse de leurs actions tient dans leurs motivations personnelles plutôt que dans l'intérêt collectif – qui devrait primer dans leur rôle de titulaire de charge publique. Dès lors qu'on assoit nos ins-

titutions sur la seule performance économique, dès lors qu'on place les élus dans un contexte de prise de décision fondée sur le court terme et l'équilibre comptable à tout prix, on insiste sur la finalité en évacuant les moyens et ainsi en vidant les actions de leur sens politique.

Les élus ne sont pas plus corruptibles que le système et la société qui les engendre. Mais ils le sont à tout le moins autant. La tolérance de la société, notre tolérance à leur égard nous renvoit l'image de notre propre malaise et de notre propre faiblesse. Notre propre manière de penser en fonction de nos propres repères normatifs, plutôt que ceux que commandent notre engagement comme citoyen dans la communauté. Pourquoi en irait-il autrement pour les titulaires de charges publiques ?

On assiste à un effacement de la notion de bien commun au profit d'un corporatisme moral qui est invisible aux yeux de celui qui le pratique. Et cette invisibilité peut découler aussi bien d'une complète mauvaise foi que d'une véritable bonne foi qui se laisse aveugler par sa cause. La seule réponse appropriée face à de telles dérives réside dans la rupture de ces réseaux, dans la rupture du lien entre la morale et le réseau, afin de ramener l'éthique au centre du processus qui consiste en une remise en question des pratiques. De toutes les pratiques. Qu'elles soient privées ou publiques, individuelles ou collectives, professionnelles ou personnelles.

Notes

1. Commission d'enquête sur le processus de nomination des juges du Québec, créée en 2010, présidée par Michel Bastarache.

2. *Principes de l'OCDE pour renforcer l'intégrité dans les marchés publics*, OCDE, 2011.

3. Edwin Sutherland, *White Collar Crime: The Uncut Version*, New Haven, Yale University Press, 1985 [1947].

4. Michel Crozier et Erhard Friedberg, *L'acteur et le système*, Paris, Seuil, 1977.

5. Luc Boltanski et Laurent Thévenot, *De la justification*, Paris, Gallimard, 1991.

6. Emmanuel Lazega, « Analyse de réseaux et sociologie des organisations », *Revue française de sociologie*, vol. 35, 1994, p. 293-320 ; M. Akrich, M. Callon et B. Latour, *Sociologie de la traduction. Textes fondateurs*, Paris, Presses de Mines, 2006.

7. Claudette Lafaye, *La sociologie des organisations*, Paris, Armand Colin, 2009, p. 106.

8. Erhard Friedberg, *Le pouvoir et la règle. Dynamiques de l'action organisée*, Paris, Seuil, 1993.

# Environnement

# ÉMISSIONS DE GES TOTALES PAR HABITANT DES PROVINCES ET TERRITOIRES CANADIENS, 1990 ET 2010

Émissions (Mt éq. CO$_2$)   Émissions par habitant, en 2010 (t éq. CO$_2$)
■ 1990  ■ 2010  ●

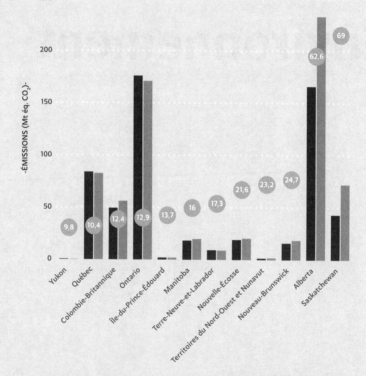

Source : *Inventaire québécois des émissions de gaz à effet de serre en 2010 et leur évolution depuis 1990,*
Ministère du Développement durable, de l'Environnement, de la Faune et des Parcs du Québec.

# L'environnement en quelques statistiques

**Valérie Lacourse**

*Biologiste, chargée de projet, Association québécoise pour la promotion de l'éducation relative à l'environnement*

*En collaboration avec Pierre Fardeau, géographe, directeur général, Association québécoise pour la promotion de l'éducation relative à l'environnement*

**La vague de chaleur qui s'est abattue sur le Québec au cours de l'année 2012 nous a donné des mois d'été torrides et un hiver quasi inexistant. Selon Environnement Canada, ces conditions sont bien susceptibles de se répéter, sinon de s'installer. À l'échelle planétaire, l'année 2012 figure parmi les 10 années les plus chaudes enregistrées depuis 160 ans et la planète connaît des concentrations records de dioxyde de carbone ($CO_2$).**

La couverture de glace de l'Arctique a été réduite à son plus bas niveau depuis que l'enregistrement des données satellites a commencé, il y a 34 ans. Au Québec comme partout au pays, les tempêtes et les inondations ont marqué l'année. Plusieurs agriculteurs québécois ont souffert de la sécheresse et les prix des aliments sont à la hausse en 2013. Le réchauffement planétaire est réel et les moyens de s'y adapter devront se multiplier.

## L'eau, l'une des plus grandes richesses du Québec

Intrinsèquement lié au vaste bassin des Grands Lacs et du Saint-Laurent, le plus grand réservoir d'eau douce au monde, le Québec possède sur son territoire 3 % des eaux renouvelables de la planète, soit plus que toutes les autres provinces canadiennes réunies[1]. Cette considérable quantité d'eau douce couvre 10 % du territoire québécois, sous la forme de milliers de rivières et de plus d'un demi-million de lacs. Or le Québec compte aussi parmi les cinq plus grands consommateurs d'eau au monde : plus de 400 litres d'eau par personne de façon quotidienne, soit 3 litres de plus que la France (150 l/personne/jour) et 20 fois plus que l'Afrique subsaharienne (10 à 20 l/personne/jour)[2].

## Nos rivières sous pression

Depuis les années 1970, le gouvernement du Québec exerce une surveillance de ses principales rivières dans une soixantaine de bassins versants[3]. Même si l'on constate une amélioration de la qualité générale de l'eau, l'état de certaines rivières reste toujours très préoccupant. Les rivières en mauvais état se trouvent là où les pressions humaines sont fortes, en particulier dans les régions à grande activité agricole des basses terres du Saint-Laurent. C'est le cas de la rivière Yamaska, qui, depuis plus de 15 ans, arrive en tête des rivières les plus polluées du Québec. Le bassin versant est soumis aux rejets urbains et industriels des 90 municipalités qui y sont réparties, mais ce sont principalement les activités agricoles et l'élevage intensif de porcs et de bovins qui l'affectent. Les cours d'eau en milieu agricole présentent souvent des concentrations excessives de coliformes fécaux[4], de phosphore, de nitrites, de nitrates et de pesticides. On détecte en outre de plus en plus de contaminants émergents dans les rivières, notamment les nonylphénols éthoxylés, utilisés comme détergents industriels, le bisphénol A, servant à la fabrication des plastiques rigides, et les médicaments[5].

## Le secteur agricole, un grand consommateur de pesticides

De nombreuses études ont montré le potentiel de perturbation endocrinienne des pesticides chez les humains et les animaux, même à de très faibles doses[6]. Bien que ces produits soient soupçonnés d'être à l'origine d'anomalies congénitales, de déficits immunitaires et de problèmes de reproduction, ils se vendent encore très bien dans la province. Selon le dernier bilan annuel des ventes de pesticides, qui porte sur l'année 2009, on observe une légère baisse des ventes totales, avec 3 987 257 kg d'ingrédients actifs, une diminution de 4,5 % par rapport à 2008. Toutefois, les ventes au secteur agricole étaient toujours en hausse en 2009. Depuis 1992, le secteur de la production agricole demeure le principal utilisateur de pesticides au Québec. Si l'on combine les secteurs de l'élevage et de la production agricole, un total de 3 341 178 kg d'ingrédients actifs ont été vendus en 2009, soit 84 % des ventes totales. Les herbicides représentent 60 % des ventes au secteur agricole, dont plus de la moitié est utilisée pour les cultures de maïs et de soya. Parmi ces herbicides, l'atrazine est la substance qui présente le plus de risques pour la santé et l'environnement.

## Un fleuve et ses riverains

Le fleuve Saint-Laurent est le cours d'eau le plus important du Québec. Plus de 300 espèces d'oiseaux, d'amphibiens, de poissons et de mammifères l'habitent et fréquentent ses berges. Près de 8 millions de personnes occupent le bassin versant du fleuve, 60 municipalités s'y approvisionnent directement en eau potable et tout autant y rejettent leurs eaux usées. Ce n'est qu'en 1978 que des programmes d'épuration des eaux ont vu le jour dans la province[7]. Depuis, malgré l'assainissement des eaux usées, les grands centres urbains du Saint-Laurent continuent à déverser chaque année des milliards de litres d'eaux usées brutes dans les lacs et le fleuve : lors de pluies abondantes, ne pouvant pas recevoir toutes ces quantités d'eau, les installations de traitement ouvrent les valves ; les eaux usées sont déversées dans les cours d'eau. Et la désuétude des réseaux d'aqueduc des villes entraîne énormément de fuites.

Le pouvoir d'influence des citoyens découle à la fois du degré de participation et de l'objet au sujet duquel ils participent. Bien que la qualité de l'eau du fleuve soit jugée bonne ou satisfaisante, elle se détériore considérablement en aval de la région de Montréal. En période estivale, on y observe des concentrations moyennes variant de 4 000 à 5 850 coliformes fécaux/100 ml. Selon le ministère du Développement durable, de l'Environnement, de la Faune et des Parcs (MDDEFP)[8], une eau de qualité « bonne à excellente », où tous les usages récréatifs sont permis, contient de 0 à 100 coliformes fécaux par 100 ml. Dès qu'il y a plus de 200 coliformes fécaux/100 ml, la baignade est compromise, et à plus de 1 000 coliformes fécaux/100 ml, tous les usages sont compromis (canotage, pêche, baignade, etc.). Cette contamination bactériologique provient principalement des stations d'épuration de Montréal, de Longueuil et de Repentigny et des débordements des réseaux d'égouts lors de fortes pluies[9].

## La gestion des matières résiduelles

En dépit des efforts de sensibilisation et des moyens offerts à la population, le Québec excelle dans la production de déchets, avec, en moyenne, 25 tonnes de matières résiduelles chaque minute. Pour freiner cette tendance, la Politique québécoise de gestion des matières résiduelles, couplée au premier plan d'action quinquennal 2011-2016, vise des cibles d'action précises. Selon le dernier bilan de gestion des matières résiduelles du Québec (2011), le taux de mise en valeur des matières résiduelles provenant des résidences et récupérées par la collecte sélective est de 59 %. Les efforts devront se poursuivre pour atteindre, en 2015, l'objectif de récupération de 70 %. En 2010, la quantité de matières reçues de collectes municipales et de collectes propres aux ICI (industries, commerces et institutions) a franchi le cap du million de tonnes, avec 1 041 000 tonnes reçues par les 38 centres de tri actifs au

Québec. Il est intéressant de noter que les matières résiduelles les plus couramment récupérées au Québec, soit les métaux, le papier et le carton, les plastiques et le verre, représentent une valeur de 550 millions de dollars et que la gestion des matières résiduelles procure plus de 10 000 emplois directs. Au chapitre des matières organiques résiduelles, l'objectif est d'en traiter 60 %, y compris les boues, d'ici à 2015, pour arriver à en bannir complètement l'enfouissement d'ici à 2020. Bonne nouvelle, puisque ces matières représentent le tiers des 13 millions de tonnes de matières résiduelles produites chaque année[10].

## Des millions de tonnes de gaz à effet de serre

Selon le dernier inventaire québécois des émissions de gaz à effet de serre (GES), publié en 2013, les émissions de GES par habitant au Québec ont légèrement diminué, passant de 10,4 tonnes d'équivalent en $CO_2$[11] (éq. $CO_2$) en 2010, à 10,1 tonnes en 2011, ce qui situe la province au deuxième rang pour les plus faibles émissions de GES par habitant de l'ensemble des provinces et territoires canadiens. Par comparaison, l'Alberta a émis la même année 62,6 tonnes éq. $CO_2$ par habitant[12], soit près de six fois plus que le Québec, malgré une population presque deux fois moins nombreuse. Le développement de l'industrie des sables bitumineux en Alberta a fait de cette province le plus important émetteur de GES au Canada.

Notons que, de 2003 à 2010, les émissions québécoises totales de GES ont décru de 8,5 %, se chiffrant à 82,5 millions de tonnes (Mt éq. $CO_2$) en 2010. Cette baisse appréciable est principalement due à la réduction des émissions du secteur de l'industrie et des déchets. Les rejets du secteur des transports[13], toujours à la hausse, représentent 42,5 % des émissions québécoises de GES.

Depuis le début de l'ère industrielle, vers 1750, la concentration de $CO_2$ dans l'atmosphère a augmenté de 35 % et celle du méthane ($CH_4$), de 148 %. En 2010, le $CO_2$, l'un des plus importants GES, constituait 80,3 % de l'ensemble des émissions québécoises. Rappelons que le Canada, et partant le Québec, est le premier et le seul pays à s'être retiré officiellement du protocole de Kyoto en 2012.

## « Verdir » pour rafraîchir

Depuis 2011, plus de la moitié de la population mondiale vit en zone urbaine. Au Québec, le taux d'urbanisation atteint 80 %. Huit Québécois sur 10 habitent une ville minéralisée, où les grandes surfaces de béton absorbent la chaleur et créent le phénomène dit des îlots de chaleur urbains. Dans un îlot de chaleur, des températures de 5 à 10 °C plus élevées que les températures moyennes régionales peuvent être enregistrées[14]. Par ailleurs, selon Santé Canada, l'augmentation des températures aggrave la pollution atmosphérique, qui serait responsable de 1 540 décès prématurés par année à Montréal[15]. L'une des solutions pour combattre le phénomène des îlots de chaleur urbains est de favoriser la création d'espaces verts. L'agriculture urbaine, en plein essor à Montréal et dans quelques autres villes du Québec, s'inscrit au cœur d'une telle solution viable et durable. Il s'agit d'un concept large qui consiste à aménager des jardins et des espaces verts sur les toits, sur les balcons, dans les ruelles, pour y cultiver quelques plantes potagères. En 2010, selon la plus récente édition du *Répertoire des initiatives en agriculture urbaine à Montréal,* on comptait 102 jardins communautaires et 83 jardins collectifs répartis sur l'île de Montréal[16]. Au total, il existe près de 30 hectares d'initiatives d'agriculture urbaine à Montréal[17]. Rappelons qu'un légume peut parcourir jusqu'à 2 500 km avant d'arriver dans notre assiette. L'agriculture urbaine permet ainsi de contrer la dégradation de l'environnement en réduisant l'utilisation des transports et les émissions de GES, tout en nous offrant le plaisir de récolter nous-mêmes quelques fruits et légumes frais, à moindre coût.

## Les forêts du Québec

Au Québec, les forêts occupent une superficie de 761 100 km², soit près de la moitié du territoire québécois, couvrent sept degrés de latitude et englobent trois grandes zones bioclimatiques. L'industrie forestière, source de plus de 116 000 emplois, représente 2,8 % du produit intérieur brut (PIB) québécois. Près de 35 millions de mètres cubes de bois sont coupés chaque année au Québec, la majorité provenant de la forêt boréale[18]. Les forêts québécoises abritent plus de 2 400 espèces d'animaux vertébrés et de plantes vasculaires, dont environ 17 % seraient en difficulté. Rappelons qu'en 2004, la Commission d'étude sur la gestion de la forêt publique québécoise (commission Coulombe) recommandait la création d'aires protégées[19] sur 12 % du territoire d'ici à 2010. Or, le gouvernement du Québec a repoussé cette échéance à 2015. Le dernier bilan effectué en 2011 établit à 8,52 % la superficie de la forêt protégée contre l'exploitation industrielle[20].

### Notes

1. Ministère des Ressources naturelles, *Données statistiques concernant le territoire québécois,* 2013. En ligne : www.mrn.gouv.qc.ca/chiffres.jsp.
2. Ressources naturelles Canada, « L'atlas du Canada ». En ligne : atlas.nrcan.gc.ca.
3. Le « bassin versant » désigne l'ensemble d'un territoire sur lequel toutes les eaux de surface s'écoulent vers un même point, appelé « exécutoire ». La ligne séparant deux bassins versants adjacents est une ligne de partage des eaux. Cette ligne est déterminée, entre autres, par les caractéristiques géologiques, pédologiques et biologiques du territoire. On compte 430 bassins versants majeurs au Québec.
4. Les coliformes fécaux sont des bactéries utilisées comme indicateur de la pollution microbiologique d'une eau. Ces bactéries proviennent des matières fécales produites par les humains et les animaux à sang chaud et d'autres matières organiques, tels les effluents industriels de pâtes et papiers.
5. Ministère du Développement durable, de l'Environnement et des Parcs, *État des milieux aquatiques,* 2012. En ligne : www.mddefp.gouv. qc.ca/eau/flrivlac/index.htm.

6. Sabotage hormonal : www.sabotage-hormonal. org/spip.php?article21.

7. Ministère du Développement durable, de l'Environnement et des Parcs, *Portrait de la qualité des eaux de surface au Québec 1999-2008*, Québec, gouvernement du Québec, Direction du suivi de l'état de l'environnement, 2012. En ligne : www.mddep.gouv.qc.ca/eau/portrait/eaux-sur face1999-2008.

8. Anciennement ministère du Développement durable, de l'Environnement et des Parcs (MDDEP).

9. L'Union Saint-Laurent Grands Lacs et la Coalition Eau Secours, *Eaux usées et fleuve Saint-Laurent : problèmes et solutions*, 2009. En ligne : eausecours.org/esdossiers/eaux_usees-brochure. pdf.

10. RECYQ-QUÉBEC, *Bilan 2010-2011 de la gestion des matières résiduelles au Québec*, 2013. En ligne : www.recycquebec.gouv.qc.ca/Upload/ Publications/Bilan_2010_2011_GMR_Final.pdf.

11. Chaque gaz a une durée de vie atmosphérique unique et un potentiel propre de rétention de la chaleur (appelé « potentiel de réchauffement planétaire »). Associé à un potentiel de réchauffement planétaire de 1, le $CO_2$ est le gaz de référence à partir duquel les autres gaz sont comparés. Le potentiel de réchauffement planétaire est une mesure relative de l'effet de réchauffement que l'émission d'un kilogramme d'un GES a à la surface troposphérique en comparaison avec l'émission d'un kilogramme de $CO_2$. On parle de concentration d'équivalent $CO_2$ (éq. $CO_2$) pour la concentration de $CO_2$ qui entraînerait un forçage radiatif de même ampleur que le GES en question. Les potentiels de réchauffement planétaire calculés pour différents intervalles de temps illustrent les effets des durées de vie de différents gaz dans l'atmosphère.

12. Donnée de 2010 : Ministère du Développement durable, de l'Environnement, de la Faune et des Parcs, *Inventaire québécois des émissions de gaz à effet de serre en 2010 et leur évolution depuis 1990*, Québec, gouvernement du Québec, Direction des politiques de la qualité de l'atmosphère, 2013, p. 12. En ligne : www.mddep.gouv.qc.ca/changements/ ges/2010/inventaire1990-2010.pdf. Donnée de 2011 : Environnement Canada, *National Inventory report 1990-2011*, Ottawa, gouvernement du Canada, 2013. Calculs de l'auteure.

13. Ce secteur comprend le transport routier, le transport aérien intérieur, le transport maritime intérieur, le transport ferroviaire, le transport hors route et le transport par pipeline du gaz naturel. En conformité avec les lignes directrices du Groupe d'experts intergouvernemental sur l'évolution du climat (GIEC), les émissions liées au transport aérien international et au transport maritime international ne sont pas comptabilisées dans les inventaires de GES.

14. Philippe Anquez et Alicia Herlem, *Les îlots de chaleur dans la région métropolitaine de Montréal : causes, impacts et solutions*, Montréal, Université du Québec à Montréal, Chaire de responsabilité sociale et de développement durable, 2011.

15. Direction de santé publique, Agence de la santé et des services sociaux de Montréal, *Le transport urbain, une question de santé – Rapport annuel 2006 sur la santé de la population montréalaise*, Montréal, 2006, p. 33.

16. Collectif de recherche sur l'aménagement paysager et l'agriculture urbaine durable, *Répertoire des initiatives en agriculture urbaine à Montréal*, Montréal, Université du Québec à Montréal, 2011. En ligne : www.crapaud.uqam. ca/?p=1739.

17. Agriculture urbaine Montréal : agriculture montreal.com.

18. Bureau du forestier en chef du Québec, *Bilan d'aménagement forestier durable au Québec 2000-2008*, 2013. En ligne : www.forestierenchef.gouv. qc.ca/bilan-d-amenagemement-forestier-durable-2000-2008.

19. Selon la Convention sur la diversité biologique (1992), une aire protégée correspond à toute zone géographiquement délimitée qui est désignée ou réglementée et gérée en vue d'atteindre des objectifs spécifiques de conservation.

20. Ministère du Développement durable, de l'Environnement, de la Faune et des Parcs, *Registre des aires protégées*, 2013. En ligne : www.mddep. gouv.qc.ca/biodiversite/aires_protegees/registre/ index.htm.

# À la croisée des chemins

**Annie Chaloux**
*Doctorante, École nationale d'administration publique, et chercheure-boursière, Chaire de recherche du Canada en économie politique internationale et comparée*

**Hugo Séguin**
*Chercheur associé, Centre d'études sur l'intégration et la mondialisation, Université du Québec à Montréal, et fellow, Centre d'études et de recherches internationales, Université de Montréal*

**Les enjeux énergétiques font depuis longtemps l'objet de débats au Québec. De façon plus actuelle encore, la place occupée par le pétrole dans notre société a généré son lot de tensions et de controverses. La toute récente tragédie ferroviaire de Lac-Mégantic, les projets d'exploration pétrolière en Gaspésie et sur l'île d'Anticosti, le projet d'inversion de l'oléoduc d'Enbridge (canalisation 9B) et le tout nouveau projet d'oléoduc Énergie Est de la compagnie TransCanada – ces deux derniers visant tous deux à acheminer vers l'est du pays du pétrole provenant des sables bitumineux – rappellent la complexité des enjeux que cette forme d'énergie représente dans la province.**

Intimement liée à l'augmentation des émissions de gaz à effet de serre (GES) et à la problématique des changements climatiques, la question de la production et de la consommation pétrolières au Québec fait également l'objet de propositions de politiques publiques conflictuelles, des organisations militant pour la réduction de la dépendance à l'égard du pétrole, d'autres pour une production pétrolière nationale.

Alors que le Québec est depuis long-temps engagé dans la lutte contre les changements climatiques en plus d'être l'un des pionniers, en Amérique du Nord, de la régulation de cette problé-matique, et qu'il s'est imposé l'une des cibles de réduction des émissions de GES les plus ambitieuses au monde d'ici 2020, comment accorder projets pétro-liers (oléoducs, exploration et éventuel-lement production pétrolières au Qué-bec) et efforts pour lutter contre les changements climatiques et réduire les émissions de GES ? Cet article entend proposer des pistes de réflexion à ce sujet, au moment où s'amorce une vaste démarche de consultation publique dans le cadre de la Commission sur l'avenir énergétique du Québec en vue de l'élaboration d'une politique énergé-tique nationale qui puisse concilier indépendance énergétique et lutte contre les changements climatiques[1].

### Le pétrole et les changements climatiques en quelques chiffres

Produisant plus de 97 % de son électri-cité à partir de ressources renouvelables, le Québec présente un bilan d'émissions de GES fort enviable, qui fait de la pro-vince l'un des plus faibles émetteurs de GES du continent. Les émissions annuelles du Québec ne sont ainsi que de 10,1 tonnes par habitant, comparati-vement à la moyenne canadienne de 20,9 tonnes par habitant[2]. De même, et

grâce en partie aux différentes poli-tiques climatiques mises en œuvre par l'État québécois au cours des 10 der-nières années, les émissions de GES du Québec ont connu une diminution de l'ordre de 5 % en 2011 par rapport à 1990[3], ce qui rapproche le Québec de sa cible de réduction des émissions prévue dans le Plan d'action 2006-2012 sur les chan-gements climatiques.

Si l'on s'attarde, par contre, à la consommation finale d'énergie au Qué-bec, on constate que les combustibles fossiles – pétrole, charbon et gaz naturel – occupent encore une place considé-rable dans le bilan énergétique québé-cois. Ils fournissent toujours plus de la moitié de l'énergie consommée au

> **Le Québec est l'un des plus faibles émetteurs de GES du continent.**

Québec, représentant près de 53 % de la consommation totale[4]. Comme ces sources d'énergie proviennent essentiel-lement de l'extérieur de la province, cela contribue à alourdir le déficit commer-cial québécois, dans un contexte où l'importation de carburants fossiles augmente d'une année à l'autre[5]. Pour la seule année 2012, la valeur des impor-tations de pétrole se chiffrait à plus de 13,7 milliards de dollars, sur un déficit commercial total de 20,8 milliards de dollars[6]. Si aucune action n'est entre-prise à cet égard, ce déficit pourrait se creuser encore davantage au cours des prochaines années, alors que la consommation de pétrole et le prix du baril sont appelés à augmenter. On comprend ainsi un peu mieux la volonté de l'État québécois de promouvoir l'indépendance énergétique et de souhaiter l'établissement d'une politique sur la consommation d'énergie afin de diminuer notre dépendance envers le pétrole étranger.

### Le Québec et la lutte contre les changements climatiques, une histoire d'amour

Les changements climatiques sont considérés depuis longtemps comme un enjeu d'importance au Québec. Dès 1992, l'État se déclare lié à la Convention-cadre des Nations unies sur les changements climatiques (CCNUCC) ainsi qu'aux principes et aux valeurs en découlant, en plus de produire, en 1995, son tout premier plan d'action de lutte contre les changements climatiques. Au

> Le Québec s'est imposé l'une des cibles de réduction des émissions de GES les plus ambitieuses au monde.

cours de cette période, le gouvernement québécois exerce de multiples pressions pour qu'Ottawa, de concert avec l'ensemble des provinces canadiennes, se fixe des cibles de réduction des émissions de GES plus ambitieuses, dans un

contexte où est élaboré le premier instrument international contraignant pour réduire l'impact de l'activité humaine sur le climat: le protocole de Kyoto. À la même époque, le Québec s'allie à d'autres provinces canadiennes et aux États américains frontaliers pour définir un plan d'action régional sur les changements climatiques (2001) dans le cadre de la Conférence des gouverneurs de la Nouvelle-Angleterre et des premiers ministres de l'est du Canada. Le Québec met alors également en œuvre plusieurs politiques volontaires de réduction des émissions de GES, notamment dans les secteurs industriel et commercial.

À la fin de l'année 2005, toutefois, un événement charnière vient pousser l'enjeu climatique dans l'échelle des priorités gouvernementales. Du 28 novembre au 5 décembre, Montréal accueille la Conférence des Parties (CdP) de la CCNUCC, la première depuis l'entrée en vigueur du protocole de Kyoto, en février. La tenue de cet événement international offre aux organisations non gouvernementales québécoises l'occasion d'exercer maintes pressions sur le gouvernement du Québec pour que ce dernier s'engage durablement – et de façon plus concrète – sur la question du climat.

Ces pressions mènent à l'adoption, en 2006, d'un plan d'action de lutte contre les changements climatiques assez ambitieux, visant une réduction des émissions de GES de 6 % sous le niveau de 1990 pour 2012[7]. Une redevance sur

## Le difficile calcul des retombées économiques des projets d'acheminement de pétrole au Québec

Il est intéressant de constater la grande difficulté à chiffrer les retombées et les coûts potentiels associés aux différents projets pétroliers d'acheminement actuellement sur la table au Québec. Alors que les données provenant de l'industrie montrent des avantages substantiels en matière d'emplois et de retombées économiques diverses, il semble que rien ne soit si sûr à ce propos. Une récente étude de l'Institut de recherche et d'informations socio-économiques (IRIS) soutient d'ailleurs que « l'apport économique du projet d'inversion de la Ligne 9B [d'Enbridge] est au mieux très modeste et ne parvient pas à compenser les risques environnementaux encourus[1] ». La création d'emplois serait somme toute assez faible sur le territoire québécois, de l'ordre de 250 emplois à court terme, tout au plus, et les retombées économiques, marginales.

De même, l'argument relatif au plus faible coût du pétrole albertain à l'appui de l'acheminement du pétrole vers l'est du pays serait faux, selon plusieurs économistes et spécialistes de l'énergie[2]. En effet, le faible coût du pétrole albertain par rapport au marché international est attribuable au fait qu'il ne peut atteindre ce marché, étant actuellement enclavé. Avec le désenclavement qu'assurerait la réalisation des différents projets d'oléoducs, le prix du baril de pétrole rejoindrait la valeur du marché international, ce qui ne procurerait pas d'avantages économiques additionnels au Québec.

**A. C. et H. S.**

**Notes**

1. Renaud Gignac et Bertrand Shepper, *Projet d'oléoduc de sables bitumineux « Ligne 9B » : le Québec à l'heure des choix*, note socio-économique, Institut de recherche et d'informations socio-économiques, septembre 2013, p. 8. En ligne : www.iris-recherche.qc.ca/publications/oleoduc.

2. Radio-Canada et La Presse canadienne, « Oléoduc Énergie Est : TransCanada présente des prévisions de création d'emplois », 10 septembre 2013. En ligne : www.radio-canada.ca/regions/atlantique/2013/09/10/004-oleoduc-transcanada-etude.shtml.

les hydrocarbures est alors établie pour financer les actions en matière de changements climatiques, et des interventions touchant une variété de secteurs sont entreprises. De plus, en avril 2008, le Québec annonce qu'il mettra sur pied, avec plusieurs États américains – dont la Californie – et provinces canadiennes, un marché de carbone sous l'égide de la Western Climate Initiative (WCI). Il n'en fallait pas plus pour que le Québec acquière l'image d'un « géant vert » et que la question du climat devienne l'un des vecteurs de l'identité québécoise et même de sa diplomatie internationale.

C'est dans ce contexte qu'une mouvance de lutte contre la dépendance à l'égard du pétrole commence à s'activer au Québec. Des organisations de la société civile, du milieu socioéconomique et des élus de différents horizons pointent de plus en plus le pétrole comme le principal responsable des émissions de GES au Québec. Souhaitant s'affranchir du pétrole et des autres carburants fossiles, ceux-ci proposent une transition énergétique vers une société sobre en carbone, ce qui permettrait le développement d'une économie verte et plus résiliente face aux soubresauts des marchés énergétiques mondiaux.

> **Pétrolia est le plus important joueur de l'exploration pétrolière au Québec depuis 2006.**

Dans la foulée d'actions menées par plusieurs organisations de la société civile, le Regroupement national des conseils régionaux de l'environnement du Québec (RNCREQ) et l'Institut du Nouveau Monde (INM) collaborent à la réalisation des Rendez-vous de l'énergie (2010 et 2011), une démarche de consultation publique qui cherche avant tout à sensibiliser la population et les décideurs à notre dépendance envers le pétrole et à indiquer les stratégies permettant de s'affranchir de cette forme d'énergie. Cette démarche fructueuse aboutit à la Déclaration d'engagement pour une stratégie de réduction de la dépendance au pétrole, qui regroupe plus de 160 signataires, dont des conférences régionales des élus, des municipalités régionales de comté, des municipalités, des groupes environnementalistes, des syndicats, des organisations non gouvernementales, des entreprises, etc. On sent donc une préoccupation de plus en plus importante au sein de la population pour cet enjeu au Québec.

## La tentation du pétrole

Des découvertes géologiques récentes et de grands projets d'oléoducs viennent cependant troubler l'histoire d'amour de la société québécoise à l'endroit de la lutte contre les changements climatiques et brouiller les appels à la réduction de la consommation de pétrole. Après des décennies de dormance, l'intérêt pour le potentiel pétrolier du Québec se manifeste, d'abord au milieu des années 1990 avec la découverte d'importantes réserves d'hydrocarbures du côté terre-neuvien. Des activités d'exploration sont alors menées par l'entreprise canadienne Corridor Ressources et par la multinationale Shell (mais cette dernière s'en désintéressera rapidement). Trois entreprises québécoises, Junex, Gastem et Pétrolia, prendront la relève, en tandem avec Hydro-Québec Pétrole et gaz. Leurs activités d'exploration se concentrent sur la Gaspésie, l'île d'Anticosti et le golfe du Saint-Laurent. Après la dissolution de la division Pétrole et gaz d'Hydro-Québec, en 2006, et avec la poursuite d'une stratégie de consolidation parmi les entreprises d'exploration, Pétrolia devient le plus important joueur de l'exploration pétrolière au Québec[8].

Pétrolia évalue le potentiel pétrolier du Québec à quelque 35 milliards de dollars pour le territoire gaspésien et à un montant entre 200 et 300 milliards de dollars pour celui d'Anticosti. Bien que l'absence de données vérifiées[9] invite à la prudence, plusieurs se prennent à rêver du développement économique que pourrait entraîner l'exploitation pétrolière au Québec.

Nouvellement élu, le gouvernement du Parti québécois (PQ) se montre d'emblée favorable à l'exploitation de pétrole au Québec. « Quand nous produirons du pétrole, ce sera pour enrichir tous les Québécois, y compris les prochaines générations[10] », affirme sans détour la nouvelle première ministre, Pauline Marois. Reste à en déterminer les modalités. La première ministre promet un nouveau régime de permis et de baux pour les entreprises et souhaite revoir la législation sur les hydrocarbures. Elle confirme que, advenant la découverte de pétrole exploitable sur l'île d'Anticosti, une étude sera effectuée par le Bureau d'audiences publiques sur l'environnement (BAPE)[11].

Ce regain d'intérêt pour une éventuelle exploitation pétrolière au Québec coïncide avec l'annonce de deux importants projets d'oléoducs visant à faciliter l'écoulement de la production du pétrole bitumineux de l'Ouest canadien, enclavée, vers les marchés internationaux. Les projets d'oléoducs Keystone XL, vers le Texas, et Northern Gateway, vers la côte de la Colombie-Britannique, apparaissent bloqués, victimes d'une opposition environnementaliste bien organisée et politiquement influente. En conséquence, deux entreprises albertaines, Enbridge (projet d'inversion de la canalisation 9B) et TransCanada (Projet Énergie Est), regardent vers l'est et manifestent leur intention de compléter deux grands oléoducs d'une capacité totale de 1,4 million de barils par jour (mb/j) en direction du Québec et des provinces maritimes. Une partie de ce pétrole serait raffiné au Québec et au Nouveau-Brunswick, le reste, acheminé vers d'autres centres de raffinage un peu partout dans le monde.

Là encore, le gouvernement de Pauline Marois se montre intéressé, et un comité de travail mixte Québec-Alberta est formé. De la musique aux oreilles d'une bonne partie de la communauté des affaires du Québec, qui entrevoit déjà des retombées économiques majeures pour

> **Le PQ s'est montré favorable à l'exploitation de pétrole au Québec dès son élection en 2012.**

le Québec. À l'exception de Québec solidaire, les partis d'opposition – la Coalition avenir Québec (CAQ) et le Parti libéral du Québec (PLQ) – ne cachent pas leur intérêt pour les projets d'oléoducs et pour une éventuelle exploitation pétrolière en sol québécois. Le gouvernement Marois a néanmoins promis que les Québécois « seraient consultés » sur le projet d'inversion de la canalisation 9B d'Enbridge[12].

Préparant le terrain depuis plusieurs années, multipliant les missions commerciales, les rencontres de travail et les campagnes publicitaires, l'industrie pétrolière canadienne jouit aujourd'hui d'un terreau politique et économique favorable à la réalisation de ses projets en sol québécois. La grande inconnue demeure le degré d'ouverture de la population québécoise elle-même à l'endroit de ces projets. Si le milieu des affaires brandit des résultats de sondage selon lesquels les deux tiers des Québécois sont favorables à l'arrivée du pétrole albertain par oléoduc, d'autres sondages indiquent au contraire qu'une majorité de Québécois préféreraient continuer d'importer du pétrole de l'étranger si cela permettait de réduire les impacts sur l'environnement[13].

### Deux visions se télescopent

Les Québécois sont aujourd'hui courtisés par les pétrolières, multinationales ou nationales, qui font quant à elles l'objet d'une opposition musclée de la part des milieux environnementalistes. Le Québec pourrait produire du pétrole, à des quantités et à des coûts d'exploitation non encore déterminés, ce qui n'empêche pas de faire rêver une bonne partie de la classe politique, du milieu

des affaires et de la population. Le territoire québécois pourrait également servir au transit du pétrole bitumineux albertain vers les marchés mondiaux, en laissant ici quelques retombées économiques encore difficiles à chiffrer.

Ces projets apparaissent ainsi difficilement conciliables avec les objectifs de réduction des émissions de GES auxquels souscrit l'ensemble des partis politiques représentés à l'Assemblée nationale. L'extraction et le transport du pétrole sont des activités émettrices d'importantes quantités de GES. Une éventuelle exploitation de pétrole québécois viendra ainsi augmenter les émissions du Québec, une augmentation que d'autres secteurs de la société devront absorber, si tant est que le Québec souhaite maintenir ses objectifs de réduction d'émissions.

Ces projets heurtent ainsi un certain consensus social quant à l'importance de contribuer aux efforts mondiaux de réduction des émissions de GES, notamment en réduisant rapidement notre consommation de pétrole. D'une certaine manière, une industrie pétrolière dont le déclin était politiquement programmé demande un sursis de plusieurs décennies.

Paradoxalement, le gouvernement du PQ a déposé plusieurs documents d'orientation visant spécifiquement la réduction de la consommation de pétrole et, du même coup, des émissions de GES. La nouvelle Politique québécoise de mobilité durable (PQMD) qui sera adoptée sous peu devrait ainsi faire la part belle à des investissements majeurs dans les transports collectifs et à une meilleure planification de l'aménagement urbain. De même, des investissements importants seraient sur le point d'être engagés en matière d'électrification des transports. Une éventuelle stratégie énergétique pourrait également fixer des objectifs élevés de réduction de la consommation de pétrole dans le secteur des transports et du chauffage des bâtiments. Une nouvelle politique industrielle, en voie d'élaboration, devrait finalement mettre l'accent sur la promotion de créneaux manufacturiers «verts», notamment en matière d'énergie et de transport. Au moyen de ces différentes orientations, le gouvernement accentuerait son virage vers une économie verte, à faibles émissions de carbone, plus efficiente dans l'utilisation de l'énergie, innovatrice et à forte valeur ajoutée.

Pour l'heure, il n'existe pas d'études comparant systématiquement, pour le Québec, les impacts respectifs d'une politique «extractiviste» axée sur l'exploitation des hydrocarbures et une autre axée sur un virage vers une économie verte. Par contre, plusieurs analyses montrent des gains économiques (notamment en matière de création d'emplois) de 3 à 34 fois plus élevés pour des investissements «verts» (efficacité énergétique, transports collectifs, énergies renouvelables) que pour des investissements équivalents dans les secteurs gazier et pétrolier[14].

En somme, il n'est pas du tout certain que les différents projets pétroliers actuellement étudiés obtiendront l'aval de la population québécoise. Le débat

> **Une éventuelle exploitation de pétrole québécois viendrait augmenter les émissions de GES du Québec.**

au sujet de leur acceptabilité sociale ne fait que commencer, de grandes organisations environnementalistes québécoises ayant très clairement fait connaître leur opposition au passage d'oléoducs ou encore à la production de pétrole sur le territoire. De même, la tragédie de Lac-Mégantic, où l'explosion d'un train pétrolier a fait près de 50 morts en juillet 2013, pourrait être de nature à braquer les projecteurs sur les dangers inhérents au transport du pétrole, quel que soit le moyen utilisé. En définitive, ce débat pourrait révéler deux visions difficilement conciliables : faire du Québec une nouvelle «pétroprovince» ou poursuivre sur la voie de la transition énergétique et de la réduction de la consommation de pétrole et des émissions de GES.

## Notes

1. Ministère des Ressources naturelles, *Commission sur les enjeux énergétiques du Québec. De la réduction des émissions de gaz à effet de serre à l'indépendance énergétique*, document de consultation, gouvernement du Québec, 2013. En ligne : consultationenergie.gouv.qc.ca/pdf/politique-energetique-document-consultation.pdf.

2. Environnement Canada, *National Inventory Report 1990-2011: Greenhouse Gas Sources and Sinks in Canada*, gouvernement du Canada, 2013 (en anglais). En ligne : www.ec.gc.ca/ges-ghg/default.asp?lang=En&n=68EE206C-1&offset=1&toc=show. Calculs des auteurs.

3. *Ibid.*

4. Ministère des Ressources naturelles, *Gros plan sur l'énergie*, gouvernement du Québec, 2013. En ligne : www.mrn.gouv.qc.ca/energie/index.jsp%3E.

5. Diane Brassard et Marc-Urbain Proulx, *Un juste prix pour l'énergie du Québec?*, Québec, Presses de l'Université du Québec, 2011, p. 174.

6. Ministère des Ressources naturelles, *Commission sur les enjeux énergétiques du Québec, op. cit.*

7. La cible initiale établie en 2006 était une réduction des émissions de 1,5 % sous le niveau de 1990, qui sera revue à la hausse à la suite d'un transfert budgétaire par Ottawa de 325 millions de dollars.

8. Jean-François Spain et François L'Italien, *Du pétrole pour le Québec? Analyse socio-économique du modèle de développement de la filière pétrolière en Gaspésie*, note de recherche préliminaire, Carleton-sur-Mer, Centre d'initiation à la recherche et d'aide au développement durable (CIRADD), 2013.

9. Jean-Paul Gagné, « Cessons de rêver en couleur sur le potentiel pétrolier d'Anticosti », *Les Affaires,* 25 août 2012.

10. Pauline Marois, « Un Québec pour tous », discours inaugural de la 40ᵉ législature de l'Assemblée nationale, mercredi 31 octobre 2012. En ligne (notes de discours) : www.premier-ministre.gouv.qc.ca/actualites/allocutions/details.asp?idAllocutions=825.

11. Alec Castonguay, « Pauline Marois : "Nous allons exploiter le pétrole du Québec" », *L'actualité,* 25 mars 2013. En ligne : www.lactualite.com/politique/pauline-marois-nous-allons-exploiter-le-petrole-du-quebec.

12. Alexandre Shields, « Pipeline d'Enbridge : Québec tiendra sa consultation à l'automne », *Le Devoir,* 26 juin 2013. En ligne : www.ledevoir.com/environnement/actualites-sur-l-environnement/381624/pipeline-d-enbridge-quebec-tiendra-sa-consultation-a-l-automne.

13. Fédération des chambres de commerce du Québec (FCCQ), *Nouveau sondage sur le projet d'Enbridge. Favorables à l'inversion du pipeline, les Québécois préfèrent le pétrole albertain au pétrole d'outre-mer*, communiqué de presse, 4 juin 2013. En ligne : www.fccq.ca/salle-de-presse-com muniques-2013_Nouveau-sondage-sur-le-projet-d-Enbridge.php ; Joël-Denis Bellavance, « Non au pétrole albertain, disent une majorité de Québécois », *La Presse,* 22 avril 2013. En ligne : www.lapresse.ca/environnement/201304/21/01-4643126-non-au-petrole-albertain-disent-une-majorite-de-quebecois.php.

14. Marc Lee, *Enbridge Pipe Dreams and Nightmares: The Economic Costs and Benefits of the Proposed Northern Gateway Pipeline*, Centre canadien de politiques alternatives, mars 2012, 4 pages. En ligne : www.policyalternatives.ca/pipedreams.

# S'adapter aux impacts inévitables des changements climatiques

**Anne Debrabandère**
*Soutien à la recherche et à la direction générale, Ouranos*

**Claude Desjarlais**
*Directeur des analyses économiques, Ouranos*

**Caroline Larrivée**
*Chef d'équipe, Vulnérabilités, impacts et adaptation, Ouranos*

**Dans les deux dernières décennies, plusieurs régions du Québec ont dû faire face à des conditions climatiques exceptionnelles. Or il est prévu que de tels événements météorologiques extrêmes se multiplieront avec les changements climatiques, en dépit des efforts pour s'attaquer à la source du problème. Le gouvernement du Québec a dévoilé, en 2012, sa Stratégie gouvernementale d'adaptation aux changements climatiques, qui énonce les enjeux pour le Québec et expose le plan d'ensemble et les orientations de l'action gouvernementale.**

Plusieurs régions du Québec ont eu à gérer les conséquences socioéconomiques de conditions climatiques exceptionnelles au cours des 20 dernières années, et divers effets associés à la variabilité du climat et aux conditions extrêmes sont déjà observables, avec des répercussions importantes pour la société, les écosystèmes et divers domaines de l'activité économique, ainsi que pour les infrastructures et les bâtiments. En fait, il est prévu que ces phénomènes climatiques extrêmes iront en augmentant avec les changements climatiques au cours des prochaines décennies. L'érosion des côtes, les fluctuations du niveau des cours d'eau (dues aux étiages et aux inondations) et les périodes de chaleur accablante dans les zones urbaines ne sont que quelques exemples de ces effets appelés à s'amplifier dans un avenir plus ou moins proche.

Les changements climatiques sont largement attribuables à l'augmentation des concentrations de gaz à effet de serre (GES) dans l'atmosphère. Cette augmentation est principalement associée aux activités humaines et à l'utilisation de sources d'énergie non renouvelables (combustibles fossiles), en hausse à l'échelle planétaire, en lien étroit avec les modes de développement économique dominants. Certains mécanismes de rétroaction viendront augmenter encore davantage les concentrations de GES dans l'atmosphère, par exemple la dégradation du pergélisol des régions arctiques, qui, en raison du réchauffement, relâchera des quantités importantes de méthane emmagasiné dans le sol. Ainsi, malgré les efforts pour réduire les émissions de GES, l'inertie[1] du système climatique et la durée de vie de ces gaz font en sorte que la planète est vouée à un réchauffement au cours des prochaines décennies. D'ailleurs, selon les prévisions, les concentrations de GES continueront à croître pendant plusieurs décennies, et les changements climatiques prendront de l'ampleur.

## Les changements à venir[2]

Au-delà du réchauffement des températures, les changements climatiques modifieront à moyen et à long terme plusieurs autres variables climatiques, comme les précipitations et le couvert de glace, et en altéreront la durée, l'intensité et la fréquence, ainsi que la variabilité et les extrêmes. Au Québec, on s'attend à un réchauffement sur l'ensemble du territoire avec, à l'horizon 2050, des hausses de température plus marquées en hiver et dans la région

> **La structure même des écosystèmes est appelée à changer.**

nordique. Une augmentation des précipitations (pluie ou neige) est également prévue, là encore principalement dans le Nord, où elle pourrait atteindre près de 30 % en hiver et 12 % l'été. Le sud du Québec serait en moyenne moins touché en ce qui concerne les volumes de précipitations (augmentation de 18 % en hiver avec une diminution de neige et stabilité des précipitations totales en été), mais connaîtrait plus fréquemment, plus intensément ou plus longuement des événements extrêmes de précipitations et de température. Ces changements climatiques toucheront, directement ou indirectement et à des degrés variables, les écosystèmes naturels, l'environnement bâti, ainsi que l'ensemble de la société québécoise, y compris les activités sociales, économiques et culturelles.

## Les répercussions

Les changements climatiques sont associés à de multiples risques pour la santé humaine. En effet, plusieurs conséquences, directes et indirectes, du réchauffement sont susceptibles de se répercuter sur la santé : les vagues de chaleur, la pollution atmosphérique (les températures plus élevées ont une incidence sur la qualité de l'air, qui se détériore avec la présence de pollens, d'ozone et de particules en suspension), les feux de forêt ou de friche, les tempêtes ou événements extrêmes, le rayonnement ultraviolet (UV), la qualité des ressources hydriques (les risques de contamination sont plus élevés pour des débits d'eau plus faibles), ainsi que l'extension de l'aire de distribution ou la croissance des populations d'espèces porteuses de maladies (la tique et la maladie de Lyme, par exemple). Certains groupes sont plus à risque, comme les personnes âgées et les jeunes enfants, les personnes dont l'état de santé est déjà fragile, celles qui disposent de moins de ressources, ou encore les travailleurs exposés aux intempéries.

L'environnement naturel et les écosystèmes sont fortement touchés par les conditions climatiques. Des changements de température et de précipitations ainsi que des saisons plus longues ou plus courtes entraîneront des conséquences importantes sur les habitats et sur le taux de survie de différentes espèces. Les changements climatiques, qui s'ajouteront aux pressions qu'exercent déjà les activités humaines, influeront sur la dynamique des écosystèmes, qui verront diminuer ou disparaître certaines populations ou, au contraire, qui verront s'accroître des populations ayant pu étendre leur aire de distribution. Seront surtout menacées les espèces possédant une faible capacité migratoire et dont les habitats sont fragmentés ou en état de dégradation.

La région arctique sera possiblement la plus touchée par les changements climatiques, alors que les espèces adaptées aux conditions extrêmes de cette région subiront la compétition d'espèces venant du sud. De plus, avec la dégradation du pergélisol, qui entraîne la formation de cuvettes et de mares de thermokarst, et l'expansion de la végétation arbustive, la structure même des écosystèmes terrestres et aquatiques est appelée à changer, et elle a d'ailleurs déjà commencé à se transformer.

Dans le sud du Québec, des hivers plus doux et des étés plus chauds et plus humides signifieraient une évaporation accrue des eaux naturelles, entraînant une fragilisation des milieux humides dépendants du régime des crues. Or ces milieux sont essentiels comme habitats et, par les services écologiques qu'ils fournissent, sont nécessaires à la survie et au bien-être de la société.

La ressource en eau, qui fait l'objet d'une demande croissante pour des usages multiples et souvent conflictuels, subira aussi les effets des changements climatiques, sur les plans de la disponibilité et de la qualité (étiages plus graves en été dans le sud du Québec, eaux usées non traitées rejetées en milieu naturel en période de pluies fortes, etc.).

L'environnement bâti, dont la conception est souvent basée sur les statistiques climatiques historiques (charges de neige, intensité de précipitations, etc.), n'échappera pas, lui non plus, aux conséquences des changements climatiques, qui pourront compromettre l'intégrité de la structure et accélérer le rythme d'usure des matériaux en raison d'une exposition plus fréquente à des intempéries ou à des charges climatiques plus élevées. Les conditions climatiques pourraient être directement responsables de l'altération des infrastructures et des bâtiments, qui subiront aussi les effets des changements climatiques sur l'environnement naturel dans lequel ils se situent (inondations plus fréquentes, glissements de terrain et autres risques naturels).

Le vieillissement des infrastructures et la nécessité de les renouveler constituent une source de vulnérabilité additionnelle. De plus, étant donné la forte dépendance des communautés urbaines et rurales par rapport aux infrastructures de transport et d'approvisionne-ment en eau et en énergie – dépendance que les événements météorologiques récents ont mise en lumière –, il deviendra important de les protéger des assauts climatiques. Ainsi, tant les travaux de réhabilitation et de mise à niveau des infrastructures existantes que les nouvelles constructions planifiées au cours des prochaines décennies fournissent une occasion de rendre l'environnement bâti plus robuste en tenant compte des conditions climatiques futures.

Finalement, les activités économiques telles que l'exploitation forestière, la production hydroélectrique, l'agriculture, le tourisme et plusieurs autres seront directement touchées par les changements de températures et de précipitations. Dans de nombreux cas, les modifications climatiques et leurs effets indirects (invasions de ravageurs, feux de forêt ou étiages, etc.) auront des retombées négatives sur des activités qui sont au cœur même de l'existence de

> **Le Québec dispose d'une grande capacité d'adaptation.**

nombreuses communautés du Québec. À l'inverse, certaines modifications du climat présentent des aspects positifs (par exemple, une augmentation du potentiel de production hydroélectrique, une demande réduite d'énergie

pour le chauffage et des gains de productivité végétale) dont l'économie québécoise pourrait tirer profit.

## L'adaptation aux changements climatiques

En 2012, le gouvernement du Québec a dévoilé sa Stratégie gouvernementale d'adaptation aux changements climatiques ainsi que les grandes lignes de son Plan d'action sur les changements climatiques[3]. Ces initiatives s'inscrivent dans la continuité des efforts déployés depuis la fin des années 1990. L'action gouvernementale de lutte contre les changements climatiques suit l'approche recommandée par le Groupe intergouvernemental d'experts sur le climat (GIEC), la référence en matière de changements climatiques. Cette approche propose de s'attaquer au problème à la source et de s'adapter aux conséquences.

Grâce à l'engagement du gouvernement provincial[4], des avancées notables ont été réalisées au Québec au cours de la dernière décennie en ce qui concerne l'état des connaissances sur les changements climatiques, leurs répercussions et les stratégies et moyens d'adaptation pour plusieurs secteurs. La création d'outils institutionnels comme le consortium Ouranos, un réseau de recherche sur la climatologie et l'adaptation aux changements climatiques, ainsi que plusieurs mesures mises en œuvre dans les plans précédents ont fortement contribué à ces progrès.

L'adaptation aux changements climatiques correspond à tout ajustement des systèmes (humains, naturels) à ces changements pour en limiter les conséquences négatives et profiter des occasions potentielles. Elle concerne tous les niveaux décisionnels (individuel, local, régional, national et international) et exige une approche globale et très intégrée. En outre, l'étendue des enjeux de l'adaptation et le grand nombre de décideurs impliquent le recours à une vaste panoplie d'outils, allant de la sensibilisation et de la collecte d'informations à l'intégration des changements des variables climatiques dans les lois, les normes et les politiques organisationnelles, ainsi que le propose la stratégie gouvernementale.

La Stratégie gouvernementale d'adaptation aux changements climatiques identifie quatre enjeux pour la société québécoise: le maintien du bien-être de la population, la continuité des activités économiques, la pérennité et la sécurité des bâtiments et des infrastructures, et le maintien de l'intégrité des écosystèmes. La stratégie énonce des orientations propres à ces enjeux, mais aussi des orientations transversales qui permettent de bâtir la capacité d'adaptation et d'assurer une meilleure prise en compte des risques climatiques dans toutes les décisions et les pratiques susceptibles d'être touchées. À titre d'exemple, des efforts pour sensibiliser davantage l'administra-

tion publique, ses partenaires ainsi que le grand public contribueront à l'adaptation aux changements climatiques, tout comme un examen approfondi du cadre réglementaire et des outils de planification pour cerner ce qui doit être modifié en vue d'assurer la prise en considération des changements climatiques. Ce ne sont là que quelques exemples – le lecteur pourra se reporter au document gouvernemental pour plus de précisions.

### Pour une approche planifiée

Le Québec, qui devra relever ce genre de défis au même titre que l'ensemble des juridictions de la planète, dispose d'une grande capacité d'adaptation, notamment grâce à ses ressources (humaines, techniques et financières), à sa structure économique toujours plus diversifiée et à ses nombreuses institutions de recherche. Néanmoins, ces adaptations ne se font pas sans difficulté et s'accompagnent souvent de pertes et de coûts importants, qu'il est possible de réduire substantiellement et même, dans plusieurs cas, de transformer en gains, en privilégiant une approche planifiée.

Le succès de la planification de l'adaptation exige généralement de travailler de manière concertée et coordonnée. Les changements climatiques constituent un enjeu environnemental vaste et très complexe. Ainsi, bien qu'il existe plusieurs approches, celles qui réussissent le mieux sont toujours interdisciplinaires et multi-institutionnelles. En outre, une interaction accrue entre la science (science du climat, des impacts biophysiques, économiques et sociaux) et les divers acteurs engagés dans la mise en œuvre des solutions est cruciale pour appuyer les décisions sur des bases scientifiques aussi robustes que possible.

Il est également essentiel de reconnaître que l'adaptation est autant un processus qu'une finalité et que la façon de la réaliser est au moins aussi importante que les mesures elles-mêmes. La participation des différents acteurs pour bien décrire les problématiques et pour définir et mettre en œuvre les solutions fait partie intégrante de la démarche d'adaptation.

Les défis pour le Québec sont nombreux. En plus des efforts pour réunir des données permettant de suivre dans le temps les changements climatiques et ses effets, il sera essentiel d'assurer une cohérence entre les diverses démarches de planification aux différentes échelles territoriales et temporelles, notamment en intégrant l'adaptation aux changements climatiques dans les politiques et pratiques existantes (dans la mesure où ces politiques et pratiques ne constituent pas en elles-mêmes une mauvaise adaptation ou ne sont pas à l'origine de nos vulnérabilités) et par l'établissement de partenariats durables avec les différents acteurs de l'adaptation. Des objectifs d'adaptation clairs et des mécanismes de suivi définis dès le début de la démarche permettront de mesurer les progrès accomplis et la pertinence des actions entreprises.

Finalement, si des efforts visant à accroître notre capacité à faire face aux impacts des changements climatiques sont nécessaires, ils ne peuvent en aucun cas se substituer à l'objectif prioritaire de réduction des émissions de GES, sans quoi l'ampleur des impacts pourrait dépasser la capacité de la société à s'y adapter.

Notes
1. C'est le principe d'inertie qui fait que, par exemple, quand on est debout dans un autobus qui avance et que celui-ci s'arrête, notre corps est porté à aller vers l'avant (il continue dans le même mouvement). Dans le cas des changements climatiques, une fois amorcé, le processus continue sur sa lancée, et il devient très difficile de l'arrêter ou d'en modifier la direction.
2. Les informations des deux prochaines sections sont tirées d'un portrait des connaissances publié en 2010 par le consortium Ouranos, qui fait le point sur les changements climatiques et les grands enjeux pour le Québec. Voir Ouranos, *Savoir s'adapter aux changements climatiques*, Montréal, 2010. En ligne: www.ouranos.ca/fr/publications/ouvrages-generaux.php.
3. Ministère du Développement durable, de l'Environnement, de la Faune et des Parcs (MDDEFP), *Stratégie gouvernementale d'adaptation aux changements climatiques 2013-2020*, Québec, gouvernement du Québec, 2012; et MDDEFP, *Plan d'action 2013-2020 sur les changements climatiques*, Québec, gouvernement du Québec, 2012. En ligne: www.mddefp.gouv.qc.ca/changements/plan_action/index.htm.
4. Caroline Larrivée et Virginie Moffet, «Combler le fossé entre recherche et adaptation aux changements climatiques – cas d'étude au Québec», présentation dans le cadre de la conférence de l'Institut canadien des urbanistes, *Planifier en fonction des changements climatiques*, Montréal, 3 octobre 2010.

# Économie

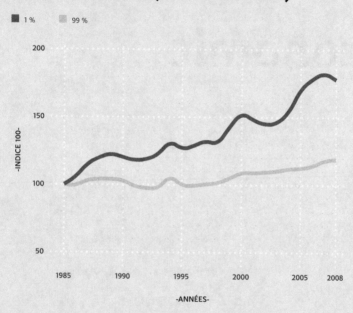

**PROGRESSION DES REVENUS MOYENS***
**DU 1 % LE PLUS RICHE ET DES 99 % RESTANTS,**
**QUÉBEC, 1985-2008 (INDICE 100 = 1985)**

■ 1 %    ■ 99 %

-INDICE 100-

200

150

100

50

1985    1990    1995    2000    2005    2008

-ANNÉES-

*avant impôts et transferts

Sources : Ministère des Finances du Québec, *Statistiques fiscales des particuliers –*
*Analyse des déclarations des revenus (TP4)*, 1985-2008 ; Statistique Canada,
tableau CANSIM 051-0001, série v468252. Calculs de Nicolas Zorn.

# L'économie en quelques statistiques

## Nicolas Zorn

*Chercheur et chargé de projet, Institut du Nouveau Monde*

**Économiquement, 2012 aura marqué la fin des illusions : il semble désormais clair que l'incertitude au sujet de l'économie mondiale est là pour de bon et que le retour d'une croissance solide ne se produira pas de sitôt. C'est dans ce contexte que navigue l'économie québécoise.**

L'économie américaine s'améliore, mais les symptômes de la crise de 2008 demeurent : niveau d'endettement élevé du gouvernement et des ménages, inégalités économiques criantes, stagnation des revenus des 99 % les moins riches depuis maintenant 30 ans, sans compter que les risques d'une autre crise financière existent toujours, en raison des faibles progrès réalisés sur le front de la régulation du secteur financier. Quant aux pays européens, ils jonglent entre la persistance d'une récession qui ne veut plus en finir et le début d'une croissance anémique, résultat des politiques d'austérité des gouvernements. De plus, les pays émergents connaissent un essoufflement, victimes du ralentissement économique mondial et des limites de leur modèle de développement.

### La mesure du produit intérieur brut (PIB)

Statistique Canada a récemment apporté plusieurs modifications significatives à sa façon de calculer le PIB, le plus grand changement depuis 1997. Ces modifications ont été appliquées rétroactivement, mais seulement jusqu'en 2007. Ainsi, toute comparaison avec la période précédant 2007 est pour l'instant impossible[1].

Notons également que la mesure du PIB elle-même a des limites bien connues. Elle ne fait pas la différence entre la richesse créée grâce aux gains de productivité et celle qui est le résultat de l'extraction de ressources non renouvelables, comme les ressources minières. Elle ne prend pas en compte les coûts environnementaux ou sociaux engendrés par la production de la richesse. Celle-ci n'est par ailleurs pas répartie également, ce qui peut masquer des inégalités néfastes pour l'économie et la société. Finalement, la mesure du PIB est muette sur la production de biens et services qui ne sont pas comptabilisés, comme le travail non rémunéré, celui qu'on fait pour soi-même, ce qu'on produit pour soi-même (aliments, meubles), le bénévolat, le travail au noir et les activités illicites. Le PIB permet néanmoins d'en dire beaucoup sur l'état de l'économie.

## L'état de l'économie québécoise

En comparaison de celle qu'ont connue les autres pays développés, la récession de 2009 a été modérée au Québec, avec une progression négative de 0,4 % du PIB (en dollars constants pour éliminer les effets de l'inflation). La reprise y a également été plus forte qu'ailleurs en 2010 et 2011, le PIB augmentant de 2,7 % et 1,8 % respectivement. Toutefois, 2012 aura été l'année où les grandes tendances de l'économie mondiale auront rattrapé le Québec, qui a connu un faible taux de croissance de 0,9 %, comparativement à 1,7 % pour le Canada. Le ralentissement de la demande intérieure (dépenses des consommateurs et des gouvernements, et investissements) et la dégradation continuelle du solde du commerce extérieur seraient en cause dans cette évolution (voir le tableau 1)[2].

Les dépenses des consommateurs, qui constituent la composante du PIB la plus stable et la plus importante, représentaient 59,5 % du PIB en 2012, par rapport

TABLEAU 1

**Taux de croissance du PIB et de ses composants, 2009-2012 (en %)**

|  | 2009 (année de la récession) | 2010-2011 (moyenne annuelle) | 2012 |
|---|---|---|---|
| PIB | -0,4 | 2,3 | 0,9 |
| Dépenses des ménages | 0,8 | 2,9 | 1,1 |
| Dépenses des gouvernements | 5,9 | 2,2 | 0,2 |
| Investissements privés | -6,9 | 4,6 | 5,0 |
| Investissements publics | 10,4 | 4,0 | 4,5 |
| Exportations internationales | -10,1 | 0,2 | 0,0 |
| Exportations interprovinciales | 3,5 | 5,7 | 2,2 |
| Importations internationales | -6,2 | 6,3 | 1,7 |
| Importations interprovinciales | 1,2 | 4,5 | 2,5 |

Source : Institut de la statistique du Québec, *PIB selon les dépenses, données désaisonnalisées au taux annuel, base 2007.*

à 57 % en 2007. L'augmentation de 2012 (1,1 %) est plus faible que la moyenne de 2010-2011 (2,9 %). Cette baisse marquée est en partie attribuable à la morosité de l'économie, au resserrement des règles d'emprunt hypothécaire et à l'endettement historiquement élevé des ménages. La tendance ne devrait pas s'inverser dans un avenir rapproché, notamment avec la hausse attendue des taux d'intérêt. Le taux d'endettement des ménages atteint plus de 160 % du revenu disponible (bien qu'il ait légèrement reculé en 2013), soit davantage que le taux d'endettement record des ménages américains précédant la crise de 2008. Les deux situations ne sont toutefois pas comparables, puisque l'exposition aux risques des banques canadiennes est moins prononcée et leur régulation est plus contraignante.

Enregistrant, eux aussi, un taux d'endettement important, et face à des déficits élevés, les gouvernements fédéral et provincial ont pris le chemin de l'austérité, visant un retour à l'équilibre budgétaire, ce qui semble être de plus en plus improbable à court terme avec la compression de leurs dépenses et la faiblesse de la croissance économique. Conséquemment, les dépenses des gouvernements ont connu, en 2012, une croissance anémique de 0,2 % (malgré la hausse des dépenses en santé), celles-ci représentant 23,9 % du PIB, comparativement à 22,8 % en 2007.

La part des investissements dans le PIB a atteint 22,5 % en 2012, son niveau le plus élevé depuis 2007 (20,8 %). Tous les types d'investissements ont connu une forte croissance, tant du côté des entreprises que du côté des administrations publiques. La croissance importante des dépenses publiques en infrastructures – lesquelles sont considérées comme des investissements – s'est poursuivie pendant la récession de 2009 (croissance de 10,6 %) et après (4 % en moyenne pour 2010-2011), avec un taux de croissance de 4,5 % en 2012. Après une chute de 6,9 % en 2009 et une croissance de 6,8 % et de 2,3 % en 2010 et 2011, les investissements privés ont connu

> **Les revenus des 99 % les moins riches stagnent depuis 30 ans.**

une croissance appréciable de 5 % en 2012 (voir le graphique 1).

Bien que la valeur des importations provenant des autres provinces canadiennes varie à peu près au même rythme que celle des exportations du Québec vers ces provinces, le Québec est graduellement passé d'un solde négatif (1,7 milliard en 2007, en dollars constants) à un solde positif (2,1 milliards en 2012).

La situation est tout autre en ce qui concerne la balance commerciale internationale, qui est passée d'un solde négatif de 7,8 milliards de dollars en 2007 (un montant qui représente 2,5 % du PIB) à 29,4 milliards en 2012

GRAPHIQUE 1

**Le PIB du Québec et ses composants, base 100 = 1ᵉʳ trimestre 2007**

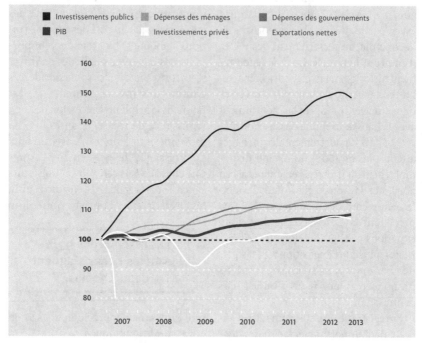

Source : Institut de la statistique du Québec, *PIB selon les dépenses, données désaisonnalisées au taux annuel, base 2007*.

Note : Les exportations nettes ne sont pas visibles sur ce graphique à partir du 3ᵉ trimestre 2007 puisqu'elles ont été négativement augmentées de 258 % du 1ᵉʳ trimestre 2007 au 1ᵉʳ trimestre 2013.

(représentant 9 % du PIB). De loin notre principale importation, le pétrole représente 16 % de l'ensemble de celle-ci et 50,5 % du solde négatif de la balance commerciale. Notre déficit commercial handicape sérieusement notre croissance. Avec un déficit d'une telle ampleur, n'eût été la bonne performance du produit national brut (le PIB sans les exportations nettes), le Québec pourrait être en récession encore aujourd'hui. Le graphique 2 illustre ce que le PIB représenterait si les exportations étaient égales aux importations, c'est-à-dire si notre balance commerciale était à l'équilibre et si le produit national brut était au même niveau que notre PIB.

**GRAPHIQUE 2**

**Évolution du PIB et du produit national brut (PIB sans exportations nettes), Québec**

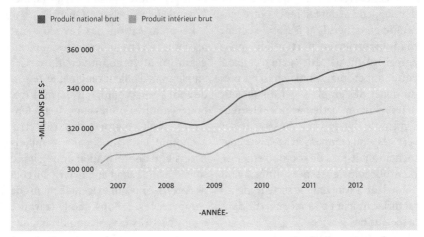

Source : Institut de la statistique du Québec, *PIB selon les dépenses, données désaisonnalisées au taux annuel, base 2007*.

## Les phénomènes à l'œuvre

Plusieurs phénomènes s'ajoutent à ceux que nous avons décrits plus haut. La plupart des gouvernements dans le monde refusant de jouer leur rôle de « consommateurs de dernier recours », ou étant incapables de le faire à cause de leur taux élevé d'endettement, les banques centrales se sont résolues à maintenir leurs politiques monétaires accommodantes, avec des taux d'intérêt au plancher et des achats massifs d'obligations. Toutefois, puisque les ménages ne peuvent plus soutenir un niveau élevé de consommation (souvent à crédit), comme à l'époque précédant la crise, et puisque les entreprises refusent d'investir leurs réserves historique-

ment élevées de capitaux, les pays risquent de se retrouver dans une « trappe de liquidités ». Dans une telle conjoncture, trop peu d'acteurs économiques utilisent ce crédit bon marché, hormis les spéculateurs boursiers, et

> **Notre déficit commercial handicape sérieusement notre croissance.**

l'économie entre dans une période de stagnation comme celle que le Japon a connue pendant les années 1990. Si ce scénario se concrétise, le Québec ne pourra échapper au marasme de l'économie mondiale.

La hausse du dollar canadien et la forte concurrence des pays en voie de développement ont fait mal à notre économie en général, et à notre secteur manufacturier en particulier, qui a enregistré une perte de 150 000 emplois entre 2002 et 2012, ce qui représente près du quart des emplois perdus (valeur nette) pendant cette période. Heureusement, le dynamisme du secteur des services a pu compenser, avec une augmentation de près de 500 000 emplois, bien que plusieurs personnes ayant perdu leur travail dans le secteur manufacturier n'aient pu se reconvertir dans le secteur des services[3].

Le taux de chômage s'est établi à 7,8 % en 2012, et le taux d'emploi est resté à un niveau historiquement élevé (60 % de la population adulte), soit 66 % pour les hommes et 58 % pour les femmes ; 12 % des personnes âgées de 65 ans et plus et 82 % des 25 à 44 ans travaillaient en 2012. La rémunération hebdomadaire moyenne brute (avant les déductions à la source), heures supplémentaires comprises, était de 823 $, en hausse de 2,5 % par rapport à 2011[4].

Depuis la crise de 2008, l'emploi a connu une croissance forte dans les secteurs de la construction, de l'édition de logiciels et de jeux vidéo, de l'enseignement, de la santé, de l'assistance sociale, ainsi que dans les services professionnels, scientifiques et techniques. En revanche, tout comme dans l'industrie manufacturière, l'emploi a notablement reculé dans les secteurs du transport (aérien et par camion, principalement), de l'agriculture et des services publics (essentiellement Hydro-Québec)[5].

La polarisation des revenus s'est accentuée en faveur des professions exigeant un diplôme universitaire. Ces emplois ont d'ailleurs augmenté de 41 % de 2001 à 2012, comparativement à 11 % pour les autres professions. Cette tendance est plus marquée depuis la crise économique de 2008, car les emplois nécessitant une formation universitaire sont les seuls à avoir augmenté[6]. Du côté des professions qui exigent le moins de compétences, notons que le travail à temps partiel y est plus important, que les conditions de travail y sont moins bonnes et que la stabilité de l'emploi y est plus précaire[7].

Plusieurs facteurs seraient à l'œuvre, dont les changements technologiques et les réformes du marché du travail visant à le rendre plus flexible et concurrentiel. Ce sont surtout les travailleurs les mieux qualifiés et déjà les mieux payés qui en profitent, bénéficiant d'une surenchère qui vise à attirer les plus «talentueux». Quant aux bas salariés, ils ont vu leurs conditions se précariser. Les baisses d'impôt successives et les politiques de rationnement des services publics des 15 dernières années ont diminué d'autant la capacité des gouvernements à contrebalancer ces phénomènes, bien que le Québec garde son avance sur les autres provinces avec des taux d'inégalités et de pauvreté moins élevés (revenu après impôts et transferts).

Le Québec n'est toutefois pas épargné par l'accroissement des écarts de revenus. Le coefficient de Gini, qui donne la mesure de l'état des inégalités, a augmenté de 11 % de 1982 à 2011 pour les revenus de marché d'une unité familiale ajustée, alors qu'il a augmenté de 7 % pour les revenus après impôt, les interventions des gouvernements ayant atténué l'accroissement des écarts[8].

Les individus appartenant au groupe du 1 % le plus riche ont capté 11,6 % de tous les revenus de marché en 2010, comparativement à 7 % en 1982 (de 8 % à 13,3 % au Canada). Pour les revenus après impôt, ils sont passés de 5,2 % à 8,3 % pendant la même période (de 6,3 % à 9,9 % au Canada). Pour illustrer cet écart, un individu compris dans ce groupe avait, en 2010, un revenu de marché moyen de 366 600 $ (256 700 $ après impôt), comparativement à un revenu moyen de 28 200 $ (28 800 $ après impôt) pour un individu compris dans les 99 % restants[9]. Conclusion : les gains issus de la croissance économique ne sont pas répartis uniformément et la situation a eu tendance à favoriser davantage les mieux nantis, ce qui peut nuire à la croissance économique, à la cohésion sociale, à la santé et à la qualité de vie de la population.

Finalement, notons que le vieillissement progressif de la population active québécoise a été ralenti ces dernières années par le rythme des naissances (hausse de 22 % entre 2002 et 2012[10]) et l'augmentation du solde migratoire (immigrants moins émigrants), qui est passé d'une moyenne de près de 5 000 par année entre 1994 et 1998 à plus de 40 000 entre 2010 et 2012[11]. Malgré les départs à la retraite des baby-boomers, le vieillissement de la main-d'œuvre va se poursuivre. Entrepreneurs et gouver-

**Les bas salariés ont vu leurs conditions se précariser.**

nements verront éventuellement leur priorité changer : plutôt que de créer des emplois en nombre toujours plus important, ils s'attacheront à pourvoir ceux qui existent déjà.

### Conclusion

Le Québec a su faire mieux que les autres depuis la récession de 2009, mais 2012 a été l'année où les grandes tendances de l'économie mondiale l'ont rattrapé. Il a des atouts importants, notamment une main-d'œuvre qualifiée, un taux d'emploi élevé et une économie diversifiée. Souhaitons qu'il joue bien ses cartes et qu'il évite les pièges dans lesquels trop de pays se sont empêtrés.

*L'auteur souhaite remercier en particulier Mario Jodoin et Éric Desrosiers pour leurs conseils.*

## Notes

1. Statistique Canada, *Les répercussions de nouvelles normes de comptabilité sur les comptes financiers et du patrimoine*, 30 mars 2012. En ligne: www.statcan.gc.ca/pub/13-605-x/2011003/article/11492-fra.htm.

2. Toutes les données relatives aux composantes du PIB proviennent du document *PIB selon les dépenses, données désaisonnalisées au taux annuel, base 2007*, de l'Institut du la statistique du Québec.

3. Statistique Canada, *Enquête sur la population active*, CANSIM 282-0012.

4. Institut de la statistique du Québec, *Principaux indicateurs économiques, données annuelles (19 années)*, 2013. En ligne: www.stat.gouv.qc.ca/princ_indic/publications/indicat_ANNU.xls.

5. Statistique Canada, *Enquête sur la population active*.

6. *Ibid.*

7. Statistique Canada, *Recensement 2006*, différents fichiers.

8. Statistique Canada, *Coefficients de Gini du revenu du marché, total et après impôt des individus, où chaque individu est représenté par le revenu de son ménage ajusté, selon le type de famille économique (ensemble des unités familiales)*, tableau CANSIM 202-0708, 2013. En ligne: www5.statcan.gc.ca/cansim/a26?id=2020709&pattern=202-0701..202-0709&p2=31&p1=-1&tabMode=dataTable&retrLang=fra&srchLan=-1&lang=fra.

9. Statistique Canada, *Tendances liées au revenu élevé des déclarants, Canada, provinces et régions métropolitaines de recensement (RMR), seuils régionaux particuliers*, tableau CANSIM 204-0002, 2013. En ligne: www5.statcan.gc.ca/cansim/a26?lang=eng&retrLang=eng&id=2040002&paSer=&pattern=&stByVal=1&p1=1&p2=31&tabMode=dataTable&csid.

10. Institut de la statistique du Québec, *Naissances et taux de natalité, Québec, 1900-2012*, 2013. En ligne: www.stat.gouv.qc.ca/donstat/societe/demographie/naisn_deces/naissance/401.htm.

11. Institut de la statistique du Québec, *Migrations internationales et interprovinciales, Québec, 1961-2012*, 2013. En ligne: www.stat.gouv.qc.ca/donstat/societe/demographie/migrt_poplt_imigr/601.htm.

# Comparaisons Québec-Scandinavie : quelques mythes en question

**Stéphane Paquin**

*Fulbright Distinguished Chair in Quebec Studies, State University of New York, titulaire, Chaire du Canada en économie politique internationale et comparée, et professeur, École nationale d'administration publique*

**Depuis environ 30 ans, et depuis le tournant néolibéral en matière de politiques publiques, il est souvent affirmé que les pays qui taxent beaucoup, qui ont des dépenses publiques très importantes et qui présentent des taux de syndicalisation élevés sont condamnés au déclin dans le nouvel environnement économique mondial « hyperdarwinien ».**

Pourtant, les pays scandinaves, pays qui taxent beaucoup et qui connaissent une intervention de l'État bien supérieure à la moyenne et des taux de syndicalisation très élevés, s'en sortent relativement bien, et ce, même lorsqu'on exclut la Norvège des calculs, l'économie de ce pays étant gonflée par les revenus issus de l'exploitation du pétrole, qui représentent plus de 30 % du produit intérieur brut (PIB). La croissance annuelle moyenne du PIB par habitant sur une période de 30 ans (1981-2011), exprimée en parité de pouvoir d'achat, de la Finlande (1,94 %) et de la Suède (1,84 %) est plus forte que celle des États-Unis (1,66 %), dont on ne cessait de vanter les succès économiques avant la récession de 2008. Quant au Danemark, avec une croissance moyenne de 1,51 %, sa performance, tout comme celles de la Finlande et de la Suède, dépasse celles du Canada (1,38 %) et du Québec (1,30 %), ou encore de la France (1,29 %)[1].

Mieux encore, ces pays ont réussi à maintenir une bonne croissance économique tout en étant relativement moins inégalitaires que les autres pays membres de l'Organisation de coopération

---

**En Suède, les établissements privés n'ont pas le droit de sélectionner les candidats.**

---

et de développement économiques (OCDE). En effet, dans les pays scandinaves, le coefficient de Gini, pour n'utiliser que cet indicateur, qui mesure les inégalités des revenus à l'intérieur d'un pays, est parmi les plus bas des pays de l'OCDE. Plus ce coefficient est proche de zéro, plus le pays est égalitaire. Le coefficient, après impôts et transferts, est de 0,248 au Danemark et de 0,259 en Finlande et en Suède, comparativement à 0,324 au Canada et à 0,303 au Québec. Le coefficient moyen pour l'ensemble des pays de l'OCDE est de 0,314[2].

On affirme souvent que le Québec est une terre sociale-démocrate en Amérique du Nord. Qu'est-ce qui explique alors les différences de performance économique entre le Québec et les pays scandinaves?

**Des mythes confirmés, des mythes déboulonnés**

Pour plusieurs, l'explication réside dans l'éducation. Examinons cette thèse. Existerait-il un écart entre les taux de diplomation en éducation supérieure tel qu'il pourrait être la cause de cette dif-

férence? Il semble que non, car les pourcentages de la population âgée de 25 à 64 ans ayant un diplôme universitaire en 2008 sont comparables. C'est le Danemark qui enregistre le meilleur pourcentage, avec 25 %, suivi de la Suède, avec 23 %, et du Québec, avec 22 %, alors que la Finlande ferme la marche, avec 20 %. Rappelons que, pour l'ensemble de la période 1981-2011, c'est la Finlande qui, malgré un taux de diplomation plus faible, connaît la meilleure performance économique.

Est-ce parce que la Suède, par exemple, a procédé à une vaste réforme de ce qui correspond à notre enseignement secondaire, en laissant une grande place au privé et à la concurrence entre les écoles? L'explication n'est pas là non plus, car les résultats des jeunes Québécois sont supérieurs à ceux des jeunes Suédois. Lorsqu'on les compare, les résultats aux tests PISA de l'OCDE, qui s'adressent à des jeunes de 15 ans, montrent que le Québec s'en sort relativement bien par rapport aux pays scandinaves. Les résultats des Québécois en sciences, en mathématiques et en lecture sont, en 2009, supérieurs à ceux des Suédois et des Danois, mais légèrement en dessous de ceux des Finlandais, à l'exception des mathématiques, matière dans laquelle le Québec se classe au cinquième rang, alors que la Finlande est sixième. La Finlande est ainsi le pays dont les élèves présentent globalement les meilleurs résultats scolaires. Précisons que, contrairement à la Suède, la

Finlande n'a pas ouvert son système d'éducation à la concurrence du privé et que, même en Suède, ce qu'on nomme le « privé » n'a pas le droit de sélectionner les candidats ni même de demander des frais de scolarité. Il est vrai, cependant, que, contrairement au Québec, le financement des écoles « suit » les élèves, c'est-à-dire que les établissements sont subventionnés au prorata des élèves qui les fréquentent. Cela incite les écoles à s'efforcer d'attirer les élèves, qui ont par

> **Les pays scandinaves créent plus de richesse par heure travaillée que le Québec.**

ailleurs une plus grande liberté dans le choix de leur établissement.

Il est vrai aussi qu'en ce qui concerne la recherche et le développement, la Finlande, la Suède et le Danemark surclassent le Québec. D'un côté, le pourcentage des investissements totaux y est plus élevé (3,92 % du PIB en Finlande, 3,61 % en Suède et 3,06 % au Danemark, contre 2,58 % au Québec en 2009). D'un autre côté, la part des investissements privés dans l'investissement total est plus importante dans les pays scandinaves. Sur une période de 10 ans (de 2000 à 2010), 54,4 % des dépenses en RD au Québec étaient le fait du secteur privé, comparativement à 68,7 % en Finlande, à 64,4 % en Suède et à 60,4 % au Danemark.

## Le marché du travail

Est-ce parce que les Québécois ne travaillent pas assez, comme le soutenait l'ancien premier ministre du Québec Lucien Bouchard, que leur rendement est moindre ? Non. Les Suédois et les Danois travaillent en fait moins d'heures annuellement que les Québécois. Les Finlandais travaillent, pour leur part, seulement 45 heures de plus. Cela dit, et c'est capital, ces trois pays sont plus productifs : ils créent plus de richesse par heure travaillée que le Québec. On n'y travaille donc pas plus, mais mieux. De plus, la formation continue est beaucoup plus développée dans ces pays qu'au Québec, surtout en Finlande.

Est-ce lié au marché du travail ? Ces pays taxent beaucoup et sont plus syndicalisés. Mais cela n'entraîne nullement des taux de chômage plus hauts à long terme. Les taux d'emploi dans les pays scandinaves sont historiquement plus élevés qu'au Québec. La proportion des 15 à 64 ans qui sont sur le marché du travail rivalise même avec celle des bonnes années des États-Unis.

Il est cependant intéressant de constater que le Québec rattrape progressivement son retard sur ce front. Le taux d'emploi des 15 à 64 ans dépasse celui de la Finlande depuis 2002 et se rapproche peu à peu de ceux de la Suède et du Danemark. La tendance à plus long terme, si elle se poursuit, est encourageante. Cette bonne performance du Québec s'explique essentiellement par une croissance importante du taux d'emploi parmi les femmes de 15 à 64 ans, à un point tel qu'on peut affirmer qu'il n'existe plus de différence significative sur le plan de la participation des femmes au marché du travail entre le Québec et la Suède, ce qui n'est pas peu dire. Merci aux garderies publiques à sept dollars. On peut imaginer leurs effets sur la richesse du Québec si elles avaient été créées en 1970!

Il est vrai, toutefois, qu'une partie de ce rattrapage découle du recul de la participation féminine au marché du travail en Suède, où le taux d'emploi des femmes est passé de près 80 % en 1990 à 70 % en 2011.

## Les exportations

Est-ce que la cause de la différence de performance économique entre le Québec et les pays scandinaves se trouverait du côté des exportations? Selon la théorie économique classique, les pays qui taxent beaucoup, qui possèdent d'importants programmes sociaux et qui présentent des taux de syndicalisation élevés devraient être moins compétitifs sur les marchés internationaux, dominés par les produits provenant de pays où les salaires sont bas. Ce n'est pas le cas. Mis à part une très courte période pour la Finlande, après l'effondrement de l'URSS, depuis 1990, la Suède, le Danemark et la Finlande n'ont jamais enregistré de solde commercial négatif. Ces pays, qui sont très ouverts au libre-échange et à la concurrence mondiale, portent une attention soutenue à leur

productivité et à la compétitivité de leurs entreprises. Dans le cas du Québec, malgré quelques bonnes années après l'entrée en vigueur de l'Accord de libre-échange entre le Canada et les États-Unis, puis de l'Accord de libre-échange nord-américain (ALENA), en 1989 et en 1994 respectivement, la situation ne cesse de se détériorer depuis le début des années 2000. De nos jours, le Québec connaît un déficit commercial de près de 30 milliards de dollars dont on ne voit pas la fin. La dépendance au pétrole est particulièrement néfaste pour le solde commercial du Québec. Les Suédois ont quant à eux décidé de rompre avec leur dépendance au pétrole et agissent en ce sens.

## La dette publique

Certains diront que, malgré la croissance économique importante qui caractérise les pays scandinaves depuis le début des années 1980, le maintien de leurs nombreux programmes sociaux se fait au prix d'un endettement public excessif, à un point tel que leur modèle est voué à un déclin inexorable. C'est tout le contraire. Les pays scandinaves ont réussi à diminuer de façon très significative le ratio de leur dette publique, c'est-à-dire l'endettement exprimé en pourcentage du PIB. Ainsi, s'élevant à presque 90 % du PIB en 1993, le taux d'endettement du Danemark a par la suite constamment diminué, jusqu'à près de 30 % du PIB avant la récession de 2007, pour finalement remonter à environ 51 % du PIB en 2009, à cause de la crise. En Suède et en Finlande, le ratio de la dette publique se situaient également à près de 51 % du PIB

---

### Les Suédois ont décidé de rompre avec leur dépendance au pétrole.

---

en 2009. Au Canada, il s'approche de 85 % du PIB, alors qu'il est encore plus élevé au Québec (tout dépend de la part de la dette fédérale qu'on additionne à la dette du Québec). Lorsqu'on utilise la mesure de la « dette nette », les pays scandinaves ont même une dette publique négative ! Elle représente -51,1 % du PIB en Finlande, -18,2 % en Suède et -6,1 % au Danemark. Quant à la dette nette du Québec, elle représentait, selon les données de 2008 du ministère des Finances du Québec, 55,9 % de son PIB.

#### Le privé en santé

Est-ce que la diminution du ratio de la dette publique des pays scandinaves est liée à l'augmentation de la part du financement privé dans le système de santé, comme on l'entend parfois au Québec ? Il est vrai que, dans les trois pays scandinaves, les dépenses totales en santé en proportion du PIB sont moins importantes qu'au Québec. Selon les chiffres de 2008, les dépenses en santé représentaient 11,9 % du PIB au Québec, compa-

rativement à 9,7 % au Danemark, à 9,4 % en Suède et à 8,4 % en Finlande. Lorsqu'on considère les dépenses en santé par habitant en dollars américains en parité de pouvoir d'achat, les différences deviennent très importantes. Si le Québec dépensait comme le Danemark, il épargnerait 2 milliards de dollars américains par an ; s'il dépensait comme la Suède, 3,5 milliards, et comme la Finlande, environ 7 milliards !

Est-ce que l'écart entre les coûts de santé s'explique par le fait que les pays scandinaves ont massivement privatisé leur système de santé, à la différence du Québec, où le privé n'occupe pas une très grande place ? En réalité, la proportion des dépenses privées dans les dépenses totales en santé est moindre dans ces pays qu'au Québec, bien qu'on observe une tendance à la hausse en Suède et en Finlande, de même qu'au Québec, mais à la baisse au Danemark depuis 20 ans. En 2009, au Québec, 72 % des dépenses totales en santé étaient couvertes par le secteur public, comparativement à 85 % au Danemark, à 82 % en Suède et à 75 % en Finlande. Il faut par ailleurs souligner que les trois pays scandinaves ont plus de médecins et d'infirmières par 1 000 habitants que le Québec et que leur population est en moyenne plus âgée, ce qui crée une pression additionnelle sur le système de santé. La clé du succès : les systèmes de soins de santé sont mieux organisés dans les pays scandinaves, et ceux-ci maîtrisent mieux la croissance des coûts. De 2000 à 2008, les coûts de santé ont augmenté en moyenne d'environ 5,6 % au Québec, contre 3,7 % en Suède et au Danemark et 4,6 % en Finlande. De plus, ces pays contrôlent beaucoup mieux que le Québec leurs dépenses de médicaments.

## Une question de culture

Une partie importante de la différence entre les performances économiques du Québec et des pays scandinaves s'explique par la culture politique et les institutions. Dans ces pays, le dialogue entre les partenaires sociaux est constant, et comme une forte proportion des syndiqués travaillent dans des entreprises soumises à la concurrence mondiale, par exemple, les changements visant à une meilleure adaptation à ce contexte sont plus facilement acceptés. Depuis 1990, les pays scandinaves ont introduit de nombreuses réformes qui surprennent à la fois par leur ampleur et par leurs résultats. Ils ont réformé l'État, les services publics, le système de santé, le marché du travail, les retraites, la fiscalité, etc. L'objectif fondamental de ces réformes était de renforcer leur économie tout en préservant le plus possible leurs modèles sociaux. Sans être parfaites, ces réformes servent désormais de modèles à de nombreux pays. Il reste à voir si le Québec retiendra la leçon.

Notes

1. Centre sur la productivité et la prospérité, *Productivité et prospérité au Québec – Bilan 2012*, Montréal, HEC Montréal, 2012, p. 10.
2. Les chiffres de cet article sont tirés de Stéphane Paquin *et al.*, *La performance économique et les inégalités sociales au Québec et dans les pays scandinaves*, Cahier de recherche de la Chaire de recherche du Canada en économie politique internationale et comparée, Montréal, ENAP, 2013. En ligne : crepic.enap.ca.

# Pour une productivité durable

**Gilles L. Bourque**
*Chercheur, Institut de recherche en économie contemporaine*

**Selon la pensée économique dominante, les notions de productivité et de croissance sont intimement liées. Or, dans un contexte de panne durable de croissance comme celle que nous connaissons dans les pays développés, il serait peut-être temps de repenser la notion de productivité, d'autant plus qu'elle néglige une dimension fondamentale : l'environnement. Mais une productivité durable est-elle possible ?[1]**

On confond trop souvent la notion de productivité avec celle d'exploitation du travail. Qu'une personnalité comme l'ancien premier ministre Lucien Bouchard en vienne à expliquer la faiblesse du niveau de productivité de l'économie du Québec par le nombre d'heures travaillées est malheureusement symptomatique d'une grande incompréhension. Dans la réalité, ces deux phénomènes sont plutôt inversement proportionnels : la productivité est généralement minimale là où l'exploitation du travail est maximale. De façon technique, on définit la productivité comme le rapport entre une production et les différents facteurs de production qui ont été utilisés pour la réaliser. La productivité peut donc s'exprimer, selon le facteur utilisé, comme productivité du travail, productivité du capital ou productivité multifactorielle (PMF). Si les économistes emploient le plus souvent la notion de productivité du travail, c'est simplement parce qu'elle est la plus facile à quantifier. Néanmoins, la mesure la plus fidèle de l'évolution de la productivité d'une économie, c'est-à-dire de son progrès technique, est celle de la PMF, que l'on obtient en soustrayant de la croissance de la production (extrant) la croissance des ressources utilisées (les intrants « travail » et « capital »). À partir de la formule bien connue des économistes : Δ produit intérieur brut = Δ travail + Δ capital + progrès technique, la croissance de la productivité apparaît comme la croissance inexpliquée de la production, c'est-à-dire qui ne découle ni de la croissance du travail ni de celle du capital.

Depuis plusieurs années, il est généralement admis dans la communauté des économistes que la croissance de la productivité de l'économie canadienne, et à plus forte raison de celle du Québec, est systématiquement inférieure à la croissance de l'économie des États-Unis. Or on s'est aperçu que cet écart est plus ou moins grand selon la mesure de la productivité utilisée. Par exemple, les écarts sont systématiquement plus faibles lorsqu'on emploie la méthode de la PMF. Mais Dean Baker et David Rosnick[2] sont allés encore plus loin. En corrigeant les mesures de la productivité d'une vingtaine de pays de l'Organisation de coopération et de développement économiques (OCDE) par divers facteurs – tels le déficit du compte courant ou le taux d'investissement net –, ils arrivent à des résultats surprenants : la performance des États-Unis serait moins bonne que celle du Canada.

Cependant, dans le contexte actuel de crise écologique, ce qui est plus préoccupant, c'est l'incapacité qu'a la notion de productivité à tenir compte de l'intrant « nature » de la production. Cela nous oblige à nous interroger sur les facteurs qui déterminent la productivité. À cette fin, nous examinerons, dans un premier temps, les liens qui existent entre productivité et progrès social (pour la période des Trente Glorieuses) et, dans un deuxième temps, les liens entre productivité et intégrité écologique.

### La productivité et le progrès social

Trouver une définition acceptable du progrès social pose un problème. C'est une notion éminemment subjective. Toutefois, sans grand risque de se tromper, on peut dire qu'une bonne définition du progrès social devrait faire appel aux revenus des familles et à leur sécurité financière, à la santé et à la durée de vie des populations, au temps de loisir, aux niveaux de pauvreté et d'exclusion, à l'égalité des chances et à la qualité de la vie communautaire. C'est pendant les trois décennies qui suivent la Deuxième

> La notion actuelle de productivité ne tient pas compte de l'intrant « nature » de la production.

Guerre mondiale qu'on a pu constater l'amélioration la plus significative, et durable, du progrès social dans la plupart des pays développés. Cette période, appelée « les Trente Glorieuses », est marquée par un taux de croissance tout à fait exceptionnel de la productivité.

On peut analyser les liens entre la croissance de la productivité et le progrès social de deux manières : soit en tenant compte de la dimension sociale des facteurs qui déterminent la productivité (les « déterminants »), soit en considérant la productivité comme l'un des déterminants économiques du progrès social. Ces liens sont rarement examinés dans les analyses traditionnelles portant sur la productivité. Lorsqu'ils le sont, c'est de façon unilatérale et selon une vision étroite, en termes de coûts/bénéfices. Depuis une trentaine d'années, un courant politique de droite a d'ailleurs voulu démontrer que les politiques sociales des années d'après-guerre auraient eu des effets nuisibles sur la croissance de la productivité. Cette croyance qu'il y aurait une incompatibilité entre des politiques sociales généreuses et une forte productivité économique est fondée sur le calcul exclusif du « coût » des politiques sociales, les bénéfices étant complètement négligés.

Pourtant, plusieurs études récentes indiquent que la réduction des inégalités sociales serait positivement corrélée avec la croissance économique. Même l'OCDE s'est récemment convertie à cette approche par les bénéfices. Le premier bénéfice économique important des politiques qui visent à corriger les inégalités sociales s'exprime par l'amélioration du capital humain. En effet, les protections collectives assurent une sécurité financière de base aux personnes face aux risques qui se présentent durant leur vie, à un coût global moins élevé que si les personnes s'assuraient contre ces risques sur le marché privé. Cette protection engendre une mobilité sociale

accrue et un investissement plus grand de la part de ces personnes dans leur capital humain (formation, apprentissage, savoir, santé). Le deuxième bénéfice économique important est une cohésion sociale plus forte et un niveau élevé de capital social (défini comme l'ensemble des normes et des réseaux qui facilitent l'action collective). L'exemple le plus probant des conséquences économiques d'un désinvestissement dans le capital social est celui des pays de l'ancien bloc soviétique. Non seulement les coûts de la reconstruction du capital social ont été énormes pour ces pays, mais cette reconstruction par la société civile est finalement apparue comme un préalable au développement économique, dans la mesure où la perte de confiance généralisée des acteurs économiques a impliqué une hausse phénoménale des coûts de transaction.

Ainsi, à travers leurs bénéfices (les conséquences positives qu'elles ont sur le capital humain et le capital social), les politiques sociales – pourtant systématiquement ignorées dans les calculs de la productivité – peuvent être considérées comme un des principaux déterminants institutionnels de la croissance de la productivité. Mais inversement, la croissance de la productivité est un déterminant important de l'ampleur des politiques sociales. La croissance des dépenses sociales est en effet insoutenable à long terme sans une croissance de la richesse collective. De façon générale, la croissance de la productivité a été l'un des facteurs du progrès social des dernières décennies. La hausse de la productivité et des revenus (salaires et profits) qu'elle a engendrée a permis à l'État-providence d'investir dans les dépenses et les transferts publics (voir la figure 1). À l'inverse, l'effondrement des taux de croissance de la productivité, à partir du milieu des années 1970, a été l'un des principaux facteurs de la crise des finances publiques, et plus généralement des crises sociales qui se sont succédé depuis.

Il ne s'agit pas ici d'affirmer que la croissance économique conduit inéluctablement au progrès social. Il n'y a pas de lien systématique puisqu'on ne peut pas connaître *ex ante* l'utilisation qui sera faite des gains de productivité (une distribution ou un accaparement) et de la hausse des revenus publics (une augmentation des dépenses publiques ou une baisse des impôts). Néanmoins, à long terme, il est difficile de concevoir un développement social durable, par le biais de politiques sociales généreuses, sans une amélioration continue de l'efficacité économique, qui prend la forme d'une croissance de la productivité. Une productivité élevée permet d'élargir la marge de manœuvre, ou la capacité de faire des choix, de l'État et des citoyens. C'est une condition nécessaire, dirions-nous, mais manifestement insuffisante, pour assurer un développement social durable.

FIGURE 1

**Productivité et progrès social : le cercle vertueux de la social-démocratie**

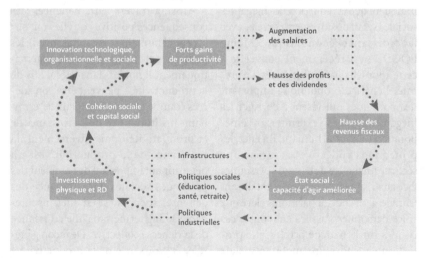

## La productivité et l'intégrité écologique

Le développement durable, c'est en quelque sorte l'idée de progrès social amendée par la nécessité de produire un environnement plus sain pour les générations actuelles et futures. Or, justement, lorsque la productivité reste confinée dans le cadre étroit de la seule efficacité économique, comme le veut la pensée économique dominante, elle risque de dégénérer en productivisme, c'est-à-dire en une recherche effrénée de l'efficacité économique qui ne tient pas compte de ses répercussions sociales et environnementales. Quand la recherche de l'efficacité économique se fait au détriment des deux autres dimensions d'un développement durable, elle devient insoutenable. Si une telle

> **La réduction des inégalités sociales serait positivement corrélée avec la croissance économique.**

recherche d'efficacité semble rationnelle pour une entreprise prise isolément, c'est que celle-ci ne comptabilise pas le coût de ses externalités (les conséquences sociales et environnementales de ses activités). Mais aujourd'hui, il apparaît pourtant de plus en plus inconcevable de penser l'économie sans tenir compte des conséquences environnementales, l'environnement sans tenir compte de l'acti-vité sociale, le social sans tenir compte des pratiques économiques.

L'analyse des liens entre la productivité et l'intégrité écologique comporte deux volets : elle fait appel, d'une part, à la prise en compte de la dimension écologique des déterminants de la productivité et, d'autre part, à celle des déterminants économiques de l'intégrité écologique. Commençons par le premier volet : le rôle du « capital naturel » dans l'activité économique est de plus en plus reconnu, bien que cette reconnaissance doive composer avec la pensée économique dominante qui, au même titre que les dépenses sociales, réduit les contraintes environnementales à un problème de coût. Encore une fois, le problème découle du fait que les externalités positives (les bénéfices) ne sont pas considérées (dans ce cas-ci, celles de la nature).

Prenons le simple cas du travail des abeilles : au sens économique le plus strict, ces dernières produisent du miel (1,5 million de tonnes) qui, vendu sur les marchés, peut représenter une valeur de 2,5 milliards de dollars. Or les abeilles ont également comme « activité » la pollinisation des plantes à fleurs. Il s'agit là d'une externalité positive de la nature, d'un service gratuit, car il n'existe aucun mécanisme marchand permettant de rémunérer les propriétaires des abeilles (et encore moins les abeilles elles-mêmes !) pour ce service. On estime néanmoins la valeur des services des insectes pollinisateurs à 150 milliards d'euros[3] (230 milliards de dollars), donc près de 100 fois la valeur du marché du miel. Et on ne parle ici que du rôle des insectes pollinisateurs! L'année 2010 ayant été l'année internationale de la biodiversité, de nombreux chercheurs ont tenté d'évaluer les services économiques de ce «capital naturel». Selon ces études[4], l'érosion de la biodiversité coûterait entre 1 350 et 3 100 milliards d'euros chaque année. Si l'érosion du capital naturel s'élève à ces montants, imaginez la valeur de ce qu'il produit annuellement. Il nous apparaît donc raisonnable de proposer que l'intégrité écologique de la planète est un déterminant crucial de la croissance de la productivité et le deviendra d'autant plus que nous tiendrons davantage compte des coûts de la pollution.

Mais qu'en est-il de l'autre volet, celui des déterminants économiques de l'intégrité écologique? Selon Olivier Boiral[5], la productivité soutenue et durable, qu'il préfère nommer «l'éco-efficience», est déjà une réalité matérielle. Mais pour la comprendre, il faut sortir de la

---

**L'érosion de la biodiversité coûterait entre 1 350 et 3 100 milliards d'euros chaque année.**

---

vision réductrice de l'analyse coûts/bénéfices. Pour Boiral, plutôt qu'être subordonnées à des considérations strictement économiques, les actions environnementales doivent d'abord et avant tout reposer sur le principe du respect de l'intégrité des écosystèmes et de la santé des populations. Pour lui, les écosystèmes et la vie en général n'ont pas, en soi, de prix, puisqu'ils échappent à la rationalité économique.

Ce n'est d'ailleurs pas tant la logique économique qui pose problème que la logique marchande, qui provoque une dislocation de la société humaine en cherchant à imposer à toutes choses l'évaluation marchande[6]. Le développement du capitalisme, avec sa demande extensive de ressources naturelles, a raréfié ces dernières (longtemps conçues comme «sans valeur» parce qu'abondantes et d'accès libre), en en faisant des marchandises dont le prix se détermine par leur rareté ou par le travail humain exercé pour les extraire. Mais leur caractère «naturel» continue à être irréductible, comme tous les biens publics de la nature, à l'évaluation marchande[7]. D'où la nécessité, voire l'urgence, d'une nouvelle régulation pour en assurer la viabilité.

Depuis les débuts de la révolution industrielle, on peut dire que les déterminants économiques de l'intégrité écologique ont essentiellement été négatifs, entraînant la mise en place d'un cercle vicieux qui atteint, avec le modèle ultralibéral, un seuil intolérable (voir la figure 2). Pour transformer ces déterminants économiques, il faut changer les principes qui gouvernent notre modèle

**FIGURE 2**
**Productivité et intégrité écologique : le cercle vicieux de l'économie ultralibérale**

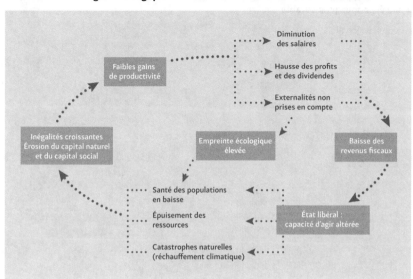

de développement et redonner aux acteurs publics et aux acteurs de la société civile leur pouvoir de régulation, qui s'est dégradé depuis une trentaine d'années.

Comme nous l'avons vu précédemment, le mode de régulation des années d'après-guerre est apparu comme un modèle de développement construit sur la base d'un cercle vertueux (figure 1). Pour diverses raisons, ce modèle a éclaté. Aujourd'hui, tous les éléments existent pour que nous puissions construire un nouveau modèle de développement plus durable sur la base d'un nouveau cercle vertueux (voir la figure 3) : un système productif éco-efficient (fondé sur les principes de l'écologie industrielle) qui assurerait des gains de productivité soutenus et durables, un partage plus équitable de ces gains par le biais d'une pluralité de statuts (économie marchande et publique, mais aussi sociale, domestique, etc.), ainsi qu'une dynamique de consommation responsable consolidant la durabilité du système productif.

Déjà en 1994, Joseph J. Romm[8] démontrait, en s'appuyant sur l'analyse d'une centaine d'entreprises, que les investissements en éco-efficience (plus grande efficacité dans l'utilisation des ressources et de l'énergie) et dans les énergies de substitution décarbonisées

FIGURE 3

**Productivité, progrès social et intégrité écologique : le cercle vertueux d'une économie plus durable**

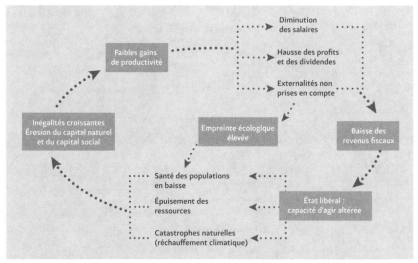

conduisaient à des gains de productivité appréciables. On peut donc imaginer le potentiel de gain lorsque les coûts réels de la pollution seront vraiment intégrés dans les prix des biens et des services.

**Pour un nouveau bond de productivité**

L'impératif de croissance auquel nous a soumis le modèle ultralibéral ces 30 dernières années a complètement usurpé les fondements de la vie : l'activité économique a intensifié l'exploitation des ressources non renouvelables et a dépassé les rythmes de reconstitution des ressources renouvelables. C'est de ce modèle, de ce paradigme, qu'il faut sortir. Le paradigme du développement durable doit promouvoir un bond de productivité sur de nouvelles bases : augmenter le volume global de production en prenant soin de comptabiliser le social et l'environnement dans les « intrants ».

Mais ce bond de productivité durable est étroitement lié à notre capacité à réaliser une transition écologique de l'économie et à développer de nouveaux indicateurs de richesse.

Malheureusement, peu de pays ont véritablement pris cette voie de transition. Soyons reconnaissants envers l'Europe d'avoir élaboré une *Feuille de route vers une économie à faible intensité de carbone à l'horizon 2050* et d'avoir commencé à mettre en œuvre les recommandations de la Commission sur la mesure de la performance économique et du progrès social (dite «commission Stiglitz»). Bien qu'assez timides, ces dernières permettront au moins de construire des indicateurs de richesse plus qualitatifs, capables de rendre compte, par exemple, d'une productivité soutenue et durable. Le Québec devrait s'y associer le plus rapidement possible.

Notes

1. Ce texte est une version écourtée d'une note d'intervention de l'IREC: Gilles L. Bourque, *Pour une productivité soutenable*, note d'intervention nº 21, IREC, octobre 2012.

2. Dean Baker et David Rosnick, «Productivité et consommation soutenable des pays de l'OCDE: 1980-2005», dans *Observateur international de la productivité*, nº 15, automne 2007, p. 29-43.

3. Éric Darier, *Coût de la disparition des abeilles: 230 milliards de $*, 24 septembre 2008. En ligne: www.greenpeace.org/canada/fr/Blog/cot-de-la-disparition-des-abeilles-230-millia/blog/4602.

4. Conseil économique, social et environnemental, «La biodiversité: relever le défi sociétal – Avis du Conseil économique, social et environnemental», dans *Journal officiel de la République française*, juin 2011.

5. Olivier Boiral, «Environnement et économie: une relation équivoque», dans *VertigO – la revue électronique en sciences de l'environnement*, vol. 5, nº 2, novembre 2004.

6. Karl Polanyi, *La grande transformation: aux origines politiques et économiques de notre temps*, Paris, Gallimard, 1983.

7. Je renvoie ici aux réflexions d'Elinor Ostrom, Prix Nobel d'économie, en particulier *La gouvernance des biens communs: pour une nouvelle approche des ressources naturelles*, Bruxelles, Éditions De Boeck, 2010.

8. Joseph J. Romm, *Lean and Clean Management: How to Boost Profits and Productivity by Reducing Pollution*, New York, Kodansha Amer, 1994.

# Littératie financière : les Québécois sont-ils les cancres que l'on dit ?

**Camille Beaudoin**

*Directeur de l'éducation financière, Autorité des marchés financiers*

Selon un récent sondage, les Québécois attacheraient moins d'importance à l'éducation financière que les autres Canadiens[1]. Cette information ne révèle cependant qu'une partie du portrait des connaissances et comportements financiers des Québécois, que de nouveaux outils nous permettent de mesurer. Alors, comment se comparent les Québécois aux consommateurs d'autres nations comme les États-Unis ? Et puis, la littératie financière se résume-t-elle à la seule connaissance des produits et services financiers ?

La crise financière de 2008 a eu de lourdes conséquences, qui continuent à préoccuper les consommateurs, les représentants[2] et les institutions financières. Parmi les conséquences paradoxalement positives figure un éveil marqué des spécialistes du monde financier en ce qui concerne la littératie financière. En plus de certains ajustements réglementaires visant notamment à accroître la protection des épargnants, la littératie financière a été reconnue – à juste titre – comme un élément susceptible de réduire les répercussions négatives des crises pour les consommateurs. La crise de 2008 a eu des effets néfastes sur le patrimoine financier de bien des ménages, mais ces effets s'ajoutent à d'autres tout aussi importants, comme ceux qui découlent de l'allongement de l'espérance de vie ou de la fragilité accrue de la solvabilité de bon nombre de caisses de retraite.

La littératie financière est ainsi devenue la saveur tendance, sinon auprès des consommateurs, à tout le moins auprès des spécialistes. Un plus grand nombre d'organismes consacrent désormais une partie ou la totalité de leurs activités à la littératie financière. Les associations coopératives d'économie familiale (ACEF) ou l'Office de la protection du consommateur (OPC), qui demeurent les pionniers, ainsi que d'autres organismes comme l'Autorité des marchés financiers (AMF), l'Agence de la consommation en matière financière du Canada (ACFC), des institutions financières et des organismes au service des aînés ou des nouveaux arrivants, tous

> **Les produits financiers sont devenus de plus en plus complexes.**

multiplient les initiatives et les occasions de collaboration. L'offre de programmes éducatifs connaît par conséquent une hausse et une diversification importantes, s'adressant à toutes les générations, quel que soit le niveau de connaissances de départ.

La conviction derrière tous ces efforts, c'est que la littératie financière rend les consommateurs plus fonctionnels – et surtout plus rationnels qu'émotifs – dans l'incontournable univers financier dont ils sont partie prenante au quotidien.

### Les Québécois :
### meilleurs que les Américains ?

Contrairement à ce que plusieurs peuvent penser, les Québécois obtiennent de meilleurs résultats que les Américains à un test sur les connaissances de base en finances personnelles. Ce test de cinq questions a été maintes fois éprouvé à l'échelle internationale par la professeure Annamaria Lusardi, de l'Université George Washington. Sauf pour la question la plus complexe, celle portant sur la relation entre la valeur des obligations et les taux d'intérêt, les Québécois ont toujours obtenu un taux de bonnes réponses plus fort (voir le tableau 1). Les Québécois auraient toutefois tendance à prendre le risque de répondre aux questions plutôt que d'avouer leur méconnaissance, comme le démontre la comparaison des taux de mauvaises réponses et de « Je ne sais pas ». Bien qu'il ne permette pas de conclure que les Québécois sont meilleurs que les Américains, il s'agit là d'un résultat qui va à l'encontre de bien des perceptions.

Mais la mesure de la littératie financière ne se réduit pas à l'évaluation des connaissances théoriques. La littératie financière doit aussi tenir compte d'un ensemble de facteurs qui influencent la capacité des consommateurs à être à la fois mieux informés de leurs droits et plus responsables quant aux choix financiers qu'ils doivent faire.

D'abord, les produits financiers sont devenus de plus en plus complexes. Ensuite, les consommateurs doivent composer avec l'allongement constant de l'espérance de vie et le prolongement de la retraite. Ces facteurs imposent des changements radicaux dans la gestion

TABLEAU 1

**Comparatif des réponses données par les Québécois et les Américains à un questionnaire financier**

| Questions | Bonnes réponses | Taux de bonnes réponses des Américains[1] | Taux de bonnes réponses des Québécois[2] |
|---|---|---|---|
| Supposons que vous avez 100 $ dans un compte d'épargne qui vous rapporte 2 % d'intérêt par année. Après cinq ans, posséderez-vous plus de 102 $, exactement 102 $, ou moins de 102 $ ? | Plus de 102 $ | 75 % | 84 % |
| Imaginez que le taux d'intérêt de votre compte d'épargne est de 1 % par année et que l'inflation est de 2 % par année. Après un an, est-ce que votre pouvoir d'achat sera plus grand qu'aujourd'hui, exactement le même ou moins grand qu'aujourd'hui ? | Moins grand | 61 % | 71 % |
| Si les taux d'intérêt augmentent, que devrait-il normalement arriver aux prix des obligations de placement ? Ils vont augmenter, baisser, rester aux mêmes prix ou il n'y a aucune relation entre les deux ? | Ils vont baisser. | 28 % | 16 % |
| Une hypothèque sur 15 ans demande normalement des paiements mensuels plus élevés qu'une hypothèque de 30 ans, mais le total des intérêts versés durant la vie du prêt sera moindre (vrai ou faux). | Vrai | 75 % | 77 % |
| Posséder des actions d'une seule entreprise offre habituellement un rendement plus sécuritaire que de posséder des fonds communs de placement (vrai ou faux). | Faux | 48 % | 69 % |
| Moyenne de bonnes réponses | | 2,9 | 3,2 |
| Moyenne de mauvaises réponses | | 0,8 | 1,8 |
| Moyenne de « Je ne sais pas » | | 1,3 | 0,7 |

1. Sondage FINRA Investor Education Foundation, 2012.
2. Sondage CROP – AMF, 2012.

des finances personnelles, allant d'un meilleur contrôle du crédit au sacrifice de l'épargne pour la retraite.

Les consommateurs doivent, comme dans tant d'autres domaines, accroître leurs connaissances et s'efforcer d'adopter des comportements financiers avisés, en commençant par les plus élémentaires, qui consistent à s'intéresser à la gestion de leurs finances et à poser des questions pour s'assurer qu'ils prennent des décisions financières judicieuses.

L'éducation financière évolue dans cet univers, portée par l'enthousiasme d'une armée de spécialistes dont la mission est d'éveiller les consommateurs et les décideurs aux impératifs financiers annoncés.

### L'Indice Autorité

À l'automne 2012, l'AMF a diffusé les premiers résultats de l'Indice Autorité. Ce nouvel outil mesure d'abord la perception qu'ont les Québécois de 40 comportements financiers avisés ; il mesure aussi le taux d'adoption de ces comportements. Le sondage a été réalisé par la firme CROP auprès de 1 500 internautes responsables de la gestion des finances dans le ménage.

Les 40 comportements retenus pour calculer l'Indice Autorité sont répartis en 10 thématiques qui couvrent l'essentiel de la gestion des finances personnelles (gestion budgétaire, endettement, assurances, investissement, planification de la retraite, prévention de la fraude et relation avec un représentant).

Précisons que les répondants devaient avoir une expérience dans le domaine abordé par la question avant de se prononcer. Par exemple, une personne n'ayant pas de voiture ni d'assurance automobile ne répondait pas aux questions sur le sujet.

L'Indice Autorité est le principal outil de référence auquel recourra l'AMF pour relever un défi ambitieux au cours des prochaines années : accroître la vigilance financière des Québécois.

### Un Québécois sur deux est financièrement « avisé »

L'Indice Autorité 2012 se situe à 58,5 %. Cela signifie que les Québécois sondés connaissent et adoptent un peu plus de

> **Le fait d'être en relation avec un représentant aurait quelques effets bénéfiques.**

la moitié d'un ensemble de comportements jugés essentiels par l'AMF pour gérer efficacement leurs finances personnelles. L'étude permet également de dégager trois profils types de consommateurs : les avisés, les ambivalents et les indifférents.

Les consommateurs « avisés », représentant 50 % de la population, ont une bonne connaissance des comportements à adopter et les mettent en pratique. Toutefois, ils obtiennent des résultats plus faibles en ce qui concerne les responsabilités liées aux vérifications d'usage et aux questions à poser à leur représentant. Paradoxalement, ils sont proportionnellement plus nombreux à vouloir acquérir de nouvelles connaissances. Le portrait type du consommateur avisé est celui d'une personne de plus de 54 ans, retraitée, propriétaire de sa demeure, disposant d'un revenu familial annuel de plus de 100 000 $ et ayant terminé des études universitaires.

Les consommateurs «ambivalents», qui représentent 30 % de la population, ont une bonne connaissance des comportements à adopter sans toutefois les mettre régulièrement en pratique. Ils sont proportionnellement plus nombreux à considérer la gestion des finances personnelles comme une tâche difficile et à se définir comme des investisseurs audacieux. Ils gagneraient à adopter des comportements qu'ils jugent pourtant avisés dans les thématiques des finances personnelles, de la planification de la retraite, ainsi que des vérifications d'usage et des questions à poser à leur représentant. Le portrait type de l'ambivalent montre une personne célibataire et locataire de moins de 55 ans qui prend ses propres décisions financières, mais qui consulte à l'occasion un représentant. Même si ce dernier demeure la source d'information la plus populaire chez les consommateurs du type ambivalent, ceux-ci sont également proportionnellement plus nombreux à s'informer auprès de leur entourage.

## La réglementation au service de l'éducation financière et des consommateurs

Le premier rempart des consommateurs réside certes dans leurs connaissances et leur capacité à prendre des décisions éclairées. Toutefois, la réglementation agit à la fois comme bouclier et comme guide pour préciser les rôles et les responsabilités de chacune des parties concernées par une transaction financière. Les régulateurs canadiens, notamment l'AMF pour le Québec, sont engagés et actifs dans une tendance observée à l'échelle internationale : moderniser la réglementation pour mieux protéger le consommateur en améliorant la qualité de l'information qui lui est transmise.

### Deux exemples concrets

*Le contrat d'assurance automobile*

Le contrat de base en assurance automobile (FPQ n° 1) constitue l'un des documents juridiques les plus répandus au Québec, mais figure aussi parmi les plus difficiles à comprendre. Compte tenu de l'importance qu'il peut avoir pour les centaines de milliers d'automobilistes québécois, l'idée de le moderniser et de le rendre plus accessible était de mise.

Porté par le Groupement des assureurs automobiles (GAA) et l'AMF, en collaboration avec Éducaloi, le projet a permis de réécrire le contrat en langage clair et simple.

Les consommateurs «indifférents» représentent 20 % de la population. Ils ont une connaissance plutôt faible des comportements avisés. Ils sont également plus nombreux proportionnellement à considérer la gestion des finances personnelles comme une tâche difficile et à ne pas avoir d'intérêt pour l'acquisition de nouvelles connaissances. Le portrait type de l'indifférent est celui d'une personne de 18 à 24 ans ou de 75 ans et plus ayant généralement un faible revenu et un bas niveau de scolarité.

## Les effets de la relation avec un représentant

Le représentant est régulièrement désigné comme la première référence pour les Québécois désirant acquérir de nouvelles connaissances en finances personnelles. Le fait d'être en relation avec un représentant aurait quelques effets bénéfiques. Une étude menée par le Centre interuniversitaire de recherche en analyse des organisations (Cirano) a montré que «les épargnants qui font affaire pendant plus de 15 ans avec un planificateur financier accumulent, dans l'ensemble, jusqu'à 2,73 fois plus d'actifs que ceux qui n'ont pas recours à un planificateur[3]».

L'étude de l'AMF indique pour sa part que les Québécois en relation avec un représentant enregistrent un indice de 61,6 % (Indice Autorité), ce qui est significativement plus élevé que l'indice

Un nombre accru de consommateurs pourront ainsi connaître et comprendre plus facilement leurs droits et leurs responsabilités en assurance automobile. Le nouveau contrat sera en vigueur en 2014.

*L'aperçu du fonds*

Prendre une décision éclairée avant d'investir dans un fonds commun de placement sera plus facile pour les consommateurs. À compter du 13 juin 2014, au lieu de devoir analyser les données des dizaines de pages du prospectus, tous les investisseurs dans un fonds commun pourront consulter un document de deux pages tout au plus, qui comprendra les données essentielles pour prendre une décision éclairée : l'aperçu du fonds.

L'aperçu du fonds exposera notamment le portefeuille du fonds, les avantages, les risques et les frais. Les investisseurs seront ainsi mieux outillés pour bien comprendre les recommandations de leur représentant et poser des questions. Le prospectus demeurera disponible pour consultation en tout temps, sur demande et sans frais.

Ce sont les Autorités canadiennes en valeurs mobilières (ACVM) qui ont travaillé sur ce projet. Elles ont mis à l'essai l'aperçu du fonds auprès d'investisseurs et, à la suite des commentaires reçus, elles ont amélioré la présentation des risques, des coûts et du rendement pour en faciliter la compréhension.

**C. B.**

global moyen (58,5 %) et beaucoup plus élevé que l'indice calculé chez ceux qui ne sont pas en relation avec un représentant (49,7 %). Le fait d'entretenir une telle relation d'affaires peut donc avoir une incidence positive sur l'accumulation d'actifs financiers et sur l'adoption de comportements financiers avisés.

**Les jeunes et la littératie financière**
Comparer les niveaux de connaissances financières entre les générations peut être un exercice délicat. Les jeunes de 18 à 24 ans sondés obtiennent généralement de moins bons résultats que les personnes plus âgées. Le manque d'expérience dans l'achat de produits ou de services financiers en serait l'une des principales causes. Les grandes étapes de la vie (départ en appartement, achat d'une première automobile ou d'une première maison, etc.) forcent les consommateurs à vivre diverses expériences financières qui sont très formatrices, parfois davantage que les connaissances théoriques pouvant avoir

## L'endettement forme la jeunesse

Si l'endettement croissant des jeunes est le fruit d'une culture consumériste, il n'est pas juste d'en appeler à leur sens des responsabilités et de la discipline budgétaire sans responsabiliser l'industrie financière qui la normalise, l'encourage et en profite[1].

En octobre 2009, la Coalition des associations de consommateurs du Québec (CACQ) publiait les résultats d'une étude portant sur les habitudes et les connaissances des jeunes de 18 à 29 ans en matière de crédit à la consommation. Ceux d'entre eux qui possèdent en moyenne 1,5 carte de crédit ont admis, dans 75 % des cas, détenir une dette de moins de 1 000 $. Cette donnée situe l'endettement moyen des jeunes à 1 700 $. À ce montant, il faut cependant ajouter les autres dettes contractées. Selon les données de Statistique Canada, les adultes de moins de 35 ans cumulaient quant à eux en 2005 une dette de 39,40 $ pour chaque tranche de 100 $ d'avoirs. De plus, on a appris, dans une étude de l'Agence de la consommation en matière financière du Canada (ACFC) parue en août 2008, que 6 jeunes sur 10 avaient contracté une dette, majoritairement un prêt étudiant ou un solde sur une carte de crédit. De ce lot, 36 % avaient affirmé que la somme de leurs dettes dépassait 10 000 $ et 21 %, qu'elle était supérieure à 20 000 $. De plus, 37 % des jeunes avaient admis ne pas avoir été en mesure de couvrir leurs dépenses pendant au moins un mois de l'année (proportion qui montait à 56 % dans le cas des jeunes parents).

Loin d'être un phénomène typiquement « jeune », l'augmentation de la dépendance envers le crédit peut être vue comme une conséquence de la financiarisation de l'économie qui, depuis la fin des années 1970, s'est faite au détriment des ménages de la classe moyenne, tous âges confondus. Or, les jeunes ont peut-être un « rôle » plus important qu'il n'y paraît dans ce qu'il faut qualifier de système d'endettement,

été acquises quelques années auparavant.

À l'heure actuelle, au Québec, un débat d'idées a lieu dans le réseau des spécialistes en éducation financière. Certains croient que le retrait du cours d'économie au programme de la cinquième secondaire est une erreur, et même la cause d'un classement défavorable des jeunes Québécois par rapport au reste du Canada. D'autres sont plus nuancés à ce sujet. Comme les études comparatives réalisées jusqu'en 2012 visaient les cohortes d'élèves ayant suivi le cours d'économie au secondaire, ils avancent l'hypothèse que les concepts théoriques enseignés au secondaire ont été mal assimilés et rapidement oubliés, d'où certains résultats inférieurs chez les jeunes Québécois.

Toutefois, une tendance se confirme depuis au moins deux ans chez les jeunes. Deux sondages consécutifs de l'AMF (en 2012 et en 2013) indiquent que les jeunes de 18 à 24 ans (2013) ou encore de 18 à 34 ans (2012) sont proportionnel-

---

système qui est le parfait corollaire de la montée fulgurante du pouvoir des acteurs financiers dans les sociétés capitalistes.

En Occident, la consommation constitue une manière pour l'individu d'exprimer son identité et de se différencier de ses pairs. Ceci est d'autant plus vrai pour les adolescents et les jeunes adultes, et ce, peu importe leur condition économique. Dans ces circonstances, il semble normal pour les consommateurs de se procurer à crédit les biens et les loisirs qui les rapprocheront du statut social convoité. Cela nous permet-il de saluer les avantages du crédit? Tout porte plutôt à croire que cumulé à une utilisation abusive du crédit, ce désir de reconnaissance sociale peut se transformer en un cocktail explosif.

S'attaquer au problème de l'endettement comme s'il était la conséquence d'un manque d'éducation équivaut à refuser de remettre en question le modèle culturel dont dépend notre système économique. Car distinguer le surendettement de l'endettement raisonnable, c'est aussi cautionner le besoin de consommer, peu importe la finalité de cette consommation et les conditions qui la rendent possible. D'autre part, en blâmant les jeunes pour leur insouciance, on déresponsabilise l'industrie financière, celle-là même qui a pourtant tout intérêt à ce que ses clients s'endettent. Ce qui apparaît cette fois-ci comme une manière de consentir à ce qu'on pourrait qualifier de nouvelle norme de l'endettement.

**Julia Posca**

Doctorante, Département de sociologie, Université du Québec à Montréal et chercheure, Institut de recherche et d'informations socio-économiques

**Note**

1. Ce texte est une version abrégée de l'article « L'endettement forme la jeunesse », publié dans *Relations*, n° 745, décembre 2010.

lement plus nombreux que les autres générations à manifester un intérêt pour l'acquisition de nouvelles connaissances en finances personnelles. Un amalgame des deux interprétations pourrait porter des fruits : enseigner des notions de base avec des outils interactifs de pointe. C'est actuellement l'objectif poursuivi par un groupe de chercheurs mené par Claude Montmarquette du Cirano. Cet organisme met au point des outils pédagogiques en économie expérimentale à la fine pointe de la technologie Web. Ils

---

**Un Québécois sur deux est financièrement « avisé ».**

---

pourraient être mis à la disposition des enseignants du secondaire et du collégial dès la fin de 2013.

De son côté, le ministère de l'Éducation, du Loisir et du Sport (MELS) évalue la possibilité d'ajouter un cours optionnel en éducation financière au programme de la cinquième secondaire. Le MELS porte une attention particulière à l'évaluation des besoins d'apprentissage des jeunes en éducation financière.

## La littératie financière comme source de mieux-être individuel et collectif

Il faut saluer les efforts de tous ces organismes et passionnés travaillant à enrichir la littératie financière des Qué-

bécois. Il faut aussi souligner la détermination de celles et ceux qui relèvent le défi de rétablir leurs finances personnelles et de sortir de l'endettement, qui s'occupent de leurs finances, qui prennent le temps de lire et de poser des questions sur les produits financiers, qui s'initient à l'investissement boursier, qui se soucient des retombées sociales ou environnementales de leurs choix d'investissement, ou encore qui incitent les plus jeunes à l'épargne. Tous ces efforts contribuent à hausser les niveaux de littératie financière. Ils contribuent également à accroître le dynamisme et la compétitivité des marchés financiers, à élever la compétence et la motivation des dizaines de milliers de professionnels qui y travaillent, et surtout à augmenter le mieux-être économique et social de la collectivité. Un mieux-être bien relatif, qui peut s'exprimer aussi simplement que par l'optimisation d'un budget familial serré, par la prévention financière d'un événement non souhaité, ou encore par la réalisation de projets longtemps caressés pour une retraite dorée.

Notes

1. Marco Bélair-Cirino, « L'éducation financière n'est pas une priorité pour les Québécois », *Le Devoir*, 17 avril 2013.
2. Communément appelés « conseillers financiers ». L'AMF utilise plutôt le terme « représentants ».
3. Claude Montmarquette et Nathalie Viennot-Briot, *Econometric Models on the Value of Advice of a Financial Advisor*, rapport de projet, Montréal, Cirano, 2012. [Nous traduisons.]

# La situation difficile des locataires à faible revenu

**Maroine Bendaoud**

*Doctorant, Département de science politique, Université de Montréal*

En mai 2013, le gouvernement conservateur s'est opposé au dépôt officiel du rapport *Urgence en la demeure* à la Chambre des communes. Ce rapport présente une synthèse des observations de la Commission populaire itinérante sur le droit au logement, créée sur l'initiative du Front d'action populaire en réaménagement urbain (FRAPRU) mais composée de 14 commissaires indépendants issus des milieux universitaire, syndical et communautaire. Après avoir analysé la situation des locataires québécois, les commissaires notent que le coût élevé des loyers engendre un taux d'effort excessif pour les ménages à faible revenu. En butte aux discriminations et aux expulsions, ces derniers ont également du mal à avoir accès aux logements sociaux. Cette commission nous fournit l'occasion de faire le point sur la situation du logement au Québec.

Le taux d'inoccupation est souvent le premier indicateur utilisé pour donner un aperçu de la situation du marché locatif. Plus le taux d'inoccupation est élevé, plus il y a de logements vacants sur le marché. Les acteurs institutionnels de l'habitation ont fixé le taux d'équilibre à 3 %. Le 1er juillet 2001, une pénurie de logements attirait l'attention des médias. Le taux d'inoccupation se situait alors sous le seuil critique de 1 % à Montréal, à Gatineau et à Québec. Depuis, la situation s'est améliorée progressivement, et on enregistre aujourd'hui un taux d'inoccupation moyen de 3 % dans les régions métropolitaines de plus de 100 000 habitants au Québec[1].

Même si la Commission populaire itinérante sur le droit au logement reconnaît la montée du taux d'inoccupation vers le seuil d'équilibre, elle souligne que « la réalité est marquée par des problèmes d'inaccessibilité et d'exclusion. Les témoignages des locataires [lui] ont montré une tout autre réalité, très différente de celle que les chiffres laissaient entrevoir[2]. »

### Évolution du coût des loyers

Selon le mécanisme normal d'offre et de demande, un taux d'inoccupation bas traduit une rareté qui a une incidence sur l'accélération de la hausse des loyers. Or une augmentation ininterrompue du prix des loyers s'observe depuis une dizaine d'années, qui n'est pas sans peser sur les difficultés des ménages à faible revenu.

En 2010, la Corporation des propriétaires immobiliers du Québec (CORPIQ) soutenait que « le loyer moyen augmente moins vite que le revenu

---

**Un ménage sur trois consacre plus de 30 % de son revenu au logement.**

---

médian des locataires, conduisant à un taux d'effort favorisant les locataires comme jamais auparavant[3] ». Cependant, un examen des chiffres de la Société canadienne d'hypothèques et de logement (SCHL) indique l'inverse. Le loyer moyen était de 481 $ au Québec en 2000 pour tous les types de logements (studios et logements d'une chambre ou plus) dans les centres urbains de plus de

10 000 habitants[4]. En 2010, il était de 648 $[5]. À première vue, la hausse peut sembler considérable, mais elle est en réalité de 10,3 % si on utilise l'Indice des prix à la consommation (IPC) pour calculer les coûts moyens des loyers en dollars constants, en choisissant 2010 comme année de base (2010 = 100[6]). En comparaison, le revenu médian des locataires au Québec, après impôt, a augmenté de 7,7 % pour la même période (toujours en dollars constants de 2010[7]). Si l'on considère la région métropolitaine de Montréal, qui contient les deux tiers de tous les logements recensés dans les centres urbains de plus de 10 000 habitants au Québec[8], la différence est plus grande. En reproduisant la même méthode de calcul, nous constatons une hausse du coût moyen des loyers de 12,3 % entre 2000 et 2010[9]. Le revenu médian des locataires de cette région métropolitaine, après impôt, a augmenté de 6,6 % entre les mêmes années[10].

Comment expliquer cet écart entre la hausse des loyers et celle des revenus ? Il est sans doute dû en partie aux hausses exagérées des loyers au moment d'un changement de locataire, dont font état diverses publications. Bien que les nouveaux locataires puissent faire réviser le loyer par la Régie du logement, ils sont peu nombreux à avoir recours à cette procédure, par ignorance ou simplement pour ne pas amorcer leur relation avec le locateur dans l'hostilité.

## Taux d'effort

Les données qui précèdent sur le coût du loyer sont à mettre en parallèle avec le taux d'effort ou la part du revenu consacrée à l'habitation, un autre élément qui profite aux locataires, selon l'affirmation de la CORPIQ citée plus haut. Mais, là encore, notre analyse diverge de celle de la CORPIQ. Pour nous donner un point de repère crédible, référons-nous à la SCHL, qui établit qu'un logement acceptable est un logement d'une qualité convenable, c'est-à-dire qui ne nécessite pas de réparations majeures, qui est de taille convenable et de coût abordable. La SCHL précise qu'« un logement est abordable si le ménage y consacre moins de 30 % de son revenu avant impôt[11] ».

Selon les dernières données de l'Institut de la statistique du Québec (ISQ), sur le total des ménages locataires recensés au Québec en 2009 (1 404 068), un sur trois (32,2 %) consacre plus de 30 % de son revenu au logement[12]. À titre de comparaison, l'ISQ indique que 35,9 % des ménages locataires québécois affectaient plus de 30 % de leurs revenus à ce poste budgétaire en 2001. L'amélioration depuis 2001 est assez minime, mais elle est plus marquée par rapport à 1996 (42,6 %[13]). Si la charge financière que représente le logement s'est quelque peu allégée avec le temps, cette problématique touche néanmoins encore trop de personnes seules et de familles monoparentales, les premières à en pâtir.

### Expulsions

Le législateur prévoit que le propriétaire peut obtenir la résiliation du bail si le locataire est en retard de plus de trois semaines pour le paiement du loyer; le tribunal n'aura d'autre choix que d'exiger le paiement dû et le départ du locataire (articles 1971 et 1973 du Code civil du Québec). Or, dans son dernier rapport, le Comité des droits économiques, sociaux et culturels – l'organe chargé de surveiller le respect du Pacte international relatif aux droits économiques, sociaux et culturels ratifié par le Canada en 1976 – demandait aux instances juridiques et politiques concernées de redoubler de précautions avant d'en arriver aux expulsions forcées et de fournir un logement de substitution aux ménages afin qu'ils ne se retrouvent pas à la rue. Le Comité déplorait que de nombreuses expulsions effectuées au Canada soient ordonnées « en raison de très faibles retards de paiement de loyer, sans considération pour les obligations qui incombent à l'État partie en vertu du Pacte[14] ».

Cette recommandation est hautement pertinente dans la mesure où, au Québec, la Régie du logement ordonne les expulsions sans égard à la période de l'année, c'est-à-dire même en hiver. En revanche, un pays comme la France, qui bénéficie d'hivers plus cléments, interdit l'expulsion des locataires entre le 1er novembre et le 15 mars – sursis qui est communément appelé « trêve hivernale ». Loin de nous l'intention d'idéaliser la situation dans l'Hexagone, qui connaît aussi son lot de complexités, telles l'exigence de la caution d'un tiers pour la signature du bail, la discrimination, l'insalubrité – qui a mené à la vague d'incendies d'immeubles vétustes en région parisienne en 2005 –, etc. Mais il n'empêche que l'interdiction d'expulsion pendant la trêve hivernale constitue une mesure progressiste dont le Québec pourrait s'inspirer.

### Discrimination

La demande persistante de logements provoque une situation où les propriétaires peuvent se permettre d'être très pointilleux, au point d'utiliser des méthodes « discutables » dans la sélection de leurs locataires. Citons seulement cet extrait d'une publication de la Société d'habitation du Québec, parue après la pénurie de logements évoquée plus haut : « Le journal *Le Soleil* du 28 juin 2002 rapportait qu'à Québec les propriétaires exigent des références et des informations de plus en plus détaillées sur leurs futurs locataires. On utilise de plus en plus des agences de détectives privés pour enquêter sur les futurs locataires. Les informations recueillies par ces agences portent sur la réputation personnelle du chef du ménage, sur les références du précédent bailleur, sur l'état des lieux dans le logement actuel du locataire (on exige de visiter), sur son dossier civil et criminel et, évidemment, sur son dossier de crédit et sur son emploi[15]. »

Il n'existe pas de statistiques exactes sur l'étendue de la discrimination, car les ruses sont multiples pour écarter les candidats non désirés au téléphone ou au moment de la visite : le logement est déjà loué, il y a une longue liste d'autres candidats, etc. Selon la Commission des droits de la personne et des droits de la jeunesse (CDPDJ), il est difficile de discerner ce qui relève de la discrimination raciale et ce qui relève de la discrimination socioéconomique. Cela dit, une chose demeure : « Tout indique que les exclus du logement, qu'il s'agisse de femmes monoparentales, d'aînés, de membres de certaines communautés ethnoculturelles ou d'autres, ont comme dénominateur commun la pauvreté[16]. » Si la CDPDJ soulignait avoir connu une hausse des plaintes en 2001 et en 2002, depuis quelques années, de 6 % à 11 % des dossiers ouverts portant sur la discrimination concernent le logement.

### Le logement social, dans tout ça ?

Comme les conditions actuelles du marché locatif privé n'avantagent pas les moins fortunés de notre société, le logement social vient colmater certaines brèches. Toutefois, il faut s'armer de patience pour y avoir accès, car les délais sont particulièrement longs. En 2013, le Regroupement des offices d'habitation du Québec indique que le délai moyen d'attente pour un logement dans un immeuble d'habitation à loyer modique (HLM) ou pour un supplément au loyer est de plus de trois ans (environ 40 mois) pour toute la province[17]. Le Programme de supplément au loyer (PSL) permet, entre autres, de louer un appartement sur le marché locatif privé, mais aux mêmes conditions que celles qui sont en vigueur dans un HLM (loyer fixé à 25 % du revenu). Chaque office d'habitation gère sa liste d'attente, qui est la même pour les deux programmes (HLM et PSL). Selon les dernières statistiques publiées par la Société d'habitation du

---

**37 500 ménages au Québec sont en attente d'un logement HLM.**

---

Québec, 37 500 ménages au Québec sont en attente d'un logement HLM ou d'un logement bénéficiant du PSL[18]. À titre indicatif, l'Office municipal d'habitation de Montréal a un parc HLM d'environ 20 800 logements et réserve autour de 8 000 appartements dans le cadre du PSL. Les logements dans les deux programmes sont tous occupés et la liste d'attente compte quelque 22 000 ménages[19].

Quant aux coopératives ou organismes sans but lucratif d'habitation (OSBL-H), ils gèrent leurs listes d'attente de façon plus indépendante, ce qui fait que leur longueur peut varier. À cet égard, il y a lieu d'être plus optimiste, car la réalisation de nouvelles unités est en cours – alors que la construction de HLM a été arrêtée en 1994, à la suite du retrait financier du gouvernement fédéral. Ce repli a d'ailleurs été critiqué par le Rapporteur spécial des Nations unies sur le logement convenable, dans son rapport de 2009[20].

### Le logement est-il un droit ?

Évoqué dans la presse ou par les groupes de pression, le droit au logement soulève souvent des questions. A-t-il véritablement une assise juridique ? Bien que la Déclaration universelle des droits de l'homme et le Pacte international relatif aux droits économiques, sociaux et culturels définissent l'accès au logement comme un droit pour tous les êtres humains, le cadre juridique en vigueur

> **La Charte des droits et libertés ne garantit pas l'accès au logement pour tous.**

au Québec est celui qu'établit le Code civil. Or ce dernier s'attarde principalement aux relations entre le locataire et le locateur. Si la Charte des droits et libertés de la personne prévient la discrimination, elle ne garantit pas l'accès au logement pour tous. Ainsi, la concrétisation du droit au logement est plutôt laissée entre les mains des dirigeants politiques, seuls maîtres de l'allocation des ressources. La réalisation effective de ce droit dépend donc de la volonté politique et des budgets consentis pour aider les ménages au revenu modeste à se loger décemment – par exemple avec la construction de logements sociaux ou l'aide financière aux ménages sur le marché privé –, mais pas des tribunaux.

### Conclusion

Même si le rapport de la Commission populaire itinérante sur le droit au logement n'a pas reçu l'aval du gouvernement conservateur afin de procéder à son dépôt officiel à la Chambre des communes, il a permis de faire la lumière sur des enjeux préoccupants. Les trois partis d'opposition ont présenté leurs réactions en conférence de presse. La députée néodémocrate de la circonscription d'Hochelaga, Marjolaine Boutin-Sweet, s'est notamment chargée d'en proposer le dépôt officiel – en vain. Cela dit, les témoignages de locataires qui ont participé aux audiences de la Commission et la synthèse qu'en ont faite les commissaires illustrent la dure réalité de certains ménages à faible revenu : « Une fois le loyer payé, il reste bien peu d'argent pour combler les autres besoins essentiels. L'appauvrissement des personnes touchées est alors instantané. Au-delà du stress évident que génère cette situation, il y a l'humiliation de vivre aux crochets des autres, d'avoir à toujours demander, d'attendre un sac de nourriture ou une distribution de vêtements. Des personnes ont raconté comment elles économisaient leurs médicaments, comment elles jonglaient, l'hiver, entre le paiement des factures d'électricité, du loyer et des dettes de la carte de crédit : une spirale sans fin d'appauvrissement[21]. »

Les observations de la Commission se limitent à la province du Québec. Or il y a fort à parier que des constats semblables seraient faits si l'on se penchait sur les cas de l'Ontario ou de la Colombie-Britannique. À certains égards, des analyses comparatives placent les locataires québécois en position favorable par rapport à leurs semblables des autres provinces. Tout bien considéré, il serait plus juste et plus honnête de dire que la situation du logement est problématique dans la majorité des métropoles canadiennes, et même dans certaines zones éloignées des grands centres – particulièrement chez les communautés autochtones –, une réalité que déplorent les observateurs nationaux et internationaux.

Notes

1. Société canadienne d'hypothèques et de logement, *Rapport sur le marché locatif – faits saillants – Québec*, Ottawa, SCHL, printemps 2013.
2. Commission populaire itinérante sur le droit au logement, *Urgence en la demeure : rapport de la Commission populaire itinérante sur le droit au logement*, 2013.
3. Corporation des propriétaires immobiliers du Québec, *Mieux se loger, à meilleur coût et de façon durable : vers une stratégie de financement du bâtiment durable au Québec – Présentation au ministre des Finances du Québec (dans le cadre de la consultation prébudgétaire)*, Québec, 2010.
4. Société canadienne d'hypothèques et de logement, « Average rent for Quebec (Prov) Centres 10,000 + », document envoyé dans une communication personnelle le 29 juillet 2013. Ces renseignements sont reproduits et distribués « tels quels » avec l'autorisation de la SCHL.
5. Société canadienne d'hypothèques et de logement, *Rapport sur le marché locatif – faits saillants – Québec*, Ottawa, SCHL, automne 2010.
6. Statistique Canada, *Indice des prix à la consommation, aperçu historique (1993 à 2012)*, Ottawa, 2013. En ligne : www.statcan.gc.ca/tables-tableaux/sum-som/l02/cst01/econ46a-fra.htm.
7. Société canadienne d'hypothèques et de logement, *Revenu réel médian après impôt des ménages, ménages locataires, Canada, provinces et régions métropolitaines, 1990-2010*, Ottawa, SCHL, 2012. En ligne : www.cmhc-schl.gc.ca/fr/inso/info/obloca/tadedo/tadedo_012.cfm.
8. Société canadienne d'hypothèques et de logement, *Rapport sur le marché locatif – faits saillants – Québec*, Ottawa, SCHL, printemps 2013.
9. Société canadienne d'hypothèques et de logement, *Rapport sur les logements locatifs – Montréal*, Ottawa, SCHL, octobre 2000 ; Société canadienne d'hypothèques et de logement, *Rapport sur le marché locatif – faits saillants – Québec*, Ottawa, SCHL, automne 2010.
10. Société canadienne d'hypothèques et de logement, *Revenu réel médian après impôt des ménages, op. cit.*
11. Société canadienne d'hypothèques et de logement, « Le Logement au Canada en ligne : Foire aux questions (FAQ) ». En ligne : cmhc.beyond2020.com/HiCOFAQs_FR.html.
12. Institut de la statistique du Québec, *Proportion et répartition de ménages qui consacrent 30 % et plus de leur revenu aux coûts d'habitation selon le mode d'occupation et la présence d'une hypothèque chez les propriétaires, Québec, 2000-2009*, 2012. En ligne : www.stat.gouv.qc.ca/donstat/societe/famls_mengs_niv_vie/menage_famille/accessibilite/b10couthabmodocc.htm.
13. Institut de la statistique du Québec, *Répartition des ménages locataires selon la proportion du revenu du ménage consacrée aux dépenses de*

*loyer, Québec, Ontario et Canada, 1981-2006*, 2009. En ligne : www.stat.gouv.qc.ca/donstat/societe/famls_mengs_niv_vie/menage_famille/accessibilite/2locataire.htm.

14. Comité des droits économiques, sociaux et culturels, *Observations finales du Comité des droits économiques, sociaux et culturels : Canada*, Doc. off. CES NU, 36ᵉ session, Doc. NU E/C.12/CAN/CO/4 et E/C.12/CAN/CO/5, 2006.

15. Jean-Claude Thibodeau, *Évolution du marché du logement locatif : analyse, effets et perspectives*, Québec, Société d'habitation du Québec, 2003.

16. Commission des droits de la personne et des droits de la jeunesse du Québec, *Les interventions dans le domaine du logement : une pierre angulaire de la lutte contre la pauvreté et l'exclusion – Mémoire à la Commission de l'aménagement du territoire de l'Assemblée nationale*, Québec, CDPDJ, 2002.

17. Regroupement des offices d'habitation du Québec, *ROHQ-Stats*, mars 2013.

18. Société d'habitation du Québec, *L'habitation en bref 2012*, Québec, SHQ, 2012.

19. Office municipal d'habitation de Montréal, *Prévisions budgétaires 2013*, version abrégée, Montréal, OMHM, 2012.

20. Miloon Kothari, *Rapport du Rapporteur spécial sur le logement convenable en tant qu'élément du droit à un niveau de vie suffisant ainsi que sur le droit à la non-discrimination à cet égard*, Mission au Canada, Doc. off. AG NU, 10ᵉ session, Doc. NU A/HRC/10/7/Add.3, 2009. Le Rapporteur spécial sur le logement convenable est nommé par le Conseil des droits de l'homme. Chaque année, il procède à l'évaluation de quelques pays en ce qui a trait à l'application effective des droits se rapportant au droit à un logement convenable. Miloon Kothari est le Rapporteur spécial qui est venu en mission d'observation au Canada en octobre 2007.

21. Commission populaire itinérante sur le droit au logement, *op. cit.*

# Santé

# ORGANISATION DU RÉSEAU QUÉBÉCOIS DE LA SANTÉ ET DES SERVICES SOCIAUX

* Établissements ou organismes qui ne font pas partie d'un CSSS.

Source : Ministère de la Santé et des Services sociaux du Québec,
*Le système de santé et de services sociaux au Québec en bref*, gouvernement du Québec, janvier 2013.

# La santé en quelques statistiques

## Jean-Louis Denis

*Professeur titulaire, École nationale d'administration publique, et directeur, Chaire de recherche du Canada sur la gouvernance et la transformation des organisations et systèmes de santé*

## Johanne Préval

*Professionnelle de recherche, École nationale d'administration publique*

## José Carlos Suárez-Herrera

*Professeur, KEDGE Business School et Département d'administration de la santé, Université de Montréal*

**Les progrès accomplis au cours des dernières décennies sont incontestables en ce qui a trait à l'état de santé de la population québécoise. Ce bilan propose plusieurs pistes clés afin de favoriser maintenant l'amélioration de la performance du système de santé et de services sociaux québécois, en particulier en matière de soins de première ligne et de soutien à domicile.**

Au cours des dernières décennies, l'espérance de vie à la naissance s'est allongée, et l'écart entre les hommes et les femmes s'est rétréci. Selon les données provisoires de 2012, l'espérance de vie se situe à 83,8 ans chez les femmes et à 79,8 ans chez les hommes[1]. Cette progression favorable se reflète nettement dans les taux de mortalité et d'hospitalisation, qui ont diminué pour la plupart des causes.

Selon le dernier portrait de santé du Québec et de ses régions, publié en 2011, les premières causes de décès chez les Québécois sont les tumeurs malignes, les maladies du cœur, les maladies des voies respiratoires inférieures, les maladies vasculaires cérébrales, la maladie d'Alzheimer et les traumatismes non intentionnels[2]. À noter que, depuis le début des années 2000, le cancer remplace les maladies du cœur comme cause principale de mortalité. La proportion des décès attribuables à des tumeurs malignes est passée de 25 % en 1981 à 33 % en 2008, alors que celles des décès attribuables à des maladies du cœur et à des maladies vasculaires cérébrales ont diminué respectivement de 33 % à 20 % et de 8 % à 5 %[3].

Des progrès remarquables ont aussi été enregistrés en matière de santé des mères et des tout-petits. En plus de la régression des taux de mortalité infantile et d'hospitalisation chez les bébés de moins d'un an, ainsi que de la prévalence de plusieurs anomalies congénitales, les naissances de faible poids ont diminué au cours des dernières années. Par contre, on observe au Québec – comme ailleurs en Occident – une hausse de la prématurité, qu'on associe généralement à l'augmentation des naissances multiples et des naissances chez les mères plus âgées.

On note également une hausse graduelle de la prévalence de certaines maladies chroniques. Parmi les principaux problèmes de santé chroniques déclarés par les Québécois adultes en 2007 et 2008 figurent les maux de dos, l'hypertension, l'arthrite, les migraines et l'asthme. Ainsi, en 2007-2008, 18 % des adultes connaissaient un problème d'hypertension, une condition qui touchait près de la moitié des aînés, tandis que l'arthrite affligeait le tiers d'entre eux. Quant au diabète, si sa prévalence a légèrement augmenté entre 2000-2001 et 2006-2007, la mortalité qui y est associée a diminué. L'obésité, pour sa part, est en progression alarmante au Québec et touchait, en 2009-2010, un adulte sur six, et ce, tant chez les hommes que chez les femmes.

Par ailleurs, les progrès réalisés dans la lutte contre les maladies infectieuses au cours des dernières décennies, avec l'introduction de programmes de vaccination, sont incontestables. Toutefois, des épisodes indésirables, telles la pandémie de grippe A (H1N1) en 2009 et l'éclosion de la rougeole en 2011[4], nous rappellent que la surveillance est toujours nécessaire.

Enfin, en ce qui concerne la santé mentale des Québécois, certains aspects méritent une attention particulière. En effet, chez les enfants de 12-14 ans, on constate un niveau considérable de détresse psychologique, prévalence qui décroît graduellement avec l'âge, passant de 26 % à 13 % chez les personnes de 65 ans et plus. On constate que cette condition est plus présente chez les femmes. Pour ce qui est de l'usage d'anxiolytiques, de sédatifs et d'hypnotiques chez les personnes âgées de 65 ans et plus, la proportion est en baisse au Québec. En 2000, le tiers des personnes âgées en prenaient, alors qu'en 2008, 29 % en consommaient[5]. En ce qui concerne le suicide, malgré une nette tendance à la baisse depuis la fin des années 1990, près de 3 % des Québécois de 15 ans ou plus ont songé sérieusement au suicide ou ont tenté de se suicider au cours de l'année 2008, ce qui représente environ 176 000 personnes[6].

Ces quelques chiffres relatifs à l'état de santé des Québécois justifient la mise en œuvre de certaines stratégies afin de mieux adapter le système de soins aux besoins particuliers, actuels et futurs, de la population québécoise. Dans la section qui suit, nous allons tracer un portrait global des ressources institutionnelles et humaines disponibles pour répondre aux besoins de la population en matière de santé et mettre en lumière certains enjeux liés à l'utilisation des soins de première ligne et des services de soutien à domicile.

### Les soins de première ligne au Québec
*Ressources institutionnelles : évolution des établissements sociosanitaires*
La Loi sur les agences de développement de réseaux locaux de services de santé et de services sociaux, adoptée en 2003, a conduit à la transformation des régies régionales de la santé en agences de la santé et des services sociaux et à la mise en place des réseaux locaux de services (RLS)[7]. Cette réorganisation vise à rapprocher les services de la population et à faciliter la continuité des soins. L'établissement local chargé de la gestion et de l'intégration de la prestation des services est le centre de santé et de services sociaux (CSSS). Le CSSS est né de la fusion des hôpitaux, des centres locaux de services communautaires (CLSC) et des centres d'hébergement et de soins de longue durée (CHSLD).

Avec la création des 95 CSSS (94 depuis 2011), l'organisation du système de santé et de services sociaux a adopté la forme d'un réseau. Les CSSS assument une ou plusieurs missions et fournissent des services dans un territoire donné à travers un ensemble d'installations. L'organigramme au début de cet article montre la répartition des divers parte-

---

**Le cancer est la cause principale de mortalité au Québec.**

---

naires et acteurs clés du système de santé et de services sociaux du Québec.

Le système de santé et de services sociaux québécois compte près de 300 établissements, qui répartissent leurs ressources dans plus de 1 700 points de service. Il regroupe près de 200 établissements publics, une cinquantaine d'établissements conventionnés sans but lucratif et une cinquantaine d'établissements privés offrant de l'hébergement et des soins de longue durée. Il compte également plus de 3 500 organismes communautaires et près de 2 000 cliniques et cabinets privés de médecine[8].

En ce qui concerne les services médicaux, les groupes de médecine de famille (GMF), nouvelle forme d'organisation des services de première ligne, ont été implantés en 2002[9]. Au 31 mars 2012, on comptait 239 GMF au Québec. Ces GMF étaient répartis dans plus de 568 lieux cliniques et impliquaient 3 657 médecins, soit environ 56 % des omnipraticiens qui travaillaient dans un cabinet ou un centre local de services communautaires. De plus, 490 infirmières y œuvraient et 88 CSSS étaient partenaires de GMF en vertu d'ententes.

Les GMF visent à accroître l'accessibilité des soins primaires et des médecins généralistes, et à améliorer la continuité des soins. Selon le ministère de la Santé et des Services sociaux, au 31 mars 2012, 2,9 millions de personnes étaient inscrites auprès d'un GMF, soit 36,2 % de la population du Québec.

*Ressources humaines et système de santé*

*Les médecins* — Au 31 décembre 2012, le tableau du Collège des médecins du Québec comptait 21 511 inscriptions, soit une augmentation nette de 542 membres par rapport au 31 décembre 2011[10]. Parmi eux, 10 005 étaient des médecins de famille et 11 506 exerçaient une spécialité. Le Québec affichait, en 2011, un ratio médecins/population de 231 pour 100 000 habitants, comparativement à 209 pour l'ensemble du Canada, avec des ratios semblables de médecins de famille (114 pour 100 000 habitants) et

de spécialistes (117 pour 100 000 habitants)[11].

*Les infirmières* — De 2007 à 2011, la main-d'œuvre infirmière a connu une croissance de 7,3 % au Québec et de 10 % au Canada. Au cours de cette période, le Québec disposait d'un plus grand nombre d'infirmières et infirmiers réglementés pour 100 000 habitants que le Canada, les ratios passant de 1 072 à 1 109 au Québec et de 1 011 à 1 046 au Canada[12].

*Les travailleurs sociaux* — En 2011, le Québec comptait 8 582 travailleurs sociaux, une augmentation de 1 571 par rapport à 2007[13]. Cependant, malgré cette hausse de 22,4 %, le nombre de travailleurs sociaux pour 100 000 habitants se situait parmi les plus faibles au pays : 107 pour 100 000 habitants, comparativement à 111 pour l'ensemble du Canada[14].

*Les ergothérapeutes* — Le nombre d'ergothérapeutes au Québec est passé de 3 126 en 2004 à 3 895 en 2011[15]. Si l'effectif de cette profession a connu une hausse marquée de 2004 à 2006 (16,9 %), la croissance a été plus lente de 2006 à 2011, le nombre d'ergothérapeutes n'augmentant que de 6,6 %, le taux de croissance le plus faible au pays pour la même période (14,6 % au Canada[16]).

*Les physiothérapeutes* — De 2007 à 2011, le nombre de physiothérapeutes est passé de 3 653 à 3 828 au Québec. En 2011, le ratio par 100 000 habitants était de 48 physiothérapeutes au Québec et de 51 au Canada[17].

*Les pharmaciens* — En 2011, le ratio pharmaciens/population au Québec était de 99 pour 100 000 habitants, pour un total de 7 968 pharmaciens. On en comptait 6 937 en 2007. En 2011, le nombre de pharmaciens pour 100 000 habitants était de 99 au Québec et de 94 au Canada[18].

À la lumière de ces chiffres, on peut affirmer que le Québec compte sur une bonne disponibilité de médecins, d'infirmières et de pharmaciens en comparaison de la moyenne canadienne, alors que la disponibilité de travailleurs sociaux, d'ergothérapeutes et de physiothérapeutes demeure plus faible que la moyenne du pays.

*Disponibilité et utilisation*
*des soins de première ligne*
*Services de premier contact* — En 2003, 63 % de la population du Québec a utilisé les services médicaux pour des soins de routine ou de suivi, 41 % pour des renseignements et 34 % pour des soins immédiats[19]. On observe un écart entre le Québec et le Canada concernant l'accessibilité à un médecin habituel. En 2012, 14,9 % des Canadiens de 12 ans et plus ont déclaré à Statistique Canada ne pas avoir de médecin habituel, comparativement à 24,8 % des Québécois[20].

En 2008, 54 % des adultes au Québec ont eu besoin de services de premier contact et, parmi eux, 13 % ont signalé avoir eu de la difficulté à obtenir les soins désirés. Pour cette même année, le pourcentage normalisé selon l'âge de personnes ayant eu de la difficulté à obtenir des soins était de 14 %[21]. Globalement, au Canada, les quatre principales difficultés rencontrées dans l'obtention de services de premier contact étaient l'attente trop longue avant d'obtenir un rendez-vous (45 %), la difficulté à obtenir un rendez-vous (32 %), la difficulté à contacter un médecin (18 %) et l'attente trop longue avant de voir un médecin (10 %)[22]. Par ailleurs, la proportion de la population de 12 ans et plus au Québec ayant consulté un intervenant en médecine non traditionnelle a doublé entre 1994-1995 et 2005, passant de 7,3 % à 14,7 %, ce qui indique l'intérêt d'une partie de la population pour des soins alternatifs[23].

*Info-Santé* — Implanté depuis 1995 dans presque toutes les régions sanitaires du Québec, sauf dans le Nord-du-Québec, au Nunavik et dans les Terres-Cries-de-la-Baie-James, le service Info-Santé est accessible gratuitement 7 jours sur 7, 24 heures sur 24[24]. Le taux d'utilisation du service Info-Santé CLSC au Québec était de 269 pour 1 000 habitants en 2008-2009 et de 285 pour 1 000 habitants en 2009-2010[25], en baisse par rap-

---

**Chez les adultes, 18 %
connaissent un problème
d'hypertension.**

---

port à 2003-2004 (325 pour 1 000 habitants[26]). D'après les résultats de l'enquête internationale sur les politiques de santé du Commonwealth Fund de 2008, la province de Québec est l'un des endroits où les usagers utilisent le plus une ligne téléphonique d'information médicale : 23 % des personnes interrogées le font, alors que dans l'ensemble du Canada, le pourcentage est de 19 %[27].

*Équipe interdisciplinaire de soins de première ligne* — L'enquête internationale sur les politiques de santé du Commonwealth Fund de 2008 a mis en évidence le retard considérable du Québec relativement à l'accès à des soins fournis par une équipe interdisciplinaire en première ligne. Bien que 65 % des médecins du Québec interrogés en 2009 déclaraient travailler dans leur cabinet avec d'autres professionnels de la santé, seulement 25 % indiquaient que ces derniers prenaient systématiquement part à la vérification des médicaments et des symptômes ou à la coordination des soins prodigués entre les visites. Dans l'ensemble du Canada, les pourcentages sont de 55 % et de 40 % respectivement[28, 29].

Des problèmes de coordination dans la prise en charge des patients ont également été relevés (coordination des soins avec les spécialistes, les services d'urgence particulièrement) ; ces derniers peuvent avoir un impact con-sidérable dans le cas de maladies chroniques[30].

*Soins préventifs et de dépistage* — Sur le plan du dépistage de certains cancers, la proportion de femmes de 50 à 69 ans qui ont subi une mammographie de dépistage a augmenté, passant de 50 % en 2003-2004 à 56 % en 2007-2008, tandis que la proportion de femmes de 20 à 69 ans ayant subi un test de Papanicolaou *(Pap test)* est restée stable, autour de 70 %. Par ailleurs, en 2008, près de 10 % de la population de 50 à 74 ans, hommes et femmes confondus, a subi un test de dépistage du cancer colorectal[31].

## Utilisation et accès des services de soutien à domicile

Les services de soutien à domicile visent à améliorer la qualité de vie ou l'autonomie des personnes qui, notamment, ont besoin de services continus après une hospitalisation, qui sont en fin de vie ou qui sont atteintes de maladie mentale, des personnes âgées fragiles ou présentant une incapacité et qui désirent rester dans leur domicile, des enfants ayant des besoins spéciaux, et des personnes atteintes d'une ou plusieurs maladies chroniques. Ces services regroupent les soins et les services professionnels (soins infirmiers ; services médicaux, de nutrition, de réadaptation, d'inhalothérapie et psychosociaux ; et d'autres services de consultation, par exemple en gériatrie, en psychogériatrie, en psychiatrie ou en pédiatrie, et les services d'un pharmacien), les services d'aide à domicile (assistance personnelle, aide domestique et activités communautaires), les services aux proches aidants et le soutien technique. Les services de soutien à domicile peuvent être offerts sur une base temporaire ou à long terme, selon les besoins de la personne[32].

En 2009, 22 % des personnes de 65 ans et plus déclaraient avoir reçu des services de soutien à domicile[33]. Tant l'utilisation que l'accès à ces services représentent un défi important pour le système de santé et de services sociaux du Québec. À la suite d'une augmentation du nombre de plaintes (de 89 en 2009-2010 à 142 au cours des neuf premiers mois de 2011), le Protecteur du citoyen a mené une enquête, qui a permis de mettre en évidence certains problèmes d'accessibilité des services de soutien à domicile à long terme[34]. Le Protecteur du citoyen remarque que les aspects les plus problématiques sont l'insuffisance des heures de service allouées en fonction des besoins et les délais avant de recevoir les services. De façon plus générale, il constate une rigidité dans l'application des critères et une nette tendance au nivellement vers le bas des heures de service allouées.

En ce qui concerne le financement public des services de soutien à domicile (soins de santé et services d'aide), le gouvernement du Québec dépensait moins que la moyenne canadienne en 2003-2004, selon l'étude comparative la plus récente (qui date de 2007) : 78,93 $ par habitant, comparativement à 91,15 $ pour l'ensemble du Canada (en dollars constants de 1997). Il se situait toutefois près de la moyenne canadienne de 49,73 $ pour ce qui est des dépenses par habitant pour les soins de santé à domicile (47,14 $)[35].

## Conclusion

Ce survol des statistiques accessibles les plus récentes fait ressortir les progrès réalisés, mais aussi les nombreux défis à relever dans les années à venir en ce qui concerne la performance du système de santé et de services sociaux du Québec. Les données montrent que l'état de santé des Québécois s'améliore discrètement malgré le vieillissement de la population, mais cette situation impose aux systèmes de santé contemporains un effort majeur d'adaptation.

**Un Québécois sur quatre n'a pas de médecin habituel.**

Le système de santé et de services sociaux du Québec, comme celui des autres provinces canadiennes, a été conçu pour répondre à des problèmes de santé aigus et semble moins adapté pour affronter le défi que représente le suivi des personnes aux prises avec une maladie chronique et des personnes dites vulnérables ou en situation de fragilité. Nous gagnerions à investir davantage dans les soins de première ligne et les services de soutien à domicile pour répondre à la demande actuelle et future. À la lumière de ce bilan statistique, il serait raisonnable de penser que le renforcement de ces soins et de ces services contribuerait à l'amélioration continue de la performance du système de santé et de services sociaux du Québec.

Notes

1. Institut de la statistique du Québec, «La mortalité et l'espérance de vie au Québec, 2012 et tendance récente», dans *Coup d'œil sociodémographique*, nº 26, mai 2013.

2. Ministère de la Santé et des Services sociaux du Québec, en collaboration avec l'Institut national de santé publique du Québec et l'Institut de la statistique du Québec, *Pour guider l'action – portrait de santé du Québec et de ses régions: les analyses,* Québec, gouvernement du Québec, 2011.

3. *Ibid.*

4. En date du 8 février 2012, 764 cas de rougeole ont été déclarés au bureau de surveillance et de vigie du ministère de la Santé et des Services sociaux depuis le 3 avril 2011, soit la date à partir de laquelle une transmission locale soutenue a été observée au Québec. En ligne: www.msss. gouv.qc.ca/sujets/prob_sante/rougeole/por trait2011.php. Site consulté le 10 septembre 2013.

5. Ministère de la Santé et des Services sociaux du Québec, en collaboration avec l'Institut national de santé publique du Québec et l'Institut de la statistique du Québec, *op. cit.*

6. *Ibid.*

7. Ministère de la Santé et des Services sociaux du Québec, *L'intégration des services de santé et des services sociaux: le projet organisationnel et clinique et les balises associées à la mise en œuvre des réseaux locaux de services de santé et de services sociaux,* février 2004. En ligne: www.msss. gouv.qc.ca/reseau/rls. Site consulté le 10 septembre 2013.

8. *Ibid.*

9. Ministère de la Santé et des Services sociaux du Québec, *Rapport annuel de gestion 2011-2012,* Québec, gouvernement du Québec, 2012.

10. Collège des médecins du Québec, *Répartition générale des médecins,* décembre 2012. En ligne: www.cmq.org/fr/Public/TravailObligations/ Statistiques/RepartitionMedecins.aspx. Site consulté le 13 septembre 2013.

11. Institut canadien d'information sur la santé, *Nombre, répartition et migration des médecins canadiens 2011,* Ottawa, ICIS, 2012.

12. Institut canadien d'information sur la santé, *Infirmières réglementées: tendances canadiennes, 2007 à 2011,* Ottawa, ICIS, 2012.

13. Institut canadien d'information sur la santé, *Les dispensateurs de soins de santé au Canada, de 1997 à 2011 – guide de référence,* version 2, Ottawa, ICIS, 2013.

14. Institut canadien d'information sur la santé, *Les dispensateurs de soins de santé au Canada – profils provinciaux de 2011: un regard sur 27 professions de la santé,* Ottawa, ICIS, juillet 2013.

15. *Ibid.*

16. Institut canadien d'information sur la santé, *Les ergothérapeutes au Canada 2011 – faits saillants nationaux, provinciaux et territoriaux,* Ottawa, ICIS, 2012.

17. Institut canadien d'information sur la santé, *Les dispensateurs de soins de santé au Canada – profils provinciaux de 2011, op. cit.*

18. *Ibid.*

19. Agence de la santé et des services sociaux/ Direction de santé publique, *Besoins et difficultés d'accès aux services de premier contact, Canada, Québec, Montréal: analyse des données de l'enquête sur l'accès aux services de santé,* Montréal, 2003.

20. Statistique Canada, *Feuillet d'information de la santé,* nº 82-625-WF au catalogue, 21 juin 2013. En ligne: www.statcan.gc.ca/pub/82-625-x/2013001/article/11832-fra.htm. Site consulté le 27 juillet 2013.

21. Institut canadien d'information sur la santé, *Expériences vécues en soins de santé primaires au Canada: analyse en bref,* Ottawa, ICIS, 2009.

22. *Ibid.*

23. Ministère de la Santé et des Services sociaux du Québec, *Statistiques de santé et de bien-être.* En ligne: www.msss.gouv.qc.ca/statistiques/ sante-bien-etre/index.php?Evolution-du-taux-de-consultation-dune-personne-ressource-en-medecine-non-traditionnelle-selon-le-sexe. Site consulté le 30 juillet 2013.

24. Services Info-Santé et Info-Social, *Cadre de référence sur les aspects cliniques des volets santé et social des services de consultation téléphonique 24 heures, 7 jours à l'échelle du Québec,* Direction

générale des services sociaux, Direction générale des services de santé et de médecine universitaire, 2007.

25. Ministère de la Santé et des Services sociaux du Québec, *Rapport annuel de gestion 2009-2010,* Québec, gouvernement du Québec, 2010.

26. Institut national de santé publique du Québec, en collaboration avec le ministère de la Santé et des Services sociaux du Québec, *Portrait de santé du Québec et de ses régions 2006 : les statistiques – deuxième rapport national sur l'état de santé de la population,* Québec, gouvernement du Québec, 2006.

27. Commissaire à la santé et au bien-être, *L'expérience de soins des personnes présentant les plus grands besoins de santé : le Québec comparé – résultats de l'enquête internationale sur les politiques de santé du Commonwealth Fund de 2008,* Québec, gouvernement du Québec, 2009.

28. Commissaire à la santé et au bien-être, *Infoperformance. Favoriser la pratique médicale de groupe et accroître l'interdisciplinarité en première ligne,* n° 1, Québec, gouvernement du Québec, novembre 2011.

29. Commissaire à la santé et au bien-être, *Perceptions et expériences des médecins de première ligne : le Québec comparé – résultats de l'enquête internationale du Commonwealth Fund de 2009 auprès des médecins,* Québec, gouvernement du Québec, 2010.

30. Commissaire à la santé et au bien-être, *Perceptions et expériences des médecins de première ligne : le Québec comparé – résultats de l'enquête internationale sur les politiques de santé du Commonwealth Fund de 2012,* Québec, gouvernement du Québec, 2013.

31. Ministère de la Santé et des Services sociaux du Québec, en collaboration avec l'Institut national de santé publique du Québec et l'Institut de la statistique du Québec, *Pour guider l'action – portrait de santé du Québec et de ses régions : les statistiques,* Québec, gouvernement du Québec, 2011.

32. Ministère de la Santé et des Services sociaux du Québec, *Services de soutien à domicile,* 2013. En ligne : www4.gouv.qc.ca/FR/Portail/Citoyens/ Evenements/perdre-son-autonomie/Pages/ser vice-soutien-domicile.aspx. Site consulté le 10 septembre 2013.

33. Melanie Hoover et Michelle Rotermann, « Le recours aux soins à domicile par les personnes âgées et les besoins insatisfaits, 2009 », dans *Rapports sur la santé,* vol. 23, n° 4, Ottawa, Statistique Canada, n° 82-003-X au catalogue, décembre 2012.

34. Le Protecteur du citoyen, *Chez soi, toujours le premier choix ? L'accessibilité aux services de soutien à domicile pour les personnes présentant une incapacité significative et persistante,* Québec, Le Protecteur du citoyen, mars 2012.

35. *Ibid.*

# Prostitution et santé : au-delà du préservatif

**Richard Poulin**

*Sociologue, professeur émérite, Université d'Ottawa, et professeur associé, Institut de recherches et d'études féministes, Université du Québec à Montréal*

**La prostitution comporte des risques particuliers (VIH/sida, hépatites, autres infections sexuellement transmissibles, etc.) et des conséquences sanitaires et psychiques qui découlent des violences exercées par les proxénètes et les clients. Il existe également différentes pathologies associées à l'activité : troubles psychiques, infections broncho-pulmonaires, usage de produits psychoactifs, etc. Le danger du VIH/sida a été l'argument massue qui a donné son essor au mouvement en faveur de la légalisation de la prostitution, puisque cette dernière est considérée comme un vecteur important de transmission du virus. En limitant son action au financement de la distribution de préservatifs, l'intervention publique, qui est liée à la réduction des méfaits, occulte les problèmes et les besoins de santé globaux des personnes prostituées et ne leur offre aucune solution de rechange.**

On sait à la fois beaucoup et relativement peu de choses sur la prostitution au Canada et au Québec. Dans les années 1980, le gouvernement fédéral a mis sur pied deux commissions d'enquête qui devaient, entre autres, faire le tour de la question aussi bien dans le domaine de la prostitution des adultes que dans celui de la prostitution des enfants[1]. Malgré tout, étrangement, il n'existe aucune estimation du nombre de personnes prostituées adultes et mineures au pays ni aucune évaluation du chiffre d'affaires de cette industrie. Une enquête pilotée par la Concertation des luttes contre l'exploitation sexuelle a révélé l'existence d'au moins 199 salons de massage « érotique », 65 clubs de danse nue[2], 38 agences d'escortes, 13 sites de prostitution de rue et 10 « peep-shows » dans la région de Montréal[3]. Cette enquête n'est pas exhaustive, puisque les maisons closes clandestines ne sont pas répertoriées. En 1999, on estimait à 5 000 les personnes prostituées à Montréal. Aujourd'hui, certains évaluent leur nombre jusqu'à 10 000. Malgré les demandes réitérées de différents comités parlementaires du gouvernement canadien, Statistique Canada se refuse toujours à mener une enquête sur le sujet. Sans une connaissance approfondie de cette industrie, il est difficile d'élaborer des politiques d'intervention sociale adéquates.

La prostitution est une industrie segmentée et diversifiée qui s'adresse à toutes les bourses, puisqu'elle va de la prostitution occasionnelle à celle s'exerçant dans la rue, de l'escorte (*indoor* ou *outdoor*) à la masseuse dite « érotique ». Les conditions de son exercice varient donc énormément, ses conséquences aussi, tout comme les besoins des personnes prostituées, que ce soit sur le plan du logement, de la santé ou des services, etc.

Les recherches montrent qu'environ 80 % des adultes en situation de prostitution se sont prostitués à un âge mineur et que l'âge moyen de recrutement dans cette industrie tourne autour de 14-15 ans[4], une situation récemment aggravée par l'expansion des gangs criminalisés de jeunes. Selon les diffé-

rentes enquêtes, aussi bien au Québec qu'ailleurs au Canada, de 82 à 85 % des femmes prostituées ont été agressées sexuellement lorsqu'elles étaient enfants. Les enfants fuient cette violence. Très majoritairement, les jeunes filles qui ont été recrutées dans la prostitution étaient en situation de fugue.

On sait également que cette industrie connaît à l'échelle mondiale une croissance importante depuis plus de trois décennies[5]. C'est également le cas au Canada. Plusieurs villes du pays attirent les touristes sexuels. C'est notamment le cas de Montréal. En outre, Montréal est au cœur de la production pornographique canadienne, et le Canada est au neuvième rang des pays producteurs de porno. Plusieurs témoignages et quelques recherches montrent des liens

> **Statistique Canada refuse de mener une enquête sur l'industrie de la prostitution.**

étroits entre la prostitution et la pornographie. En fait, il y a souvent entrecroisement des deux industries. Selon une étude, 49,2 % des femmes prostituées ont participé à des productions pornographiques[6]. On constate également des liens étroits entre la prostitution infantile, le tourisme pédocriminel et la mise en marché d'une pornographie mettant en scène des enfants[7].

Selon l'Office des Nations unies contre la drogue et le crime (ONUDC), le Canada est à la fois un pays d'origine, de transit et de destination des femmes et des enfants victimes de la traite à des fins d'exploitation sexuelle – ce que soulignent également les rapports annuels sur la traite des personnes du département d'État américain.

Pour l'essentiel, la répression au Canada[8] s'exerce sur les personnes prostituées de rue. Presque toutes les affaires de prostitution déclarées comportent une infraction relative à la communication, c'est-à-dire au racolage (92 %) ; parmi celles-ci, 97 % des accusations ont été portées contre les personnes prostituées et 3 % contre leurs clients-prostitueurs. Dans les autres affaires, il s'agit d'infractions relatives au proxénétisme (5 %) ou aux maisons de débauche (3 %). Ainsi, la répression de la prostitution touche avant tout les femmes prostituées sur le trottoir, peu les prostitueurs et les proxénètes. Ce sont les femmes prostituées qui ont un casier judiciaire et qui, par conséquent, ont plus de difficulté à se trouver un emploi et à quitter la prostitution. Ce sont également ces personnes que le système enfonce davantage dans la prostitution en les condamnant à payer des amendes : pour les payer, elles doivent multiplier les passes.

## Prostitution et assuétude aux drogues et à l'alcool

Il y a eu plusieurs recherches sur la santé des personnes prostituées. Elles se cantonnent souvent aux infections transmissibles sexuellement (ITS) ou à l'assuétude à l'alcool et aux drogues. Pourtant, d'autres aspects devraient faire l'objet d'enquêtes : rectums fissurés, vagins déchirés et utérus rompus, sans compter les cystites et les autres effets sur la santé. Les conséquences sur la santé mentale sont également importantes. Les personnes prostituées vivent constamment des situations de stress et d'anxiété, de rejet et d'humiliation. Désordres psychologiques, piètre estime de soi et état de stress post-traumatique sont leur lot commun.

La prostitution, particulièrement celle qui s'exerce dans la rue, est généralement associée à la toxicomanie. Un facteur a pourtant été mis en évidence : la prévalence de l'usage de drogues est sensiblement plus élevée chez les personnes prostituées que chez les non-prostituées, mais l'abus de drogues suit l'entrée dans la prostitution davantage qu'elle ne la précède. À l'évidence, les drogues permettent aux personnes prostituées de supporter leur prostitution. Les témoignages recueillis de femmes prostituées de rue révèlent que leur dépendance les entraîne à poursuivre, sinon à accélérer les activités prostitutionnelles dans des conditions de plus en plus risquées. Enfin, certains liens entre l'injection forcée de drogues dures et le « formatage » à la prostitution ont été mis en évidence par des organisations qui œuvrent sur le terrain.

**Prostitution et violence**

La prostitution est une activité à haut risque. Les femmes prostituées des Prairies ont subi des taux élevés de violence dans l'exercice de la prostitution. Quelque 97 % ont fait état de la violence des prostitueurs. Elles ont vécu, en grande majorité, de nombreux actes portant atteinte à leur intégrité physique et psychologique : viol, viol collectif, viol sous la menace d'une arme à feu ; elles ont été battues, étranglées, poignardées, enlevées, torturées, etc. Ces violences ont souvent nécessité l'hospitalisation : points de suture, fausses couches, paralysie, fractures, etc.[9].

À Calgary, 82 % des mineurs prostitués, filles et garçons, ont signalé avoir subi des actes de violence de la part des prostitueurs. Nombre de ces jeunes ont craint l'assassinat[10]. Cette crainte est fondée. De 1992 à 2004, il y a eu officiellement 171 meurtres de femmes prostituées au Canada[11], un chiffre qui ne tient pas compte des très nombreuses « disparitions » de femmes prostituées. De janvier 1989 à mai 2008, on compte 29 meurtres de femmes prostituées ou associées à la prostitution (femmes proxénètes ou conductrices pour une agence d'escortes) au Québec. Il y a également eu 9 meurtres de danseuses nues ou de femmes associées à la danse nue. On a donc enregistré, au cours de cette période, 38 meurtres de femmes associées aux industries du sexe. Des 29 femmes prostituées ou associées à la prostitution qui ont été assassinées, 19,

soit 66 %, n'exerçaient pas une activité prostitutionnelle sur le trottoir au moment du meurtre. Plusieurs étaient au service d'agences d'escortes ou recevaient des clients-prostitueurs dans leurs appartements, ou encore se rendaient à leur domicile[12].

Le phénomène de la violence quotidienne dans la prostitution est structu-

---

**De 1992 à 2004, il y a eu officiellement 171 meurtres de femmes prostituées au Canada.**

---

rel, systémique. Toutes les enquêtes dans les pays capitalistes dominants l'attestent. Une étude sur les personnes prostituées de rue en Angleterre établit que 87 % d'entre elles ont été victimes de violence au cours des 12 mois précédents[13]. Une étude menée à Minneapolis montre que 78 % des personnes prostituées ont été victimes de viol par des proxénètes et des prostitueurs, en moyenne 49 fois par année ; 49 % ont été victimes d'enlèvement et transportées d'un État à un autre, et 27 % ont été mutilées[14]. Quelque 90 % des personnes prostituées de Vancouver ont été physiquement agressées, et 72 % ont été violées par les prostitueurs[15].

Les personnes en situation de prostitution au Canada sont agressées physiquement et victimes d'assassinat de 60 à 120 fois plus souvent que toute autre personne.

**Prostitution et santé psychologique**
Conséquemment, selon différentes études, de 68 % à 72 % des personnes prostituées souffrent d'un état de stress post-traumatique (ESPT)[16]. L'ESPT est une réaction émotionnelle intense de longue durée. Il apparaît à la suite d'un événement traumatique hors du commun. La personne revit régulièrement la situation traumatique initiale. Sa réactivité générale est amoindrie : elle est apathique et morose par rapport à son avenir. Une hyperactivité physiologique (insomnie, irritabilité, difficultés de concentration) complète le trouble. La dépression aussi bien que l'ESPT sont communs chez les personnes prostituées. Ce n'est donc pas sans raison que

## Des débats houleux à l'horizon

Cette année, la cause Bedford contre Canada, portée devant la Cour suprême du Canada, a remis à l'avant-scène le débat sur la légalisation de la prostitution. En effet, le plus haut tribunal du pays a commencé, en juin 2013, l'examen de certaines lois limitant l'exercice de la prostitution. C'est à la suite d'un arrêt de la Cour d'appel de l'Ontario, tranchant pour maintenir la criminalisation des personnes prostituées de rue tout en autorisant la création de maisons closes, que le procureur général du Canada a porté la cause en appel. La Cour suprême doit maintenant déterminer si les dispositions du Code criminel relatives à la prostitution compromettent la sécurité des personnes prostituées et violent leurs droits constitutionnels.

Jusqu'ici, les politiques publiques canadiennes et québécoises ont d'abord cherché à réduire les méfaits associés à la prostitution et à maintenir la paix sociale. Concrètement, la réduction des méfaits consiste en des « programmes de traitement de la toxicomanie, [un] programme d'échange de seringues, [une] trousse de désinfection à l'eau de Javel, [une] sensibilisation aux dangers de la rue et [des] préservatifs[1] ».

Sur le plan juridique, la prostitution, qui n'est pas en soi illégale, est définie comme : « 1) une offre de services sexuels 2) s'adressant à un nombre indéterminé de personnes 3) en échange d'une forme quelconque de rémunération (argent, bien, avantages quelconques[2]...) ». Cependant, certains la considèrent comme un système d'exploitation, conséquence du patriarcat, alors que d'autres estiment qu'elle est un métier comme un autre. Ces différentes considérations sont à la source d'importants clivages idéologiques empêchant toute politique publique de s'attaquer de front aux problèmes liés à la pratique de la prostitution.

Deux courants incarnent le clivage idéologique entourant la question de la prostitution : le courant réglementariste et le courant abolitionniste. Les tenants du premier abordent la prostitution sous l'angle du droit et des libertés des individus à assurer leur propre sécurité[3]. Ce courant prône la décriminalisation complète de la prostitution. L'objectif est de faire reconnaître la prostitution en tant que travail, en l'accompagnant d'une plus grande réglementation en vue d'accroître la sécurité des

l'on constate chez elles un taux de suicide et de tentative de suicide parmi les plus élevés de la société – d'autant plus que ces personnes sont injuriées, humiliées et rabaissées («sales putes») constamment, ce qui affecte leur estime de soi. La prostitution est donc traumatisante.

Pour survivre, les personnes prostituées développent une relation d'extériorité à leur corps. Ce phénomène de dissociation[17] entre un corps extériorisé, étranger, et un soi «intègre» est nommé par certains «décorporalisation». La décorporalisation serait une condition pour multiplier les actes sexuels non désirés en échange d'argent. En termes médicaux, il s'agirait d'une «effraction corporelle à caractère sexuel», qui est

travailleurs et travailleuses du sexe. Le mouvement qui défend ce point de vue est formé de groupes variés, mais compte en majorité des organismes luttant contre la propagation du sida, lesquels ont un grand pouvoir d'influence puisqu'ils bénéficient du financement public pour mener à bien leurs actions[4].

L'approche abolitionniste (ou néo-abolitionniste), quant à elle, se base plutôt sur les principes de la dignité humaine et du droit des femmes pour condamner la prostitution. Celle-ci est vue comme une violence et une exploitation sexuelle nuisant à la santé et à la sécurité des personnes prostituées. Selon cette perspective, la prostitution est souvent un «choix dans l'absence de choix» pour les personnes les plus vulnérables. Ce courant préconise de soustraire à la juridiction criminelle les personnes prostituées, mais non les proxénètes et les clients[5]. Les abolitionnistes souhaitent principalement l'adoption de mesures de réintégration sociale. Dans cette mouvance se retrouvent principalement des personnes anciennement prostituées, ainsi que des organisations de lutte contre la violence envers les femmes et de lutte pour le droit des Autochtones. Toutefois, leur voix politique est plus faible, en partie parce qu'elles sont intégrées à des organismes sociaux plus récents et possédant une capacité organisationnelle moins grande.

La Cour suprême devrait rendre une décision au début de 2014.

**Kathrine Lapalme**
Étudiante à la maîtrise, Affaires publiques et internationales,
Université de Montréal

Notes
1. Julie Cool, *La prostitution au Canada : un aperçu*, Division des affaires politiques et sociales, 2004, p. 15. En ligne : www.publications.gc.ca/collections/...f/PRB0443-f.pdf.
2. www.laloi.ca/articles/prostitution.php
3. Conseil du statut de la femme, *Avis. La prostitution : il est temps d'agir*, Québec, Conseil du statut de la femme, 2012, p. 14. En ligne : www.csf.gouv.qc.ca/modules/.../fichier-29-1655.pdf.
4. Julie Cool, *op. cit.*, p. 14.
5. Conseil du statut de la femme, *op. cit.*, p. 16.

en fait l'équivalent d'un viol et qui a les mêmes conséquences que le viol : « On ne va pas se faire soigner, on va se faire réparer. On voit chez ces personnes un état de santé et de négligence sanitaire. [...] On constate un seuil de tolérance à la douleur absolument effroyable. Certaines [ne] se rendent compte qu'elles ont été frappées que lorsqu'elles se voient dans une glace et qu'elles discernent les traces des coups. On leur demande ce qui s'est passé, elles ne savent plus, elles n'ont pas ressenti la douleur[18]. »

### Les besoins des personnes prostituées

Face à la justice, les personnes prostituées font en général « de mauvais témoins » : elles ont des trous de mémoire, se contredisent, s'effondrent. Pour le juge, elles paraissent « de mauvaise foi ». C'est qu'elles revivent les situations qui ont provoqué chez elles un stress intense. Puisque la majorité

---

**Les États ont tendance à limiter l'intervention sociale à la réduction des méfaits.**

---

des personnes prostituées souffrent d'ESPT, la justice devrait les considérer comme des victimes et non comme de simples témoins d'un crime, et, à ce titre, elles devraient bénéficier de soutien et d'accompagnement. Ne pas tenir compte de cette réalité, c'est favoriser

systématiquement la partie adverse... criminelle.

Selon une enquête menée à Vancouver, 95 % des femmes prostituées interviewées veulent quitter la prostitution. Cette recherche a également mis en évidence les besoins immédiats des femmes prostituées. Quelque 82 % ont souligné avoir besoin d'un traitement en désintoxication (drogue ou alcool), 66 % d'un logement ou d'un lieu sécuritaire, 67 % d'une formation professionnelle, 41 % de soins médicaux, 49 % de cours d'autodéfense, 58 % de services de counseling, 33 % d'assistance juridique et 12 % de services de garde d'enfants.

Les personnes prostituées tentent de quitter la prostitution. Elles s'y essaient à plusieurs reprises, jusqu'à 15 fois en moyenne, selon une étude canadienne, avant de croire qu'elles ont définitivement abandonné cette vie, bien qu'elles ne soient jamais certaines que leur dernière passe était vraiment la dernière. L'argent est le principal motif du retour à la prostitution : en l'absence de diplômes, de compétences professionnelles ou techniques, les personnes qui n'ont connu que la prostitution expliquent avoir peu de choix. Rappelons que l'âge moyen d'entrée dans la prostitution est de 14-15 ans ; ces personnes n'ont donc généralement pas de diplôme d'études secondaires, ce qui est un obstacle majeur à l'obtention d'un emploi. Sans services appropriés, notamment des structures d'accueil, quitter la prostitution n'est pas facile ; les personnes prostituées se trouvent privées de soutien psychologique, financier, social, etc. En outre, un regard social stigmatisant pèse injustement sur elles et réduit leur champ d'action et leur confiance en elles.

Les préjugés et la méconnaissance font en sorte que l'on néglige la parole des personnes prostituées. Les plaintes pour viol, pour agression physique ou sexuelle des personnes prostituées sont rarement prises en compte par le système (hôpitaux, police, justice, etc.). Elles sont souvent minimisées et interprétées comme faisant partie des «risques du métier». L'inexistence de services appropriés est largement mise en évidence, ainsi que l'inadéquation des services existants.

Au Québec, il n'y a que trois ONG qui offrent des services aux femmes qui veulent quitter la prostitution : la Concertation des luttes contre l'exploitation sexuelle de Montréal, la Maison Marthe à Québec et un organisme de terrain, le Projet d'intervention prostitution de Québec (PIPQ), qui aide les femmes prostituées à mieux se protéger des ITS et leur offre un accompagnement pour quitter ce milieu si elles le souhaitent. L'État s'en lave complètement les mains – sauf pour financer les ONG qui pratiquent la réduction des méfaits (distribution de préservatifs aux personnes prostituées)[19]. Voilà un des effets du néolibéralisme : les États ont tendance à limiter l'intervention sociale à la réduction des méfaits (cela ne coûte pas cher), ne s'attaquant ainsi ni aux causes ni aux conséquences de la prostitution. La prévention est donc quasi inexistante.

L'État devrait mettre en place des mesures de protection et d'accompagnement des personnes prostituées, notamment des structures rendant les soins accessibles – non seulement pour réduire les méfaits et traiter les ITS, mais pour prendre en charge, à partir d'une intervention féministe, tous les aspects de la santé physique et psychologique propres aux personnes prostituées. Toute personne qui veut quitter la prostitution devrait avoir droit à des ressources suffisantes et à une formation scolaire ou professionnelle.

Notes

1. Il s'agit du Comité sur les infractions sexuelles à l'égard des enfants et des jeunes (le comité Badgley) et du Comité spécial d'étude de la pornographie et de la prostitution (le comité Fraser).

2. Depuis la légalisation de la danse contact, en décembre 1999, la danse nue se confond de plus en plus avec la prostitution (bars à gaffe). Il ne resterait qu'un seul club de danse nue, sans danse contact, à Montréal.

3. Concertation des luttes contre l'exploitation sexuelle, *Carte industrie du sexe Montréal*, 2011. En ligne : www.cathii.org/node/79.

4. L'âge moyen de recrutement aux États-Unis, au Royaume-Uni et en Allemagne est sensiblement le même qu'au Canada. Il est encore plus bas dans les pays du Sud.

5. Voir R. Poulin, *La mondialisation des industries du sexe*, Paris, Imago, 2005 et 2011.

6. M. Farley et H. Barkan, «Prostitution, Violence and Posttraumatic Stress Disorder», dans *Women & Health*, vol. 27, n° 3, 1998, p. 37-49.

7. Voir Richard Poulin, *Les enfants prostitués*, Paris, Imago, 2007.

8. La prostitution n'est pas criminalisée au Canada, mais certaines activités le sont : la communication, la tenue de maisons de débauche, le proxénétisme, la prostitution des jeunes d'âge mineur. Une personne prostituée qui reçoit chez elle un prostitueur ou qui se rend chez lui exerce tout à fait légalement la prostitution.

9. Karen Busby et al., « Examination of Innovative Programming for Children and Youth Involved in Prostitution », dans Helen Berman et Yasmin Jiwani (dir.), In the Best Interests of the Girl Child, London (Ont.), The Alliance of Five Research Centres on Violence, 2002, p. 89-113.

10. Susan McIntyre, Le long parcours, Ottawa, Ministère de la Justice, 2002, p. 31.

11. Et 50 aux Pays-Bas, où la prostitution est légale, c'est-à-dire réglementée.

12. Voir Richard Poulin et Yanick Dulong, Les meurtres en série et de masse, dynamique sociale et politique, Montréal, Sisyphe, 2009, p. 47-50.

13. Jody Miller, « Gender and Power on the Streets : Street Prostitution in the Era of Crack Cocaine », dans Journal of Contemporary Ethnography, vol. 23, nº 4, 1995, p. 427-452.

14. Janice Raymond, Health Effects of Prostitution, The Coalition Against Trafficking in Women, Université du Rhode Island, 1999. En ligne : www.uri.edu/artsci/wms/Hugues/mhvhealth.htm.

15. Melissa Farley et Jacqueline Lynne, « Prostitution in Vancouver : Pimping Women and the Colonization of First Nations Women », dans Christine Stark et Rebecca Whisnant (dir.), Not for Sale : Feminists Resisting Prostitution and Pornography, North Melbourne, Spinifex, 2004, p. 106-130.

16. Ibid.

17. Certains partisans de l'approche de la réduction des méfaits dans la prostitution considèrent cette dissociation comme une preuve de professionnalisme ou comme une façon pour les personnes prostituées de différencier les relations avec les prostitueurs de celles avec leurs amants.

18. Judith Trinquart, La décorporalisation dans la pratique prostitutionnelle : un obstacle majeur à l'accès aux soins, Paris, thèse de doctorat d'État de médecine générale, 2002.

19. Dans le domaine des drogues, la politique de réduction des méfaits est complétée par des services de désintoxication. Dans le cas de la prostitution, il n'y a aucun service qui accompagne l'intervention sociale de réduction des méfaits.

# Éducation

# CHEMINEMENT DE 100 JEUNES QUÉBÉCOIS DANS LE SYSTÈME SCOLAIRE*

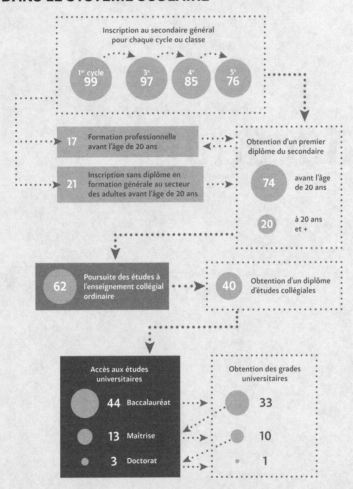

Inscription au secondaire général pour chaque cycle ou classe

1er cycle **99** — 3e **97** — 4e **85** — 5e **76**

**17** Formation professionnelle avant l'âge de 20 ans

**21** Inscription sans diplôme en formation générale au secteur des adultes avant l'âge de 20 ans

Obtention d'un premier diplôme du secondaire

**74** avant l'âge de 20 ans

**20** à 20 ans et +

**62** Poursuite des études à l'enseignement collégial ordinaire

**40** Obtention d'un diplôme d'études collégiales

Accès aux études universitaires

**44** Baccalauréat

**13** Maîtrise

**3** Doctorat

Obtention des grades universitaires

**33**

**10**

**1**

Source : Ministère de l'Éducation, du Loisir et du Sport, *Indicateurs de l'éducation. Édition 2012*, gouvernement du Québec. Basé sur les comportements observés en 2010-2011.

# L'éducation en quelques statistiques

**Anylène Carpentier**

*Chargée de cours, Département d'enseignement au préscolaire et au primaire, Université de Sherbrooke*

**Le changement en éducation est une préoccupation majeure pour la plupart des pays industrialisés. En effet, de nombreuses politiques éducatives sont constamment adoptées et mises en œuvre afin de démocratiser l'éducation, d'élever le niveau général d'instruction de la population, de former une main-d'œuvre capable de participer au développement économique, d'assurer la formation des jeunes à la citoyenneté et de les rendre aptes à vivre dans nos sociétés modernes et pluralistes. Porté par des idéaux de justice et de réussite pour tous, le Québec n'échappe pas à cette tendance.**

Le Québec engage chaque année des sommes d'argent considérables dans son système d'éducation et met en place plusieurs politiques éducatives qui permettent à un nombre important et envié de jeunes Québécois et Québécoises de réussir leurs études secondaires, d'obtenir un diplôme d'études supérieures et de vivre une insertion professionnelle harmonieuse dans notre société.

En 2009-2010, la dépense globale d'éducation du Québec, par rapport au produit intérieur brut (PIB), était estimée à 7,7 %, alors que celle du reste du Canada s'établissait à 6,7 %. Cette dépense du Québec pour l'éducation correspondait, en 2011-2012, à 15,5 milliards de dollars, soit 4,3 milliards de plus qu'en 2002-2003 – une augmentation due, notamment, à la hausse des coûts du système, mais aussi aux nombreuses mesures de réinvestissement et de développement (comme la lutte contre le décrochage scolaire, la réduction de la taille des classes, l'augmentation du temps d'enseignement au primaire, le soutien aux élèves à risque et aux élèves handicapés ou en difficulté d'adaptation ou d'apprentissage, et le plan d'action « Éducation, emploi et

---

**En 2010-2011, 62,6 % des jeunes Québécois ont atteint l'enseignement ordinaire au collégial.**

---

productivité » de la formation professionnelle et technique et de l'éducation des adultes). Enfin, les ressources additionnelles consacrées aux établissements pour favoriser la persévérance dans les études et la réussite des étudiants, les ajouts de ressources consécutifs au rétablissement partiel des transferts fédéraux à l'enseignement postsecondaire et les bonifications accordées au régime d'aide financière aux études expliquent aussi l'augmentation du budget gouvernemental pour l'éducation. Cette part du budget allouée à l'éducation place le Québec parmi les États membres de l'Organisation de coopération et de développement économiques (OCDE) dont l'effort financier consacré à l'éducation est le plus important (selon les données de 2007 de l'OCDE).

Lorsqu'on observe le cheminement de 100 Québécois et Québécoises dans le système scolaire en 2010-2011 (voir la figure 1), on constate que, sur 100 jeunes,

99 parvenaient aux études secondaires et 94 obtenaient un premier diplôme du secondaire (parmi lesquels 34 étaient titulaires d'un diplôme de formation professionnelle), 40 obtenaient un diplôme d'études collégiales, 33, un baccalauréat, 10, une maîtrise et 1, un doctorat. De l'école primaire à l'université, l'espérance de scolarisation totale établie pour 2010-2011 correspondait en moyenne à 15,3 années par Québécois ou Québécoise en âge de fréquenter un établissement scolaire. Le parcours scolaire serait cependant différent selon le sexe : en 2009-2010, plus d'hommes que de femmes (soit 21,5 % contre 13,6 %) laissaient leurs études avant d'avoir obtenu un diplôme, quel qu'il soit. Inversement, environ 41,3 % des femmes obtenaient au moins un baccalauréat en 2010, contre seulement 25,4 % des hommes.

Les accès à la quatrième et à la cinquième secondaire se situaient respectivement, en 2010-2011, à 85 % et à 76 %. Du côté de la formation professionnelle au secondaire, l'accès était de 17,2 % chez les personnes âgées de moins de 20 ans, et ce sont davantage les garçons qui se dirigeaient vers cette filière (21,4 % pour les garçons comparativement à 12,9 % pour les filles). La proportion de jeunes Québécois et Québécoises qui atteignaient l'enseignement ordinaire au collégial était de 62,6 % – la même situation qui avait cours il y a 15 ans. Du côté des études universitaires, le taux d'accès[1] au baccalauréat était, en 2011-2012, de

44,2 %, les femmes enregistrant un taux d'accès supérieur à celui des hommes (52 % et 36,7 % respectivement). Pour les études universitaires de deuxième et de troisième cycle, les taux d'accès étaient de 12,9 % pour la maîtrise et de 3,2 % pour le doctorat. Les inscriptions pour les études au doctorat ont connu un essor important au cours des dernières décennies : de 1,1 % en 1984-1985 à 3,2 % en 2011-2012. Les hommes continuent d'être davantage représentés au troisième cycle, avec un taux d'accès de 3,3 % contre 3,2 % pour les femmes. Quant aux taux de diplomation (pourcentages des étudiants qui complètent le diplôme auquel ils se sont inscrits) dans les différents ordres, ils sont les suivants pour l'année scolaire 2010-2011 :

- secondaire, dans les secteurs des jeunes et des adultes (quittant l'école avant l'âge de 20 ans) : 74,3 % ;
- études collégiales en formation préuniversitaire : 71 % ;
- études collégiales en formation technique : 62 % ;
- baccalauréat : 67 % ;
- maîtrise : 74 % ;
- doctorat : 61,4 %.

L'OCDE publiait en 2012, dans *Regards sur l'éducation*, des données sur l'obtention du diplôme du secondaire dans les pays membres pour l'année 2010. Selon ces données, le taux d'obtention d'un diplôme du secondaire au Québec, établi à 88 %, demeurait plus élevé que la moyenne des taux des pays de l'OCDE. (Ce taux a été obtenu en divisant le nombre de « premiers diplômes » décernés en 2010 par l'effectif de la population ayant l'âge théorique d'obtention d'un diplôme du secondaire au Québec, soit 17 ans.) Parmi les 26 pays retenus de l'OCDE (pays pour lesquels le rapport de l'OCDE présentait des totaux et dont le nombre d'élèves par cohorte était significatif), 9 enregistraient un taux de diplomation au secondaire supérieur à celui du Québec, soit le Portugal, le Japon, la Corée du Sud, la Grèce, l'Irlande, la Slovénie, la Finlande, Israël et le Royaume-Uni. Le Québec se situait dans le groupe des États où la réussite des femmes était nettement plus marquée (92 %), mais le taux de réussite observé pour les hommes québécois (84 %) était tout de même supérieur à la moyenne des taux des hommes des pays de l'OCDE (81 %).

L'abandon des études avant l'obtention d'un diplôme du secondaire est une préoccupation majeure des acteurs du

> **Les inscriptions pour les études au doctorat ont connu un essor important au cours des dernières décennies.**

monde scolaire et de la société québécoise en général. À cet égard, la proportion des jeunes de 19 ans qui n'avaient pas obtenu de diplôme du secondaire et

GRAPHIQUE 1

**Taux annuel de sorties sans diplôme ni qualification (décrochage) en formation générale des jeunes, selon le sexe (en %), 2012**

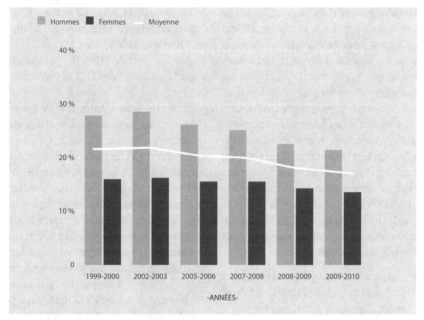

Source : Ministère de l'Éducation, du Loisir et du Sport, *Indicateurs de l'éducation,* Québec, gouvernement du Québec, 2012.

qui avaient abandonné leurs études s'établissait, en 2009-2010, à 17,4 %, soit 21,5 % pour les garçons et 13,6 % pour les filles (voir le graphique 1), alors qu'elle était de 41,6 % en 1979. La tendance globale du taux de décrochage est donc à la baisse (de 26,2 % en 1989-1990 à 21,9 % en 1999-2000), et les résultats des dernières années sont relativement stables (20,3 % en 2007-2008 et 18,4 % en 2008-2009).

En 2010-2011, 149 705 personnes ont bénéficié de prêts et de bourses du Programme québécois d'aide financière aux études. On constate que l'endettement moyen d'un étudiant québécois ayant pris son prêt à sa charge à la fin de ses études universitaires de premier cycle était de 12 839 $. L'endettement moyen pour les autres cycles était de 16 275 $ (deuxième cycle) et de 23 445 $ (troisième cycle). Quant aux droits de scolarité, ils sont en moyenne de 2 519 $ au Québec (2011-2012) pour des études à temps plein au premier cycle universitaire, contre 5 994 $ dans le reste du Canada (voir le graphique 2). Il est per-

GRAPHIQUE 2

**Moyenne des droits de scolarité des étudiants canadiens inscrits à temps plein au premier cycle universitaire, Québec et régions du Canada, en dollars courants, 2012**

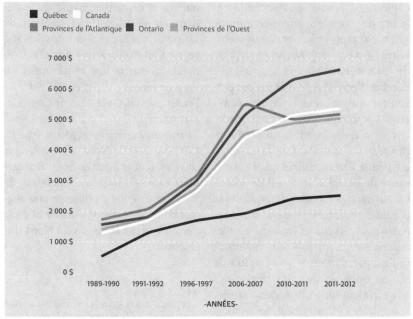

Source : Ministère de l'Éducation, du Loisir et du Sport, *Indicateurs de l'éducation*, Québec, gouvernement du Québec, 2012.

tinent de mentionner que les dettes d'études sont beaucoup moins élevées au Québec qu'ailleurs au Canada, notamment en raison des droits de scolarité, qui sont les plus bas au pays, et du Programme de prêts et bourses, qui est plus avantageux que ce qui est offert dans les autres provinces canadiennes.

Lorsqu'ils terminent leurs études, les diplômés doivent faire des choix. Certains d'entre eux décident de poursuivre leurs études, tandis que d'autres se dirigent vers le marché du travail. Depuis 1990, la formation de la main-d'œuvre s'est considérablement modifiée au Québec. En effet, il y a eu un accroissement important, tant au Québec qu'au Canada, du niveau de scolarité de la main-d'œuvre. On recensait, en 2011, 552 000 emplois de plus qu'en 2000, et l'augmentation du nombre d'emplois a profité davantage aux titulaires d'un diplôme d'études postsecondaires ou universitaires qu'aux autres titulaires d'un diplôme. En 2011, 65,9 % des emplois étaient effectivement occupés par des personnes qui avaient un diplôme d'études postsecondaires (1 657 000 emplois, augmentation de 33,4 % par rapport à 2000) ou universitaires (950 000 emplois, augmentation de 44,6 % par rapport à 2000). Le nombre d'emplois occupés par des personnes qui avaient commencé des études postsecondaires mais qui ne les ont pas menées à terme a lui aussi augmenté, mais seulement de 5,1 %, ce qui est peu si l'on considère que la croissance de l'emploi totale est de 16,2 %. Quant aux personnes sans diplôme d'études secondaires ou qui n'avaient réussi que leurs études secondaires, elles occupaient, en 2011, 168 000 emplois de moins qu'en 2000 : 8 000 emplois de moins occupés par des personnes qui n'avaient qu'un diplôme d'études secondaires (diminution de 1,3 %) et 160 000 emplois de moins occupés par des personnes qui n'avaient pas de diplôme du secondaire (diminution de 25,4 %). Ainsi, en 2011, 11,9 % des emplois étaient occupés par des personnes qui n'avaient pas de diplôme du secondaire, alors que celles-ci occupaient 29,4 % des emplois en 1990.

Finalement, certaines disparités régionales sont perceptibles lorsqu'on compare les moyennes et les taux de réussite obtenus aux épreuves uniques du secondaire du ministère de l'Éducation, du Loisir et du Sport (juin 2011). Cinq régions administratives ont effectivement enregistré une moyenne et un taux de réussite supérieurs à ceux de l'ensemble du Québec, soit Capitale-Nationale, Bas-Saint-Laurent, Laval, Chaudière-Appalaches et Montérégie. La Côte-Nord et le Nord-du-Québec se classent, tout comme en 2010, aux derniers rangs. Il importe cependant de mentionner que l'on observe une augmentation du taux de réussite et de la moyenne dans la région du Nord-du-Québec.

### Note

1. Le taux d'accès mesure la probabilité d'accéder aux études. C'est la proportion de la population qui accède à un type de formation ou à un ordre d'enseignement. Pour calculer le taux d'accès à un niveau donné, on établit d'abord le rapport entre les nouvelles inscriptions à différents âges et la population à ces mêmes âges (au 30 septembre). On obtient ainsi des taux d'accès selon l'âge qui sont ensuite regroupés par sommation pour obtenir la proportion d'une génération qui entreprend des études menant au diplôme visé.

# L'avenir des universités : s'adapter ou mourir

**Louis-François Brodeur**
*Doctorant, HEC Montréal*

À l'automne 2012, le Québec a connu une contestation dont l'ampleur est sans commune mesure dans l'histoire de la province. Les étudiants et une large part de la population se sont mobilisés pour changer la société. Après les conséquences directes et indirectes de ces événements, dont l'élection d'un nouveau gouvernement, la tenue du Sommet sur l'enseignement supérieur, le lancement des chantiers de travail découlant du Sommet, la disparition de la Conférence des recteurs et des principaux des universités du Québec (CREPUQ) et possiblement d'autres changements à venir, il paraît opportun de faire le point sur le système d'éducation universitaire québécois.

Le système universitaire québécois possède des caractéristiques communes à toutes les universités et des caractéristiques qui lui sont propres. Il subit des pressions à plusieurs niveaux qui entraînent des changements. Comme les universités composant ce système sont différentes, les pressions ne sont pas les mêmes partout et elles les touchent en fonction de leurs particularités.

Après les églises, les universités, dont les premiers modèles apparaissent au xiᵉ siècle, comptent parmi les institutions les plus anciennes de nos sociétés occidentales. Dans le monde, il existe plus de 15 000 universités, qui accueillent 178 millions d'étudiants. Par «université», on entend généralement un établissement ayant pour mission, à des degrés divers, l'enseignement, la recherche et le service à la communauté, et jouissant, à divers degrés aussi, de la liberté universitaire au chapitre décisionnel, professionnel et organisationnel. La liberté universitaire se traduit sur le plan décisionnel par la collégialité, sur le plan professionnel par la liberté des professeurs en ce qui concerne l'enseignement, la recherche et le service à la communauté et, sur le plan organisationnel, par l'autonomie institutionnelle, qui protège les organisations de contraintes extérieures. Bien que les universités partagent globalement ces missions communes et cette liberté universitaire, elles ne sont pas identiques.

**Le système universitaire québécois**
Le champ universitaire québécois comprend 18 établissements d'enseignement supérieur. Au Québec, l'enseignement supérieur, la recherche et la technologie occupent le quatrième poste budgétaire de l'État, dépassant 6 milliards de dollars. Annuellement, plus de 250 000 étudiants fréquentent ces établissements, qui employaient, au début

---

> **N'étant pas identiques, les universités québécoises ont à relever des défis différents.**

---

des années 2000, plus de 37 300 personnes. Le système universitaire québécois est dit public en ce qu'il est largement financé par l'État et encadré par des règles, lois et règlements provinciaux, mais les établissements conservent une large part d'autonomie. Malgré ce cadre relativement homogène, nous pouvons noter la présence de trois types d'organisations: les écoles professionnelles (École de technologie supérieure

[ETS], Institut national de la recherche scientifique [INRS], Polytechnique, HEC Montréal), les universités à charte, dont la constitution relève d'une loi privée adoptée par l'Assemblée nationale (Université McGill, Université de Montréal, Université de Sherbrooke, Université Laval, Université Concordia, Université Bishop's), et le réseau de l'Université du Québec.

**Des activités et des missions différenciées**
En raison de leur grande autonomie et de la diversité de leurs statuts, les universités déploient différentes activités. Au-delà des énoncés formels, leurs missions se réalisent dans ces activités. Ces missions s'articulent autour de deux volets principaux: la portée locale ou internationale des activités, et l'importance relative des activités de recherche et d'enseignement. Afin de rendre compte de ces missions universitaires, nous avons considéré le pourcentage d'étudiants internationaux inscrits dans chaque université et la part du budget alloué à la recherche. Il est primordial de bien comprendre que nous nous référons à la mission de l'université en tant que mission réalisée, c'est-à-dire ce vers quoi pointent ses activités – et non à la mission telle qu'énoncée dans ses statuts. Il faut aussi comprendre que les mesures présentées sont, au mieux, indicatives. Une fois les données compilées et les valeurs médianes établies, nous avons distribué les universités

GRAPHIQUE 1

**Répartition des établissements universitaires québécois selon la vocation (internationale ou locale) et l'activité (enseignement ou recherche) dominantes, 2008-2009**

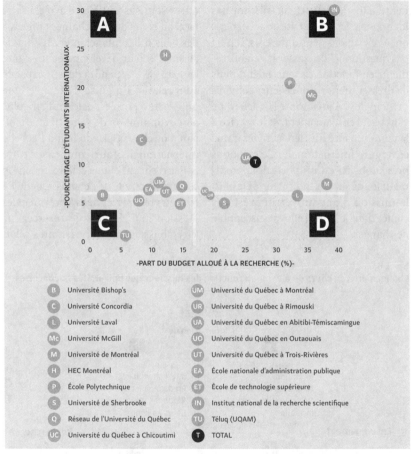

Source : Conférence des recteurs et des principaux du Québec, *Ensemble de données universitaires communes – Québec (EDUCQ), 2008, 2009*. En ligne : www.crepuq.qc.ca/EducQ/index.html. Tableau et ratios de l'auteur.

A. Portée internationale et enseignement : Concordia (C), HEC Montréal (H), Université du Québec à Montréal (UM), réseau de l'Université du Québec (Q), École nationale d'administration publique (EA).
B. Portée internationale et recherche : Institut national de la recherche scientifique (IN), McGill (Mc), Polytechnique (P), Université du Québec en Abitibi-Témiscamingue (UA), Université de Montréal (M).
C. Portée locale et enseignement : Université du Québec à Trois-Rivières (UT), Bishop's (B), Université du Québec en Outaouais (UO), École de technologie supérieure (ET), Téluq (TU).
D. Portée locale et recherche : Université du Québec à Chicoutimi (UC), Université du Québec à Rimouski (UR), Université de Sherbrooke (S), Université Laval (L).

dans un plan divisé en fonction de ces valeurs (voir le graphique 1).

Cette classification se révèle pertinente dans la mesure où, n'étant pas identiques, les universités québécoises ont à relever des défis différents. Il n'est pas question ici de classer les établissements en fonction de leur valeur, mais de dresser un portrait de leurs activités principales. Après tout, la recherche vaut bien l'enseignement, et le service à la communauté n'a rien à envier à une envergure internationale. Ce que nous présentons ici est un portrait approximatif fondé sur des indicateurs. De plus, la mission d'une université n'est pas coulée dans le béton ; elle est susceptible de changer.

## Des défis à prévoir

Comme nous l'avons dit précédemment, tous les établissements universitaires sont susceptibles d'avoir à faire face, au cours des prochaines années, à des défis différents selon la mission de chacun, et leur développement – voire leur survie – dépendra de leur capacité à les relever. En guise d'exemple, une université à portée locale souffrira plus d'une diminution de l'effectif étudiant, parce qu'elle n'a pas de lien à l'échelle internationale pour compenser cette baisse d'effectif et que celle-ci touche le cœur de l'activité de l'établissement. Le tableau 1 résume les défis à prévoir et les pressions qui risquent de s'exercer sur les établissements universitaires selon

TABLEAU 1
**Changements en cours ou à venir en fonction des missions des universités québécoises**

PORTÉE

**Internationale**

|  | **A** | **B** |  |
|---|---|---|---|
| A | – Nouveaux centres de formation | – Classements internationaux | A |
| C | – Nouveaux marchés | – Prédominance de l'anglais | C |
| T | – Délocalisation de la formation | – Réformes structurelles | T |
| I | – Changement des pédagogies | – Cours en ligne ouverts à tous | I |
| V  Enseignement |  |  | Recherche  V |
| I | **C** | **D** | I |
| T | – Nouvelles clientèles | – Recherche et industrie | T |
| É | – Nouvelle relation aux études | – Priorités politiques | É |
|  | – Nouvelle démographie | – Nouveaux producteurs |  |
|  | – Flexibilité de l'offre | de connaissances |  |

**Locale**

PORTÉE

leur mission, et qui exigeront des efforts d'adaptation de leur part. Les paragraphes suivants décrivent de manière synthétique ces éventuels défis. Il va sans dire que, comme tout exercice prévisionnel, cet exposé, bien que fondé sur une analyse stratégique rigoureuse, demeure hypothétique.

## A) Activité d'enseignement et portée internationale

**Nouveaux centres de formation :** Le système universitaire mondial est témoin de l'arrivée fulgurante de nouveaux établissements universitaires privés à but lucratif. Le Québec connaît les universités publiques (réseau de l'Université du Québec) et privées (universités à charte), mais aucune n'est à but lucratif. Les établissements privés à but lucratif s'adressent typiquement à des clientèles n'ayant pas accès aux autres types d'universités. Notons que certains programmes destinés à des professionnels voient le jour, comme le MBA (McGill-HEC Montréal) ou les programmes de perfectionnement offerts aux entreprises par la John Molson School of Business (Concordia). Ces offres de formation pourraient ouvrir la voie à un type d'établissement privé à but lucratif.

**Nouveaux marchés :** Les établissements d'enseignement supérieur de l'Inde et de la Chine se sont développés de façon exponentielle et se classent aujourd'hui respectivement au troisième et au premier rang mondial pour ce qui est de la fréquentation. Ils deviennent des pôles d'attraction régionaux de formation, et cela pourrait entraîner une diminution des étudiants internationaux dans les centres de formation à portée internationale, qui sont traditionnellement occidentaux. Le réseau de l'Université du Québec, HEC Montréal et l'École nationale d'administration publique (ENAP) ont des chances d'être moins touchés en raison de leurs liens avec la Francophonie. Aujourd'hui, Concordia prépare des programmes conjoints avec la Chine et l'Inde.

**Délocalisation de la formation :** Les technologies de l'information favorisent une plus grande délocalisation de la formation. Cette délocalisation, qui est le prolongement d'un mouvement plus large de massification et de démocrati-

---

**L'administration acquiert une importance croissante.**

---

sation de l'enseignement supérieur, sans aucun doute pertinente en Afrique, pourrait répondre à des besoins québécois liés à la vaste étendue du territoire. Dans le même esprit, certaines universités ouvrent des campus à l'étranger en y implantant une partie de leurs activités pour servir les populations locales. L'Université Paris-Sorbonne établie à Abou Dabi, dans les Émirats arabes unis, est un exemple frappant des quelque 162 branches internationales d'universités qui existaient en 2009.

Changement des pédagogies: L'enseignement magistral traditionnel est remis en question globalement et les établissements à portée internationale se trouvent aux premières loges pour voir arriver ces changements pédagogiques: enseignement par problèmes, simulation, enseignement expérientiel, enseignement en équipe, enseignement par les pairs, etc. Les programmes de médecine ont fait le saut, il y a quelques années, et il s'agit d'une préoccupation importante pour HEC, qui a repensé ses espaces de travail et d'enseignement en conséquence.

*B) Activités de recherche
et portée internationale*

Classements internationaux: Les classements internationaux sont devenus incontournables pour la réputation des établissements universitaires. Pour ceux qui aspirent à cette reconnaissance internationale, la publication dans les revues prestigieuses et la priorisation de la recherche deviennent importantes, au détriment de projets parfois plus pertinents, plus pratiques ou plus difficiles à réaliser, ou de l'enseignement et du service à la communauté. Bon an, mal an, l'Université McGill se classe bien et l'Université de Montréal trouve sa place parmi les 200 premières universités.

Prédominance de l'anglais: Comme le latin, le français ou l'allemand autrefois, l'anglais tend à s'imposer comme langue de la recherche. Les revues les plus prestigieuses publient en anglais, et les conférences internationales se déroulent dans la langue de Shakespeare. Cela se traduit par la présence de programmes de premier cycle multilingues dans les universités francophones et par l'omniprésence de l'anglais aux études supérieures.

Réformes structurelles: Certaines réformes structurelles sont à prévoir en fonction des pressions qui s'exercent sur les universités. Comme le positionnement stratégique de l'université devient plus important sur le plan international, l'administration acquiert une importance croissante. Ceci est souvent dénoncé sous les traits du managérialisme des établissements d'enseignement supérieur. D'un autre côté, les fonds destinés à la recherche sont accordés aux groupes de recherche et aux professeurs. Dans ce contexte, une tension croissante se développe au sein des établissements, vu le débalancement entre le pouvoir décisionnel de l'administration et le financement des activités névralgiques de l'organisation. Cela pourrait entraîner un questionnement sur le rôle des structures intermédiaires que sont les départements et les facultés.

Cours en ligne ouverts à tous: Récemment sont apparus les «cours en ligne ouverts à tous» (en anglais: *massive open online courses* ou *MOOC*) dans le champ de l'enseignement supérieur, contestés par plusieurs. Pour certains, ces cours donnés par le biais d'une plateforme Web, auxquels l'inscription est gratuite et où le nombre de participants peut atteindre 150 000 étudiants, représentent les germes d'une révolution qui forcerait à revoir les bases mêmes des universités, alors que d'autres n'y voient qu'un nouvel outil de visibilité internationale, à l'instar de la promotion des équipes sportives au xixᵉ siècle en Amérique. Dans la Francophonie, ces cours ne sont offerts que par des écoles professionnelles, et seule HEC s'est engagée dans cette voie au Québec.

## C) Activité d'enseignement et portée locale

**Nouvelles clientèles :** Les établissements d'enseignement supérieur accueillent une clientèle affligée de troubles d'apprentissage ou d'attention de plus en plus nombreuse, en raison, notamment, du dépistage précoce de ces problèmes et du soutien constant dont ces personnes ont bénéficié, souvent dès le primaire. Cette clientèle requiert parfois une adaptation des formules traditionnelles d'enseignement et d'évaluation. Pour l'ensemble du réseau universitaire, on dénombrait 2 771 étudiants dans cette situation en 2007, nombre qu'on peut supposer en croissance. C'est ainsi que les universités, souvent par le biais de leurs services aux étudiants, adaptent leurs pratiques à cette nouvelle réalité.

**Nouvelle relation aux études :** Les efforts initiaux de démocratisation des études supérieures ont pavé le chemin à l'accès à ces formations pour les étudiants au parcours non traditionnel (les étudiants au parcours non linéaire, à temps partiel, financièrement indépen-

dants, travailleurs à temps plein, parents). Maintenant, c'est le rapport aux études supérieures qui, lui aussi, change. Ce dernier se caractérise par un engagement non exclusif dans les études et par un cheminement irrégulier. Ainsi, 70 % des étudiants québécois travaillent durant leurs études, une grande proportion de ceux-ci sont parents (25 % au sein du réseau de l'Université du Québec) et près d'un étudiant sur cinq changera de programme durant ses études de premier cycle. Les études supérieures se féminisent, l'âge moyen s'élève, la durée s'accroît et l'obtention d'un diplôme n'est pas nécessairement une fin en soi. Les universités devront adapter leur offre de formation aux besoins de ces nouveaux étudiants.

**Nouvelle démographie :** On estime que l'inversion de la courbe démographique au Québec, avec une diminution du nombre de jeunes de 20 à 24 ans, entraînera une diminution de près de 20 000 étudiants, ce qui aura un impact principalement sur les universités à portée locale orientées vers l'enseignement, car elles recrutent moins à l'échelle internationale et se concentrent, évidemment, sur l'enseignement.

**Flexibilité de l'offre :** Un mouvement vers une offre de formation plus flexible se concrétise au Québec : offre de formation continue accrue, multiplication des programmes ne menant pas à un diplôme et des diplômes par cumul, accès directs et passages accélérés au doctorat, doctorat professionnel, etc.

**D) Activité de recherche et portée locale**

**Recherche et industrie :** En raison d'un contexte budgétaire difficile, les projets de recherche doivent présenter une pertinence immédiate pour être subventionnés par les gouvernements, ce qui entraîne un arrimage plus direct entre la recherche universitaire et les besoins de l'industrie. La croissance des programmes de bourses de Mitacs, « une organisation nationale de recherche à but non lucratif » qui fait la promotion de liens entre chercheurs et industrie en inscrivant le parcours de l'étudiant des cycles supérieurs dans la relation avec l'industrie, est un exemple de cet arrimage.

**Priorités politiques :** Des pressions pour une plus grande efficacité et contre le gaspillage des fonds publics entraîneront une révision des façons de faire des universités et, en particulier, encourageront une centralisation des prises de décision ayant des répercussions financières sur l'université.

**Nouveaux producteurs de connaissances :** En tant que productrice de connaissances, l'université se voit

---

**L'université ne détient plus le monopole de la recherche.**

---

concurrencée par de nouvelles organisations ; elle ne détient plus le monopole de la recherche. Ayant des liens plus ou moins forts avec les universités, des groupes de type *think tank,* des groupes

de pression ou des entreprises proposent de nouveaux contenus de connaissances. On pense au Centre interuniversitaire de recherche en analyse des organisations (CIRANO) et à l'Institut de recherche et d'informations socio-économiques (IRIS) pour des groupes de recherche aux buts plus ou moins partisans ; on pense aux recherches produites par les organisations étudiantes comme la Fédération étudiante universitaire du Québec (FEUQ) ou par les organisations syndicales telle la Confédération des syndicats nationaux (CSN) ; on pense enfin aux rapports de la firme KPMG pour la contribution du secteur privé.

**Pendant ce temps-là, aux gouvernements...**

Deux éléments de nature locale et politique risquent d'entraîner des changements au sein du réseau universitaire québécois au cours de la prochaine année. Tout d'abord, il y a le résultat des chantiers découlant du Sommet sur l'enseignement supérieur et visant à trouver une sortie de crise avec les différents partenaires du système de l'enseignement supérieur au Québec. Au moment de la parution de ce texte, les rapports des chantiers sur l'aide financière aux études, sur un Conseil national des universités et sur une loi-cadre des universités auront été rendus publics. Les rapports des chantiers sur la politique de financement des universités et sur l'offre de formation collégiale sont attendus respectivement en décembre 2013 et en juin 2014. Ces rapports devraient entraîner un cycle de consultations et de modifications réglementaires et législatives à l'Assemblée nationale. Des bonifications au régime d'aide financière sont entrées en vigueur à la rentrée de septembre 2013. Le Conseil national des universités et la loi-cadre sur les universités devraient former le cœur du programme législatif en enseignement supérieur de la session parlementaire de l'automne 2013, alors que les questions du financement des universités et de l'offre de formation au collégial seront vraisemblablement reportées à une session ultérieure.

Ensuite, la philosophie du gouvernement fédéral dans l'allocation des fonds de recherche pourrait avoir une incidence sur les systèmes d'éducation canadien et québécois. En mai dernier, le ministre d'État (Sciences et Technologie), Gary Goodyear, annonçait que le Conseil national de recherches du Canada (CNRC) était « ouvert aux affaires ». Par cette annonce, il officialisait la priorité aux liens entre universités et industrie afin de privilégier les investissements en recherche rentables, contrairement à une orientation dont les objectifs étaient davantage laissés à la discrétion de la communauté universitaire. Cette réorientation touchera probablement les universités, en particulier celles dont la mission est axée sur la recherche, et sans doute davantage

celles aux visées internationales que celles aux visées locales.

## Conclusion

Cette présentation du système universitaire québécois met en relief un aspect important qui est parfois négligé dans le débat public, soit la nature hétérogène du système. Les règles et règlements qui encadrent le fonctionnement des universités sont suffisamment flexibles pour permettre la liberté des établissements universitaires. Cette liberté dont jouissent les universités, sous la forme de l'autonomie institutionnelle, contribue à une telle diversité. Toutes les universités ne sont pas identiques. Elles ont des missions qui, dans les faits, sont différentes : certaines privilégient la recherche, d'autres l'enseignement, certaines ont un ancrage local, d'autres un ancrage international. L'existence de ces différentes missions est une conséquence de la liberté universitaire, mais cette existence, qui se traduit par un pluralisme institutionnel, est également souhaitable. En effet, en proposant différents arrangements et modèles, le pluralisme institutionnel permet de résister à des chocs et favorise la promotion d'une diversité de conceptions. Il est donc à espérer que les réformes et les changements qui s'annoncent, qu'ils découlent de politiques publiques ou des pressions du marché, ne viendront pas réduire ce pluralisme institutionnel au profit d'un modèle unique.

# Charte jeunesse pour l'éducation postsecondaire

Dans les dernières années, l'insatisfaction de la population par rapport aux affaires publiques québécoises a démontré l'importance d'agir. Il faut passer de l'indignation à l'engagement pour que la société trouve des solutions constructives qui serviront à l'innovation et à la définition de valeurs communes à toute la population québécoise.

L'éducation est essentielle pour le Québec parce qu'elle permet de développer une compréhension accrue du monde. Elle est un outil de résolution des grands problèmes contemporains et contribue à la réduction des inégalités sociales. Une société éduquée sait prendre des décisions éclairées pour réinventer ses perspectives d'avenir. L'éducation permet donc à la population québécoise d'évoluer, de se distinguer et de partager sa couleur unique avec le reste du monde.

La Charte jeunesse pour l'éducation postsecondaire est le fruit de l'engagement d'un groupe de huit jeunes du Québec, soutenu par l'Institut du Nouveau Monde (INM). Elle est un outil de réflexion, de mobilisation et de rêve qui doit servir d'assise pour guider les actions politiques futures au Québec. La Charte prendra tout son sens avec l'appui de la population. Ainsi, elle devra être considérée par les élus comme étant la direction que veut prendre la jeunesse québécoise au sujet de l'éducation postsecondaire.

Gabrielle Ayotte-Garneau, Félix Brabant, Yasmine Félix,
Joany Landry Désaulniers, Maude Létourneau-Baril,
Stéphanie Ouellet, Stéphanie Salagan, Marianne St-Onge

\* \* \*

## Formation

Parce que l'éducation doit façonner des individus autonomes et critiques, nous croyons en un enseignement postsecondaire qui harmonise la formation professionnelle et citoyenne.

Chaque individu doit être en mesure de porter un regard éclairé sur les enjeux locaux et internationaux, en faisant preuve d'un esprit critique. Conséquemment, une place importante doit être accordée à une formation globale et conscientisée. Grâce à une telle formation, les étudiants et étudiantes deviendront des acteurs de changement dans leur milieu.

La formation doit également permettre de développer les compétences requises pour un avenir professionnel stimulant. Ainsi, il est nécessaire que le système d'éducation amène les étudiants et étudiantes à développer à la fois savoir, savoir-faire et savoir-être.

### Recherche

Parce qu'il faut comprendre notre monde et s'adapter à son évolution, la recherche doit engager le changement et contribuer à l'avancement de la société.

Étant au cœur de la découverte et de la création, la recherche doit prendre en compte son environnement et rendre ses résultats accessibles à la communauté. Laisser place à la recherche fondamentale autant qu'à la recherche appliquée est un pas vers la découverte de connaissances porteuses de transformations positives pour la collectivité.

### Qualité

Parce que l'éducation allie l'acquisition de connaissances et le développement des personnes, nous croyons en l'importance de la relation entre tous ses acteurs.

Pour maintenir une éducation de qualité, la transmission des connaissances doit s'accompagner d'un environnement d'échanges et de débats qui suscitent le goût d'apprendre. Le plein engagement et la rigueur des étudiants et étudiantes, du corps enseignant et des personnes-ressources sont également essentiels. Chaque acteur joue un rôle clé dans la création d'un climat propice à l'apprentissage.

### Accessibilité

Parce que tous devraient avoir des chances égales d'accéder aux études postsecondaires, nous voulons que toutes les ressources nécessaires soient disponibles.

L'accès aux études postsecondaires est un moyen de réduire les inégalités sociales. La situation scolaire, géographique, sociale ou financière ne doit pas être un obstacle. En ce sens, nous privilégions les mesures facilitant le libre accès aux connaissances, l'entrée aux études et la possibilité de s'y consacrer pleinement.

Par ailleurs, nous jugeons nécessaire que les cégeps soient préservés. Ceux-ci favorisent l'accès aux études postsecondaires grâce à leur faible coût et à leur dispersion géographique. Les cégeps représentent un apport important, tant pour l'accès au marché du travail que pour la transition vers les études universitaires.

### Réussite

Pour donner la possibilité à tout individu d'accomplir son projet d'études, nous estimons nécessaire de permettre une flexibilité dans les parcours scolaires.

Les profils étudiants étant de plus en plus variés, les parcours doivent répondre aux besoins particuliers. La flexibilité des parcours scolaires peut être soutenue, entre autres, par la reconnaissance des acquis, l'aide au retour aux études, la formation continue et la conciliation travail-études-famille. Les ressources d'accompagnement et d'orientation doivent aussi être disponibles selon les besoins des individus.

Nous croyons aux mérites des programmes qui offrent un cheminement sur plusieurs cycles ou dans plusieurs domaines d'études, et à l'importance d'une offre alliant les cours en classe et à distance.

➤

### Collectivité

Parce que l'éducation postsecondaire appartient à la société, nous prônons un échange entre ses acteurs et la collectivité.

Le service à la collectivité est un des rôles fondamentaux des établissements d'éducation postsecondaire. Ceux-ci doivent non seulement partager le savoir, mais également tenir un rôle actif dans la société. Il est de leur responsabilité d'ouvrir leurs portes pour offrir un échange intellectuel, culturel et communautaire entre l'établissement et le milieu.

### Gestion

La gestion du système d'éducation doit servir la formation professionnelle et citoyenne ainsi que la recherche orientée vers le bien commun. La mission des cégeps et universités doit être libre des intérêts économiques et privés. La source du financement ne doit donc pas influencer l'orientation de la recherche et de l'enseignement.

Une saine gestion passe par la collaboration des différents établissements d'enseignement. La coopération doit avoir préséance sur la concurrence, au bénéfice de la population étudiante et de la société. Elle peut prendre la forme d'une complémentarité des programmes offerts, du développement de la formation continue, de l'accomplissement de stages et de la mise en œuvre de projets qui dépassent les limites des établissements.

Montréal, août 2013
chartejeunesse.com

# Les Fonds de recherche du Québec

# Faire connaître les retombées de la recherche au Québec

**Rémi Quirion**

*Scientifique en chef du Québec, président des conseils d'administration des trois Fonds de recherche du Québec et conseiller du ministre de l'Enseignement supérieur, de la Recherche, de la Science et de la Technologie*

Quelles sont les retombées de la recherche en sciences naturelles et en génie, en sciences de la santé, en sciences sociales et humaines et en arts et lettres pour la société québécoise ? Comment se porte la production scientifique québécoise ? Comment le Québec se compare-t-il aux autres provinces et aux autres pays en matière d'innovation, de recherche et de soutien à la RD ? Quels impacts la recherche a-t-elle dans le quotidien des Québécois ?

Des éléments de réponse se trouvent dans le nouvel espace Web *Le Québec en recherche\**. Mis en ligne en juin dernier, il présente un portrait de la recherche publique au Québec et se veut une source d'information pertinente tant pour le milieu universitaire et le secteur privé que pour les gouvernements, les médias et la population en général.

*Le Québec en recherche* expose une série d'indicateurs qui permettent d'apprécier la contribution du Québec dans le monde quant à ses investissements, à sa capacité en recherche, à sa capacité à innover et à sa production scientifique.

Il révèle aussi les résultats d'un vaste sondage mené en février 2013 auprès des 1 320 entités de recherche universitaires et collégiales (centres, regroupements, instituts, équipes, chaires, etc.), lesquels démontrent les types d'impacts qu'ont leurs travaux de recherche sur la culture, la santé, l'économie, les politiques publiques, l'environnement – bref, sur la société dans son ensemble. De plus, ces impacts sont illustrés par une trentaine d'histoires de retombées concrètes de la recherche pour la société québécoise.

Pour créer cet espace Web, les Fonds de recherche du Québec ont mandaté l'Observatoire des sciences et des technologies pour documenter les indicateurs de la recherche, ainsi que la firme Science-Metrix pour sonder les entités de recherche. Cette nouvelle édition de *L'état du Québec* présente quelques-uns des résultats du sondage. Vous y trouverez aussi un résumé des types de retombées identifiés par les chercheurs eux-mêmes, puis une histoire d'impacts pour chacun des secteurs.

\*www.lequebecenrecherche.ca

# La recherche publique : une vaste étendue de retombées pour la société

## Le profil des entités de recherche au Québec

Dans le cadre du sondage mené par la firme Science-Metrix au mois de février dernier, on constate que la moitié des 1 320 entités de recherche sondées sont des chaires de recherche, et que le quart sont des centres ou des instituts de recherche. Parmi ces entités, 40 % œuvrent principalement dans le secteur des sciences naturelles et du génie, 38 % dans le secteur des sciences sociales et humaines, et 22 % dans le domaine des sciences de la santé. Ces proportions sont représentatives de la communauté de la recherche au Québec.

En termes de personnel de recherche employé, près de 70 % des entités de recherche sondées sont de petite taille (10 personnes ou moins) et sont surtout caractéristiques du secteur des sciences sociales et humaines. Le secteur des sciences de la santé a quant à lui la plus grosse proportion d'entités de recherche comportant plus de 50 personnes.

Les entités de recherche se révèlent en grande partie intersectorielles (voir le graphique 1) : celles dont le secteur principal est la santé sont très actives dans les autres secteurs – et seulement 21 % d'entre elles ne font que de la recherche en santé. Chez les entités sondées qui œuvrent principalement en sciences naturelles et génie, 54 % ont des activités qui couvrent les deux autres secteurs, comparativement à 45 % chez les entités de recherche œuvrant principalement en sciences sociales et humaines.

La collaboration est une activité courante dans tous les secteurs de recherche. Très peu d'entités ont déclaré ne collaborer que très rarement ou pas du tout avec d'autres entités de recherche. De plus, les trois secteurs déclarent collaborer plus fréquemment sur les plans provincial et international que sur le plan national.

## Une grande étendue de retombées pour la société

En grande majorité, les entités de recherche sondées confirment que leurs travaux ont généré des retombées pour la société au cours des deux dernières années. À l'exception des effets symbo-

GRAPHIQUE 1
**Le profil des entités de recherche au Québec selon le secteur d'activité**

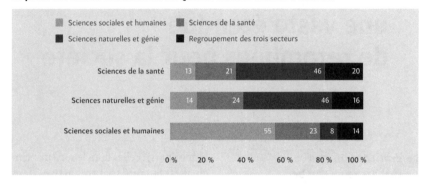

liques (tel le rayonnement international), qui ont été rapportés par plus des trois quarts des entités dans tous les secteurs, les impacts mentionnés varient – sans surprise – en fonction du principal secteur de recherche.

Ainsi, dans le secteur des sciences de la santé, les effets sur la santé de la population sont plus fréquemment mentionnés que dans les autres secteurs ; plusieurs entités ont également rapporté des effets technologiques. Dans le secteur des sciences naturelles et du génie, les effets technologiques, économiques et sur l'environnement sont plus fréquemment invoqués que dans les autres secteurs. Et dans le secteur des sciences sociales et humaines, les effets sociaux et sociétaux, culturels, sur les organismes et le milieu de travail, sur la prise de décision ou la politique sont plus souvent identifiés que dans les autres secteurs.

Le type d'impacts révélé par les entités sondées varie aussi en fonction des bénéficiaires et des utilisateurs de la recherche (voir le tableau 1). Ainsi, un lien direct peut être fait entre les objectifs de la recherche, les bénéficiaires et les utilisateurs, et le type d'impacts. Par exemple, les effets sociaux et sociétaux sont associés moins souvent à des entreprises, mais plus fréquemment aux bénéficiaires et aux utilisateurs touchés par des objectifs humanitaires de la recherche, tels les groupes communautaires, les citoyens, les ONG et les municipalités. Inversement, les effets technologiques et économiques de la recherche sont plus souvent cités par les entités ayant des entreprises parmi leurs bénéficiaires et utilisateurs de leurs résultats de recherche.

Les résultats du sondage montrent aussi que, du point de vue des entités sondées, les institutions académiques et de recherche constituent les principaux utilisateurs et bénéficiaires des recherches, ce qui est peu surprenant.

TABLEAU 1

**Les impacts de la recherche selon les bénéficiaires et utilisateurs de la recherche**

| Bénéficiaires/utilisateurs au plan provincial | Catégories d'impacts | | | | | | |
|---|---|---|---|---|---|---|---|
| | Sociaux/sociétaux et/ou culturels | Sur les organismes et le milieu de travail | Sur la santé | Sur la prise de décision ou la politique | Technologiques | Économiques | Sur l'environnement |
| Institutions académiques ou de recherche (universités, collèges, centres affiliés, etc.) | 53 % | 33 % | 38 % | 54 % | 58 % | 44 % | 31 % |
| Hôpitaux | 63 % | 44 % | 80 % | 56 % | 68 % | 50 % | 26 % |
| Entreprises | 43 % | 35 % | 37 % | 51 % | 79 % | 75 % | 53 % |
| Organismes à but non lucratif | 76 % | 52 % | 48 % | 75 % | 52 % | 50 % | 39 % |
| Gouvernements | 66 % | 43 % | 40 % | 79 % | 53 % | 51 % | 43 % |
| Municipalités | 71 % | 48 % | 34 % | 75 % | 52 % | 55 % | 57 % |
| Associations/regroupements professionnels ou industriels | 69 % | 50 % | 48 % | 77 % | 62 % | 56 % | 38 % |
| Groupes communautaires | 91 % | 51 % | 55 % | 83 % | 42 % | 36 % | 32 % |
| Citoyens | 78 % | 44 % | 49 % | 77 % | 51 % | 45 % | 33 % |

Les gouvernements et les entreprises ont également été mentionnés par environ la moitié des entités de recherche comme étant les principaux utilisateurs et bénéficiaires de leurs résultats.

## Les effets multiplicateurs de la recherche

Les retombées de la recherche ne peuvent pas être classées dans une seule catégorie d'impacts. Les résultats d'un projet de recherche peuvent entraîner différents effets, lesquels influencent l'étendue des retombées de la recherche.

Ainsi, on observe une variation dans la relation entre chacun des effets rapportés (voir le graphique 2). Par exemple, un projet de recherche dont les résultats favoriseraient une meilleure prise en charge des femmes victimes de violence conjugale (impact social) pourrait également avoir des effets sur les organismes qui leur viennent en aide (amélioration des pratiques et des méthodes d'intervention), mais aussi sur la prise de décision politique.

Les quatre types d'effets qui ont été le plus souvent rapportés par les entités sondées sont : les effets technologiques, les effets sur la prise de décision, les effets sociaux ou sociétaux, et les effets économiques. Celles qui ont rapporté des effets technologiques ont le plus souvent mentionné avoir eu également des effets économiques. En outre, un lien plus fort relie les effets sociaux et sociétaux avec les effets sur la prise de décision.

FIGURE 1

**La relation entre les différents types d'impacts observés : des effets multiplicateurs**

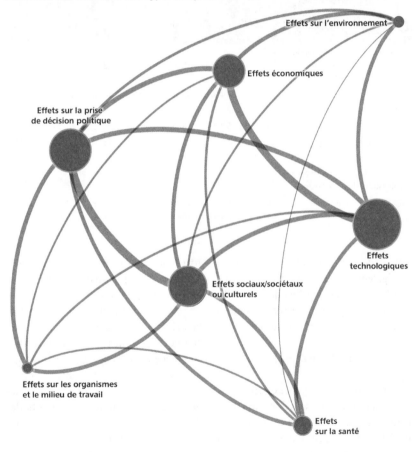

Si on analyse les retombées par types d'impacts (voir le graphique 2), on constate d'abord que les impacts sociaux, sociétaux et culturels favorisent surtout le développement ou l'amélioration des services, permettent d'influencer le jugement, les valeurs et les comportements des populations (par exemple, l'acceptation de l'homoparentalité ou l'adoption de saines habitudes de vie), et engendrent une stimulation de l'intérêt pour les sciences, les arts et les lettres.

GRAPHIQUE 2

**Impacts sociaux/sociétaux ou culturels**

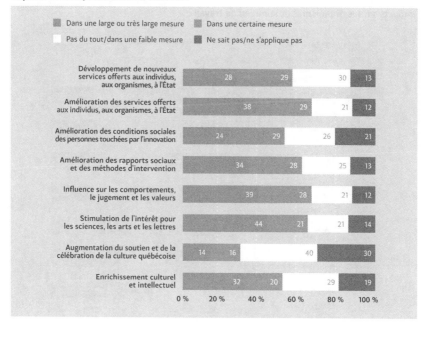

Quant aux impacts de la recherche sur les organismes et le milieu de travail, les entités sondées ont rapporté des effets principalement sur la création ou l'amélioration de programmes de formation (voir le graphique 3). Un accroissement de la productivité et une influence sur le processus de décision ont également été mentionnés par plus de 60 % des entités de recherche ayant déclaré ce type d'impact. Enfin, plusieurs répondants ont souligné dans leurs commentaires l'importance de la formation de personnel hautement qualifié par le biais de la formation universitaire et collégiale.

GRAPHIQUE 3

**Impacts sur les organismes et le milieu de travail**

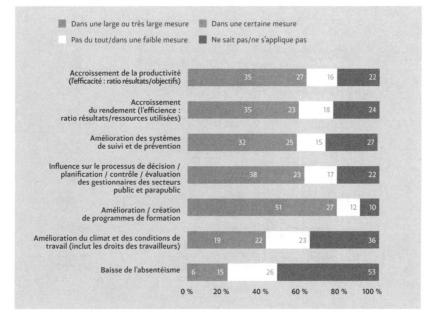

Concernant les impacts sur la santé des personnes, les résultats du sondage indiquent que l'effet le plus important est l'amélioration des pratiques de soin et d'intervention. Plus de la moitié des entités de recherche ont également observé une amélioration des méthodes d'intervention, de détection et d'identification des risques.

GRAPHIQUE 4

**Impacts de la recherche sur la santé des personnes**

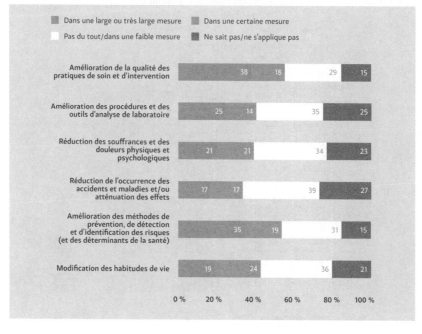

Les entités sondées ayant mentionné des effets sur la prise de décision ou la politique ont apporté leur contribution par l'entremise d'expertises qui ont été bénéfiques aux organismes et à l'État (voir le graphique 5). Elles auraient ainsi contribué à l'élaboration de lignes directrices ou de politiques publiques et aidé à la prise de décision.

GRAPHIQUE 5

**Effets de la recherche sur la prise de décision ou le politique**

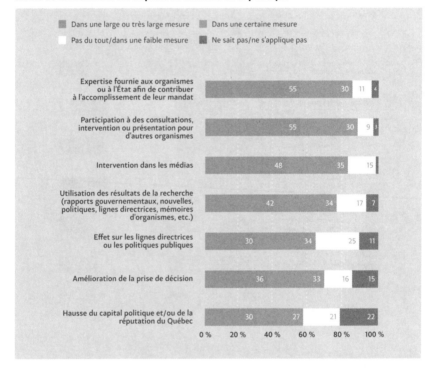

Les impacts technologiques mentionnés (voir le graphique 6) renvoient à de nouvelles ou meilleures méthodes et techniques d'analyse, de même qu'à la création ou à l'amélioration de produits.

Ainsi, plus de la moitié des répondants qui ont mentionné avoir eu un impact technologique ont déclaré que leurs travaux avaient eu ces effets dans une certaine, large ou très large mesure.

GRAPHIQUE 6
**Impacts technologiques de la recherche**

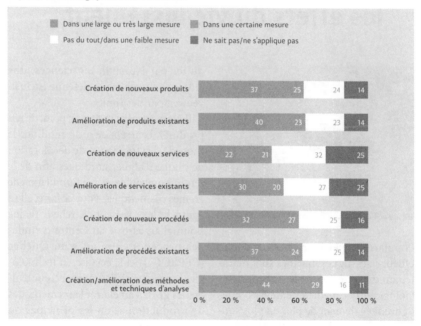

Finalement, les résultats du sondage montrent que le Québec rayonne par ses chercheurs. Ainsi, trois niveaux de rayonnement ont été identifiés dans le sondage : le rayonnement de l'entité de recherche au sein du milieu scientifique, le rayonnement de l'entité au sein de la population en général, et le rayonnement du Québec à l'international. Plusieurs répondants ont également souligné l'intérêt que leur recherche avait suscité sur le plan international, ainsi que les effets de leurs travaux sur les collaborations, le réseautage et le recrutement de chercheurs et d'étudiants.

## Sciences naturelles et génie

# Des algues qui ralentissent les effets du vieillissement

Photo : Shutterstock

Popularisées par l'arrivée du sushi au Québec, les algues marines sont maintenant exploitées pour leurs propriétés biologiques et médicamenteuses. Elles figurent également de plus en plus souvent sur la liste des ingrédients de produits cosmétiques qui se trouvent sur les tablettes de nos pharmacies. D'ici peu, on trouvera sur le marché les crèmes hydratantes de la gamme de cosmétiques Ungava. Ces crèmes auraient des propriétés anti-âge comparables à celles des crèmes préparées par les compagnies européennes et américaines, à la différence notable qu'elles sont pro-duites par Nunavik Biosciences, une entreprise québécoise détenue exclusivement par des Inuits.

Pour parvenir à mettre au point de tels produits, l'entreprise a dû modifier le procédé d'extraction et de décoloration de l'huile d'algues nordiques afin de le rendre compatible avec la formulation de crèmes cosmétiques. Pour ce faire, elle a approché le professeur-chercheur Yacine Boumghar, associé au Centre d'études des procédés chimiques du Québec (CÉPROCQ) et spécialisé en technologies bio-industrielles, qui a à cœur d'aider les PME à améliorer leurs méthodes de production selon les principes du développement durable, afin d'assurer leur compétitivité et leur pérennité. Le défi, pour ce chercheur, consistait à obtenir un profil lipidique stable, nécessaire à l'obtention de crèmes homogènes. Par ailleurs, le chercheur, Yacine Boumghar souhaitait que le processus d'extraction de l'huile d'algues n'exige pas le recours à des solvants organiques – l'hexane, dans ce cas-ci –, dont les résidus toxiques ne peuvent être facilement éliminés. Il a ainsi remplacé le solvant par un gaz, le $CO_2$ supercritique, qui ne génère pas de résidus. Son utilisation offre aussi l'avantage d'être moins coûteuse, car elle réduit le nombre d'étapes (broyage, évaporation du solvant) nécessaires pour obtenir le produit final.

Le chercheur a aussi examiné le potentiel de valorisation des résidus produits par l'extraction de l'huile d'algues. Il a alors découvert que des fractions bioactives de ces résidus avaient la particularité de stimuler le collagène et l'élastine de la peau, deux protéines qui auraient des propriétés antivieillissement. Yacine Boumghar doit cependant procéder à une deuxième série d'essais afin de confirmer que ces fractions peuvent être utilisées à des fins cosmétiques.

À la suite de tests en laboratoire, le centre d'études a réalisé une première mise à l'échelle du procédé d'extraction à l'hexane dans un réacteur de 50 litres. Ensuite, l'équipe de recherche a pu montrer que l'extraction au $CO_2$ supercritique, à l'étape du pilote, était avantageuse. Le rendement de 3 % d'huile, obtenu lors des essais en laboratoire, a pu être maintenu, attestant ainsi du succès des travaux de l'équipe du CÉPROCQ.

Les premiers lots de crème Ungava ont par la suite été préparés, et le projet en est maintenant à la phase de précommercialisation. Compte tenu de son fort potentiel de développement économique pour les Inuits du Nunavik, espérons que ce projet aboutira à une production commerciale à grande échelle des cosmétiques Ungava, notamment de cette nouvelle crème haut de gamme formulée à partir d'une technologie entièrement verte.

# Détecter rapidement les infections

Les maladies infectieuses représentent la première cause de mortalité à l'échelle de la planète. La situation s'aggrave dans les pays industrialisés, dont le Canada : le taux de mortalité qui leur est lié a augmenté de 50 % au cours des 20 dernières années. Les premières heures suivant l'infection sont cruciales, et un diagnostic rapide pourrait éviter les complications, voire la mort. Cependant, les seuls tests disponibles aujourd'hui nécessitent plus de 48 heures pour identifier l'agent microbien.

Depuis 20 ans, Michel Bergeron, professeur à l'Université Laval et directeur du Centre de recherche en infectiologie du Centre hospitalier universitaire de Québec, cherche à accélérer le diagnostic des infections. Grâce à la détection des acides nucléiques (ADN-ARN) des microbes, il a développé les cinq premiers tests moléculaires rapides approuvés par la Food and Drug Administration américaine, Santé Canada et l'Union européenne. Avec son équipe, il a récemment mis au point GenePOC *(point of care)* Diagnostics, le premier test sur le marché pouvant détecter ces acides.

Cette technologie unique au monde pourrait révolutionner la façon de poser un diagnostic et de soigner les patients. Le «laboratoire sur puce» analyse les échantillons et établit un diagnostic directement au point de service, permettant presque un traitement en temps réel. Entièrement automatisé et autonome, ce système est muni d'un cédérom capable de lire l'ADN de façon précise et fiable et surtout, en moins d'une heure!

Ce laboratoire portatif détectera tous les types d'infections courantes, qu'elles soient bactériennes, fongiques ou virales. Parmi les plus courantes, mentionnons les infections des voies respiratoires et des voies gastro-intestinales,

les infections néonatales ainsi que les maladies sexuellement transmissibles.

Les chercheurs procèdent actuellement à des essais cliniques, plus particulièrement sur la détection du streptocoque de groupe B chez les femmes enceintes, en vue de lancer officiellement le système en 2014. Cet outil de détection rapide sera alors implanté dans les hôpitaux et centres hospitaliers, notamment dans les salles d'urgence et de soins intensifs.

Le nouvel outil pourra réduire les risques d'infections nosocomiales (les infections contractées dans les hôpitaux) en permettant une réaction et un traitement rapides des individus infectés. Il aurait des effets similaires lors des épidémies de grippe. Un tel outil diagnostique entraîne ainsi une meilleure offre de soins de santé aux patients, tout en diminuant les risques de complications et les coûts reliés aux soins et aux procédures d'évaluation en laboratoire. D'ici les prochaines années, le GenePOC pourrait aussi être disponible dans les cabinets de médecins ainsi que dans les pharmacies.

L'intérêt suscité par GenePOC Diagnostics est planétaire. L'équipe de conception a notamment reçu en 2013 le prix accordé par Frost & Sullivan à la meilleure entreprise nord-américaine spécialisée en diagnostic moléculaire. Le chercheur et son équipe veulent rendre cet outil accessible à travers le monde, notamment dans les pays en développement. À quand le test portatif qui permettra aux malades de diagnostiquer eux-mêmes leurs propres infections ?

## SCIENCES SOCIALES ET HUMAINES, ARTS ET LETTRES

# Une aide précieuse pour apprendre les sciences

« Quand j'étais jeune, je n'étais pas bon à l'école. Je pense que c'était surtout dû au fait que les méthodes pédagogiques utilisées ne me permettaient pas de retenir la matière », explique Roger Azevedo, titulaire de la Chaire de recherche du Canada sur la métacognition et les technologies d'apprentissage de pointe à l'Université McGill. Conscient qu'il était loin d'être le seul élève à faire face à de telles difficultés d'apprentissage, le chercheur a choisi de mettre à profit son expertise sur la métacognition en concevant le logiciel interactif MetaTutor. Celui-ci repose sur une théorie selon laquelle l'apprentissage est un processus d'autorégulation qui requiert une participation active de l'apprenant.

En utilisant MetaTutor, l'élève peut parvenir à structurer son apprentissage en ayant recours à l'un ou l'autre des quatre assistants pédagogiques virtuels : Sam, Mary, Gavin et Pam aident l'utilisateur à exploiter le logiciel au maximum de sa capacité. Ils peuvent aussi l'aider à développer des stratégies d'apprentissage, à se fixer des objectifs, et à faire le suivi et l'évaluation de ses acquis. Le dispositif de suivi oculaire et d'enregistrement audio et vidéo ainsi que les outils d'auto-évaluation des émotions peuvent également être mis à profit pour mesurer les processus cognitifs, affectifs, métacognitifs et motivationnels des élèves dans le cadre de leurs interactions avec le logiciel.

Ce logiciel est actuellement testé par des étudiants en sciences des universités McGill et Concordia, et dans des universités américaines. Des essais sont également réalisés dans des cégeps auprès d'étudiants plus jeunes, lesquels sont plus susceptibles de bénéficier des outils d'auto-évaluation des émotions. En effet, ces étudiants sont généralement moins motivés à apprendre, et les assistants pédagogiques du MetaTutor pourraient les aider à développer des stratégies d'apprentissage optimales.

Deux autres systèmes pilotes ont également été développés à partir du MetaTutor. Le premier a été conçu afin d'aider les femmes atteintes du cancer du sein à mieux comprendre leur maladie et à mieux gérer leurs émotions. Le second système utilise des avatars qui assimilent les méthodes d'apprentissage d'étudiants de niveau post-secondaire de façon à personnaliser les instructions.

L'intérêt que suscite MetaTutor dépasse largement les frontières du Québec. Roger Azevedo a en effet entamé des discussions avec des institutions australiennes et européennes afin d'implanter MetaTutor dans certains établissements. Il est également sur le point de publier aux éditions Springer un ouvrage collectif consacré à la métacognition, qui comprend notamment un chapitre sur MetaTutor.

Si cet outil est implanté à grande échelle dans les écoles et les universités, il devrait permettre aux futures générations d'étudiants d'assimiler beaucoup plus rapidement, plus aisément et de façon permanente de nouvelles connaissances scientifiques. Ce logiciel incitera certainement de nombreux jeunes à poursuivre leurs études, ce qui pourrait avoir un impact positif sur la persévérance scolaire.

# Le Québec en recherche

Visitez ce **nouvel espace Web** et prenez connaissance des indicateurs de la recherche, des résultats d'un vaste sondage auprès des 1320 entités de recherche universitaire et collégiale et d'intéressantes histoires d'impacts.

**www.lequebecenrecherche.ca**

Québec

Fonds de recherche – Nature et technologies
Fonds de recherche – Santé
Fonds de recherche – Société et culture

# Arts et culture

# FRÉQUENTATION DES LIEUX CULTURELS AU QUÉBEC

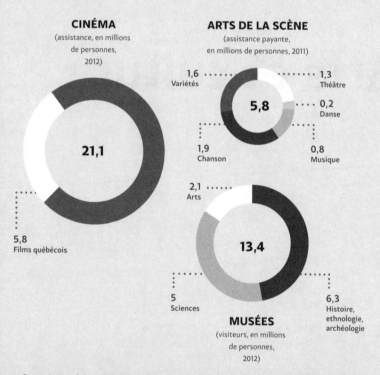

### CINÉMA
(assistance, en millions de personnes, 2012)

**21,1**

5,8
Films québécois

### ARTS DE LA SCÈNE
(assistance payante, en millions de personnes, 2011)

1,6
Variétés

1,3
Théâtre

**5,8**

0,2
Danse

1,9
Chanson

0,8
Musique

2,1
Arts

**13,4**

5
Sciences

6,3
Histoire, ethnologie, archéologie

### MUSÉES
(visiteurs, en millions de personnes, 2012)

Source : Institut de la statistique du Québec, Observatoire de la culture et des communications du Québec.

# Les arts et la culture en quelques statistiques

**Benoit Allaire**

*Conseiller en recherche, Observatoire de la culture et des communications,
Institut de la statistique du Québec*

Bien qu'il soit réducteur de considérer la culture québécoise sous
le seul angle de son économie, les statistiques sur l'évolution
récente de la demande et de l'offre dans le domaine des arts
visuels, des arts de la scène, du cinéma, du livre, des institutions
muséales et des bibliothèques ont l'avantage de faire ressortir
certaines tensions qui orientent les comportements et les discours
des différents agents dans le processus plus général de la mar-
chandisation de la culture au Québec.

## Économie des industries culturelles

### Les arts visuels

Deux grands types d'acheteurs sont actifs sur le marché de l'art : les particuliers et les institutions. Le volet institutionnel, soit les achats d'œuvres d'art par les musées, les entreprises et les autres institutions collectionneuses, représente une part importante du marché de l'art au Québec. En 2010-2011, les principales institutions collectionneuses ont acheté 1 079 œuvres, d'une valeur totale de 13,6 millions de dollars.

La valeur totale des achats d'œuvres d'art par les institutions peut varier considérablement d'une année à l'autre. L'année 2010-2011 s'est distinguée par une hausse importante des achats, avec une valeur totale supérieure à la moyenne des quatre années précédentes, qui est de 11,1 millions de dollars (voir le tableau 1). Cette hausse globale est surtout attribuable aux acquisitions des grandes municipalités et des établissements assujettis à la politique dite du 1 %[1], la valeur de leurs achats ayant grimpé de 74,6 % (10,1 millions de dollars en 2010-2011, comparativement à 5,2 millions en moyenne au cours des quatre années précédentes).

Pour enrichir leurs collections, les musées comptent non seulement sur l'achat d'œuvres, mais aussi sur les dons. En 2010-2011, les donations d'œuvres

---

**Il y a eu
6 086 représentations
théâtrales au Québec
en 2011.**

---

d'art aux musées du Québec ont atteint une valeur totale de 19,3 millions de dollars, ce qui est inférieur à la moyenne annuelle des quatre années précédentes, soit 22,8 millions.

## Les arts de la scène

Les arts de la scène constituent sans nul doute un des aspects les plus spectaculaires de la culture québécoise. Que ce soit par ses pièces de théâtre, ses musiciens et chanteurs, ses troupes de danse et de cirque ou ses humoristes, notre culture rayonne tant à l'étranger qu'ici même. En 2011, au Québec, on dénombre 16 634 représentations, tous les genres de spectacles confondus. Ces représentations ont attiré près de 6 millions de spectateurs et généré des recettes de 234,1 millions de dollars. Il s'agit de résultats légèrement inférieurs à la moyenne des années 2007 à 2010 (244,5 millions). L'assistance diminue en moyenne de 4,8 % annuellement, tandis que les recettes augmentent en moyenne

---

TABLEAU 1

**Achats d'œuvres d'art par les institutions collectionneuses[1], de 2006-2007 à 2010-2011**

| Acheteur | 2006-2007 | 2007-2008 | 2008-2009 | 2009-2010 | 2010-2011 | Moyenne de 2006-2007 à 2010-2011 |
|---|---|---|---|---|---|---|
| | | | milliers de dollars | | | |
| Institutions muséales | 6 644 | 3 330 | 5 289 | 2 165 | 1 957 | 3 877 |
| Entreprises collectionneuses[2] | 1 659 | 880 | 949 | 2 689 | 1 451 | 1 526 |
| Autres institutions collectionneuses[3] | 3 687 | 4 920 | 6 469 | 5 810 | 10 143 | 6 206 |
| **Total** | **11 990** | **9 131** | **12 707** | **10 664** | **13 551** | **11 609** |

1. Comprend uniquement des établissements susceptibles d'acquérir des œuvres d'art sur une base régulière.
2. Comprend uniquement des entreprises qui possèdent une collection et qui sont reconnues pour acquérir des œuvres d'art sur une base régulière, et inclut des sociétés d'État.
3. Inclut entre autres les établissements assujettis à la Politique d'intégration des arts à l'architecture et à l'environnement des bâtiments et des sites gouvernementaux et publics.

Source : Institut de la statistique du Québec, Observatoire de la culture et des communications du Québec.

de 1,6 % par année. Par conséquent, le prix moyen du billet passe de 36 $ en 2007 à 40 $ en 2011, soit une croissance annuelle moyenne de 3,2 %, ce qui est supérieur à celle de l'indice des prix à la consommation (1,7 %).

En 2011, les spectacles québécois ont attiré 68,9 % de l'assistance totale et ont contribué à 60,3 % des recettes (voir le tableau 2). C'est donc dire que les billets pour les spectacles provenant du Qué-bec coûtent en moyenne moins cher que les billets pour des spectacles d'une autre origine, soit 35 $. Parmi tous ces spectacles, ce sont les pièces de théâtre qui offrent le plus grand nombre de représentations (6 086 en 2011). Mais ce sont les spectacles de chanson qui attirent la plus grande part des specta-teurs (31,9 %) et qui fournissent la plus grande part des recettes, soit 38,5 %.

TABLEAU 2

**Statistiques des représentations payantes[1] en arts de la scène[2], 2007-2011**

|  | Unité | 2007 | 2008 | 2009 | 2010 | 2011 | TCAM[4] |
|---|---|---|---|---|---|---|---|
|  |  |  |  |  |  |  | % |
| Représentations payantes | n | 16 578 | 16 574 | 17 036 | 16 643 | 16 634 | 0,1 |
| Assistance aux représentations payantes | n | 7 068 695 | 7 020 806 | 7 430 036 | 7 006 665 | 5 803 221 | -4,8 |
| Part des spectacles provenant du Québec[3] | % | 73,4 | 71,0 | 76,7 | 76,8 | 68,9 | ... |
| Revenus de billetterie excluant les taxes | k$ | 219 820 | 236 514 | 274 606 | 247 236 | 234 068 | 1,6 |
| Part des spectacles provenant du Québec | % | 66,4 | 65,5 | 73,0 | 73,6 | 60,3 | ... |
| Prix moyen du billet | $ | 35,60 | 38,15 | 41,97 | 40,09 | 40,33 | 3,2 |

1. Exclut certains types de représentations payantes : les représentations privées, les représentations de spectacles amateurs et les représentations données dans les locaux d'écoles primaires ou secondaires et destinées aux élèves de ces écoles. Par ailleurs, ne sont pas considérées comme payantes les représentations où le droit d'entrée prend la forme d'un passeport ou d'un macaron valide pour l'ensemble d'un festival ou d'un événement, ni les représen-tations où le droit d'entrée prend la forme d'un *cover charge*.
2. Les arts de la scène incluent les spectacles de théâtre, de danse, de musique, de chanson et de variétés.
3. Les spectacles provenant du Québec sont ceux dont l'artiste ou le groupe en vedette et le producteur viennent du Québec.
4. Taux de croissance annuel moyen.

Source : Institut de la statistique du Québec, Observatoire de la culture et des communications du Québec.

*Le cinéma*

Comme dans plusieurs autres pays, l'exploitation de films au Québec montre des signes d'essoufflement, et la contraction de l'infrastructure cinématographique en est le symptôme le plus évident. Comme l'indique le tableau 3, entre 2008 et 2012, le nombre de cinémas et de ciné-parcs a diminué de 4,0 % par année en moyenne (20 établissements de moins au total), tandis que le nombre d'écrans baissait de 1,4 % annuellement (44 écrans de moins au total).

Ce ralentissement se répercute sur l'offre cinématographique, de sorte que le nombre de fauteuils disponibles, c'est-à-dire le nombre de projections dans chaque salle multiplié par le nombre de sièges qu'elle contient, diminue de 0,8 % au cours de la même période. Du côté de la demande, l'assistance n'a pas été au rendez-vous en 2012, et 1,1 million de spectateurs de moins qu'en 2011 ont fréquenté les salles obscures, ce qui représente une baisse de 5,0 %. Pour l'ensemble de la période 2008-2012,

TABLEAU 3

**Statistiques de l'exploitation cinématographique, 2008-2012**

| | Unités | 2008 | 2009 | 2010 | 2011 | 2012 | TCAM[1] % |
|---|---|---|---|---|---|---|---|
| Nombre moyen de cinémas et de ciné-parcs[r] | n | 132 | 126 | 124 | 118 | 112 | -4,0 |
| Nombre moyen d'écrans[r] | n | 778 | 769 | 758 | 752 | 734 | -1,4 |
| Fauteuils disponibles dans les cinémas[2] | M | 193,6 | 191,5 | 190,3 | 186,0 | 185,0 | -0,8 |
| Projections | k | 963 | 956 | 949 | 930 | 932 | -1,7 |
| Assistance | M | 22,6 | 25,4 | 24,0 | 22,3 | 21,1 | -1,1 |
| Part de marché des films québécois (assistance) | % | 9,6 | 13,0 | 9,6 | 10,7 | 5,8 | s. o. |
| Part de l'assistance aux projections en français | % | 71,3 | 71,4 | 71,9 | 73,7 | 70,9 | s. o. |
| Taux d'occupation des cinémas[3] | % | 11,4 | 13,0 | 12,3 | 11,7 | 11,2 | s. o. |
| Taux d'occupation des cinémas – films québécois | % | 12,6 | 14,6 | 14,1 | 13,8 | 12,0 | s. o. |
| Taux d'occupation des cinémas – films en français | % | 11,6 | 13,3 | 12,5 | 12,2 | 11,5 | s. o. |
| Prix moyen du billet (avant taxes) | $ | 7,17 | 7,30 | 7,73 | 7,95 | 8,05 | 3,0 |

r : Révisé à la suite d'un changement dans la méthode de dénombrement des établissements.
1. Taux de croissance annuel moyen.
2. Le nombre de fauteuils disponibles est égal au nombre de fauteuils de chaque salle multiplié par le nombre de projections dans cette salle.
3. Le taux d'occupation est égal à l'assistance divisée par le nombre de fauteuils disponibles, le tout multiplié par 100.

Source : Institut de la statistique du Québec, Observatoire de la culture et des communications du Québec.

GRAPHIQUE 1

**Ventes finales[1] de livres neufs selon les points de vente, 2008-2012**

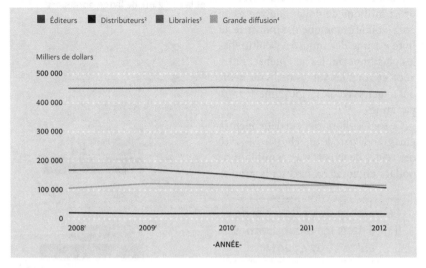

■ Éditeurs   ■ Distributeurs[2]   ■ Librairies[3]   ■ Grande diffusion[4]

Milliers de dollars

r : Révisé.

1. Les ventes finales excluent la vente de livres destinés au marché de la revente (librairies, grandes surfaces et autres points de vente).

2. Comprend les distributeurs de livres ainsi que certains éditeurs qui distribuent d'autres livres que leurs propres ouvrages. Dans ce dernier cas, seules les ventes de distribution sont incluses.

3. Comprend les librairies et certains détaillants à grande surface spécialisés dans la vente de produits culturels, tels Archambault ou Renaud-Bray.

4. La grande diffusion comprend les grandes surfaces, Costco ou Wal-Mart, et les autres points de vente qui ne sont pas spécialisés dans la vente de livres (pharmacies, animaleries, etc). Le montant est estimé à partir des ventes des distributeurs et des éditeurs à ces points de vente.

Source : Institut de la statistique du Québec, Observatoire de la culture et des communications du Québec.

l'assistance a diminué en moyenne de 1,7 % par année.

Le fait que la demande diminue un peu plus rapidement que l'offre contribue à déprimer le taux d'occupation[2] des salles de cinéma, qui est de 11,2 % en 2012, un taux inférieur à la moyenne au cours de la période 2008-2011 (12,1 %). De 2008 à 2012, le taux d'occupation des projections de films en français (12,2 % en moyenne) et des projections de films québécois (13,4 % en moyenne) est toujours supérieur au taux d'occupation des autres types de projections.

La part de marché des films québécois a chuté en 2012 : ils n'ont recueilli que 5,8 % de l'assistance. Cette part était de 10,7 % en 2011.

## Le livre[3]

Du point de vue des revenus, avec ses 678,2 millions de dollars de ventes en 2012 (voir le graphique 1), l'industrie du livre est une des industries culturelles les plus importantes au Québec. Entre 2008 et 2012, les ventes de livres neufs ont toutefois reculé en moyenne de 2,4 % par année.

Ce sont les libraires qui détiennent la plus grande part de marché (64,5 %), avec des ventes de livres de 437,2 millions de dollars en 2012. La part de la grande

---

**Le nombre de prêts a crû de 8,9 % dans les bibliothèques entre 2007 et 2010.**

---

diffusion, soit les grandes surfaces et les autres points de vente, a été en moyenne de 15,9 % de 2008 à 2012. La part des distributeurs a peu varié, tandis que celle des éditeurs a reculé considérablement, perdant 6,8 points de pourcentage. Parmi les libraires, celles qui appartiennent à une chaîne ont augmenté sensiblement leur part en recueillant 5,0 points de pourcentage de plus en 2012 qu'en 2008. À l'inverse, la part des libraires indépendantes a reculé de 4,2 points au cours de la même période.

Dans cet important marché culturel, la part des éditeurs de propriété québécoise est de 43 % en 2011, à peu près identique à celle de l'année précédente. Dans le marché du livre scolaire, cette part a reculé, passant de 66 % en 2010 à

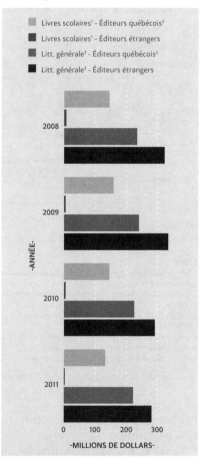

GRAPHIQUE 2

**Ventes des éditeurs selon leur propriété et la catégorie de livres, 2008-2011**

Livres scolaires[1] - Éditeurs québécois[2]
Livres scolaires[1] - Éditeurs étrangers
Litt. générale[3] - Éditeurs québécois[2]
Litt. générale[3] - Éditeurs étrangers

1. Livres destinés à tous les ordres d'enseignement (préscolaire, primaire, secondaire, collégial et universitaire).
2. Éditeurs ayant un établissement au Québec.
3. Inclut tous les livres qui ne sont pas destinés à l'enseignement.

Source : Institut de la statistique du Québec, Observatoire de la culture et des communications du Québec.

49 % en 2011. Dans le marché de la littérature générale, la part des éditeurs de propriété québécoise a augmenté notablement, passant de 37 % à 41 % (voir le graphique 2).

## Les institutions muséales

Les musées, centres d'exposition et lieux d'interprétation – que l'on nomme ici « institutions muséales » – constituent un maillon essentiel de la conservation et de la diffusion du patrimoine culturel québécois, tout en permettant un grand accès aux autres cultures. On compte environ 450 institutions muséales au Québec : en 2012, les musées représentaient 27,9 % de ces institutions, les lieux d'interprétation, 54,9 % et les centres d'exposition, 17,2 %.

En 2012, les institutions muséales ont enregistré 13,4 millions d'entrées[4], dont 47,1 % aux institutions vouées à l'histoire, à l'ethnologie et à l'archéologie, 37,1 % aux institutions consacrées aux sciences et 15,8 % à celles qui sont consacrées à l'art (voir le tableau 4). De 2008 à 2012, la fréquentation de l'ensemble des institutions muséales a progressé de 1,5 % par année en moyenne. La clientèle scolaire (8,2 % des visiteurs en moyenne) a grimpé de 0,6 % annuellement, tandis que la clientèle générale a crû à un rythme de 0,4 % au cours de la même période.

## Les bibliothèques

Le réseau des bibliothèques publiques québécoises est structuré selon deux types de bibliothèques : les bibliothèques publiques autonomes, qui desservent, pour la plupart, des municipalités de 5 000 habitants ou plus, et les bibliothèques affiliées à un centre régional de services aux bibliothèques publiques (CRSBP), qui desservent les plus petites municipalités. La Grande Bibliothèque fait partie de ce réseau depuis son ouverture, en avril 2005.

En 2010, les 804 bibliothèques du réseau desservaient 95,3 % de la population par le truchement de leurs 1 044 points de service. Les bibliothèques ont offert à leurs 2,6 millions d'abonnés l'accès à 24,3 millions de documents, pour lesquels elles ont enregistré 49,9 millions de prêts (voir le tableau 5).

De 2007 à 2010, bien que leur nombre ait diminué de 1,7 %, les usagers inscrits ont utilisé de plus en plus les services de leur bibliothèque. En effet, le nombre de prêts a crû de 8,9 % et le nombre d'entrées, de 12,9 %. À cette augmentation de la demande correspond une hausse comparable de l'offre de services. Les collections des bibliothèques comptent 8,6 % de documents en plus, tandis que les dépenses de fonctionnement par habitant ont augmenté de 5,2 %. Ce sont les dépenses de personnel qui ont demandé le plus grand effort. Par habitant, elles ont augmenté de 11,2 %, alors que les dépenses d'acquisitions ont baissé de 0,7 %.

TABLEAU 4

**Visiteurs dans les institutions muséales répondantes selon la catégorie d'institutions, Québec, 2012**

| Type de musée | Institutions muséales répondantes[1] | Clientèle générale | Clientèle scolaire[2] | Visiteurs extra-muros[3] | Fréquentation totale | Part % | Variation 2012/2011 % |
|---|---|---|---|---|---|---|---|
| Institutions vouées à l'histoire, à l'ethnologie et à l'archéologie | 273 | 5 223 331 | 500 150 | 570 986 | 6 294 467 | 47,1 | 15,4 |
| Musées d'histoire, d'ethnologie et d'archéologie | 81 | 2 694 514 | 234 214 | 527 555 | 3 456 283 | 25,9 | 39,2 |
| Lieux d'interprétation en histoire, en ethnologie et en archéologie | 192 | 2 528 817 | 265 936 | 43 431 | 2 838 184 | 21,2 | -4,5 |
| Institutions vouées aux sciences[4] | 68 | 4 419 576 | 405 235 | 125 413 | 4 950 224 | 37,1 | 1,3 |
| Musées de sciences | 20 | 2 851 898 | 166 894 | 83 024 | 3 101 816 | 23,2 | 4,3 |
| Lieux d'interprétation en sciences | 48 | 1 567 678 | 238 341 | 42 389 | 1 848 408 | 13,8 | 3,8 |
| Institutions vouées à l'art | 96 | 1 771 456 | 166 698 | 175 192 | 2 113 346 | 15,8 | -7,4 |
| Musées d'art | 21 | 1 130 017 | 106 876 | 137 044 | 1 373 937 | 10,3 | -11,8 |
| Centres d'exposition | 75 | 641 439 | 59 822 | 38 148 | 739 409 | 5,5 | 2,2 |
| **Total** | **437** | **11 414 363** | **1 072 083** | **871 591** | **13 358 037** | **100,0** | **5,8** |

1. Comprend toutes les institutions muséales qui ont répondu au moins une fois au questionnaire d'enquête de l'Observatoire de la culture et des communications du Québec au cours des quatre trimestres de l'année 2012.
2. Comprend les élèves et les enseignants.
3. Visiteurs des expositions ou activités présentées par l'institution muséale dans un lieu qui n'est pas sa propriété (par exemple, dans un parc, un centre commercial, les rues d'un quartier, etc.).
4. Sciences naturelles et environnementales, et sciences et technologie.

Source : Institut de la statistique du Québec, Observatoire de la culture et des communications du Québec.

TABLEAU 5

**Statistiques principales des bibliothèques publiques[1], 2007-2010**

| | Unité | 2007 | 2008 | 2009[r] | 2010 | Variation 2010-2007 % |
|---|---|---|---|---|---|---|
| **Statistiques générales** | | | | | | |
| Nombre de bibliothèques | n | 817 | 813 | 807 | 804 | -1,6 |
| Nombre de points de service | n | 1 061 | 1 055 | 1 048 | 1 044 | -1,6 |
| Nombre de documents | n | 22 326 152 | 25 109 155 | 25 574 272 | 24 254 833 | 8,6 |
| Usagers inscrits | n | 2 619 378 | 2 493 659 | 2 496 983 | 2 573 541 | -1,7 |
| Nombre de prêts | n | 45 803 873 | 46 881 467 | 48 884 861 | 49 901 505 | 8,9 |
| Nombre d'entrées[2] | n | 22 744 836 | 23 306 184 | 24 873 573 | 25 680 442 | 12,9 |
| Dépenses de fonctionnement | $ | 291 838 048 | 301 587 871 | 305 732 837 | 316 002 597 | 8,3 |
| **Indicateurs de performance[3]** | | | | | | |
| Proportion de la population desservie | % | 95,3 | 95,4 | 95,4 | 95,3 | – |
| Documents par habitant | n | 3,05 | 3,40 | 3,43 | 3,22 | 5,6 |
| Pourcentage d'usagers inscrits | % | 35,8 | 33,7 | 33,5 | 34,2 | s. o. |
| Prêts par habitant | n | 6,3 | 6,3 | 6,6 | 6,0 | -4,3 |
| Pourcentage des prêts aux enfants | % | 34,2 | 34,4 | 34,6 | 36,9 | s. o. |
| Dépenses de fonctionnement par habitant | $ | 39,85 | 40,78 | 40,96 | 41,93 | 5,2 |
| Dépenses d'acquisitions par habitant | $ | 5,65 | 5,77 | 5,54 | 5,61 | -0,7 |
| Dépenses pour le personnel par habitant | $ | 21,89 | 22,69 | 23,52 | 24,35 | 11,2 |
| Pourcentage des dépenses d'acquisitions | % | 14,2 | 14,2 | 13,5 | 13,4 | s. o. |

r : Révisé.
– : Donnée infime.

1. Comprend les bibliothèques publiques autonomes, les bibliothèques affiliées, les centres régionaux de services aux bibliothèques publiques (CRSBP) et Bibliothèque et Archives nationales du Québec (BAnQ).
2. Comprend uniquement les entrées aux bibliothèques publiques autonomes et à la Grande Bibliothèque.
3. Les indicateurs par habitant sont calculés sur la base de la population desservie.

Source : Ministère de la Culture et des Communications du Québec, BAnQ et Réseau-Biblio. Compilation : Institut de la statistique du Québec, Observatoire de la culture et des communications du Québec.

## L'emploi salarié en culture

L'évolution du nombre d'emplois salariés est un indicateur du développement des organisations dans les domaines de la culture et des communications[5]. Dans l'ensemble, les industries culturelles au Québec affichent une croissance importante depuis 1991 (0,9 % annuellement en moyenne), bien qu'inférieure à celle de l'ensemble des emplois salariés (1,1 %). L'essentiel de cette croissance a été réalisé entre 1991 et 2002 (2,1 % annuellement), alors qu'au cours des années subséquentes le nombre d'emplois salariés a diminué en moyenne de 0,3 % par année. Cette baisse est principalement attribuable au repli de l'industrie de la télévision généraliste et à celui de l'industrie de l'édition de journaux et de périodiques.

Par comparaison, le nombre d'emplois salariés dans les industries culturelles de l'Ontario connaît une croissance annuelle moyenne moins forte entre 1991 et 2012, soit 0,2 %, alors que la croissance du nombre d'emplois salariés dans l'ensemble des industries y est plus élevée qu'au Québec, soit 1,4 % annuellement. En 2012, les emplois salariés dans les industries culturelles choisies représentaient 1,4 % de l'ensemble des emplois salariés au Québec, comparativement à 1,2 % en Ontario.

Ce portrait sommaire de certains domaines de la culture et des commu-nications révèle qu'au cours des dernières années, les grandes industries culturelles que sont l'édition de livres, le cinéma et les arts de la scène ont subi une certaine contraction de leur marché. Pendant ce temps, les acquisitions d'œuvres d'art ont progressé, de même que la fréquentation des musées et celle des bibliothèques.

Notes

1. Il s'agit de la Politique d'intégration des arts à l'architecture et à l'environnement des bâtiments et des sites gouvernementaux et publics, une mesure adoptée en 1961 par le gouvernement du Québec, selon laquelle un pourcentage du budget de construction d'un bâtiment ou d'aménagement d'un site public doit être affecté à la réalisation d'œuvres d'art expressément conçues pour ceux-ci.

2. Le taux d'occupation est égal à l'assistance divisée par le nombre de fauteuils disponibles, le tout multiplié par 100.

3. Les statistiques sur les ventes de livres neufs de 2008 à 2011 ont été complètement révisées et ont été diffusées en avril 2013. Les statistiques de 2001 à 2007 sont en cours de révision.

4. Ce total comprend les entrées aux activités extra-muros, c'est-à-dire les activités présentées par l'institution muséale dans un lieu qui n'est pas sa propriété (par exemple, une exposition présentée dans un parc, dans les rues d'un quartier, etc.).

5. Les statistiques présentées dans cette partie concernent les industries pour lesquelles les données sur l'emploi sont complètes et fiables au cours de la période étudiée. Conséquemment, les données concernant certaines industries, telle la câblodistribution.

# Tentations républicaines : la gestion de la diversité culturelle sous le gouvernement Marois

**Emmanuelle Richez**

*Chercheure postdoctorale, Département de science politique,*
*Université Concordia*

Depuis son élection, le 4 septembre 2012, le gouvernement minoritaire de Pauline Marois a tenté d'apporter des modifications à la Charte de la langue française et travaille sur un projet de Charte des valeurs québécoises[1]. La volonté du gouvernement de rassembler les Québécois autour d'une langue et de valeurs communes crée, selon certains, une division entre ceux qui sont considérés comme de «vrais» Québécois et les autres. Le gouvernement serait-il sur le point d'abandonner le modèle interculturel au profit d'un modèle républicain ? En tout cas, une forte opposition obligera le gouvernement péquiste à ajuster le tir.

Dans les démocraties libérales avancées, les politiques de gestion de la diversité culturelle s'articulent autour de deux grands modèles : le modèle républicain et le modèle pluraliste[2]. Le premier se fonde principalement sur l'idée d'une citoyenneté partagée. Il fait la promotion d'une culture publique commune et assoit la solidarité citoyenne sur une offre universelle de services étatiques. Le modèle républicain refuse donc à certains groupes minoritaires la reconnaissance de droits culturels particuliers, notamment ceux qui touchent à la langue et à la religion, ainsi qu'à leur expression dans l'espace public. En ce qu'il met l'accent sur ce qui rassemble les citoyens plutôt que sur ce qui les distingue, le modèle républicain tend à reléguer les différences culturelles de la minorité dans la sphère privée et à favoriser les traits communs de la majorité dans la sphère publique.

En revanche, le modèle pluraliste favorise l'expression de la diversité dans l'espace public en préconisant en son sein la reconnaissance par l'État de certains droits aux minorités culturelles. Dès lors, il accorde à des minorités des institutions sociales distinctes leur permettant de préserver leur culture, ou leur donne accès à des programmes de discrimination positive, réduisant ainsi les inégalités socioéconomiques entre elles et la majorité. Par ailleurs, le modèle pluraliste encourage davantage que le modèle républicain les « accommodements religieux », grâce auxquels les minorités peuvent se soustraire à des lois ou à des règles qui sont vues comme accablant leurs pratiques culturelles.

Les conceptions républicaine et pluraliste constituent les deux extrémités du continuum de la gestion de la diversité culturelle. La plupart des régimes démocratiques se situent entre ces deux modèles types. C'est notamment le cas du régime québécois, qui établit un équilibre entre ces deux traditions en pratiquant la neutralité étatique tout en reconnaissant certains droits aux minorités culturelles.

## La Révolution tranquille : laïcisation de l'État et affirmation linguistique

Avec la Révolution tranquille des années 1960, le Québec est devenu une démocratie mature. Cette époque est marquée par la laïcisation de l'État, autrefois sous l'influence de l'Église catholique. Elle est aussi caractérisée par un assainissement des mœurs politiques et par le développement d'un État-providence.

> **Au cours de la campagne électorale, le PQ a manifesté clairement ses visées républicaines.**

Plus important encore, la Révolution tranquille permet au nationalisme de la majorité francophone du Québec de s'affirmer par le biais de l'État. Le gouvernement de l'Union nationale adopte en 1969 la Loi pour promouvoir la langue française au Québec, dite loi 63, et en 1974, le gouvernement du Parti libéral du Québec (PLQ) adopte la Loi sur la langue officielle, dite loi 22. La Révolution tranquille voit aussi la naissance d'un parti politique, le Parti québécois (PQ), dont l'objectif principal est de réaliser la souveraineté du Québec par la voie démocratique. Après sa première accession au pouvoir, le PQ s'empresse de faire adopter, en 1977, la Charte de la langue française, mieux connue comme la loi 101.

La loi 101 avait pour objet de « faire du français la langue de l'État et de la Loi, aussi bien que la langue normale et habituelle du travail, de l'enseignement, des communications, du commerce et des affaires[3]». Elle rend obligatoire la francisation des entreprises de 50 employés ou plus et permet l'accès à l'école anglaise seulement aux enfants de parents ayant reçu leur instruction en anglais au Québec[4]. Cette dernière mesure était devenue nécessaire afin d'intégrer à la culture francophone les nouveaux arrivants, qui avaient tendance à s'assimiler à la culture anglophone, vu la force d'attraction de l'anglais en Amérique du Nord.

La communauté historique anglophone préserve et développe ses institutions hospitalières, éducatives et politiques sous le nouveau régime linguistique. Or, plusieurs des mesures de la loi 101 suscitent un débat féroce qui se conclut, sur le plan scolaire, par l'adoption de la Loi constitutionnelle de 1982. Toutefois, avant que puisse s'installer au Québec une paix linguistique, la loi 101 continue d'être contestée devant les tribunaux; elle sera subséquemment modifiée durant les années 1980 et 1990.

## Le choix de l'interculturalisme québécois

À la même époque, l'État québécois commence à se préoccuper des relations intercommunautaires, en raison d'une immigration grandissante en provenance de pays non occidentaux dont les pratiques culturelles diffèrent de celles de la majorité. En 1990, le gouvernement publie un énoncé en matière d'immigration et d'intégration intitulé *Au Québec pour bâtir ensemble*, qui résume bien l'approche privilégiée jusqu'à tout récemment pour gérer la diversité culturelle: l'interculturalisme québécois. Ce dernier fait appel à un «contrat moral» conclu entre la majorité et la minorité, qui trouve sa source dans les choix de société caractérisant le Québec, c'est-à-dire «une société dont le français est la langue commune de la vie publique; une société démocratique où la participation et la contribution de tous sont attendues et favorisées; une société pluraliste ouverte aux multiples apports dans les limites qu'imposent le respect des valeurs démocratiques fondamentales et la nécessité de l'échange intercommunautaire[5]».

## La crise des accommodements raisonnables

Le débat entourant les relations intercommunautaires s'est intensifié en 2006-2007, avec la crise des «accommodements raisonnables». En réponse à cette crise, le gouvernement libéral de Jean Charest institue la Commission de consultation sur les pratiques d'accommodement reliées aux différences culturelles (commission Bouchard-Taylor), chargée de faire des recommandations sur la façon de gérer les demandes d'accommodements. Le rapport final de la commission, déposé en 2008, réaffirme le bien-fondé de l'approche interculturelle. Il fait aussi la promotion d'une laïcité ouverte, selon laquelle l'État demeure culturellement neutre, mais peut accommoder certaines pratiques religieuses. La réponse du gouvernement Charest est à la fois tempérée et ambiguë. Avant même que le rapport Bouchard-Taylor ne le recommande, il entreprend de modifier la Charte des droits et libertés de la personne pour y inclure une clause interprétative reconnaissant l'égalité formelle entre hommes et femmes. Cependant, il refuse d'enlever le crucifix au-dessus du siège du président de l'Assemblée nationale et n'élabore pas de directives précises pour encadrer les accommodements raisonnables ou pour mettre en œuvre une laïcité ouverte.

### Le virage républicain du PQ

Au cours de la campagne électorale de 2012, le PQ a manifesté clairement ses visées républicaines. La chef du PQ, Pauline Marois, a tout d'abord promis de renforcer la loi 101 pour imposer la francisation aux entreprises de 11 employés ou plus, pour mettre fin au phénomène des écoles passerelles[6] et pour étendre l'application de la loi au niveau collégial. Pauline Marois s'est aussi engagée à instaurer une citoyenneté québécoise, dont l'obtention serait conditionnelle à une connaissance suffisante de la langue française. Elle voulait empêcher les nouveaux arrivants, les Autochtones et les Anglo-Québécois de se porter candidats à des élections s'ils

ne possédaient pas une connaissance appropriée du français. De ce fait, elle allait plus loin que son ancien projet de loi 195, la Loi sur l'identité québécoise[7], qu'elle avait présenté en octobre 2007 et

> **Plusieurs ont qualifié les propositions péquistes de racistes et de xénophobes.**

qui est mort au feuilleton. Ce dernier exigeait « une connaissance appropriée de la langue française » pour l'obtention du statut de citoyen québécois par les Néo-Canadiens domiciliés au Québec, mais accordait automatiquement la citoyenneté québécoise aux Autochtones et aux Anglo-Québécois ; il prévoyait par ailleurs que le statut de citoyen serait nécessaire afin de se porter candidat aux élections scolaires, municipales et législatives, de même que pour verser des contributions à un parti politique et adresser une pétition à l'Assemblée nationale. Sa déclaration lors de la campagne électorale de 2012 ayant déclenché un tollé, Pauline Marois a dû se rétracter immédiatement et a affirmé sa volonté de revenir aux dispositions contenues dans le projet de loi 195.

La refonte de la loi 101 proposée par le gouvernement minoritaire du PQ en décembre 2012 a été moins importante que celle qui avait été annoncée pendant la campagne électorale. Le projet de loi 14[8] prévoit la francisation des entreprises comptant entre 26 et 49 employés, plutôt que de celles de 11 employés et plus. Il n'interdit pas l'accès aux cégeps anglais aux francophones et aux allophones, mais il ajoute la réussite d'une épreuve de français comme condition pour l'obtention d'un diplôme d'études collégiales en anglais et donne la priorité aux anglophones pour l'admission à certains programmes contingentés. Le projet de loi 14 ne règle pas non plus le problème des écoles passerelles et repousse à une date ultérieure l'adoption de mesures de resserrement de l'accès à celles-ci. Cependant, il supprime le privilège des parents militaires non anglophones d'envoyer leurs enfants à l'école anglaise. Il exige aussi que les centres de la petite enfance et les garderies familiarisent les enfants avec la langue française. Enfin, il permet au gouvernement de retirer le statut de municipalité bilingue aux villes dont la population anglophone est en deçà du seuil démographique de 50 %.

L'adoption du projet de loi 14 s'annonce difficile vu la position minoritaire du gouvernement Marois. Tout d'abord, il a soulevé l'ire de la communauté anglo-québécoise, qui y a vu une rupture de la paix linguistique installée au Québec durant les années 1990. Le PLQ, historiquement proche de la communauté anglophone, a refusé d'appuyer le projet de loi 14. Pour sa part, la Coalition avenir Québec (CAQ), qui détient la balance du pouvoir à l'Assemblée nationale, a refusé de l'entériner dans sa forme initiale. En vue d'obtenir l'appui de la CAQ, le gouvernement a annoncé, au printemps 2013, qu'il maintiendrait le privilège des parents militaires non anglophones d'envoyer leurs enfants à l'école anglaise et qu'il abaisserait le seuil démographique nécessaire à certaines municipalités pour conserver leur statut de villes bilingues.

### La Charte des valeurs québécoises

Les tentations républicaines du PQ se sont aussi manifestées sur le plan religieux au cours de la campagne électorale de 2012, alors que Pauline Marois exprimait son désir d'adopter une Charte de la laïcité qui aurait pour objet principal de renforcer la neutralité culturelle de l'État québécois. Tel que le prévoyait le projet de loi 94 du PLQ, mort au feuilleton en 2012, l'égalité entre les hommes et les femmes aurait préséance sur la liberté de religion, ce qui veut dire qu'un usager de services publics et parapublics ne pourrait pas exiger de se faire servir par une personne de son sexe pour des raisons religieuses. Cependant, le PQ voudrait aller plus loin que le PLQ en interdisant à tous les employés de la fonction publique et parapublique de porter des signes religieux ostensibles, tels la kippa, le turban ou le hidjab. Le rapport Bouchard-Taylor recommandait l'interdiction de signes religieux ostensibles uniquement pour les magistrats et les procureurs de la Couronne, les policiers et les gardiens de prison, ainsi que pour le président et les vice-présidents de

l'Assemblée nationale. Pauline Marois a aussi clairement fait savoir que la Ville de Saguenay devrait abandonner la prière avant l'ouverture de son conseil municipal, mais a indiqué que l'Assemblée nationale pourrait conserver son crucifix.

Promise pour le printemps 2013, la présentation de la Charte de la laïcité, rebaptisée «Charte des valeurs québécoises», a été reportée à l'automne 2013. Plusieurs représentants des communautés anglophone et allophone, ainsi que plusieurs francophones, ont qualifié les propositions péquistes de racistes et de xénophobes, propositions qui risquent fort, par ailleurs, de faire l'objet d'une contestation constitutionnelle. En outre, la préséance de l'égalité entre les hommes et les femmes sur la liberté de religion va à l'encontre de la doctrine de non-hiérarchie des droits constitutionnels confirmée par la Cour suprême du Canada[9]. Ce même tribunal a aussi déclaré anticonstitutionnelle l'interdiction du port de signes religieux dans l'espace public, tels le port du kirpan à l'école[10] et celui du niqab devant les tribunaux dans certaines situations[11]. Et la décision qu'a rendue, en mai 2013, la Cour d'appel du Québec permet au conseil municipal de Saguenay de réciter sa prière avant l'ouverture de la séance[12].

Pour se soustraire à de futures invalidations judiciaires de sa charte, le PQ pourrait recourir à la clause dérogatoire[13]. Bien que le parti de Pauline Marois ait considéré cette option à l'été 2012, il assure maintenant que son projet est constitutionnel et que le recours à cette stratégie ne sera pas nécessaire. Toutefois, s'il veut faire adopter son projet de charte, le gouvernement devra obtenir l'appui d'un des deux partis d'opposition à l'Assemblée nationale. Le PLQ a déjà rejeté certaines mesures que le PQ prévoit inclure dans son projet de loi, les jugeant radicales et anticonstitutionnelles, alors que la CAQ préfère le principe de la laïcité ouverte préconisée par le rapport Bouchard-Taylor.

### Un projet qui divise

Avec le renforcement de la loi 101 et l'adoption d'une Charte des valeurs québécoises, le PQ souhaite rassembler les Québécois autour d'une langue et de valeurs communes. Or tenter de faire entrer tous les Québécois dans le moule républicain envisagé par le PQ est perçu par certains comme créant une division entre ceux qui sont considérés comme de «vrais» Québécois et les autres. En septembre 2013, un sondage révélait que les Québécois étaient profondément divisés sur le projet de charte : 43 % l'appuyaient, alors que 42 % s'y opposaient[14]. On observe également une division entre les régions du Québec et Montréal, où 50 % des gens y sont défavorables[15]. Le gouvernement Marois fait donc face à une importante opposition et devra continuer à reculer par rapport à plusieurs de ses promesses électorales, car une partie importante de la population québécoise semble être attachée au modèle pluraliste et souhaite protéger les droits culturels déjà acquis par les minorités.

Notes

1. Au moment d'écrire ces lignes, le projet officiel de charte n'était pas encore déposé à l'Assemblée nationale.

2. Voir, notamment, Jocelyn Maclure et Charles Taylor, *Laïcité et liberté de conscience*, Montréal, Boréal, 2010 ; Philip Resnick, « France's Veil Affair : Republicanism, Multiculturalism and Liberalism », *Inroads : A Journal of Opinion*, vol. 15, 2004 ; France Giroux, « Le nouveau contrat national est-il possible dans une démocratie pluraliste ? Examen comparatif des situations française, canadienne et québécoise », dans *Politique et Sociétés*, vol. 16, n° 3, 1997.

3. Charte de la langue française, RSQ 1977, c. C-11.

4. Les francophones et les immigrants sont dirigés vers le système public d'éducation française. Ils conservent par contre la possibilité de recevoir une instruction anglaise dans le système d'éducation privé.

5. Ministère des Communautés culturelles et de l'Immigration, *Au Québec pour bâtir ensemble : énoncé en matière d'immigration et d'intégration*, Québec, gouvernement du Québec, 1990.

6. En vertu de la loi 101, un enfant non anglophone peut être admissible à l'école publique anglaise s'il a fréquenté une école privée anglaise pendant trois ans. On appelle «écoles passerelles» ces établissements qui permettent de contourner la loi.

7. Projet de loi n° 195, Loi sur l'identité québécoise, Assemblée nationale, 38e législature, 1re session, 2007.

8. Projet de loi n° 14, Loi modifiant la Charte de la langue française, la Charte des droits et libertés de la personne et d'autres dispositions légis-

latives, Assemblée nationale, 40ᵉ législature, 1ʳᵉ session, 2011.

9. Mark Carter, « An Analysis of the "No Hierarchy of Constitutional Rights" Doctrine », *Review of Constitutional Studies,* vol. 12, n° 1, 2007.

10. Multani c. Commission scolaire Marguerite-Bourgeoys, [2006] 1 S.C.R. 256, 2006 SCC 6.

11. R. c. N. S., 2012 SCC 72.

12. Saguenay (Ville de) c. Mouvement laïque québécois, 2013 QCCA 936.

13. L'article 33 de la Charte canadienne des droits et libertés permet à la législature d'une province de voter des lois qui violent certains droits.

14. Charles Lecavalier, « Projet de charte : divisions profondes », *Journal de Montréal,* 15 septembre 2013.

15. *Ibid.*

# Médias

# PARTS DES INVESTISSEMENTS PUBLICITAIRES PAR MÉDIA, 2003 ET 2011

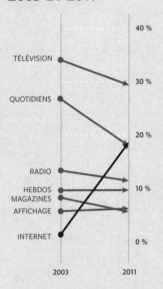

# INVESTISSEMENTS PUBLICITAIRES PAR MÉDIA, 2003 ET 2011

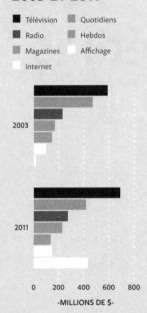

Sources : calculs du Centre d'études sur les médias à partir des données du Conseil de la radiodiffusion et des télécommunications canadiennes (télévision, radio), du Television Bureau (*Net Advertising Volume*, éditions 2006 et 2011 ; quotidiens et hebdos), du *Guide annuel Médias d'Infopresse*, éditions 2004 et 2013 (magazines et affichage) et de l'Interactive Advertising Bureau (Internet). Les données des quotidiens et celles des hebdomadaires incluent leurs activités Internet, qui sont soustraites de la catégorie Internet.

# Les médias
# en quelques statistiques

**Daniel Giroux**

*Secrétaire général, Centre d'études sur les médias, Université Laval*

*Avec la collaboration de Sébastien Charlton*

**Le fait que les Québécois passent de plus en plus de temps sur les moteurs de recherche et les réseaux sociaux en ligne remet en cause les modèles d'affaires des médias traditionnels. La publicité demeure leur source principale de revenus, mais les précieux dollars des annonceurs leur échappent de plus en plus. Les publicitaires choisissent des moyens qui leur permettent d'atteindre leur clientèle cible et uniquement celle-ci. Pourquoi payer pour tous les auditeurs de l'émission de télévision *Toute la vérité* (TVA) ou pour tous les lecteurs de *La Presse* du mercredi quand vous voulez vendre des couches aux jeunes mamans ? Les pages spécialisées de Google et les communautés virtuelles de Facebook et de Twitter représentent de meilleurs intermédiaires pour les Pampers et Huggies de ce monde. Deux événements récents illustrent ce phénomène de manière éloquente.**

D'une part, les revenus publicitaires des stations de télévision généralistes (celles dont les émissions visent auditoires les plus larges possible) ont diminué de quelque 50 millions de dollars au Québec entre 2006 et 2012. En conséquence, ces stations ont consacré moins d'argent à la production et à l'acquisition d'émissions.

D'autre part, les deux principaux propriétaires de quotidiens au Québec, Quebecor et Gesca (filiale de Power Corporation), cherchent de nouvelles avenues pour pallier la baisse de leurs revenus. Le groupe Quebecor a choisi la voie retenue par bon nombre de quotidiens en Amérique du Nord, celle de ne plus offrir gratuitement aux internautes le contenu de ses quotidiens. Il faut maintenant payer un abonnement mensuel pour y accéder. Gesca a rejeté cette avenue. L'entreprise préfère miser sur une augmentation de la fréquentation de son site Internet et offre des exclusivités aux lecteurs utilisant une tablette pour lire *La Presse*, dont le contenu a été adapté à cette nouvelle plateforme. Les

---

### Seulement 38 % des 18-24 ans lisent le journal en semaine, tous supports confondus.

---

annonceurs y trouveront aussi de nouvelles façons de présenter leurs publicités. La direction du journal espère ainsi accroître son lectorat et ses revenus publicitaires.

C'est que, de façon générale, les annonceurs diminuent les budgets publicitaires alloués aux quotidiens payants. Ils se tournent de plus en plus volontiers vers les nouveaux médias… mais pas nécessairement vers les sites d'information.

### La publicité

L'Association canadienne des journaux estime que les revenus publicitaires des éditions papier des quotidiens payants ont fléchi de 24 % au Canada entre 2000 et 2011. Cette baisse n'est pas compensée par l'augmentation des recettes tirées de la vente de publicité en ligne, de sorte que, au total, les revenus publicitaires de

ces journaux ont décliné de 14 % pendant la même période. La publicité en ligne représentait environ 8 % de l'ensemble des revenus publicitaires des quotidiens payants au Canada en 2011.

Au Québec, entre 2003 et 2011, les revenus publicitaires des quotidiens ont chuté de 11 %, pendant que les dépenses des annonceurs dans les principaux véhicules publicitaires – quotidiens, hebdomadaires, magazines, télévision, radio, Internet et affichage – augmentaient de 36 %. Selon cette estimation du Centre d'études sur les médias, c'est Internet qui gagne la palme de la croissance. De fait, on y dépense aujourd'hui plus d'argent que pour l'achat de minutes publicitaires dans les quotidiens et à la radio. Internet se situe maintenant au deuxième rang des médias les plus utilisés par les annonceurs, après la télévision.

Le Web rafle quelque 19 % du marché de la publicité au Québec – contre moins de 1 % en 2003. Ce sont les journaux qui encaissent la perte la plus importante : la baisse de 10 points de leur part depuis 2003 est supérieure aux pertes combinées de la télévision, de la radio, des hebdomadaires et des magazines, qui atteignent 9 points de pourcentage.

### La presse quotidienne

Deux facteurs jouent contre les quotidiens. En premier lieu, alors que de plus en plus de lecteurs consultent les journaux par l'intermédiaire d'un ordinateur, d'une tablette ou d'un téléphone intelligent, les annonceurs paient beaucoup moins pour chaque millier de ces adeptes des versions numériques que pour un nombre équivalent d'adeptes des versions imprimées.

En second lieu, en dépit de l'augmentation de la population et de la popularité des quotidiens gratuits à Montréal, le nombre de lecteurs de quotidiens peine à se maintenir. Entre 2004 et 2012, les quotidiens ont gagné quelque 185 000 lecteurs adultes en semaine (tous supports confondus) pendant que la population des 18 ans et plus croissait de 550 000 personnes. La part de la population québécoise qui consulte un quotidien de façon régulière du lundi au vendredi est donc passée de 53 % à 51 % pendant la même période. La portée totale des journaux québécois, c'est-à-dire la part de la population qui a lu ou feuilleté au moins une édition papier ou en ligne pendant la semaine (sept jours), s'est elle aussi contractée. Elle est descendue de 80 % en 2004 à 77 % en 2012.

Autre signe inquiétant pour la presse quotidienne : cette perte de popularité se fait particulièrement sentir chez les plus jeunes. Comme en témoigne le graphique 1, qui rapporte des données pour l'ensemble du Canada, l'habitude de lire régulièrement un quotidien est bien moins présente chez les 18-24 ans et les 25-34 ans que chez leurs aînés. Depuis 2001, la part des 18-24 ans qui ont feuilleté un journal ou lu un article

la veille a baissé de 13 points, et ce, peu importe sur quelle plateforme ils l'ont fait et si cela leur a été suggéré par un ami sur des réseaux sociaux en ligne, tels Facebook ou Twitter. Il s'agit évidemment de la diminution la plus marquée.

Les personnes qui sont aujourd'hui âgées entre 18 et 24 ans sont donc moins portées à consulter les actualités par

GRAPHIQUE 1
**Proportion des Canadiens qui sont des lecteurs réguliers des quotidiens en semaine selon l'âge**

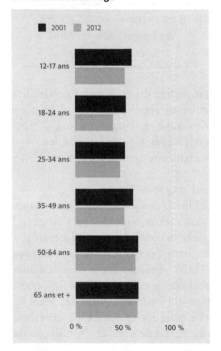

Source : Graphique du Centre d'études sur les médias à partir des données de NADbank.

l'intermédiaire d'un quotidien que celles qui avaient leur âge en 2001. Qui plus est, ces jeunes adultes de 2001 qui appartiennent, 10 ans plus tard, au groupe des 25-34 ans font maintenant moins appel aux quotidiens qu'avant. La proportion est passée de 51 % à 45 %. En gagnant encore en âge, ces personnes reprendront-elles leurs habitudes de jeunes adultes ? Les données du graphique 1 permettent d'en douter. En effet, l'intérêt pour la presse quotidienne ne s'est pas accru au fil du temps chez les autres cohortes de 2001. Ainsi, la

---

**Les réseaux généralistes de télévision perdent toujours du terrain.**

---

proportion des 35-49 ans d'aujourd'hui qui font appel à un quotidien pour s'informer atteint 49 % en 2012, comparativement à 50 % lorsque leur âge variait entre 25 et 34 ans (en 2001).

### Les magazines

À l'instar des quotidiens, les magazines – du moins ceux destinés au grand public et dont le lectorat est mesuré par la firme Print Measurement Bureau (PMB) – perdent des lecteurs. La quarantaine de magazines dont il est question ont vu leur lectorat décroître de 27 % entre 2003 et 2012. Cela représente une baisse de près de 5,6 millions de lecteurs par période de publication (la plupart de ces titres sont des mensuels).

Ces données de l'industrie font écho au désintérêt dépeint par le ministère de la Culture et des Communications dans la dernière édition de son enquête sur les pratiques culturelles des Québécois (2009). Selon cette enquête reconduite tous les cinq ans depuis 1979, c'est en 1994 que les magazines attiraient le plus grand nombre de lecteurs : 63 % des Québécois en lisaient au moins un par mois. Cette proportion atteint 56 % en 2009.

Entre 1994 et 2009, le taux de lectorat a perdu six points chez les femmes et neuf points chez les hommes. En ce qui concerne les habitudes de lecture selon les différents groupes d'âge, les 15-24 ans sont passés, en 15 ans, du statut de plus grands lecteurs de magazines à celui de groupe présentant le taux de lectorat le plus faible. En 1994, trois sur quatre lisaient un magazine chaque mois. Quinze ans plus tard, ils n'étaient plus qu'un sur deux. L'enquête révèle également que les magazines ont perdu des lecteurs de tous les niveaux de scolarité. Les baisses les plus importantes sont toutefois survenues chez ceux qui ont fréquenté le cégep ou l'université, c'est-à-dire qui ont 12 années de scolarité et plus.

### La télévision

Contrairement à la presse écrite, la télévision gagne en popularité auprès des Québécois. Ils y consacrent maintenant (en 2012) environ deux heures de plus qu'en 2005, soit 33,3 heures par

GRAPHIQUE 2
**Évolution des parts d'écoute
de la télévision chez les francophones
du Québec**

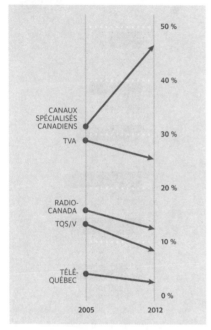

Source : données BBM selon la méthode de l'audimétrie ; période de 15 semaines au printemps. Compilation à partir du *Guide annuel des médias d'Infopresse*, éditions 2006 à 2013.

semaine. On peut attribuer cette hausse au choix plus grand qui leur est offert.

Si cette augmentation est visible chez tous les groupes d'âge, à l'exception des 35-49 ans, elle est surtout marquée chez les 50 à 64 ans, avec une moyenne d'écoute télévisuelle hebdomadaire supérieure par plus de quatre heures à celle de 2005. De façon générale, l'écoute de la télévision augmente avec l'âge. Les

femmes sont également des téléspectatrices plus assidues que les hommes.

Toutefois, cet intérêt plus grand pour la télévision ne profite pas également à toutes les chaînes. Comme le montre le graphique 2, les canaux spécialisés sont les grands gagnants. Les heures d'écoute que les Québécois francophones leur accordent ont crû de moitié depuis 2004, année qui marque l'introduction du système de mesure par audimétrie. Ensemble, les RDS, Super Écran, Séries+, Vrak.TV, Télétoon, Canal D et autres RDI (au total 36 canaux différents) totalisent 46,7 % de l'écoute.

Cette augmentation de l'audience des canaux spécialisés au détriment des réseaux généralistes entraîne un déséquilibre dans l'évolution des revenus des uns et des autres, et se reflète dans leurs marges bénéficiaires. Depuis le milieu des années 2000, les services spécialisés et payants, pris dans leur ensemble, transforment environ le quart de leurs recettes en profits. Cette proportion n'a jamais dépassé 7 % pour les généralistes depuis 2006. Pendant ces sept années, les réseaux généralistes ont eu peine à dégager des profits à trois reprises, en plus d'encaisser des pertes une fois. Les premiers sont donc en mesure d'investir davantage dans leurs diverses programmations, ce qui devrait permettre d'attirer de nouveaux téléspectateurs et, à la fin du cycle, d'attirer de nouveaux annonceurs. Les généralistes, au contraire, doivent réduire leurs dépenses.

## La radio

Les Québécois de 18 ans et plus passent en moyenne 18,8 heures par semaine à écouter la radio traditionnelle (contre 18,3 heures dans l'ensemble du Canada), mais ils le font avec moins d'assiduité qu'en 2002. La baisse a touché tous les groupes d'âge (graphique 3). Elle est cependant plus marquée chez les moins de 24 ans.

Les 18-24 ans de 2011 consacrent 199 minutes de moins par semaine à l'écoute de la radio que ceux qui avaient le même âge en 2002. Ces derniers appartiennent maintenant au groupe des 25-34 ans, et leur consommation d'émissions de radio est inférieure de 209 minutes à celle des auditeurs qui, neuf ans plus tôt, composaient ce groupe. Maintenant qu'ils font partie du groupe des 35 à 44 ans, ces jeunes adultes de 2002 continueront-ils à être de moins grands adeptes de la radio que ceux qui les ont précédés ?

---

**L'écoute de la radio est en baisse.**

---

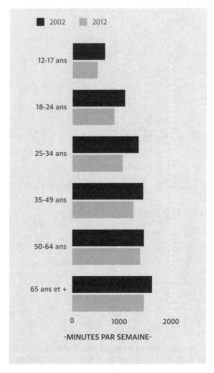

GRAPHIQUE 3
**Évolution de l'écoute hebdomadaire de la radio selon l'âge**

Source : Données BBM rapportées dans le *Guide annuel des médias* d'Infopresse, éditions 2003, 2011, 2012 et 2013.

---

C'est qu'il est de plus en plus facile d'écouter sa propre musique, y compris en déplacement, grâce aux lecteurs MP3, aux iPod, aux tablettes électroniques, aux ordinateurs portables, etc. Les plus jeunes maîtrisent particulièrement bien ces nouveaux outils. Malgré cette baisse de l'écoute, les stations de radio québécoises parviennent, globalement, à maintenir leurs marges bénéficiaires au-dessus de 15 %, année après année.

Les nombreuses stations de langue française qui proposent surtout de la musique recueillent plus de 70 % des heures d'écoute. La Première Chaîne de Radio-Canada, qui mise sur l'information et les interviews, est créditée, en

2011, de 10 % des heures d'écoute, alors que les stations privées à prépondérance verbale (information, opinion, magazines) en obtiennent 9 %. Ces deux types de services attirent très peu les jeunes. La popularité de ces radios est surtout attribuable aux auditeurs plus âgés.

### Les nouveaux médias

Le développement des modes numériques de distribution a diversifié les moyens de consommer les contenus des médias traditionnels, mais a aussi permis à de nouveaux types de médias de s'implanter. Internet demeure le principal vecteur de ces changements, bien que les modèles avancés de téléphones cellulaires ouvrent de nouveaux modes d'accès à des contenus audio et vidéo.

Selon le CEFRIO (Centre facilitant la recherche et l'innovation dans les organisations), 78 % des adultes québécois

GRAPHIQUE 4
**Parts des Québécois qui pratiquent certaines activités de divertissement sur Internet, 2012**

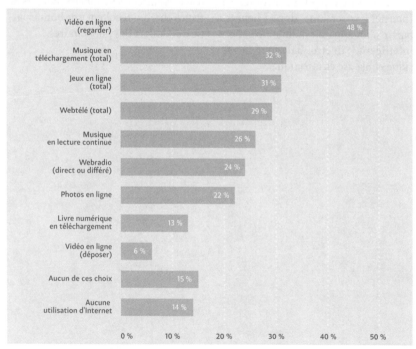

Source : CEFRIO, « Divertissement en ligne : webtélé et téléviseur branché s'imposent », dans *NETendances*, vol. 4, n° 4, 2013.

sont des utilisateurs réguliers (au moins une fois par semaine) d'Internet. Leur nombre diminue avec l'âge. Plus de 90 % des 18-44 ans utilisent Internet au moins une fois par semaine, alors que seulement 56 % des personnes âgées de 65 à

---

### Le tiers des Québécois fréquentent la webtélé.

---

74 ans et 24 % de celles ayant 75 ans et plus déclarent une telle pratique. En moyenne, les internautes québécois passent 17 heures et 24 minutes sur Internet par semaine, dont 3 heures à partir d'un appareil mobile (téléphone intelligent, tablette, baladeur numérique et liseuse électronique).

Le graphique 4 met en évidence le degré d'adoption de nouveaux usages (vidéo ou audio sur Internet, téléchargement de musique, jeux). Les francophones sont généralement moins nombreux que les anglophones à intégrer de telles activités à leurs habitudes.

Les dépenses des annonceurs sur Internet totalisent 490 millions de dollars pour les sites canadiens de langue française en 2011, soit une croissance de 14 % par rapport à 2010. Les médias traditionnels qui ont une présence en ligne y sont en concurrence avec une pléthore d'autres entreprises, dont les moteurs de recherche, qui récoltent une bonne partie des dollars des publicitaires.

# Les Québécois branchés sur les médias sociaux

**Claire Bourget**
*Directrice recherche-marketing, CEFRIO*

**Mélanie Fontaine**
*Chargée de projet, CEFRIO*

**Les médias sociaux ne cessent de faire parler d'eux tant ils révolutionnent nos usages d'Internet. Loin d'être une tendance éphémère, l'utilisation des médias sociaux se répand dans la population. Le Québec ne fait pas exception à ce phénomène mondial[1].**

En 2013, 82 % des internautes québécois, ce qui correspond à 63 % des adultes québécois, ont réalisé au moins une activité sur les médias sociaux dans le cadre de leur utilisation personnelle d'Internet (voir le graphique 1).

Sans surprise, les internautes âgés de 18 à 44 ans se montrent les plus prompts à utiliser les médias sociaux, soit dans une proportion oscillant autour de 90 %. Ces jeunes adultes s'adonnent aussi à ces activités sur une base plus fréquente. C'est le cas notamment en ce qui concerne la plupart des activités étudiées, dont le fait de se connecter à son compte sur un média social. Cette action est réalisée quotidiennement par près de 60 % de ces internautes.

Bien qu'ils fassent un usage moins régulier des médias sociaux, les internautes de 55 à 64 ans sont ceux chez qui l'on constate la plus forte croissance de fréquentation de ces sites. Ainsi, en 2013, elle a progressé de 15 points de pourcentage par rapport à 2012 (un taux qui passe de 59 % à 74 %), alors que, durant cette période, le nombre d'internautes utilisant les médias sociaux a stagné parmi les 18 à 54 ans.

Consulter du contenu sur les médias sociaux (72 %) est une activité aussi populaire que de se connecter à un ou à plusieurs comptes sur des réseaux sociaux (71 %). Un peu plus de la moitié des internautes québécois relaient quant à eux du contenu sur les médias sociaux

GRAPHIQUE 1

**Proportion des internautes québécois qui réalisent des activités sur les médias sociaux, 2013**

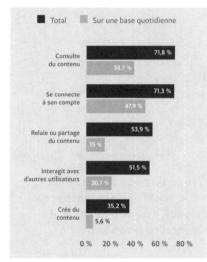

Source : Adapté de CEFRIO, « Les adultes québécois toujours très actifs sur les médias sociaux », *NETendances 2013*, vol. 4, n° 1, juin 2013, p. 6.

(54 %) ou interagissent avec d'autres utilisateurs (52 %), tandis qu'environ un internaute sur trois crée du contenu (35 %), qu'il s'agisse de publier un blogue, un wiki, ou de téléverser une vidéo ou de la musique.

Les médias sociaux servent également aux communications des internautes québécois, 41 % d'entre eux utilisant la messagerie intégrée aux réseaux sociaux parmi leurs principaux moyens de communication personnelle. Ici encore, l'âge est un facteur important : cette proportion grimpe à 59 % chez les internautes de 18 à 34 ans, est égale à la

moyenne chez les internautes de 35 à 54 ans (39 %) et décline significativement chez ceux de 55 ans et plus (25 %). À titre comparatif, 60 % des internautes disent utiliser les courriels.

Les médias sociaux figurent également parmi les principales sources d'information d'un certain nombre d'internautes québécois pour consulter l'actualité et les nouvelles. En général, ce sont toutefois les internautes de 18 à 24 ans qui en font le plus grand usage pour s'informer : 39 % mentionnent les médias sociaux parmi leurs trois principales sources, comparativement à 13 % en moyenne dans la population internaute.

**Les plateformes sociales populaires**

Loin devant toutes les autres plateformes sociales, YouTube et Facebook se hissent au sommet (voir le tableau 1). Deux internautes québécois sur trois utilisent ces plateformes, et la plupart d'entre eux de façon quotidienne dans le cas de Facebook (44 % des internautes). Moins populaires et plus récents, les réseaux Google+ (35 %), LinkedIn (15 %), Twitter (12 %) et Pinterest (6 %) n'exercent pas, ou pas encore, le même attrait.

Alors que, dans le cas de YouTube et de Facebook, les utilisateurs sont plus nombreux dans les tranches d'âge les plus jeunes et diminuent manifestement avec l'âge, ce n'est pas le cas des plateformes Google+ et Twitter, qui attirent invariablement des internautes de tous les groupes d'âge, ou presque.

**Utilisation des plateformes sociales
par les internautes québécois**

| Youtube | 67 % |
|---|---|
| Facebook | 66 % |
| Google+ | 35 % |
| LinkedIn | 15 % |
| Twitter | 12 % |
| Pinterest | 6 % |

Base : internautes québécois (n = 764)
Source : CEFRIO, « Les adultes québécois toujours très actifs sur les médias sociaux », *NETendances 2013*, vol. 4, nº 1, juin 2013, p. 8.

Quant à LinkedIn, un réseau professionnel, son créneau est très clair : il a plus d'adeptes chez les internautes âgés de 25 à 34 ans (25 %) et de 35 à 44 ans (23 %), les professionnels (24 %), les internautes ayant une scolarité universitaire (28 %) et ceux qui ont un revenu familial annuel de 100 000 $ et plus (29 %). Ce réseau fait très peu partie du paysage des internautes de 18 à 24 ans, ou enfin pas encore, puisque seuls 4 % le fréquentent, une proportion équivalente à celle des internautes de 65 ans et plus, deux catégories de personnes normalement moins actives sur le marché du travail.

## Organisations et médias sociaux

En 2013, au Québec, 51 % des internautes suivent sur les médias sociaux une entreprise, une marque, une organisation ou une personnalité. Plusieurs organisations et personnalités publiques ont emboîté le pas aux individus afin de pouvoir interagir avec leurs abonnés sur ces plateformes fort utilisées. Parmi les types d'organismes ou les personnalités que suivent les internautes, ceux du secteur des arts et des spectacles arrivent en tête (21 % des internautes). Personnalités publiques, marques et journalistes ou organisations du secteur de l'information sont également très suivis par les internautes (20 %). Bien qu'un peu moins populaires, les institutions financières (18 %), les municipalités ou organismes de services municipaux (16 %), les ministères ou autres organismes du gouvernement du Québec (15 %), les organismes de charité, associations ou fondations (15 %), les équipes sportives (15 %) ou encore les institutions d'enseignement ou centres de recherche (14 %) rejoignent tout de même un nombre non négligeable d'internautes (voir le graphique 2).

Par ailleurs, 19 % des internautes québécois affirment prêter attention à la publicité qui leur est destinée sur les médias sociaux, et près de 1 sur 10 préfère, lorsqu'il ne trouve pas une information sur le site Web d'une organisation, communiquer avec celle-ci à partir d'un réseau social (une page Facebook, par exemple). Ces résultats montrent que les organisations, les entreprises et les gouvernements peuvent difficilement ignorer les médias sociaux.

## Conclusion

Les médias sociaux occupent indéniablement une place importante dans notre utilisation d'Internet. Bien que les usagers prennent de l'expérience, qu'ils

GRAPHIQUE 2
**Ce que les internautes suivent
sur les médias sociaux**

Base : internautes québécois (n = 764)
Source : Adapté de CEFRIO, « Les adultes québécois
toujours très actifs sur les médias sociaux », *NETendances
2013*, vol. 4, n° 1, juin 2013, p. 11.

soient de simples citoyens ou des organisations (entreprises, gouvernements, associations, personnalités publiques), ils sont encore en apprentissage. Il est important pour les individus de connaître les limites et les conséquences de leurs échanges, notamment la frontière, parfois mince, entre la vie privée et celle qui rejoint maintenant des internautes du monde entier. De leur côté, les organisations ne peuvent faire l'économie de structurer leurs échanges dans la sphère sociale-numérique et de prévoir des stratégies afin de bien répondre à la critique, qui peut parfois prendre un caractère viral et se propager sans aucun contrôle. Elles ne peuvent non plus se permettre de ne pas baliser l'usage corporatif que font leurs employés des médias sociaux. Que l'on aime ou pas, les médias sociaux font maintenant partie d'une nouvelle façon de créer le monde, même au-delà de la sphère numérique, à laquelle nous devons maintenant tous faire face. Grande ou petite, la mobilisation citoyenne passe souvent par les différents médias sociaux, et ça fonctionne ! Nombre d'employeurs y font des campagnes de recrutement pour attirer les meilleurs talents, et ça porte fruit. Les médias sociaux amènent des défis qui nourrissent un potentiel extraordinaire. Il est aujourd'hui de plus en plus difficile de les ignorer.

Note
1. Le CEFRIO, par le biais de l'enquête *NETendances,* se penche année après année sur cette question dont voici quelques constats issus des résultats de 2013. CEFRIO, « Les adultes québécois toujours très actifs sur les médias sociaux », *NETendances 2013*, vol. 4, n° 1, juin 2013.

# Société civile

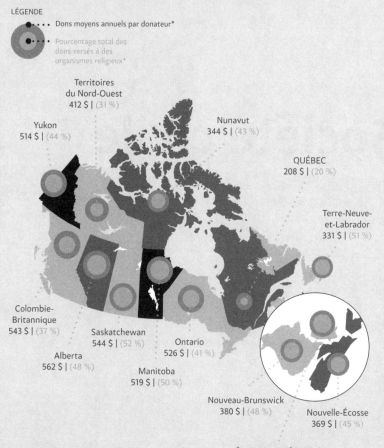

# PROFIL DES DONATEURS CANADIENS, 2010

LÉGENDE

Dons moyens annuels par donateur*

Pourcentage total des
dons versés à des
organismes religieux*

**Territoires du Nord-Ouest**
412 $ | (31 %)

**Yukon**
514 $ | (44 %)

**Nunavut**
344 $ | (43 %)

**QUÉBEC**
208 $ | (20 %)

**Terre-Neuve-et-Labrador**
331 $ | (51 %)

**Colombie-Britannique**
543 $ | (37 %)

**Saskatchewan**
544 $ | (52 %)

**Ontario**
526 $ | (41 %)

**Alberta**
562 $ | (48 %)

**Manitoba**
519 $ | (50 %)

**Nouveau-Brunswick**
380 $ | (48 %)

**Nouvelle-Écosse**
369 $ | (45 %)

**Île-du-Prince-Édouard**
479 $ | (50 %)

*Personnes de 15 ans et plus
Source : Statistique Canada, 2010.

# La société civile
# en quelques statistiques

**Jean-Marc Fontan**

*Professeur, Département de sociologie, Université du Québec à Montréal, codirecteur du Centre de recherche sur les innovations sociales et directeur de l'Incubateur universitaire Parole d'excluEs*

**Le Québec dispose d'une société civile dynamique qui est devenue un acteur important sur la scène politique nationale. Ses organisations sont présentes dans différents lieux de concertation. Ses représentants sont consultés sur de multiples enjeux. On tient compte des besoins et des intérêts exprimés par ses représentants lors de la prise des grandes décisions qui affectent notre société.**

Au sein de cet univers sectoriel, où se déploient et se construisent des liens sociaux, on observe la présence d'organisations à vocation religieuse ou caritative, des regroupements de corps professionnels, des actions collectives de type mouvement social, des groupes d'entraide et de solidarité, des organisations culturelles et de loisirs et des organismes communautaires. La société civile est meublée d'organisations laïques et confessionnelles. Celles-ci s'inscrivent dans un spectre idéologique ou politique très large, s'étendant de l'extrême gauche à l'extrême droite.

L'espace de la société civile est présent à toutes les échelles territoriales : du local à l'international en passant par le régional et le national. Les actions collectives issues de la société civile prennent naissance de façon informelle, sur la base d'une implication volontaire et bénévole. Elles ont une portée plus ou moins grande. Elles mobilisent des ressources humaines, matérielles et financières. Les organisations issues de la société civile peuvent avoir un cycle de vie de courte, de moyenne ou de longue durée. Leur statut fait souvent l'objet d'une formalisation juridique qui conduit à leur incorporation.

Une enquête nationale menée en 2003 par Imagine Canada, en association avec l'Alliance de recherche universités-communautés en économie sociale (ARUC-ÉS), a permis de dresser un portrait complet de la société civile québécoise. On y apprend que le Québec comptait au moment de l'étude 46 000 organismes bénévoles et sans but lucratif, soit 29 % des 161 000 organismes de ce type présents sur l'ensemble du territoire canadien. Bien que cette base de données soit vieillissante, elle demeure à ce jour la seule source fiable d'information.

Statistique Canada effectue aux quatre ans une enquête sur le don, le bénévolat et la participation citoyenne. La dernière étude, datant de 2010, indique que 37 % des Québécois et Québécoises âgés de 15 ans et plus font du bénévolat. En chiffres absolus, cela

---

**37 % des Québécois âgés de 15 ans et plus font du bénévolat.**

---

représente 2,4 millions de personnes. Ces dernières consacrent en moyenne 128 heures (156 heures au Canada) à des activités bénévoles, ce qui équivaut à environ 161 457 emplois à temps complet.

Toujours en 2010, 84 % de la population québécoise âgée de 15 ans et plus a versé environ 1,1 milliard de dollars en dons, ce qui correspond à une contribution moyenne de 208 $ par donateur ou donatrice (comparativement à 526 $ par donateur ontarien et à 446 $ par donateur canadien). De plus, 5 millions de personnes indiquent avoir apporté de l'aide directe (nourriture, vêtements, argent, biens matériels) dans leur entourage, et ce, au moins une fois par année. En règle générale, les francophones donnent en moyenne moins d'argent que les anglophones (184 $ versus 523 $). Enfin, « des 10,6 milliards donnés par les Canadiens en 2010, 4,26 milliards l'ont été à des organismes religieux. Cela représentait 40 % de la valeur totale des dons ». La baisse des activités religieuses au sein de la population québécoise de souche explique peut-être en partie l'écart que l'on observe entre la moyenne des contributions québécoises et celle des contributions ontariennes (en fait, seulement 20 % des donateurs québécois donnent au profit d'une organisation religieuse, contre 41 % en Ontario). Au Canada « 3,9 milliards de dollars ont été recueillis à la suite d'une quête dans un lieu de culte en 2010, soit nettement plus que de toutes autres façons ». Autre facteur explicatif, les dons sont moins élevés dans les provinces maritimes que dans les provinces de l'Ouest canadien. En fait, l'étude permet aussi d'observer un lien fort entre le niveau moyen des revenus et la moyenne des contributions. Dit simplement, plus la moyenne des revenus est faible, moins les contributions sont élevées. Cet élément explique que la moyenne des dons faits par les donateurs de l'est du Canada est moins élevée que celle des donateurs situés à l'ouest du Québec.

Revenons à la question des organisations sans but lucratif. Leurs recettes atteignaient 17 milliards de dollars en 2003. Ces organisations embauchaient 324 000 personnes et comptabilisaient 555 millions d'heures de bénévolat (l'équivalent de 289 000 emplois à temps plein). En moyenne, chaque Québécois et Québécoise adhérait à quatre organismes sans but lucratif, voire en était membre.

L'enquête d'Imagine Canada de 2003 permet d'identifier la vocation des organisations en fonction de leur spécificité sectorielle. Le quart (26 %) des organisations ont une mission centrée sur le sport ou le loisir, 15 % des organisations œuvrent dans le domaine des services sociaux, et 11 % appartiennent au secteur religieux.

Les revenus générés par ces organisations proviennent principalement de sources gouvernementales (49 %), d'activités d'autofinancement (36 %), de dons (10 %) et de sources diverses (5 %). Évidemment, le fait d'agglomérer un grand nombre de données ne reflète pas la très grande diversité des missions portées par ces organisations. La société civile québécoise réunit un nombre très important de petites organisations. À titre d'exemple, 45 % des organisations recensées dans l'étude disposaient en 2003 d'un revenu annuel égal ou inférieur à 30 000 dollars. De plus, un peu plus de la moitié d'entre elles étaient gérées exclusivement par des bénévoles.

Depuis 2004, nous disposons d'un autre outil pour suivre les développements du secteur canadien des organisations sans but lucratif. Il s'agit du Compte satellite des institutions sans but lucratif et du bénévolat. Il présente des données regroupant les organisations du secteur sans but lucratif de base et des données incluant les hôpitaux, les universités et les collèges. Pris dans son ensemble, ce secteur totalisait en 2010 une valeur financière de l'ordre de 10,4 milliards de dollars, équivalant à 7,1 % de l'activité socioéconomique au pays. Un peu moins de la moitié (45 %) des revenus provenaient d'activités marchandes, alors que 21 % provenaient de sources publiques. Les 34 % restants étaient partagés entre des dons faits par des ménages (11,2 %), des revenus de cotisation (17,1 %), des revenus de placements (3,6 %) et des dons d'entreprises (2,1 %).

Ce dynamisme a-t-il été affecté par la crise financière de 2008 ? Une enquête récente réalisée par Imagine Canada auprès de 1 447 dirigeants d'organismes sans but lucratif rend compte de l'impact de cette crise. D'une part, les chercheurs observent que « dans l'ensemble, les résultats [...] sont plutôt positifs. La demande pour les produits et services des organismes du secteur reste élevée, mais il y a des signes que les dirigeants du secteur commence à voir un ralentissement de la demande sans cesse croissante. Les difficultés financières pour certaines organisations ne constituent plus un danger immédiat et la

---

**Au Canada, 40 % de la valeur totale des dons va à des organismes religieux.**

---

pression organisationnelle a considérablement diminué par rapport au sommet atteint il y a un an ». Sur ce point, les répondants québécois ont dit sentir moins de pression que les répondants des autres régions du Canada. La moitié dit n'avoir senti aucune pression, alors que seulement 15 % disent avoir senti une forte pression. D'autre part, ces pressions ont généré une augmentation des dépenses (hausse de 3,8 %) par rapport aux revenus (hausse de 1,1 %) et une légère diminution du personnel embauché (baisse de 4,4 %). L'enquête révèle aussi que, malgré ce ralentissement, les dirigeants demeurent confiants en l'avenir.

L'enquête d'Imagine Canada confirme la capacité d'adaptation des organisations de la société civile qui, malgré un climat de morosité économique, ont su profiter de la diversité de leurs sources de revenus pour bien traverser la crise. Il n'empêche que les pressions de la crise sur la population se sont fait

sentir, comme le traduit l'enquête, puisque plus de la moitié des organisations disent voir augmenter la demande pour leurs produits ou leurs services. L'effet de la crise est donc réel pour la population, qui se tourne encore plus vers ce secteur pour bénéficier des produits et des services qu'elle ne peut plus s'offrir autrement.

Les événements mondiaux récents, autour du mouvement des Indignés, du Printemps érable, des manifestations en Europe contre l'austérité, particulièrement en Espagne et en Grèce, bousculent la façon de présenter la société civile. Le portrait dressé par Imagine Canada, dans la lignée des recherches menées par Lester Salamon du Center for Civil Society Studies de l'Université Johns Hopkins, tient peu compte de ce type de manifestations. La définition choisie par Salamon privilégie la dimension formelle de la société civile. Elle traite donc des organisations qui sont incorporées. Il importe de ne pas oublier la face cachée de la société civile, moins palpable et plus diluée, comme en témoignent les modalités d'organisation des étudiants lors du Printemps érable – un mode d'organisation souple, à dimension horizontale, qui rend compte de l'esprit critique et de dissidence de nombre d'acteurs de la société civile.

Les réactions spontanées des acteurs sociaux aux grands événements et aux grandes tendances qui les affectent témoignent d'une force latente qui ne demande qu'à être libérée. Cette mouvance subversive est une « pensée sociale en action », un esprit collectif qui réfléchit et qui agit en continu pour changer les routines, les pratiques, les croyances et les comportements. Elle représente une mouvance d'une pensée sociale en redéfinition ; une pensée qui se mesure peu par des statistiques, qui se comptabilise mal par des gestionnaires ; une pensée incarnant l'expression d'une critique sociale qui demande à être mieux entendue, et surtout mieux comprise.

Notes

1. www.crises.uqam.ca

2. iupe.wordpress.com

3. À partir de 1920, dans le cas du Québec, cette incorporation se fait généralement en vertu de la partie III de la Loi sur les compagnies : « L'association personnifiée est une personne morale sans but lucratif distincte de ses membres. Elle possède un nom, une existence autonome, indépendante de celle de ses membres, un domicile, des droits et des obligations (dettes et engagements), une activité propre, des biens (patrimoine). Elle est généralement constituée en vertu de la partie III de la Loi sur les compagnies, mais peut aussi être constituée par ou en vertu de nombreuses autres lois. » En ligne : www.registreentreprises.gouv.qc.ca/fr/glossaire.

4. Imagine Canada, section « Recherche ». En ligne : www.imaginecanada.ca/?q=fr/node/66.

5. www.statcan.gc.ca/daily-quotidien/120321/dq120321a-fra.htm

6. www.benevolat.gouv.qc.ca/action_benevole/Statistiques

7. www.statcan.gc.ca/pub/11-008-x/2012001/article/11637-fra.htm

8. *Ibid.*

9. www5.statcan.gc.ca/access_acces/alternative_alternatif.action?l=fra&loc=http://www.statcan.gc.ca/pub/13-015-x/13-015-X2009000-fra.pdf&t=Compte %20satellite %20des %20institutions %20sans %20but %20lucratif %20et %20du %20bénévolat

10. David Lasby et Cathy Barr, *Enquête sectorielle d'Imagine Canada*, vol. 2, n° 1, 2011, p. 11.

11. ccss.jhu.edu

# Lorsqu'une valeur politique alimente la crainte des risques

**Erick Lachapelle et Éric Montpetit**
*Professeurs, Département de science politique, Université de Montréal*

**Comment expliquer l'opposition à l'exploration et à l'exploitation du gaz de schiste au Québec ? Contrairement aux résidants de plusieurs États américains, les Québécois estiment que les risques que comporte l'extraction du gaz de schiste sont élevés, et ils rejettent en conséquence toute activité s'y rattachant. Nous présentons ici une analyse d'un sondage[1] que nous avons réalisé auprès de Québécois et d'Américains, qui lie l'attitude des répondants à l'égard du gaz de schiste à leurs valeurs ainsi qu'à l'information dont ils disposent sur le sujet.**

Une partie importante de l'opinion publique québécoise s'est braquée dès que la population a appris l'existence de projets d'extraction par l'industrie gazière du gaz naturel emprisonné dans le schiste du sous-sol de la province. Selon un sondage que nous avons réalisé à l'automne 2012, les Québécois estiment que les risques que comporte l'extraction de ce gaz, communément appelé « gaz de schiste », sont élevés, et

une majorité (71,46 %) s'y oppose. Nulle part ailleurs en Amérique du Nord ne relève-t-on une opposition publique d'une telle ampleur, pas même dans les États américains où, contrairement au Québec, plusieurs milliers de puits ont déjà été forés et où les exemples d'incidents abondent. En Pennsylvanie, par exemple, notre sondage indique une crainte des risques relativement faible, et 55,97 % de la population appuie l'extraction du gaz de schiste. La réflexion présentée dans ce texte repose sur ce sondage original qui nous permet de conclure que la réticence d'une grande majorité de Québécois à l'égard du gaz de schiste a peu à voir avec les risques réels associés à son extraction. La réticence repose plutôt sur des valeurs égalitaristes, qui, combinées avec une couverture médiatique faisant écho à ces valeurs, encouragent un grand nombre de Québécois à percevoir les risques comme étant élevés, alors que, dans les faits, ils sont méconnus.

## Une controverse scientifique

Le sous-sol d'une partie importante du sud du Québec est formé de schiste, une roche qui peut renfermer du gaz naturel. On extrait ce gaz naturel en fracturant le schiste, normalement situé sous la nappe phréatique, par injection à haute pression d'eau, de sable et de produits chimiques. L'injection est faite à partir d'un puits foré d'abord en profondeur pour qu'on puisse atteindre la roche de schiste, et ensuite à l'horizontale, sur une distance délimitant la zone de fracturation. En se fracturant sous la pression de l'eau, du sable et des produits chimiques, le schiste libère le gaz naturel, qui remonte à la surface par le puits. Cette méthode, connue sous le nom de « fracturation hydraulique », comporte des risques, les plus étudiés étant la contamination de la nappe phréatique, la pollution en surface par les eaux usées, la pollution de l'air par des fuites

de gaz et les séismes. La perturbation de la quiétude rurale, soit par le transport du gaz par camion ou par la transformation du paysage, est aussi un risque qui a été mentionné dans le cadre des débats sur le gaz de schiste, bien que ce

---

**71,46 % des Québécois s'opposent à l'extraction du gaz de schiste.**

---

risque n'ait rien à voir avec la fracturation hydraulique à proprement parler. Si les risques liés à la fracturation sont bien réels, les experts ne s'entendent pas sur leur amplitude. En effet, les évaluations des risques, même des plus préoccupants, ont produit jusqu'ici des résultats allant de « risques nuls » à « risques élevés ».

Deux études sur la contamination de l'eau potable, parues presque simultanément en 2013 dans des revues scientifiques prestigieuses, offrent un exemple probant de contradiction entre scientifiques[2]. Toutes deux reposent sur des analyses d'eau potable provenant de puits privés, situés à des distances variables de sites d'extraction de gaz de schiste. Les analyses d'eau produites visaient à détecter la présence de contaminants dans la nappe phréatique – le méthane en particulier – qui pourraient provenir du processus de fracturation hydraulique. La première étude, qui portait sur l'eau de 127 puits situés en Arkansas, n'a permis de détecter qu'un seul puits contenant une concentration de méthane supérieure au seuil jugé sécuritaire par le gouvernement américain (28 mg/l). Plus important encore, les chercheurs n'ont trouvé aucun lien entre la présence de méthane dans les puits d'eau potable et leur proximité avec les sites d'extraction de gaz de schiste. Puisque les puits situés dans le voisinage des sites d'extraction ne contiennent pas plus de méthane que les puits plus éloignés, l'étude conclut que la fracturation hydraulique ne contamine pas la nappe phréatique. Il faut savoir que des concentrations faibles et sans danger de méthane sont souvent détectées dans les puits d'eau potable, même là où aucune activité humaine ne peut être mise en cause. La seconde étude fait état de résultats beaucoup plus inquiétants. Cette étude portait sur 141 puits d'eau potable situés en Pennsylvanie, dont 12 contenant du méthane en quantité excédant le seuil sécuritaire. Et de ces 12 puits, 11 sont situés à moins

---

**Les experts ne s'entendent pas sur l'amplitude des risques.**

---

d'un kilomètre d'un site d'extraction de gaz de schiste. En fait, l'étude montre que les puits d'eau situés à moins d'un kilomètre de tels sites contiennent des concentrations de méthane en moyenne six fois plus élevées que celles des puits

d'eau plus éloignés, ce qui laisse croire que la fracturation hydraulique contamine les nappes phréatiques.

Devant de telles contradictions scientifiques, on ne peut que conclure que les risques réels de l'extraction du gaz de schiste sont méconnus, et c'est d'ailleurs ce qui a poussé le Bureau d'audiences publiques sur l'environnement (BAPE) à demander une évaluation environnementale stratégique au gouvernement du Québec en 2011[3]. Dans ces conditions, comment les citoyens, eux, peuvent-ils conclure que l'extraction du gaz de schiste comporte des risques importants ?

## La perception des risques

Les théories sur la perception des risques offrent des pistes de réponse. Ces théories indiquent que, consensus scientifique ou non, la plupart des individus n'ont ni le temps, ni l'intérêt, ni les compétences pour comprendre avec exactitude les risques et les avantages d'une nouvelle technologie avant de se faire une opinion. L'une de ces théories, sans doute la plus célèbre, avance que les humains craignent les pertes plus qu'ils ne valorisent les gains et optent donc spontanément pour la précaution à l'égard des nouvelles technologies, même lorsque celles-ci comportent des avantages importants et de faibles risques. Cette théorie ne peut cependant pas expliquer la différence énorme qui sépare les opinions publiques québécoise et américaine à propos du gaz de schiste. Nos propres travaux sur la perception des nouvelles technologies insistent sur l'importance de la rencontre entre les valeurs politiques des individus et la façon dont les risques sont traités par les experts et les médias.

La communication à propos d'une nouvelle technologie, qu'elle provienne des experts ou des médias, s'inscrit à l'intérieur d'une trame qui met de l'avant un certain nombre de considérations, alors qu'elle en laisse d'autres en arrière-plan. Dans la littérature en communication politique, on utilise le concept de *cadrage* en référence au processus de sélection des faits mis en évidence pour faciliter l'interprétation d'un enjeu complexe. Par exemple, un journaliste pourrait aborder la fracturation hydraulique sous l'angle de la santé publique ou sous l'angle de l'indépendance énergétique. Les risques feront certainement partie des considérations mises de l'avant dans le premier cadrage, alors que des considérations économiques sont plus susceptibles de figurer dans le second cadrage. Il importe de souligner qu'un cadrage n'est pas une opinion ; il est tout à fait imaginable que le journaliste qui traite de la fracturation sous l'angle de la santé publique offre une couverture équilibrée, présentant les opinions d'experts qui ont des points de vue différents sur la question.

Cela étant, les recherches montrent aussi que la réceptivité du public à certains cadrages varie selon ses valeurs politiques. Certains individus qui partagent des valeurs politiques semblables pourraient être plus attirés vers des informations sur le gaz de schiste lorsqu'elles sont cadrées sous l'angle de la santé publique, par exemple. En conséquence, ces individus sont plus susceptibles de retenir des informations sur les risques que ceux qui sont plus sensibles à des cadrages mettant de l'avant d'autres types de considérations. Il est ainsi probable que les individus portés par leurs valeurs vers des informations cadrées sous l'angle de la santé publique soient plus susceptibles de craindre les risques que comporte la fracturation hydraulique.

### L'égalitarisme au Québec

Les travaux portant sur les valeurs politiques qui divisent les sociétés démocratiques en distinguent généralement quatre : l'individualisme, l'égalitarisme, le fatalisme et le respect de l'autorité. Notre sondage a permis de faire ressortir l'importance particulière de l'égalitarisme et de l'individualisme dans les sociétés québécoise et américaine. L'individualisme met en avant l'individu, qui contribuerait positivement au bon fonctionnement de sa société lorsque laissé libre d'entreprendre les activités de son choix. L'égalitarisme valorise plutôt l'appartenance à une collectivité et insiste sur l'importance d'un traitement équitable de ses membres. Ces valeurs ne sont pas forcément mutuellement exclusives, bien que les gens qui valorisent la liberté individuelle tolèrent de plus grands écarts de richesse, par exemple, que ceux qui valorisent l'égalité des membres de leur collectivité. Dans le cadre de notre recherche, nous avons voulu voir si les personnes qui valorisent l'individualisme et celles qui croient davantage en l'égalitarisme se distinguent quant à leur appréciation des risques que comporte la fracturation hydraulique.

Les résultats des analyses statistiques de notre sondage laissent peu de doute : plus un individu valorise l'égalita-

> **Les humains craignent les pertes plus qu'ils ne valorisent les gains.**

risme, plus il considérera la fracturation hydraulique comme risquée. En revanche, plus un individu est individualiste, moins les risques lui paraîtront élevés. Cependant, comme nous l'expliquions à l'instant, ce n'est pas sur la perception des risques que les valeurs ont un effet immédiat, mais sur la réceptivité des individus à des cadrages comportant ou non des informations sur les risques. Nous avons ainsi émis l'hypothèse que plus une personne valorise l'égalitarisme, plus elle sera réceptive à des cadrages de l'information centrés sur les risques. Autrement dit, les individus qui valorisent l'égalitarisme et qui sont plus informés devraient craindre encore

davantage les risques de la fracturation hydraulique. Et c'est précisément ce que confirme notre sondage. En revanche, le niveau d'information n'a aucun effet chez les personnes qui valorisent l'individualisme. Contrairement à l'égalitarisme, il n'encourage ni ne décourage les individus à s'intéresser à des informations mettant les risques de la fracturation hydraulique en évidence. Ces résultats s'appliquent tant au Québec qu'aux États-Unis : une personne informée qui valorise l'égalitarisme, qu'elle soit québécoise ou américaine, est susceptible de croire que la fracturation hydraulique est une activité particulièrement risquée.

L'égalitarisme, cependant, est beaucoup plus répandu au Québec qu'il ne l'est aux États-Unis et, inversement, l'individualisme est plus répandu aux États-Unis qu'il ne l'est au Québec. En fait, 80 % des Québécois se disent d'accord avec un énoncé visant à mesurer l'égalitarisme, comparativement à 42 % dans les États américains que nous avons sondés. Dans ces mêmes États, 64 % de la population se dit d'accord avec un énoncé visant à mesurer l'individualisme, contre 45 % au Québec[4]. Plus de Québécois que d'Américains sont donc susceptibles d'être exposés à des informations sur le gaz de schiste cadrées de manière à mettre les risques de son extraction en évidence.

Est-ce à dire que l'égalitarisme des Québécois les rend systématiquement plus réticents aux nouvelles technologies ? Pas forcément. S'il explique en partie leur perception des risques et leur réticence à l'égard du gaz de schiste, il ne faut pas oublier le rôle du cadrage de l'information. Une partie importante de la couverture médiatique québécoise du gaz de schiste n'a pas manqué de rappeler que le sous-sol québécois n'appartient pas aux propriétaires de terrains ; l'exploration et l'exploitation de gisements de gaz de schiste peuvent donc être laissées aux mains d'entreprises privées, parfois de l'extérieur du Québec. Les médias ont aussi établi des parallèles avec des cas d'exploitation minière par des entreprises qui auraient vidé la province de ses ressources, en laissant les populations locales composer avec les conséquences environnementales. Un tel cadrage ne peut qu'attirer l'attention de quiconque valorise l'égalitarisme, puisqu'il fait ressortir les injustices que pourraient subir des membres de la collectivité. En revanche, ce même cadrage est susceptible de laisser les individualistes plus indifférents, car ils préfèrent tourner leur attention vers des informations reposant sur d'autres trames : les besoins énergétiques, par exemple. Enfin, le cadrage médiatique québécois de la problématique du gaz de schiste privilégie la transmission d'informations sur les risques de la fracturation hydraulique, car ce sont précisément des risques qui touchent inégalement les membres de la collectivité. La réticence des Québécois à l'égard de l'extraction du gaz de schiste est ainsi attribuable à la rencontre de leurs valeurs égalitaristes et d'un cadrage qui met de l'avant une distribution inéquitable des risques.

Bien entendu, un contexte politico-médiatique différent aurait pu rendre les égalitaristes plus favorables au gaz de schiste. Imaginons un instant que le gouvernement du Québec ait confié l'exploration et l'extraction du gaz de schiste à une entreprise publique, excluant toute participation d'entreprises privées, sous prétexte que les ressources du Québec appartiennent à tous les Québécois. Imaginons aussi que des journalistes aient rapidement fait le parallèle avec la nationalisation de l'hydroélectricité, en montrant comment cette source d'énergie a permis au Québec de se doter d'un État-providence généreux. Peut-être que les Québécois qui valorisent l'égalitarisme auraient alors été plus réceptifs à un cadrage suggérant que le maintien de l'État-providence pourrait être facilité par les revenus provenant de l'extraction du gaz de schiste. Peut-être auraient-ils aussi été plus indifférents à des cadrages qui mettent en relief les risques environnementaux de la fracturation hydraulique. Il est possible qu'ils

> **La réceptivité d'un individu à l'information varie selon ses valeurs politiques.**

eussent ainsi ignoré les risques de ce procédé, un peu comme ils détournent leur regard des dommages environnementaux, pourtant bien réels, qu'engendre la production de l'hydroélectricité. L'attitude des Québécois à l'égard du gaz de schiste est donc expliquée par la rencontre des valeurs et du contexte politico-médiatique particulier dans lequel elles évoluent.

Notes

1. Ce sondage a été réalisé dans le cadre de l'Évaluation environnementale stratégique sur le gaz de schiste et a été mené simultanément au Québec, en Pennsylvanie et au Michigan. Barry Rabe et Christopher Borick ont collaboré avec nous pour la partie américaine du sondage. Le rapport et l'ensemble des résultats du sondage sont disponibles à l'adresse suivante : ees-gazdeschiste. gouv.qc.ca/documentation.

2. Nathaniel R. Warner *et al.*, «Geochemical and Isotopic Variations in Shallow Groundwater in Areas of the Fayetteville Shale Development, North-Central Arkansas», *Applied Geochemistry,* vol. 35, 2013, p. 207-220 ; Robert B. Jackson *et al.,* «Increased Stray Gas Abundance in a Subset of Drinking Water Wells Near Marcellus Shale Gas Extraction», *Proceedings of the National Academy of Sciences,* vol. 110, n° 28, 2013, p. 11 250-11 255.

3. Bureau d'audiences publiques sur l'environnement, *Développement durable de l'industrie des gaz de schiste au Québec,* rapport 273, Québec, février 2011.

4. Pour que la durée du sondage soit raisonnable pour les répondants, nous n'avons utilisé qu'un énoncé par valeur. Dans nos recherches précédentes, cependant, nous avons eu recours à une liste d'énoncés communément utilisés dans les recherches sur les valeurs, et cette méthode permet de confirmer aussi l'importance de l'égalitarisme au Québec.

# Les lois spéciales, le droit de grève et la transformation néolibérale de la société québécoise

**Martin Petitclerc**
*Professeur, Département d'histoire, Centre d'histoire des régulations sociales, Université du Québec à Montréal*

**Martin Robert**
*Assistant de recherche, Centre d'histoire des régulations sociales, Université du Québec à Montréal*

La grève étudiante du « Printemps érable » se distingue des neuf grèves générales illimitées étudiantes qui l'ont précédée, notamment par le fait que le gouvernement québécois a tenté d'y mettre fin par l'adoption d'une loi spéciale, la loi 78[1]. Cette loi n'était pas la première, mais bien la 35e loi spéciale québécoise depuis 1964, l'année de l'adoption du Code du travail actuellement en vigueur. Son adoption nous fournit l'occasion d'un retour en arrière dans l'histoire des lois spéciales au Québec.[2]

L'histoire méconnue des lois spéciales – qui désigne ici des lois à durée déterminée, votées en séance extraordinaire et visant à mettre fin à une grève ou à la prévenir par la suspension de certaines règles de droit et l'imposition de sanctions pénales – permet d'éclairer certains enjeux politiques fondamentaux de l'histoire politique québécoise des dernières années. Il semble évident que les lois spéciales ont joué, et jouent toujours, un rôle essentiel dans la transformation néolibérale de la société québécoise.

Défini brièvement, le concept de néolibéralisme vise à rendre compte de l'intense mouvement de réformes qui a touché la plupart des sociétés depuis le tournant des années 1980 : réduction du rôle régulateur de l'État, primauté accordée aux mécanismes du marché national et international, privatisation de sociétés publiques et des services publics, remise en question des droits sociaux et du travail, politique monétariste de gestion de l'argent, etc. Le néolibéralisme, qui donne une cohérence à un ensemble de mesures très diversifiées, a pour principe cardinal que seul le marché peut garantir la liberté individuelle, ce qui tend à en faire l'institution fondatrice de l'organisation sociale.

Évidemment, la trajectoire historique de chaque société a fortement influencé l'application de mesures d'inspiration néolibérale. Au Québec, l'un des principaux obstacles à l'implantation du néolibéralisme était la présence d'un mouvement syndical contestataire, sans doute l'un des plus revendicateurs en Amérique du Nord depuis la fin des années 1950. C'est ce qui explique, comme nous le verrons dans cet article, le rôle stratégique de la loi spéciale pour limiter le droit de grève et ainsi permettre l'implantation de diverses réformes néolibérales, notamment dans le secteur des services publics. Mais pour bien comprendre la nature des lois spéciales à partir des années 1980, il faut remonter à l'origine même du système des relations de travail québécois.

## Les premières lois spéciales (1965-1980)

L'histoire des lois spéciales au Québec doit être mise en parallèle avec l'adoption du Code du travail, en 1964. Encadrant étroitement le processus de négociation collective, celui-ci reconnaît statutairement un droit de grève aux travailleurs et travailleuses syndiqués du secteur privé et de plusieurs secteurs de la fonction publique. Ce droit de grève est toutefois conditionnel au respect des nombreuses règles relatives à la reconnaissance syndicale, à la négociation collective, au maintien des services essentiels, etc. Une grève « légale » désigne donc un arrêt collectif du travail qui respecte ces différentes règles, par opposition à la grève « illégale », qui ne les respecte pas. Au Canada et au Québec, contrairement à la France, notamment, le droit de grève n'est pas considéré comme un droit fondamental protégé par la Constitution. Ainsi, les chartes québécoise et canadienne des droits et libertés de la personne ne reconnaissent pas le droit de grève au nombre des droits fondamentaux à protéger.

Cela dit, aussi restreinte soit-elle, la reconnaissance d'un droit de grève en 1964 est d'emblée menacée par l'adoption de plusieurs lois spéciales. Les conflits de travail dans les secteurs public et privé sont alors nombreux ; et le mouvement syndical québécois, l'un des plus combatifs en Amérique du Nord, tente non seulement d'améliorer les conditions de travail de ses membres, mais également d'élargir le rôle de l'État et des services publics. Dans ce contexte, 17 lois spéciales, supposées assurer la paix publique ou éviter les inconvénients des arrêts de travail, sont adoptées entre 1965 et 1980 pour mettre fin à des grèves pour la plupart légales. Les secteurs de la santé, de l'éducation, des transports, de la construction et de l'hydroélectricité sont les plus touchés[3]. Et tout comme celles qu'adoptent, au cours de la même période, les gouvernements des autres provinces et le gouvernement fédéral, ces lois visent à mettre fin à des grèves en menaçant les associations, leurs exécutants et leurs membres de fortes amendes, en plus de prévoir dans certains cas la révocation de l'accréditation du syndicat (qui perd ainsi son droit de représenter ses membres auprès de l'employeur).

Le front commun de 1972 est assurément l'épisode le plus célèbre de cette période. Il réunit les trois grandes centrales syndicales dans la défense d'une plateforme de revendications communes pour les travailleurs et travailleuses de la fonction publique. D'abord légale, la grève devient en partie illégale lorsque les travailleurs et travailleuses de certains hôpitaux refusent d'obéir aux injonctions de la Cour supérieure, qui ordonne, en vertu du Code du travail, le retour au travail pour assurer les services essentiels. On a d'ailleurs dit que « la désobéissance massive aux injonctions, au Québec, remonte vraiment à cette première bataille du front

commun[4] ». C'est en vue de contrer cette désobéissance civile que le gouvernement Bourassa convoque l'Assemblée nationale pour adopter le fameux « bill 19 », une loi « matraque » forçant le retour au travail sous peine de lourdes amendes. Les trois chefs syndicaux des centrales sont en outre condamnés à une peine d'emprisonnement d'un an pour leur refus d'obtempérer aux ordonnances de la cour, ce qui provoque une nouvelle vague de grèves illégales qui, évidemment, contreviennent au Code du travail et à la loi spéciale.

Les relations entre le gouvernement libéral et le mouvement syndical s'envenimant, deux nouvelles lois spéciales adoptées en 1976 « innovent » en menaçant, d'une part, de retirer aux syndicats en grève leur droit de percevoir des cotisations et en renversant, d'autre part, le fardeau de la preuve à l'égard des travailleuses et travailleurs : ceux et celles au sujet de qui il sera prouvé *prima facie* qu'ils ne se sont pas rendus au travail seront reconnus coupables d'infraction à la loi, à moins qu'ils démontrent qu'ils ne pouvaient physiquement se rendre au travail.

Le recours fréquent à ces mesures d'exception, qui portent atteinte à l'exercice du droit de grève, suscite un malaise politique certain. Le nouveau gouvernement péquiste, qui se targue d'avoir un « préjugé favorable aux travailleurs », affirme qu'il veut éviter la solution « facile » et le « piège » du recours aux lois spéciales, notamment dans les services publics. Il propose même de « reconnaître le maintien du droit de grève à titre d'expression de l'une de nos libertés démocratiques les plus chères et qui nous distingue des sociétés totalitaires[5] ». La suite des événements montre pourtant que le droit de grève reste l'une des libertés démocratiques les moins bien protégées au Québec, y compris par les différents gouvernements péquistes. La loi spéciale de juillet 2013 pour mettre fin à la grève des travailleurs et travailleuses de la construction en est l'illustration la plus récente.

## Le tournant néolibéral (depuis 1980)

On a pu affirmer que « le Québec ne se démarque pas tellement de ses vis-à-vis canadiens[6] » quant à la fréquence d'adoption des lois spéciales. Or, une analyse plus attentive de l'évolution des mesures pénales des lois spéciales confirme au contraire sa très grande « originalité » à partir du tournant néolibéral du début des années 1980. Rappelons d'abord qu'après le référendum sur l'indépendance du Québec de 1980, le gouvernement péquiste a recours à ce que Jacques Rouillard appelle un « coup de force » sans précédent afin de « résoudre sur le dos des salariés de l'État la crise budgétaire » qui découle de la grave récession économique du début des années 1980. À partir de 1982, le gouvernement impose par décret les conditions de travail de l'ensemble des travailleurs et travailleuses du secteur public, modifie leur régime de retraite, autorise une coupure salariale globale de 21 % (loi 105) et impose de nouvelles restrictions au droit de grève par la création d'un Conseil des services essentiels. Rouillard affirme que c'est à ce moment que le gouvernement péquiste abandonne ses objectifs sociaux-démocrates pour adopter plusieurs thèses néolibérales[7].

En réponse à cette attaque brutale contre les droits des syndiqués du secteur public, plusieurs enseignants et enseignantes déclenchent une grève illégale en 1983, réprimée aussitôt par une loi spéciale que le Barreau du Québec et la Commission des droits de la personne jugent d'une « sévérité excessive » et considèrent comme irrespectueuse des « droits les plus fondamentaux[8] ». En plus des amendes, de la suspension des cotisations syndicales et de la présomption de culpabilité, la loi 111, adoptée en février 1983, comporte plusieurs nouvelles sanctions contre les grévistes désobéissants, comme le remboursement des journées « perdues », la perte d'ancienneté (trois ans par jour de grève), le congédiement sommaire, l'interdiction d'occuper un poste syndical administratif, etc. Pour réduire les possibilités de contestation de la loi, un article suspend d'ailleurs l'application des chartes québécoise et canadienne des droits et libertés. Pour le syndicaliste Jean-Claude Parrot, lui-même emprisonné dans le cadre d'un conflit de travail dans les services postaux à la fin des années 1970, les lois 105 et 111 ont représenté les mesures législatives les plus répressives de toute l'histoire du Canada[9].

Encore plus important, la très grande majorité des lois spéciales suivantes reprennent textuellement les principales dispositions de la loi 111. C'est le cas de la fameuse loi 160 de 1986, intitulée « Loi assurant le maintien des services essentiels dans le secteur de la santé et des services sociaux », par laquelle le gouvernement libéral veut mettre un terme à une grève illégale de deux journées non consécutives dans le secteur de la santé et des services sociaux. Outre les clauses déjà évoquées, cette loi ajoute des articles qui rendent l'association civilement responsable des dommages éventuels causés par ses membres lors d'une grève et qui facilitent les procédures de recours collectif de tiers contre les grévistes.

Par un processus d'accumulation unique au Québec, les lois spéciales subséquentes reprennent, souvent textuellement, ces articles de la loi 160. Au passage, soulignons que la loi 160 est la seule loi spéciale québécoise qui ne soit pas limitée dans le temps. Elle instaure par conséquent, pour reprendre l'expression de Leo Panitch et Donald Swartz, un « exceptionnalisme permanent » dans le secteur des services de santé et des services sociaux[10]. C'est du reste cette loi qui vaut aux grèves d'infirmiers et d'infirmières de 1989 et 1999 d'être déclarées illégales. Cela dit, après 1986, le processus d'accumulation de nouvelles mesures disciplinaires se poursuit dans les lois spéciales. En 1999, par exemple, le gouvernement péquiste adopte une loi spéciale contre les infirmiers et infirmières en grève qui non seulement contraint les assemblées locales à recommander le retour au travail, indépendamment des décisions prises dans leurs instances, mais qui contraint également leur fédération à recommander publiquement la fin de la grève, toujours sans égard pour la démocratie syndicale.

## Conclusion

Les lois spéciales ne sont donc pas de simples interventions ponctuelles à portée limitée, comme elles semblent l'être a priori. Il s'agit plutôt d'un dispositif politique, à portée structurelle, qui a historiquement servi à casser le mouvement syndical québécois, surtout depuis le début des années 1980. Comme nous l'avons vu, chaque nouvelle loi spéciale résulte d'une accumulation, d'une sédimentation des mesures pénales contenues dans les lois précédentes. Et c'est ce processus qu'a révélé très clairement la loi spéciale adoptée pour mettre fin à la grève étudiante de 2012. En effet, cette loi reprenait textuellement la plupart des mesures ajoutées aux lois spéciales au fil des ans, même si elle ne s'appliquait pas principalement à des salariés syndiqués. En fait, seules les dispositions limitant le droit de manifester, reprises dans le règlement P-6 à Montréal, étaient propres à la loi 78.

Au final, cette extension de la répression légale et judiciaire des grèves aux étudiants et aux citoyens témoigne bien du rôle politique croissant de la loi spéciale dans la transformation de la société québécoise depuis plusieurs décennies. À cet égard, le projet d'augmentation des droits de scolarité s'inscrivait clairement dans cette volonté à long terme d'arrimer l'université québécoise au marché nord-américain de l'éducation[11]. Dans ce contexte, la loi 78 visait à casser le mouvement de grève étudiant et à imposer le projet d'augmentation des droits de scolarité, et ce, au nom de la liberté individuelle d'étudier.

Ce n'est pas la moindre des victoires des grévistes étudiants d'avoir su résister avec autant d'ingéniosité à cette nouvelle loi d'exception. Reste que le régime néolibéral de l'«exceptionnalisme permanent» qui, avec la loi 78, ne se limite plus au seul monde du travail, menace plus que jamais les mouvements sociaux. Il y a là, pour ces derniers, une invitation à réfléchir non seulement aux stratégies ponctuelles de lutte adaptées aux circonstances de chaque loi, mais également à une stratégie plus globale, forcément politique, d'opposition à la logique autoritaire de la loi spéciale elle-même.

## Notes

1. La Loi permettant aux étudiants de recevoir l'enseignement dispensé par les établissements de niveau postsecondaire qu'ils fréquentent (L.Q. 2012, c. 12), communément appelée «loi 78», suivant le numéro du projet de loi.

2. Cet article découle d'une recherche en cours, menée en collaboration avec la Confédération des syndicats nationaux (CSN), la Centrale des syndicats du Québec (CSQ), la Fédération des travailleurs et travailleuses du Québec (FTQ) et la Fédération interprofessionnelle de la santé du Québec (FIQ), dans le cadre des travaux du Service aux collectivités de l'Université du Québec à Montréal.

3. Pour une présentation synthétique des lois spéciales québécoises depuis 1965, voir François Delorme et Gaston Nadeau, «Un aperçu des lois de retour au travail adoptées au Québec entre 1964 et 2001», *Relations industrielles/Industrial Relations*, vol. 57, n° 4, 2002, p. 743-788.

4. Collectif, *Histoire du mouvement ouvrier au Québec: 150 ans de luttes*, Confédération des syndicats nationaux et Centrale de l'enseignement du Québec, 1984, p. 266.

5. Cité par Yvan Perrier, *Étude de certaines théories de la régulation et analyse de la régulation étatique des rapports collectifs de travail dans les secteurs public et parapublic au Québec, de 1964 à 1986*, thèse de doctorat, Université du Québec à Montréal, 1992, p. 513.

6. François Delorme et Gaston Nadeau, *op. cit.*, p. 752.

7. Jacques Rouillard, *Le syndicalisme québécois: deux siècles d'histoire*, Montréal, Boréal, 2004, p. 186-187 et p. 196-197.

8. *Ibid.*, p. 188.

9. Jean-Claude Parrot, *My Union, My Life: Jean-Claude Parrot and the Canadian Union of Postal Workers*, Halifax, Fernwood Publishing, 2005, p. 154.

10. Leo Panitch et Donald Swartz, *From Consent to Coercion: The Assault on Trade Union Freedoms*, 3e édition, Toronto, University of Toronto Press, 2008.

11. Voir Éric Martin et Maxime Ouellet, *Université Inc.: des mythes sur la hausse des frais de scolarité et l'économie du savoir*, Montréal, Lux éditeur, 2011.

# Territoire

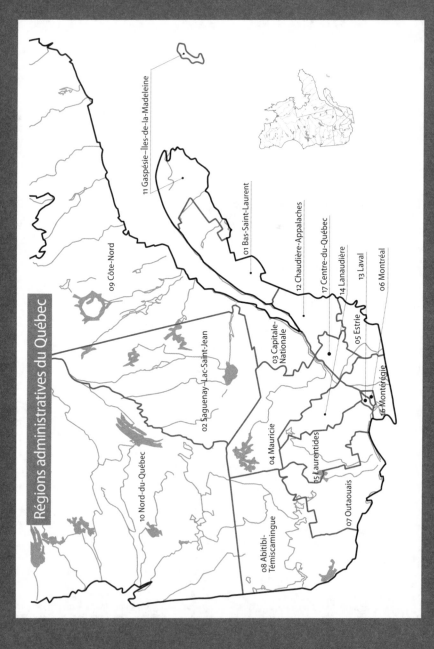

Régions administratives du Québec

09 Côte-Nord
11 Gaspésie–Îles-de-la-Madeleine
01 Bas-Saint-Laurent
12 Chaudière-Appalaches
17 Centre-du-Québec
14 Lanaudière
13 Laval
06 Montréal
05 Estrie
16 Montérégie
03 Capitale-Nationale
02 Saguenay–Lac-Saint-Jean
04 Mauricie
15 Laurentides
07 Outaouais
08 Abitibi-Témiscamingue
10 Nord-du-Québec

# Les régions
# en quelques statistiques

**Les 17 régions
administratives du Québec**

Bas-Saint-Laurent (01)
Saguenay–Lac-Saint-Jean (02)
Capitale-Nationale (03)
Mauricie (04)
Estrie (05)
Montréal (06)
Outaouais (07)
Abitibi-Témiscamingue (08)
Côte-Nord (09)
Nord-du-Québec (10)
Gaspésie–Îles-de-la-Madeleine (11)
Chaudière-Appalaches (12)
Laval (13)
Lanaudière (14)
Laurentides (15)
Montérégie (16)
Centre-du-Québec (17)

**Les données suivantes sont
présentées pour chacune
des régions**

Superficie en terre ferme
Population
Indice de fécondité
Mortalité infantile
Espérance de vie
Migrations internationales,
     interprovinciales et interrégionales
Répartition par groupe d'âge
Population active
Taux d'activité
Nombre d'emplois
Taux de chômage
Taux d'emploi
Emplois par secteur
Revenu personnel disponible
Investissements
Destinations des expéditions
     manufacturières
Principales municipalités
Municipalités régionales de comté

Voir les fiches statistiques des 17 régions administratives du Québec
à letatduquebec.qc.ca.

# Pour un transport durable à Montréal

**Paul Lewis**
*Professeur, Faculté de l'aménagement, Université de Montréal*

**Les grandes infrastructures (autoroutes et métro) de la région de Montréal ont presque toutes été aménagées au cours de la période 1950-1970 et nécessitent aujourd'hui des travaux de réfection majeurs, quand il ne faut pas tout simplement les reconstruire. Pour rattraper le retard pris dans la deuxième moitié du xxe siècle, des sommes considérables doivent être investies au cours des prochaines années. Dans ce contexte, il importe de repenser l'aménagement du territoire et de donner la priorité au transport collectif, dans une perspective de développement durable et de réduction des coûts liés à la mobilité.**

Les grandes routes sont en mauvais état, parfois parce qu'elles ont été mal entretenues, parfois parce qu'elles ont été mal construites, parfois parce qu'elles sont surutilisées. Les événements inquiétants se sont multipliés ces dernières années dans le réseau : effondrement d'un paralume en juillet 2011 sur l'autoroute Ville-Marie, nombreuses fermetures partielles dans l'échangeur Turcot, fréquents travaux d'urgence sur le pont Mercier – sans compter la publication de rapports alarmants concernant le pont Champlain : même s'il ne constitue pas un danger pour l'instant, le pont doit être remplacé à court terme.

Les sommes en jeu sont considérables, et le financement des travaux requis n'est pas toujours assuré. Uniquement pour la reconstruction de l'échangeur Turcot (dont le coût a triplé depuis l'annonce du chantier), il faudra au moins trois milliards de dollars. Quant à la reconstruction du pont Champlain, elle est évaluée à cinq milliards de dollars. Le gouvernement du Québec a accéléré la cadence des travaux, mais il faudra faire davantage pour rattraper le retard pris depuis les dernières décennies.

Parallèlement, il faut également investir dans le transport collectif. La région de Montréal a, là aussi, pris beaucoup de retard, comme en témoigne la diminution de la part modale du transport collectif enregistrée par les enquêtes Origine-Destination : alors qu'environ 29 % des déplacements en période de pointe du matin se faisaient en transport collectif en 1987, la proportion n'était plus que de 25 % en 2008, malgré l'embellie observée entre 2003 et 2008[1]. Les réseaux de transport collectif n'ont de toute évidence pas suivi la demande. Conséquence : il faut là aussi investir beaucoup d'argent, que les gouvernements n'ont pas ou ne sont peut-être pas disposés à y consacrer, malgré les discours favorables au transport collectif.

### Priorité au transport collectif

À Montréal, tous s'entendent sur le rôle stratégique du transport collectif, qui présente de grands avantages. De nombreuses agglomérations l'ont d'ailleurs reconnu et investissent massivement pour en augmenter l'offre. Dans un rapport de 2010[2], la Chambre de commerce du Montréal métropolitain démontrait la supériorité du transport collectif sur l'automobile, en ce qui concerne tant les coûts pour les usagers que les retombées pour le Québec. Le transport collectif constitue la principale solution pour améliorer la mobilité

dans un contexte de congestion croissante. En 2003, la congestion nous coûtait collectivement 1,4 milliard de dollars[3], et les grands travaux routiers des prochaines années vont accentuer le problème, ce qui n'est guère rassurant pour les automobilistes, pris dans les bouchons, comme pour les entreprises, dont les camions perdent de plus en plus de temps sur la route. L'augmentation

---

**L'augmentation de la capacité routière n'est une solution qu'à court terme.**

---

de la capacité routière n'est une solution qu'à court terme. C'est également une solution qui pèse lourdement sur les finances publiques et qui va à l'encontre des objectifs du gouvernement pour réduire les gaz à effet de serre (GES) et la dépendance au pétrole. En augmentant la capacité du réseau routier, le gouvernement envoie à la population des messages contradictoires.

Une nouvelle approche de la mobilité est nécessaire. Pourtant, le *Plan québécois des infrastructures 2013-2023*[4] donne toujours la priorité au transport routier, malgré la volonté maintes fois affirmée de favoriser le transport collectif, qui ne suffit plus à la tâche : les autobus, les trains et les wagons de métro sont saturés. Il faut maintenant investir massivement (nouvelles lignes, nouveaux services, nouveaux véhicules) si nous voulons augmenter l'achalandage du transport collectif. Cela est tout à fait possible. Les objectifs de hausse d'achalandage prévus dans *La politique québécoise du transport collectif 2006-2012*[5] – 8 % – ont été dépassés ; durant cette période, le service de transport collectif a été sensiblement amélioré (fréquence accrue sur de nombreuses lignes d'autobus, par exemple). L'achalandage de la Société de transport de Montréal (STM) a même atteint un pic en 2011 ; il lui aura fallu 64 ans pour battre le record précédent, témoignant en cela de changements profonds dans nos modes d'occupation du territoire et de déplacement, qui rendent difficile la desserte en transport collectif.

### Financer le développement des réseaux

À l'heure actuelle, le transport collectif ne constitue une solution de remplacement de l'automobile qu'au centre de Montréal, dans la zone desservie par le métro, ou entre la banlieue et le centre, en période de pointe. Ailleurs, les services sont peu performants. C'est ainsi que les parts de marché du transport collectif ne sont élevées qu'au centre de l'agglomération (surtout vers le centre-ville) et qu'elles demeurent très faibles, parfois quasiment nulles, dans les couronnes nord et sud ou aux extrémités de l'île. Pourtant, il existe là une demande importante, comme le montre le succès des nouveaux services mis en place. Mais, pour développer le transport collectif, il faut de l'argent.

Dans son *Plan métropolitain d'aménagement et de développement*[6] (2011), la Communauté métropolitaine de Montréal évalue à 23 milliards de dollars les sommes qui devront être investies dans le transport collectif d'ici à 2020, dont 10,3 milliards uniquement pour le maintien et l'amélioration des actifs. Ce n'est là qu'un minimum, car certains projets n'ont pas été comptabilisés et certaines évaluations sont encore préliminaires. À cela s'ajoutent les sommes nécessaires pour le réseau routier. Or les gouvernements disent ne pas disposer de ces sommes. Diverses mesures ont été envisagées : les deux sources de financement les plus intéressantes sont la taxe sur l'essence et le péage.

La taxe sur l'essence finance déjà les transports en commun, mais les revenus qui en découlent sont insuffisants ; il faudrait donc la hausser sensiblement. Une augmentation de la taxe sur l'essence est susceptible d'entraîner des modifications de comportement en faveur du transport collectif, du moins à long terme ; et même à brève échéance, l'effet peut être notable. Du point de vue de la fréquentation des transports collectifs, plus l'essence est chère, mieux c'est. Cela dit, à long terme, la hausse du prix de l'essence peut aussi se traduire par l'acquisition de nouveaux véhicules moins énergivores (hybrides, par exemple), ou encore par des délocalisations d'activités vers la banlieue.

L'autre mesure dont on discute beaucoup est le péage, que proposait Montréal dans son *Plan de transport* de 2008[7]. Les succès enregistrés à Londres et à Stockholm font rêver ceux qui espèrent réduire notre dépendance au pétrole et à l'automobile. Mais le péage présente un certain nombre d'inconvénients, notamment des coûts élevés d'administration. À Londres et à Stockholm, l'objectif était moins de financer le transport collectif que d'amener des changements de comportement. Même modestes, ces changements peuvent toutefois améliorer grandement la fluidité de la circulation.

Le péage est déjà une réalité. L'ouverture du pont de l'autoroute 25, entre Montréal et Laval, a marqué son retour. Le gouvernement fédéral a également décidé d'un péage pour financer la reconstruction du pont Champlain. En introduisant ainsi le péage sur quelques infrastructures, il y a un danger d'augmenter la pression sur les infrastructures gratuites. Il faut de toute évidence concevoir le péage dans une perspective métropolitaine, afin d'assurer une plus grande équité, mais également un meilleur équilibre dans le réseau. Surtout, il faut saisir l'occasion de ce débat pour repenser le financement tant du transport automobile que du transport collectif, ainsi que sa gouvernance, qui apparaît à bien des égards dysfonctionnelle. La responsabilité du transport collectif est pour l'instant répartie entre plusieurs acteurs, qui ne partagent pas tous la même vision ni les mêmes priorités, notamment en ce qui a trait à l'aménagement du territoire. Il n'existe pas de lieu où définir les consensus.

Les projets définis dans les plans ne sont pas toujours réalisés, et les projets qui se réalisent ne sont pas toujours ceux qui étaient prévus ; et on met souvent du temps à les exécuter, comme le montre le projet du système rapide par bus (SRB) du boulevard Pie-IX. Le modèle de planification mis en place dans la région de Montréal favorise une approche par projets plutôt que par objectifs, sans réelle vision d'ensemble. Pire, on pourra avoir tendance à privilégier des projets aux retombées incertaines. Ainsi, le tramway est toujours une priorité pour l'administration de Montréal, même si le premier tronçon proposé n'entraînerait aucun transfert modal de l'automobile vers le transport collectif. Alors que l'argent nous manque pour réaliser tous les projets actuellement dans les cartons, il faut encourager ceux qui vont permettre les meilleurs gains sur le plan de la part modale du transport collectif et de la réduction de la dépendance automobile à long terme. Il faut donc entreprendre un exercice sérieux de planification afin de déterminer ces projets, et ensuite tout faire pour les mettre en œuvre. Pour l'instant, cela est loin d'être acquis.

### Aménager autrement pour favoriser le transport collectif

Développer les réseaux de transport collectif ne suffira pas à faire de celui-ci le premier mode de déplacement. Nos façons d'occuper le territoire – faible densité, dispersion des activités, etc. – rendent l'utilisation du transport collectif souvent difficile, voire impossible pour un grand nombre de citoyens. Pour en augmenter l'utilisation, il faut d'abord faire en sorte qu'il devienne incontournable. C'est donc dire qu'il faut aménager en fonction du transport collectif plutôt qu'en fonction de l'automobile comme nous l'avons fait depuis la fin de la Deuxième Guerre mondiale. C'est là le point de départ du Plan métropolitain d'aménagement et de développement (PMAD) de la Communauté métropolitaine de Montréal, adopté en décembre 2011 ; ce plan marque une rupture dans la façon de concevoir l'aménagement de la région. Le PMAD propose, pour l'essentiel, une densification de l'habitat autour des grandes infrastructures de transport, s'inspirant en cela du concept d'aménagement axé sur le transport en commun (mieux connu sous son nom anglais, *transit-oriented development*, ou TOD), un modèle qui a fait ses preuves pour réduire la dépendance à l'automobile tout en facilitant l'accès aux activités et la mobilité des personnes.

Même si les effets du PMAD ne se feront sentir qu'à très long terme, il est essentiel de mettre en place, dès à présent, un modèle d'urbanisation qui favorise le transport collectif. C'est grâce à une meilleure coordination des décisions en aménagement du territoire et en transport que l'on parviendra à modifier les modes de déplacement des citoyens. La région de Montréal a mis du temps à le reconnaître, mais c'est désormais chose faite. Il faut maintenant nous assurer de concrétiser cette vision renouvelée du territoire et des transports, ce qui ne sera possible que si nous parvenons à privilégier le transport collectif et à en augmenter le financement.

Notes

1. On trouvera sur le site Web www.amt.qc.ca/enquete-od plus de précisions sur les enquêtes Origine-Destination réalisées depuis 1998.

2. Chambre de commerce du Montréal métropolitain, *Le transport en commun : au cœur du développement économique de Montréal*, Montréal, 2010.

3. Ministère des Transports, Les Conseillers ADEC inc., *Évaluation des coûts de la congestion routière dans la région de Montréal pour les conditions de référence de 2003*, Montréal, gouvernement du Québec, 2009.

4. Direction de la planification et du suivi des investissements en infrastructures, *Plan québécois des infrastructures 2013-2023*, Québec, gouvernement du Québec, Direction des communications, Secrétariat du Conseil du trésor, 2013.

5. Ministère des Transports, *Pour offrir de meilleurs choix aux citoyens. La politique québécoise du transport collectif 2006-2012*, Québec, gouvernement du Québec, 2006.

6. Communauté métropolitaine de Montréal, *Un Grand Montréal attractif, compétitif et durable. Plan métropolitain d'aménagement et de développement*, Montréal, 2011.

7. Ville de Montréal, *Plan de transport*, Montréal, 2008.

# La ville au cœur du projet de société

**La plupart des défis sociaux et politiques qui nous attendent dans les prochaines décennies passent d'une façon ou d'une autre par la ville. Qu'il s'agisse de problèmes liés à l'environnement, à la justice sociale, à la mobilité, à la migration, ou des conflits politiques et des difficultés démocratiques qu'ils soulèvent, c'est essentiellement en contexte urbain qu'ils trouveront leur pleine expression. Dès lors, la ville – ou l'agglomération urbaine – est le lieu où situer la plupart des débats et solutions à venir.**

Les réalités urbaines présentent des problèmes éthiques et politiques considérables, multidimensionnels et croissants, encore peu explorés et face auxquels nous sommes encore mal outillés. Or c'est dans ce contexte spécifique de la ville qu'il faut les analyser, et c'est là que les solutions doivent être mises en branle. Il faut donc cesser de concentrer notre réflexion entourant la justice et la démocratie entièrement sur les institutions nationales, et accorder davantage d'attention à la façon dont ces enjeux se déploient en milieu urbain.

La théorie démocratique, par exemple, fait face à des problématiques particulières dans le contexte de la ville. Parmi ces questions, il y a celle du rapport entre le cadre bâti de la ville, l'urbanisme et la démocratie. L'automobile ou l'étalement urbain nuisent-ils à la délibération citoyenne ? Il y a aussi les questions de la distribution locale et régionale du pouvoir, des potentiels démocratiques de l'espace public, et de la tension entre le court terme et le long terme dans le contexte de la planification urbaine. Il est important de réfléchir aux façons dont nos idéaux démocratiques peuvent s'incarner dans les institutions urbaines et aux moyens pouvant inciter les citoyens à prendre part aux mécanismes décisionnels par lesquels ils pourront façonner collectivement leur milieu de vie quotidien. Cela peut passer notamment par la démocratisation des processus décisionnels eu égard aux règlements de zonage ou encore par la mise en place de budgets participatifs.

Les questions de justice sociale qui se posent en ville sont aussi nombreuses : iniquités entre les différents quartiers et juridictions municipales, ghettoïsation de la pauvreté, ségrégation ethnique, problèmes de mobilité et d'accessibilité, déserts alimentaires, etc. Les théories contemporaines de la justice sociale ne sont pas bien outillées pour comprendre ces problèmes qui ne concernent pas simplement la distribution équitable de ressources abstraites (tels les biens sociaux premiers chez John Rawls ou les «capabilités» chez Amartya Sen), mais plutôt la *spatialité* des rapports entre citoyens, qui, par définition, sont tous de ce point de vue inégalitaires. Cela explique sans doute pourquoi les théories de la justice distributive sont demeurées silencieuses sur la question de savoir quels sont les mécanismes institutionnels susceptibles d'alléger les iniquités et la pauvreté qui sévissent dans les zones urbaines.

Enfin, dire que la crise environnementale est aujourd'hui la crise la plus pressante pour l'humanité relève du truisme, et il est impossible d'aborder cette crise sans

➤

prendre en compte un de ses facteurs structurants, soit l'accélération de l'urbanisation. Malheureusement, si l'éthique environnementale s'est beaucoup intéressée au rapport entre l'humain et le non-humain, et notamment à la question de la valeur de la nature, elle a souvent exclu d'emblée toute réflexion sur la ville, environnement artificiel par excellence, sinon pour l'accuser de tous les maux. Il est vrai que l'urbanisation accélérée et la forme de la ville contemporaine expliquent et accentuent nombre de problèmes environnementaux, mais la ville a aussi les clés de la solution, qui passe notamment par des formes d'aménagement plus denses et plus écologiquement responsables, ainsi que par une diminution de la dépendance à l'usage de la voiture privée.

Ce sont des sujets qui appellent à un renouveau de la réflexion philosophique sur la justice et la démocratie, mais aussi à une prise de conscience citoyenne sur l'importance de la ville et de ses institutions ; des sujets qui exigent surtout des réponses courageuses touchant l'aménagement de l'espace. Au Québec, ces thèmes sont trop rarement abordés dans le débat public. L'état de nos villes, et plus généralement de notre démocratie, s'en ressent fortement.

**Patrick Turmel**
Professeur, Faculté de philosophie, Université Laval

# Attentes élevées et espoirs déçus

**Lynda Gagnon**
*Étudiante à la maîtrise en sciences sociales du développement territorial,
Université du Québec en Outaouais*

**Mario Gauthier**
*Professeur titulaire, Département des sciences sociales, Université du Québec
en Outaouais*

**Un projet de réforme en profondeur de la Loi sur l'aménagement
et l'urbanisme (LAU) a été lancé ces dernières années par le gouvernement Charest. Ce processus de révision de la Loi, qui a mobilisé les acteurs des milieux municipal et gouvernemental, les
experts, les groupes organisés de la société civile et les citoyens
ordinaires, a débouché, en 2012, sur un ambitieux projet de loi
visant notamment à renforcer la participation des citoyens aux
choix d'aménagement et à relier plus étroitement les pratiques
d'aménagement et d'urbanisme aux principes du développement
durable. Or, ce projet ne faisant pas partie des priorités du nouveau
gouvernement péquiste élu en septembre 2012, la réforme promise
se fait toujours attendre…**

Plus de 30 ans après l'adoption de la LAU, le milieu municipal de même que les professionnels de l'aménagement et les chercheurs universitaires dressent un bilan peu positif de sa mise en application[1]. Malgré de nombreux acquis, on reproche notamment à la Loi sa lourdeur administrative, son approche excessivement réglementaire et son incapacité à favoriser l'établissement d'une véritable planification nationale intégrée, propre à assurer l'arrimage entre aménagement, développement et environnement. La LAU accuse également de graves déficiences en tant qu'instrument susceptible d'accroître la participation du public aux décisions en matière d'aménagement et de développement. On déplore en particulier ses mécanismes trop lourds et rigides qui

> **Le processus de révision de la LAU a donné lieu à un important exercice démocratique.**

ne respectent pas les « règles de l'art » ou les « bonnes pratiques » en matière de consultation, son incapacité à susciter l'envie de participer autrement que pour s'opposer à un projet, ainsi que la difficulté pour les élus de faire primer l'intérêt collectif en l'absence de mécanismes appropriés de planification du développement du territoire.

## Une réforme attendue et ambitieuse

Avec son projet de loi n° 47 (Loi sur l'aménagement durable du territoire et l'urbanisme), présenté en décembre 2011, le ministre Lessard proposait une refonte majeure de l'aménagement et de l'urbanisme au Québec. Le gouvernement Charest voulait ainsi repenser les outils, les méthodes et les modalités de mise en œuvre de la Loi à la lumière des nouveaux enjeux et des défis à relever en matière de planification du territoire, notamment en ce qui a trait au développement durable. Plus particulièrement, ce projet de réforme entendait créer un nouveau partenariat avec le milieu municipal, simplifier le régime de planification de l'aménagement et en accroître l'efficacité, introduire des mesures de suivi et d'évaluation des résultats, et renforcer la participation des citoyens aux choix d'aménagement.

Le processus de révision de la LAU a donné lieu à un important exercice démocratique qui a permis aux acteurs du milieu municipal et gouvernemental, aux experts, aux groupes de la société civile et aux citoyens d'exprimer leur vision et leurs attentes à l'égard de la nouvelle loi devant encadrer l'action municipale en matière d'aménagement et d'urbanisme. À preuve, 74 mémoires ont été présentés à l'étape des audiences publiques sur l'avant-projet de loi, et 69 groupes ou citoyens ont pris la parole à cette occasion. Or la deuxième ronde de consultations sur le projet de loi, qui devait se tenir en août 2012, n'a jamais eu lieu en raison du déclenchement des élections provinciales, et le projet de réforme est resté lettre morte à la suite de la défaite du gouvernement libéral, initiateur du projet, et de l'arrivée au pouvoir du gouvernement péquiste minoritaire de M^me Marois. Un an après son entrée en fonction, le ministre Sylvain Gaudreault n'a toujours pas fait connaître ses intentions quant aux suites à donner à ce projet de loi.

### Renouveler l'aménagement et l'urbanisme par la participation publique

Au Québec, comme ailleurs dans le monde, on assiste au déploiement d'une multitude de mécanismes d'information, de participation du public et de concertation visant à prendre en compte les préoccupations des citoyens et des groupes de la société civile dans la prise de décision à l'échelle locale[2]. Ces dispositifs participatifs sont aujourd'hui au cœur du renouvellement des pratiques d'aménagement et d'urbanisme, et ont fait l'objet d'une réflexion approfondie dans le cadre du processus de refonte de la LAU[3]. Les changements proposés en matière de participation publique ont, en effet, retenu l'attention d'une grande diversité d'acteurs, tant au sein du monde municipal que dans le milieu des professionnels de l'aménagement et de l'urbanisme et dans le secteur associatif (protection de l'environnement, patrimoine, etc.). Plusieurs groupes de citoyens ont également été interpellés par le projet et ont tenu à faire entendre leur voix.

Le projet de loi 47, Loi sur l'aménagement durable du territoire et l'urbanisme, prévoyait trois changements importants touchant les mécanismes de participation publique existants : l'obligation, pour les municipalités, de se doter d'une politique d'information et de consultation ; la simplification du processus référendaire et la possibilité donnée aux municipalités de s'en soustraire par la création de zones franches d'approbation référendaire (ZFAR) ; et enfin, le renforcement du rôle du comité consultatif d'urbanisme et la création d'un comité décisionnel d'urbanisme. Les modifications relatives aux mécanismes de consultation et au processus référendaire, en particulier, ont suscité diverses réactions.

### Vers l'adoption de politiques municipales d'information et de consultation publique

Les résultats de nos travaux de recherche révèlent que les bonifications proposées aux mécanismes de consultation publique et l'obligation, pour les muni-

> **Le ministre Gaudreault n'a toujours pas fait connaître ses intentions quant aux suites à donner à ce projet de loi.**

cipalités, de se doter d'une politique d'information et de consultation sont généralement bien accueillies, malgré la crainte d'un alourdissement du processus exprimée par quelques acteurs de la scène municipale, et en dépit d'un certain scepticisme – chez les groupes de citoyens en particulier – quant à la portée réelle de ces mesures sur la prise de décision et à leur capacité d'engendrer des pratiques plus cohérentes et plus efficaces. De façon générale, les intervenants réclament l'organisation d'une participation citoyenne conforme aux règles de l'art et antérieure à la prise de décision en matière d'aménagement et d'urbanisme, pour permettre aux élus de faire des choix qui tiennent compte des préoccupations de l'ensemble des citoyens qu'ils représentent.

## Du référendum décisionnel en urbanisme aux zones franches d'approbation référendaire

Le mécanisme du référendum décisionnel en urbanisme prévu par la LAU s'est révélé compliqué et difficile à mettre en œuvre. On reproche à ce dispositif hérité du modèle du zonage nord-américain d'arriver trop tardivement dans le processus décisionnel, d'entretenir un climat d'opposition plutôt que de collaboration, et de ne permettre aucune solution de compromis entre les « adhérents » et les « opposants » à un projet. La complexité du dispositif en fait par ailleurs un outil peu utilisé, coûteux et décourageant pour les citoyens. La proposition d'alléger la procédure d'approbation référendaire et de créer des ZFAR, en réponse aux nombreuses critiques à l'endroit de ce mécanisme, a suscité des réactions très partagées. L'introduction des ZFAR a constitué sans contredit la proposition la plus débattue du projet de réforme : si elles font à peu près l'unanimité parmi les acteurs du monde municipal et les professionnels de l'aménagement du territoire, elles sont au contraire fortement décriées par de nombreux groupes de citoyens. Pour les premiers, l'affranchissement référendaire encourage la concertation plutôt que l'opposition, favorise de meilleures pratiques de consultation publique en amont du processus décisionnel et contribue à faire en sorte que l'intérêt collectif prime les intérêts individuels, en neutralisant notamment les réactions de type « pas dans ma cour ». De même, pour plusieurs groupes environnementaux influents, l'affranchissement référendaire représente une mesure importante pour l'avancement du développement durable, à condition, toutefois, que des balises soient mises en place pour éviter qu'on en fasse une utilisation outrancière. À l'opposé, les groupes de citoyens y voient une atteinte à leur droit à l'opposition et une perte de pouvoir sur leur milieu de vie.

## Aménagement et développement durable du territoire : au-delà des vœux pieux

Finalement, l'ajout de la notion de développement durable aux principes fondateurs de la Loi est accueilli favorablement par la plupart des acteurs, mais la portée des moyens prévus pour en assurer la mise en application en laisse plusieurs sur leur appétit. L'objectif visé par la révision de la LAU, soit redéfinir les pratiques d'aménagement du territoire et d'urbanisme dans une perspective de développement durable, rejoint sans aucun doute les préoccupations d'une majorité d'acteurs, même s'il ne s'agit, pour plusieurs, que de vœux pieux. Que ce soit par rapport aux grandes orientations gouvernementales, aux outils de planification ou aux pratiques, de nombreux intervenants soulignent l'ampleur du travail qui reste à accomplir et se méfient de ce conceptvalise aux contours imprécis. La participation publique, en particulier, ressort comme un élément crucial pour l'avancement des pratiques d'aménagement durable : en témoigne l'appel de plusieurs acteurs à une implication plus poussée des citoyens en amont de la décision – en tant que partie prenante aux projets dès l'étape d'élaboration de la vision et de la planification –, voire à l'adoption de démarches collaboratives entre les élus, les promoteurs de projets et les citoyens.

En conclusion, la nécessité d'une réforme en profondeur de la LAU fait indubitablement consensus parmi l'ensemble des intervenants. Plus encore, la vaste mobilisation suscitée par le projet au cours des dernières années et l'empressement des différents groupes d'intérêt à prendre part à ce grand chantier lancé par le gouvernement précédent témoignent d'une certaine urgence d'agir et des attentes élevées à l'égard de la nouvelle loi. Reste maintenant à savoir comment le ministre Gaudreault entend répondre à ces attentes et quelle place il compte faire à la réforme de la LAU dans ses priorités ministérielles[4].

Notes

1. Sur ce point, voir le document produit par le ministère des Affaires municipales et des Régions (MAMR), *La réforme du cadre de planification instauré par la Loi sur l'aménagement et l'urbanisme. Diagnostic de l'application de la loi*, Fiche de veille, MAMR, 2007 ; ainsi que l'article de Nicolas Douay, Paul Lewis et Marie-Odile Trépanier, « Le modèle québécois d'aménagement du territoire à l'heure des bilans », dans Jean-Pierre Augustin (dir.), *Villes québécoises et renouvellement urbain depuis la révolution tranquille*, Pessac (France), Éditions de la Maison des sciences de l'homme d'Aquitaine, 2010, p. 248-269.

2. Pour en savoir plus, voir notamment l'ouvrage de Mario Gauthier, Michel Gariépy et Marie-Odile Trépanier (dir.), *Renouveler l'aménagement et l'urbanisme*, Montréal, Presses de l'Université de Montréal, 2008.

3. Nous avons mené un projet de recherche sur ce sujet avec l'appui financier du Fonds de recherche du Québec – Société et culture (FRQSC). Les mémoires sur l'avant-projet de loi sur l'aménagement durable du territoire et l'urbanisme ont été dépouillés dans le cadre de ce travail.

4. Les priorités annoncées par le ministre Gaudreault au moment de sa nomination à la tête du ministère des Affaires municipales, des Régions et de l'Occupation du territoire, en septembre 2012, étaient la décentralisation, la Politique nationale de la ruralité, le nouveau partenariat fiscal avec les municipalités et l'économie sociale.

# Politique de souveraineté alimentaire et occupation du territoire

## Une politique incomplète

**Bernard Vachon**

*Professeur retraité, Département de géographie, Université du Québec à Montréal, et spécialiste en développement local et régional, en développement rural et en gouvernance territoriale*

Le 16 mai 2013, le ministre de l'Agriculture, des Pêcheries et de l'Alimentation du Québec du gouvernement Marois, François Gendron, dévoilait sa Politique de souveraineté alimentaire. Deux ans plus tôt, le 7 juin 2011, le gouvernement Charest avait rendu public son livre vert pour une politique bioalimentaire. Les deux textes énoncent sensiblement les mêmes objectifs, sans que soient introduites les grandes réformes attendues depuis le dépôt du rapport Pronovost, en 2008[1].

Dans son rapport, la Commission sur l'avenir de l'agriculture et de l'agroalimentaire québécois formulait 49 recommandations qui proposaient des changements dans différents domaines : la production agricole et l'aide de l'État ; la mise en marché des produits agricoles ; la transformation et la distribution alimentaires ; la formation et le perfectionnement des ressources humaines ; la recherche et l'innovation ; l'environ-nement ; l'alimentation, la santé et les attentes des consommateurs ; la protection du territoire agricole et le développement régional ; l'utilisation de l'agriculture à d'autres fins que l'alimentation ; et, finalement, la gouvernance. Elle soulignait également la nécessité de doter le Québec d'une nouvelle politique agricole et agroalimentaire. Le livre vert du gouvernement Charest et la Politique de souveraineté alimentaire du gouvernement Marois s'inscrivent dans le prolongement des travaux de cette commission.

### Une politique agricole pour le Québec

Dans son livre vert, le gouvernement Charest reconnaissait que les problèmes vécus dans le secteur agroalimentaire « nécessitent un virage plus profond en faveur d'une adaptation du secteur [et] requièrent un changement d'orientation de l'intervention gouvernementale », ajoutant : « Le présent projet de politique [...] propose de mettre le produit alimentaire au cœur de nos préoccupations[2]. » La politique proposée allait également devoir

---

**33 % du territoire habité du Québec est zoné agricole.**

---

« contribuer à relever les défis que posent la protection de l'environnement et le développement régional[3] ». Et le livre vert poursuivait sa déclinaison d'orientations en énonçant un certain nombre d'enjeux et de choix particuliers, dont la pluralité des entreprises (de grande, moyenne et petite taille), le développement de la multifonctionnalité de l'agriculture et la valorisation de l'occupation dynamique du territoire. Interrompu par les élections et la défaite du Parti libéral (PLQ), ce projet de politique ne s'est pas concrétisé.

La Politique de souveraineté alimentaire du gouvernement Marois énonce des objectifs similaires :

- « Assurer à l'ensemble des Québécois un approvisionnement en aliments de qualité, à juste prix et bons pour leur santé ;
- Accroître la proportion de l'alimentation des Québécois satisfaite grâce aux aliments du Québec ;
- Développer un secteur bioalimentaire prospère, rémunérateur, générateur d'emplois, respectueux de l'environnement et contribuant à l'occupation dynamique du territoire québécois. »

La Politique de souveraineté alimentaire formule des objectifs, des orientations et des axes d'intervention, mais n'est accompagnée d'aucune mesure concrète. Or c'est par ses mesures, ses programmes et les moyens mis à sa disposition qu'une politique se donne une véritable capacité de réforme.

Quatre axes structurent la Politique de souveraineté alimentaire, soit l'identité des aliments, l'occupation dynamique du territoire, la valorisation du potentiel économique du secteur et le développement durable. On fera ici quelques observations sur le deuxième axe, l'occupation dynamique du territoire, pour lequel les intentions de réforme sont pour le moins floues.

**L'agriculture ne fait plus la ruralité**

La zone agricole protégée a une superficie de plus de 6,35 millions d'hectares, alors que la superficie totale des fermes est d'un peu moins de 3,9 millions d'hectares (incluant les boisés privés). Ainsi, 33 % du territoire habité du Québec est zoné agricole, et seulement 53 % de cette zone agricole est occupée par les fermes. Par ailleurs, de profondes disparités économiques et sociales existent à l'intérieur de la zone agricole : alors que 54 % des fermes, 55 % des emplois agricoles, 60 % du produit intérieur brut (PIB) agricole et 64 % des revenus agricoles sont concentrés dans les régions de la Montérégie, du Centre-du-Québec et de Chaudière-Appalaches, plusieurs communautés rurales des régions intermédiaires et périphériques sont aux prises avec des problèmes d'abandon des fermes et de retour des terres à la friche, d'exode, de perte de services, d'affaiblissement du capital social, de détérioration du patrimoine naturel et bâti, etc.

En 1931, 777 017 personnes vivaient sur une ferme au Québec, ce qui représentait 27,0 % de la population totale. En 1951, ce pourcentage avait chuté à 19,5 %, puis à 3,2 % en 1981, à 1,9 % en 1991 et à 1,2 % en 2006. Par ailleurs, cette population agricole, qui représentait 20 % de la population rurale en 1971, n'en constituait plus que 13,0 % en 1981 et 5,7 % en 2006, soit 90 940 personnes pour l'ensemble du Québec. Fait à noter : 77 % des agriculteurs comptent aujourd'hui sur une autre source de revenus pour faire vivre leur famille.

La diminution de la population agricole est une conséquence de la mécanisation des activités agricoles et de la réduction du nombre de fermes, qui est passé de 135 957 en 1931 à 95 754 en 1961, à 30 675 en 2006 et à 28 995 en 2009. C'est également une conséquence de la diminution de la taille des familles agricoles. Cette situation fait en sorte que l'agriculture et la forêt ne peuvent plus assurer la vitalité des centaines de communautés rurales à travers le Québec.

**Promouvoir une agriculture plurielle et des communautés rurales vivantes**

L'agriculture est en soi une activité favorable à l'occupation et à la vitalité des territoires. Cependant, tous les territoires ne se prêtent pas à un même modèle de production agricole, toutes les productions ne requièrent pas les mêmes conditions pour atteindre l'efficacité et la viabilité, et tous les futurs producteurs n'ont pas la vocation pour répondre aux critères de l'agriculture industrielle. Il est donc souhaitable de favoriser une diversité de modèles de production agricole, qu'il s'agisse de la taille des unités de production, des modes de financement, des types de gestion, du statut des producteurs ou de leurs organisations syndicales.

Ce qui importe, c'est la contribution à l'effort de souveraineté alimentaire et au dynamisme de la communauté rurale, non la taille des fermes, le niveau d'investissement et les volumes de production. À cet égard, le rapport Pronovost invite à plus d'ouverture : « Même si le système actuel a produit des effets positifs et bénéfiques pour les agriculteurs et les agricultrices, il comporte des rigidités et instaure une dynamique susceptible de freiner le développement du secteur agroalimentaire et de ne pas toujours servir l'intérêt public. [...] Il faut déterminer les lacunes du système et les examiner sans complaisance. » Les réformes attendues doivent sortir l'agriculture d'un modèle qui l'étrangle.

La Loi sur la protection du territoire et des activités agricoles (LPTAA) contribue, dans son application, à cette rigidité, en faisant obstacle à la création d'unités de production de moyenne et de petite dimension, souvent mieux adaptées aux productions de spécialité, à l'agriculture biologique et à l'expérimentation ; en faisant obstacle aussi à la diversification économique, seule voie de revitalisation pour plusieurs communautés rurales aux sols pauvres désertés par l'activité agricole, alors que la Politique nationale de la ruralité et le mouvement Solidarité rurale du Québec (instance-conseil auprès du gouvernement en matière de développement rural) prônent la diversification économique et la multifonctionnalité des territoires ruraux comme condition de développement. La cohérence dans l'action requiert l'harmonisation des lois, des politiques et des programmes gouvernementaux. Il faudra y prêter attention.

Dans une perspective d'occupation et de vitalité des territoires[4], il ne s'agit pas uniquement de protéger un vaste domaine pour les fins exclusives de l'agriculture et de la forêt privée (rôle de la LPTAA). Il importe qu'une mesure de protection soit accompagnée de conditions et de programmes incitatifs favorisant la mise en valeur des terres et la pérennité de l'occupation du territoire. La réduction continue du nombre de fermes et des superficies cultivées,

---

**Il faut favoriser une diversité de modèles de production.**

---

notamment dans les communautés rurales en difficulté des régions de plateaux, plaide en faveur d'une approche de développement polyvalent plus que de conservation.

### Harmoniser développement agricole et occupation dynamique des territoires

Dans son libellé et son application, la LPTAA associe le couvert forestier à la fonction agricole, et les contraintes de la loi sont aussi sévères en milieu forestier et en zones de friche que là où l'activité de production agricole est effectivement pratiquée. Ainsi, il n'est pas surprenant, bien que désolant, de voir la Commission de protection du territoire agricole du Québec (CPTAQ) accorder des permis de reboisement (conifères et peupliers hybrides à croissance rapide) pour des terres à bon potentiel agricole désertées par la pratique agricole, alors qu'elle refuse obsti- nément des utilisations autres qu'agricoles pour des sols de moindre qualité qui pourraient contribuer aux efforts de développement local et régional. Alors que l'agriculture ne fait plus la ruralité

## Genèse d'une politique agricole

Les deux dernières décennies ont été particulièrement mouvementées pour l'agriculture québécoise. Des conflits intenses entre le monde municipal, l'Union des producteurs agricoles (UPA) et le ministère de l'Environnement des années 1990 jusqu'à la publication successive, en 2008 et 2009, des rapports Pronovost, Saint-Pierre et Ouimet, appelant tous les trois à des réformes majeures des politiques agricoles, en passant par le moratoire sur la production porcine (2002-2005), l'action publique en agriculture ne cesse d'être remise en question. Des réformes s'imposent, d'autant plus que le nombre d'agriculteurs continue de chuter et que les statistiques de faillites, de relève agricole et de détresse psychologique sont préoccupantes.

Ce constat de crise en agriculture n'est pas récent. En prenant acte, le gouvernement libéral précédent instituait, en 2006, la Commission sur l'avenir de l'agriculture et de l'agroalimentaire québécois (commission Pronovost, du nom de son président), le plus vaste exercice de consultation entrepris dans ce secteur depuis la commission Héon[1] (1955) et la commission April[2] (1967). Le ministre de l'Agriculture de l'époque, Yvon Vallières, jugeait alors nécessaire cette entreprise d'envergure, en raison de la «complexité des problématiques» vécues par le milieu agricole, de la «diversité [grandissante] des intervenants» concernés et de leur «difficulté majeure à partager un diagnostic commun de la situation afin de relever les défis de l'heure».

La participation élevée à la commission Pronovost atteste l'intérêt pour la question : en sept mois de consultations publiques, 770 mémoires et témoignages ont été présentés à la commission. L'agriculture apparaît comme un enjeu touchant un domaine plus vaste que la stricte profession agricole : aux côtés des groupes agricoles et des agriculteurs individuels se font entendre des organisations environnementalistes, des municipalités, des entreprises agroalimentaires, des groupes de consommateurs et de santé publique, et des groupes de réflexion préoccupés par l'économie et par les paysages ruraux.

Tant au sein du ministère de l'Agriculture que parmi la société civile, certains espèrent alors que la commission Pronovost jouera un rôle semblable à celui des commissions Héon et April, qui avaient pavé la voie à la création de ce qui constitue encore aujourd'hui les quatre piliers principaux de la politique agricole québécoise : la mise en marché collective (à partir de 1956), la gestion de l'offre dans la production du lait, des œufs et de la volaille (à partir de 1965), l'assurance stabilisation des revenus agricoles (1975) et la Loi sur la protection du territoire agricole (1978).

dans la grande majorité des communautés rurales du Québec, la revitalisation de nombre d'entre elles requiert de nouveaux projets en matière d'activités économiques et d'emplois, d'habitation et de services, de culture, de sports et de loisirs, pour que l'occupation des territoires ruraux signifie «habiter pleinement un lieu», non en résistant ou en marginal, mais en citoyen de plein droit.

Lorsque le rapport Pronovost est rendu public, en février 2008, l'ampleur de sa volonté réformatrice surprend. Le quotidien *Le Devoir* titre d'ailleurs la une: «Vers une révolution agricole». Il est vrai que le rapport préconise de véritables changements dans plusieurs pans des politiques agricoles: non seulement il suggère une révision des quatre piliers traditionnels, mais il invite également l'État à adapter ses interventions afin de favoriser une diversité des modèles d'exploitation agricole, à mieux ancrer dans l'action publique agricole les préoccupations liées à l'environnement, à l'occupation du territoire, à l'alimentation et à la santé publique, et à mettre fin au monopole syndical de l'UPA (reconnu officiellement en 1972). En outre, le rapport propose au gouvernement un plan de mise en œuvre de ses principales recommandations. Ce plan invite d'ailleurs le gouvernement à agir rapidement, dans un horizon s'étendant jusqu'à... 2011[3].

Cette injonction de passer à l'action est lourde de sens. En effet, l'une des conclusions les plus acides de la commission Pronovost est certainement la perte de confiance de plusieurs intervenants à l'endroit du ministère de l'Agriculture. Ce dernier est accusé de ne plus exercer le leadership nécessaire à une gouvernance mobilisatrice et d'être prisonnier de certains groupes d'intérêt. La pression est forte sur le gouvernement, tant de la part des partisans du rapport Pronovost que de celle de ses opposants, dont l'UPA.

### Les rapports Saint-Pierre et Ouimet

C'est dans ce contexte houleux que, coup sur coup en 2009, deux autres rapports préconisant d'importantes réformes dans les politiques agricoles sont rendus publics.

Pour donner suite au rapport Pronovost, le gouvernement met d'abord sur pied un processus d'examen et de révision du principal programme agricole au Québec: l'assurance stabilisation des revenus agricoles (ASRA), qui représentait, en 2010-2011, 59% du budget de la Financière agricole du Québec, l'organisme public qui gère l'ensemble des différentes subventions accordées aux agriculteurs québécois.

Ce mandat est donné à Michel Saint-Pierre, qui a été sous-ministre de l'Agriculture de 2004 à 2008 et qui cumule plusieurs expériences d'administration dans le secteur agricole. Son rapport brosse un portrait très critique de l'ASRA: si, dans les années ayant suivi son adoption (en 1975), l'ASRA a permis de moderniser l'agriculture québécoise et d'augmenter le revenu des producteurs agricoles, elle aurait désormais plusieurs effets pervers sur le développement de ce secteur. Saint-Pierre avance que ce programme n'agit plus comme une assurance, mais plutôt comme une mesure d'appui permanente aux agriculteurs. Ainsi, l'ASRA aurait un effet structurant sur les choix de production plus grand que celui des signaux émanant du marché. De plus, elle encou-

➤

Tout doit être mis en œuvre pour arrêter l'hémorragie agricole : permission de fermes de diverses tailles, établissement d'une pluralité de modèles de gestion, développement de l'agriculture à temps partiel, amélioration de l'aide financière au transfert de fermes et à l'installation de jeunes agriculteurs, diversification de la production et développement de la pluriactivité sur les fermes, accroissement de l'attractivité du métier d'agriculteur, établissement d'un pluralisme syndical, protection des bonnes terres agricoles, etc. Conjointe-

ragerait indirectement l'endettement agricole, la dégradation de l'environnement et la concentration de l'aide financière de l'État dans trois régions principales : Montérégie, Centre-du-Québec et Chaudière-Appalaches. Enfin, en raison des sommes importantes qui y sont consacrées, l'ASRA laisse peu de marge de manœuvre pour financer d'autres programmes essentiels à l'avenir de l'agriculture. Le rapport Saint-Pierre suggère des adaptations majeures à ce programme pour qu'il corresponde aux réalités agricoles contemporaines, et propose un échéancier de mise en œuvre de cette transition s'étendant jusqu'à... 2014[4].

Le deuxième chantier enclenché par le gouvernement pour faire suite au rapport Pronovost concerne un deuxième pilier de la politique agricole québécoise : le zonage agricole. Le mandat d'examen de la Loi sur la protection du territoire et des activités agricoles (LPTAA) est donné à Bernard Ouimet, qui a présidé, de 1994 à 2004, la Commission de protection du territoire agricole.

Dans un contexte où seulement 2 % du territoire du Québec est considéré comme propice à l'agriculture, il est apparu nécessaire dès 1978 de légiférer pour protéger les terres agricoles. Le rapport Ouimet confirme l'importance de la LPTAA, mais insiste sur certains changements qui doivent y être apportés afin qu'elle conserve sa pertinence par rapport aux enjeux contemporains. En premier lieu, Ouimet propose d'en finir avec l'approche du « cas par cas » dans le dézonage agricole et d'institutionnaliser une gestion à long terme de l'aménagement du territoire. Autrement dit, le développement des zones agricoles, industrielles et résidentielles devrait se réaliser en conformité avec un schéma d'aménagement du territoire établi pour plusieurs années, et ce, afin de favoriser la cohabitation harmonieuse des différents usages du territoire et de conserver les terres agricoles, que ce soit en zone périurbaine ou en zone rurale. En deuxième lieu, le rapport Ouimet suggère d'adapter la protection du territoire agricole aux particularités régionales : des règles plus strictes près des villes où la pression urbaine se fait très forte, des règles assouplies dans les régions rurales où des dynamiques de dévitalisation sont à l'œuvre. Enfin, le rapport Ouimet recommande que les modifications de la LPTAA soient faites de façon synchronisée avec l'adoption de la nouvelle politique agricole, prévue par le gouvernement libéral pour... 2010[5].

### Quelles actions de l'État québécois ?

La publication d'une nouvelle politique agricole est donc attendue avec impatience depuis 2008, et l'anticipation de réformes importantes semble encouragée par le

ment et de façon intégrée, des efforts doivent être déployés pour rendre les communautés rurales vivantes. Le déclin des territoires ruraux entraîne celui de l'agriculture.

Un ensemble de mesures verra au maintien de la petite et moyenne agriculture, riche en emplois, productrice d'une alimentation de qualité, tournée vers les marchés de proximité et créatrice de nouveaux projets d'installation de jeunes agriculteurs – un volet complémentaire, en quelque sorte, à l'agriculture industrielle, dont les pratiques

contenu des rapports Pronovost, Saint-Pierre et Ouimet. Les remplacements répétés à la tête du ministère de l'Agriculture (six changements de ministre de 2006 à 2012) et l'arrivée d'un nouveau gouvernement à la suite des élections de 2012 ont eu pour effet de retarder la publication de cette politique agricole tant attendue.

Certes, des modifications ont été apportées à l'action publique agricole depuis 2008, mais les réformes les plus importantes n'ont toujours pas eu lieu. La nouvelle politique du Parti québécois, fondée sur le concept imprécis et fourre-tout de souveraineté alimentaire, énonce des orientations d'ordre général. Aucun signal concret n'est pour le moment envoyé par le gouvernement sur la direction envisagée pour assurer la pérennité et le développement de l'agriculture. Pourtant, ce secteur dépend étroitement de l'État, au Québec comme ailleurs. C'est en outre l'un des seuls points où une quasi-unanimité a été observée lors des consultations de la commission Pronovost : l'État doit jouer un rôle dans le développement de l'agriculture. Écartelé entre les visions pour le moins contrastées des différents intervenants, et compte tenu des multiples défis auxquels est confrontée l'agriculture, l'État québécois parviendra-t-il à remplir ce rôle ?

**Maude Benoit**
Doctorante, Département de science politique,
Université Laval et Université Montpellier 1

**Notes**

1. Comité d'enquête pour la protection des agriculteurs et des consommateurs, présidé par le juge Georges-Henri Héon ; instauré en 1952 par Maurice Duplessis. Rapport publié en 1955.

2. Commission royale d'enquête sur l'agriculture au Québec, présidée par l'agronome Nolasque April ; créée en 1965 par Jean Lesage. Rapport (12 volumes) publié en 1967 et 1968.

3. Commission sur l'avenir de l'agriculture et de l'agroalimentaire québécois, *Agriculture et agroalimentaire : assurer et bâtir l'avenir. Propositions pour une agriculture durable et en santé*, rapport remis au ministre de l'Agriculture, des Pêcheries et de l'Alimentation du Québec, janvier 2008. En ligne : www.caaaq.gouv.qc.ca.

4. Michel R. Saint-Pierre, ministre du Conseil exécutif, *Une nouvelle génération de programmes de soutien financier à l'agriculture : pour répondre aux besoins actuels et soutenir l'entrepreneuriat*, Québec, gouvernement du Québec, 2009. En ligne : www.mapaq.gouv.qc.ca.

5. Bernard Ouimet, *Protection du territoire agricole et développement régional : une nouvelle dynamique mobilisatrice pour nos communautés*, rapport remis au ministre de l'Agriculture, des Pêcheries et de l'Alimentation du Québec, 2009. En ligne : www.mapaq.gouv.qc.ca.

constituent bien souvent une menace pour l'environnement et dont la forte mécanisation entraîne un appauvrissement des communautés locales. Cette politique agricole sera ouverte à la multifonctionnalité sur les fermes ainsi qu'à la cohabitation de fonctions diverses en milieu rural, dans la perspective d'un développement territorial polyvalent, particulièrement bénéfique aux territoires ruraux en difficulté.

Dans son rapport pour l'exercice 2002-2003 déposé le 6 novembre 2003 à l'Assemblée nationale, le président de la CPTAQ, Bernard Ouimet, déclarait : « nous estimons que des ajustements s'imposent pour préserver la crédibilité de la loi, la légitimité et la cohérence de son application. Là où la diversité des usages dans les secteurs dévitalisés des zones agricoles est nécessaire pour assurer la survie de plusieurs régions, nous croyons que la législation même doit traduire cette réalité dans les moyens confiés à la Commission pour mieux en tenir compte. Par ailleurs, face aux enjeux qui se dessinent dans les agglomérations urbaines du Québec, particulièrement dans la grande région de Montréal, il nous apparaît plus important que jamais qu'un signal rigoureux et cohérent soit donné à l'égard de la pérennité de la zone agricole[5] ».

Le succès de la Politique de souveraineté alimentaire dépendra de la vigueur des réformes qu'elle permettra d'engager, dont celle de la LPTAA, pour favoriser une plus grande diversité dans les modèles et les modes de production agricole, d'une part, et la multifonctionnalité des zones agricoles intégrée aux stratégies de développement des territoires ruraux, d'autre part. Gardons l'espoir de décisions à venir qui seraient inspirées des constats et recommandations du rapport Pronovost, et qui donneraient toute la portée attendue à cette politique.

Notes

1. Commission sur l'avenir de l'agriculture et de l'agroalimentaire québécois, *Agriculture et agroalimentaire : assurer et bâtir l'avenir. Propositions pour une agriculture durable et en santé*, rapport remis au ministre de l'Agriculture, des Pêcheries et de l'Alimentation du Québec, janvier 2008. En ligne : www.caaaq.gouv.qc.ca. La Commission était présidée par M. Jean Pronovost.

2. Ministère de l'Agriculture, des Pêcheries et de l'Alimentation du Québec, *Donner le goût du Québec. Livre vert pour une politique bioalimentaire*, Québec, gouvernement du Québec, Direction des communications, 2011, p. 5.

3. *Ibid.*, p. 33-34. Depuis l'adoption de la Loi pour assurer l'occupation et la vitalité des territoires, l'expression « développement régional » a été remplacée par « occupation et vitalité des territoires ».

4. Voir la Stratégie gouvernementale pour assurer l'occupation et la vitalité des territoires et la Loi pour assurer l'occupation et la vitalité des territoires, adoptée le 5 avril 2012 par l'Assemblée nationale. La Politique de souveraineté alimentaire a aussi pour objectifs l'occupation et la vitalité des territoires (ruraux).

5. Bernard Ouimet, cité dans CPTAQ, Archives des actualités, « 25 ans de zonage agricole », 6 novembre 2003. En ligne : www.cptaq.gouv.qc.ca.

# Canada

# EFFECTIF DE LA POPULATION
# POUR CERTAINS PAYS DU G20, 2011

POUR CHAQUE CANADIEN, IL Y A ENVIRON...

**9** Américains

**36** Indiens          **40** Chinois*

**7** Indonésiens*

**6** Brésiliens*

**4** Russes et **4** Japonais   **3** Mexicains

**2** Allemands, **2** Turcs*, **2** Français
**2** Anglais, **2** Italiens et **2** Sud-Africains*

Source : *UNSD Demographic Statistics*, United Nations Statistics Division, 2011.

Note : les estimations marquées d'un astérisque sont imprécises
et doivent être interprétées avec prudence.

# Le Canada en quelques statistiques

**Charles Fleury**

*Professeur adjoint, Département de sociologie, Université Laval*

Ce texte examine la situation démographique du Canada en regard de celle des autres pays du G20. Il s'intéresse tout particulièrement à l'évolution de sa population, aux facteurs derrière la croissance démographique, à la composition par âge et à l'origine des immigrants, en portant une attention spéciale aux différences entre les provinces et territoires.

La population canadienne s'élevait à un peu plus de 35 millions d'habitants au premier trimestre de 2013. C'est presque le double d'il y a 50 ans, alors que le Canada connaissait un important baby-boom, et 10 fois plus qu'en 1861, quelques années avant le début de la Confédération canadienne. Avec ses 10 millions de kilomètres carrés, le Canada est un des pays les moins densément peuplés du monde. Sa population, parmi les plus faibles des pays du G20 (voir le graphique à la page 420), est près de neuf fois moins importante que celle des États-Unis (312 millions en 2011), et de 35 à 40 fois moins importante que celles des pays à économie émergente comme la Chine (1,3 milliard) et l'Inde (1,2 milliard).

## Une croissance démographique qui dépend de plus en plus de l'immigration

Le Canada fait partie des pays du G20 qui ont connu la plus forte croissance démographique au cours de la dernière décennie : elle y a atteint 5,4 % entre 2001 et 2006, et 5,9 % entre 2006 et 2011. En outre, la croissance démographique du Canada a été supérieure à celle de l'ensemble des pays du G8, de la Chine, de la Corée du Sud, du Brésil et de l'Argentine. Elle a toutefois été largement inférieure à celle de l'Inde, dont la population s'est accrue de plus de 15 % au cours de la dernière décennie.

Selon les démographes, la croissance démographique du Canada est principalement attribuable aux migrations, l'accroissement naturel (les naissances moins les décès) n'en expliquant que le tiers[1]. Cette situation est relativement nouvelle puisque, jusqu'au début des années 2000, l'accroissement naturel était le facteur principal à l'origine de la croissance démographique du Canada. La diminution de la fécondité, dont l'indice synthétique oscille entre 1,5 et 1,7 enfant par femme depuis le milieu des années 1970, et l'augmentation du nombre de décès, attribuable au vieillissement démographique, expliquent l'essentiel de l'affaiblissement de l'accroissement naturel. Cet affaiblissement devrait se poursuivre au cours des prochaines décennies. De fait, selon le scénario de croissance moyenne des projections démographiques établies par Statistique Canada en 2012[2], lequel suppose un taux d'immigration de 7,5 immigrants pour 1 000 habitants et un taux de fécondité de 1,7 enfant par femme, l'accroissement migratoire pourrait expliquer plus de 80 % de la croissance démographique canadienne à partir de 2031. En outre, ces projections prévoient que, en l'absence d'un niveau d'immigration soutenu ou d'une hausse substantielle de la fécondité, la population canadienne pourrait cesser de croître d'ici une vingtaine d'années.

## Le poids démographique des provinces se modifie

Avec ses 13,6 millions d'habitants en 2013, l'Ontario était la province la plus populeuse du Canada, son poids démographique représentant près de 39 % de la population canadienne (voir le graphique 1). Le Québec, dont les 8,1 millions d'habitants représentaient 23 % de la population canadienne, arrivait au deuxième rang, suivi par la Colombie-Britannique (4,7 millions) et l'Alberta (4 millions). Au total, ces quatre provinces comptaient pour un peu plus de 86 % de l'ensemble de la population canadienne. Le reste de la population se répartissait dans les provinces de l'Atlantique (7 %), au Manitoba (4 %) et en Saskatchewan (3 %). Moins de 1 % de la population résidait dans les territoires.

Au-delà de ces chiffres, on constate que le poids démographique des provinces s'est modifié considérablement au cours des 60 dernières années. Alors que le poids de la Colombie-Britannique, de l'Ontario et de l'Alberta s'accroissait constamment, celui du Québec et des provinces maritimes n'a pas cessé de diminuer, passant de 40 % en 1951 à 30 % en 2013. Selon les démographes, l'essentiel de ces changements découle de trois facteurs, à savoir des migrations interprovinciales généralement favorables à l'Alberta et à la Colombie-Britannique, une fécondité plus élevée dans les Prairies, et un afflux d'immigrants plus important en Ontario et en Colombie-Britannique que

GRAPHIQUE 1

**Poids démographique des provinces canadiennes, 1951-2013**

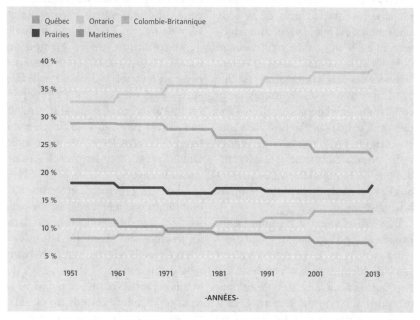

Sources: K. G. Basavarajappa et Bali Ram, «Section A: population et migration», dans Statistique Canada (dir.), *Statistiques historiques du Canada*, Ottawa, Statistique Canada, n° 11-516-XIF au catalogue, 1983; Jonathan Chagnon et Anne Milan, *Croissance de la population: Canada, provinces et territoires*, Ottawa, Statistique Canada, n° 91-209-X au catalogue, 2011; Statistique Canada, *Estimations démographiques trimestrielles. Janvier à mars 2013*, Ottawa, Statistique Canada, n° 91-002-X au catalogue, 2013.

dans les autres provinces. L'augmentation de la fécondité observée au Québec depuis quelques années n'a pas été suffisante pour enrayer la baisse du poids démographique du Québec. Il faut dire que, en plus de subir des pertes importantes au chapitre des migrations interprovinciales, le Québec présente toujours un indice synthétique de fécondité inférieur à celui des Prairies, lequel se situe près du seuil de remplacement depuis 2006.

## Une population vieillissante

La proportion des personnes âgées de 65 ans et plus est en constante progression au Canada depuis la fin des années 1960, tandis que celle des enfants âgés de moins de 14 ans a chuté de près de la moitié, passant de 29 % à un peu moins de 17 % entre 1971 et 2011. Au dernier recensement, les personnes de 65 ans et plus représentaient près de 15 % de l'ensemble de la population, comparativement à 8 % en 1971. Le vieillissement de la population canadienne s'accélérera au cours des prochaines années, au fur et à mesure que les membres de la cohorte du baby-boom atteindront l'âge de 65 ans, ce qu'ils ont commencé à faire en 2011. On prévoit que les personnes âgées pourraient former plus du cinquième de la population dès 2026 et qu'elles pourraient surpasser le quart d'ici 2056[3].

Le vieillissement de la population canadienne est attribuable à deux facteurs principaux. Le premier a trait au taux de fécondité des femmes, qui, depuis plus de 40 ans, se situe en deçà du seuil de remplacement, fixé à 2,1 enfants par femme. Le second est l'accroissement de l'espérance de vie, laquelle a fait un bond de plus de 12 années depuis 1951. En 2007-2009, l'espérance de vie à la naissance atteignait 79 ans chez les hommes et 83 ans chez les femmes, des taux parmi les plus élevés des pays industrialisés.

Malgré l'augmentation du poids démographique des personnes âgées de 65 ans et plus, la population canadienne demeurait en 2011 l'une des plus jeunes des pays du G8, seuls les États-Unis (13 %) et la Russie (13 %) présentent des proportions moins élevées de personnes âgées. Cela s'explique par le fait que le baby-boom a été plus important au Canada que dans la plupart des pays du G8 et que la majorité des membres de cette cohorte n'ont pas encore atteint l'âge de 65 ans. Étant donné le poids démographique de ce groupe au Canada, la part de la population âgée pourrait toutefois y dépasser celle des autres pays du G8 dans les années à venir. Par ailleurs, comparativement aux autres pays du G20, le Canada figure déjà parmi les populations comptant les proportions les plus élevées de personnes âgées.

À l'échelle provinciale et territoriale, les proportions les plus élevées de personnes âgées s'observaient en 2011 dans les provinces de l'Atlantique, au Québec et en Colombie-Britannique : environ 16 % des habitants y étaient âgés de 65 ans et plus. Avec un peu plus de 11 % de sa population âgée de 65 ans ou plus, l'Alberta était la province la moins fortement touchée par le vieillissement démographique. Elle l'était toutefois davantage que les trois territoires, où les proportions de personnes âgées se situaient entre 3 % et 9 %. Ces variations provinciales et territoriales sont attribuables aux différences en matière de taux de fécondité (nettement plus élevés dans les territoires), d'immigration et de migrations interprovinciales.

## Diminution anticipée du poids de la population en âge de travailler

La population en âge de travailler (15 à 64 ans) représentait un peu plus de 68 %

de la population canadienne en 2011. Proportionnellement plus nombreux qu'en 1971 (62 %), ce groupe est également plus âgé. Cela se traduit par une augmentation du poids des personnes âgées de 45 à 64 ans au sein de cette population, lequel est passé de 30 % à un peu plus de 42 % entre 1971 et 2011. Ce vieillissement de la population en âge de travailler laisse présager une diminution substantielle de son poids démographique au cours des années à venir. En 2011, pour la première fois de l'histoire des recensements canadiens, les personnes âgées de 55 à 64 ans, soit celles sur le point de quitter le marché du travail, étaient plus nombreuses que celles âgées de 15 à 24 ans, sur le point de l'intégrer. Selon le scénario de croissance moyenne des projections de Statistique Canada, le poids démographique de la population en âge de travailler pourrait tomber à 61 % d'ici 2031[4]. À moins d'une plus grande participation des personnes de 65 ans et plus sur le marché du travail, le ratio travailleurs/retraités (le nombre de travailleurs pour chaque retraité) diminuera donc au cours des années à venir.

Les défis associés au vieillissement démographique risquent de se poser différemment d'une province et d'un territoire à l'autre. À cet égard, le Québec et les provinces de l'Atlantique sont déjà confrontés à la diminution du poids de leur population en âge de travailler. Dans les autres provinces et territoires, la proportion de personnes âgées de 15 à 64 ans demeure relativement stable, voire augmente légèrement. On s'attend toutefois à ce qu'elle diminue au cours des prochaines années.

## Une personne sur cinq est née à l'étranger

Les données de l'*Enquête nationale auprès des ménages* (ENM) récoltées en 2011 ont révélé que le Canada comptait alors un peu moins de 6,8 millions de personnes nées à l'étranger, soit près de 21 % de la population totale. Bien que les données de l'ENM ne soient pas parfaitement comparables à celles des recensements antérieurs, il semble que la proportion de personnes nées à l'étranger se soit légèrement accrue depuis 2006 : le recensement indiquait alors qu'un peu moins de 20 % de la population canadienne était née à l'étranger.

Le Canada figure ainsi parmi les pays comptant la plus forte proportion d'habitants nés à l'étranger. Au sein du G20, il n'est dépassé que par l'Arabie Saoudite (28 %) et l'Australie (22 %)[5]. En guise de comparaison, les personnes nées à l'étranger ne représentaient que 9 % de la population française et 13 % de la population américaine[6].

## La provenance des immigrants se modifie

Parmi la population immigrante recensée au Canada en 2011[7], l'Asie (incluant le Moyen-Orient) constituait l'origine la plus courante, avec 45 %. Cette proportion était encore plus importante parmi les immigrants récents : elle atteignait 57 % parmi ceux arrivés entre 2006 et 2011 (voir le graphique 2), et 60 % parmi ceux arrivés entre 2001 et 2005. En revanche, les immigrants nés en Asie comptaient pour moins de 9 % de la population immigrante qui s'est établie au Canada avant les années 1970. La majorité des immigrants originaires d'Asie sont nés en Inde, en Chine et aux Philippines.

Les immigrants nés en Europe représentaient, pour leur part, 31 % de l'en-semble de la population immigrante recensée au Canada en 2011. Il s'agissait du deuxième groupe en importance parmi les immigrants vivant au Canada. Plus ancienne que l'immigration asiatique, l'immigration européenne s'observait davantage parmi les vieilles cohortes d'immigrants que parmi les plus récentes. Selon les données de l'ENM de 2011, plus des trois quarts des immigrants qui se sont établis au Canada avant les années 1970 sont nés en Europe, comparativement à un peu

GRAPHIQUE 2
**Région de naissance des immigrants selon la période d'immigration, Canada**

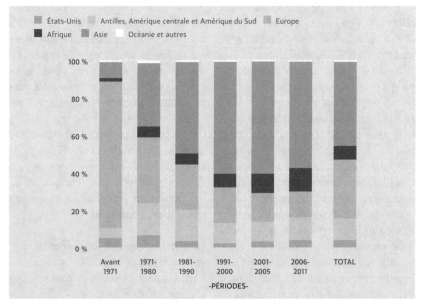

Sources : Tina Chui et John Flanders, *Immigration et diversité ethnoculturelle au Canada*, Ottawa, Statistique Canada, n° 99-010-X2011001 au catalogue, 2013, p. 9 ; Statistique Canada, *Enquête nationale auprès des ménages de 2011*, n° 99-010-X2011026 au catalogue, 2013.

moins de 14 % parmi ceux qui sont arrivés entre 2006 et 2011. Le Royaume-Uni constitue le premier pays d'où sont originaires les immigrants européens. Il est suivi par l'Italie, l'Allemagne et la Pologne.

Les autres immigrants sont nés dans les Antilles, en Amérique centrale ou en Amérique du Sud (12 %), en Afrique (7 %) ou aux États-Unis (4 %). L'immigration en provenance de ces régions s'est légèrement accrue au cours des cinq dernières années. Parmi les immigrants arrivés entre 2006 et 2011 et recensés en 2011, 13 % ont quitté l'Afrique (en particulier l'Algérie, le Maroc et le Nigéria), 12 % les Antilles, l'Amérique centrale ou l'Amérique du Sud (en particulier la Colombie, le Mexique et Haïti), et 4 % les États-Unis. Moins de 1 % des immigrants sont nés en Océanie.

### L'immigration internationale au sein des provinces canadiennes

Selon les données de 2011, plus de 9 immigrants sur 10 (95 %) vivaient alors en Ontario, en Colombie-Britannique, au Québec ou en Alberta, soit une proportion supérieure au poids de ces quatre provinces au sein du Canada (86 %). La proportion d'immigrants était particulièrement importante en Ontario et en Colombie-Britannique, où ils formaient 28 % de la population totale de chacune des deux provinces. En comparaison, ils ne représentaient que 18 % de la population albertaine et 13 % de la population québécoise. Les immigrants vivaient essentiellement dans les trois grandes régions métropolitaines de recensement (RMR) canadiennes que sont Toronto, Montréal et Vancouver. Ces trois RMR, qui comptaient un peu plus du tiers de la population totale du Canada en 2011, étaient le lieu de résidence de 63 % de la population immigrante. Les immigrants étaient peu nombreux dans les provinces de l'Atlantique, où ils ne constituaient que 4 % de la population totale.

De grandes variations s'observaient également entre les provinces quant à l'origine des immigrants. En Colombie-Britannique, ces derniers étaient majoritairement d'origine asiatique (incluant le Moyen-Orient) (58 %) et, dans une moindre mesure, d'origine européenne (27 %) (voir la figure 1). Le poids des autres immigrants était négligeable, aucun groupe ne représentant plus de 5 % de l'ensemble des immigrants.

Les immigrants des Prairies présentaient un profil similaire à celui des immigrants de la Colombie-Britannique. Le poids des Asiatiques y était toutefois un peu plus faible (48 %), alors que celui des Antillais, des Centraméricains et des Sud-Américains (9 %) y était plus élevé, tout comme celui des Africains (8 %).

Le poids des Asiatiques était encore un peu plus faible en Ontario (45 %). Ceux-ci constituaient toujours le groupe d'immigrants le plus important, mais ils étaient suivis d'assez près par les immigrants européens, qui représentaient 33 % de l'ensemble des immigrants de la province, soit une des proportions les plus élevées au Canada.

Le profil des immigrants était encore différent au Québec et dans les provinces de l'Atlantique, où les Asiatiques ne représentaient que 27 % de l'ensemble des immigrants. Au Québec, ils étaient surpassés par les immigrants européens (31 %), et suivis de près par ceux d'Afrique et des Amériques (à l'exception des États-Unis), deux groupes qui formaient chacun environ 20 % de la population immigrante québécoise, la proportion la plus élevée au Canada. Dans les provinces de l'Atlantique, les immigrants européens dépassaient également les immigrants asiatiques et constituaient le groupe le plus important. Contrairement au Québec, le troisième groupe en importance y était toutefois composé des immigrants originaires des États-Unis, lesquels représentaient 20 % de l'ensemble des immigrants des Maritimes, de loin la proportion la plus élevée au Canada. Le poids des autres groupes y était négligeable, aucun d'entre eux ne dépassant 6 % de l'ensemble des immigrants.

Ce bref bilan témoigne du dynamisme qui a marqué la démographie canadienne au cours des dernières décennies. Il rend compte de mutations importantes sur le plan de la représentation des provinces, de la structure par âge et de l'origine des immigrants. On peut d'ores et déjà prévoir que ce profil continuera de se modifier au cours des prochaines années, au gré du vieillissement et du remplacement des générations et de l'arrivée de nouvelles cohortes d'immigrants.

FIGURE 1

**Région de naissance des immigrants selon la province de résidence, 2011**

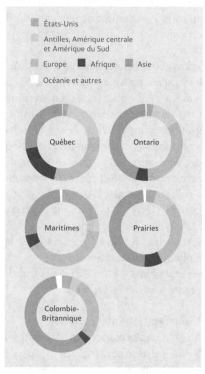

Source : Statistique Canada, *Enquête nationale auprès des ménages de 2011*, n° 99-010-X2011026 au catalogue, 2013.

## Notes

1. Laurent Martel et Jonathan Chagnon, *La population canadienne en 2011: effectifs et croissance démographique. Chiffres de population et des logements. Recensement de 2011*, Ottawa, Statistique Canada, n° 98-310-X2011001 au catalogue, 2012.

2. Laurent Martel et Jonathan Chagnon, *La croissance démographique au Canada: de 1851 à 2061. Chiffres de population et des logements. Recensement de 2011*, Ottawa, Statistique Canada, n° 98-310-X2011001 au catalogue, 2012.

3. Anne Milan, *Structure par âge et sexe: Canada, provinces et territoires, 2010*, Ottawa, Statistique Canada, n° 91-209-X au catalogue, 2011.

4. Laurent Martel et France-Pascale Ménard, *La population canadienne en 2011: âge et sexe*, Ottawa, Statistique Canada, n° 98-311-X2011001 au catalogue, 2012.

5. Gilles Pison, «Le nombre et la part des immigrés dans la population: comparaisons internationales», *Population et sociétés*, n° 472, p. 1-4, 2010.

6. Tina Chui et John Flanders, *Immigration et diversité ethnoculturelle au Canada*, Ottawa, Statistique Canada, n° 99-010-X2011001 au catalogue, 2013.

7. Les résultats sur l'origine des immigrants sont tirés de l'*Enquête nationale auprès des ménages de 2011*. Les immigrants dont il est question sont ceux qui résidaient toujours au Canada au moment de l'enquête. Cela exclut les immigrants qui n'y résidaient plus ou qui étaient décédés.

# Les réformes parlementaires sous le gouvernement Harper

**Eve Bourgeois**
*Étudiante à la maîtrise, Département de science politique, Université de Montréal*

**Jean-François Godbout**
*Professeur agrégé, Université de Montréal, et chercheur invité, Woodrow Wilson School of Public and International Affairs, Université Princeton*

**Dès l'arrivée des conservateurs à la tête du gouvernement fédéral canadien, en 2006, l'appareil bureaucratique au service du premier ministre s'est imposé au Parlement. Le Parti conservateur de Stephen Harper a transformé plusieurs pratiques parlementaires, ce qui a eu pour conséquence de diminuer significativement le rôle des députés en tant que législateurs et contrôleurs des activités du gouvernement fédéral. Ces transformations au profit de l'entourage du premier ministre peuvent être perçues comme un mal nécessaire dans le cas d'un gouvernement minoritaire, mais cette tendance centralisatrice semble de plus en plus controversée depuis que les conservateurs ont obtenu une majorité à la Chambre des communes.**

À la suite des élections fédérales de 2011, qui ont donné au Parti conservateur de Stephen Harper sa première majorité parlementaire à la Chambre des communes, la relation entre le gouvernement et son caucus s'est quelque peu détériorée. Les mesures mises en place par l'entourage du premier ministre visant à renforcer le pouvoir exécutif au détriment du Parlement et des membres du caucus conservateur sont de moins en moins populaires au sein du parti.

Certains députés ont même contesté publiquement ce contrôle excessif en exigeant une plus grande liberté individuelle dans le cadre des affaires parlementaires. Le texte suivant explique comment certaines de ces pratiques ont été adoptées sous le gouvernement conservateur depuis 2006. Il sera question notamment du recours au projet de loi omnibus, de la gestion des affaires émanant des députés et de l'introduction de nouvelles lois-cadres dans des secteurs particuliers, tels que l'environnement.

### Le recours aux projets de loi dits « omnibus »

Au cours des dernières années, le gouvernement conservateur s'est attiré la foudre des partis politiques d'opposition en déposant à la Chambre des communes plusieurs projets de loi omnibus. Parmi les plus médiatisés, mentionnons le projet de loi C-10, Loi sur la sécurité des rues et des communautés, le projet de loi C-38, Loi sur l'emploi, la croissance et la prospérité durable, ainsi que le projet de loi C-45, Loi de 2012 sur l'emploi et la croissance[1]. Ces lois omnibus se distinguent des projets traditionnels en cherchant « à créer ou à modifier plusieurs lois disparates [en ayant] cependant "un seul principe de base et un seul objet fondamental qui justifie toutes les mesures envisagées et qui rend le[s] projet[s] de loi intelligible[s] à des fins parlementaires"[2][3] ». En raison de ces particularités, les projets de loi omnibus sont généralement beaucoup plus complexes que les autres.

D'emblée, il est important de noter que ce n'est pas tant le recours à de tels projets de loi que leur volume sans précédent qui a retenu l'attention des médias. En effet, le premier projet de loi omnibus recensé à la Chambre des communes date de 1888[4], et ce type de document législatif a depuis été utilisé autant par les gouvernements conservateurs que par les gouvernements libéraux. Cependant, les projets de loi omnibus rattachés au processus budgétaire de l'actuel gouvernement Harper comptaient en moyenne 310 pages (c'est le cas

---

**Les projets de loi omnibus du gouvernement Harper comptent en moyenne 310 pages.**

---

des projets de loi omnibus C-38 et C-45), alors que le même type de projets de loi en comptait plutôt 75 sous Jean Chrétien[5]. Devant l'ampleur de ces textes, les critiques ont souligné les difficultés qu'éprouvaient les députés et les comités législatifs chargés de les étudier à faire adéquatement leur travail en raison de la diversité des lois touchées et du temps alloué pour en discuter à la Chambre des communes[6]. Les critiques ont également mis en relief le manque de transparence des lois omnibus, qui, par leur volume important, rendent plus ardue pour le public la compréhension des nouvelles dispositions et des modifications apportées aux lois.

Néanmoins, si le recours aux projets de loi omnibus manque d'élégance aux yeux de certains, les avantages qu'ils

## Réformes sectorielles fédérales

En plus des modifications touchant les pratiques parlementaires, le paysage législatif canadien s'est transformé dans plusieurs secteurs depuis l'arrivée des conservateurs au pouvoir, en 2006. Parmi les domaines dans lesquels des réformes importantes ont eu lieu, notons d'abord celui de la justice. Depuis 2006, le Parti conservateur privilégie une approche plus coercitive à l'égard des contrevenants que celle qu'avaient adoptée les libéraux, qui favorisaient plutôt la réinsertion sociale des détenus. Dans cet esprit, les conservateurs ont renforcé les peines d'emprisonnement pour les contrevenants coupables de crimes violents, de crimes liés au crime organisé ou de crimes contre les personnes vulnérables. Ils ont également restreint l'accès à la détention à domicile, aux condamnations avec sursis et aux mises en liberté sous caution[1]. Par ailleurs, des changements importants ont également été apportés dans le domaine des relations internationales. Sous Stephen Harper, le Canada a adopté des positions se rapprochant davantage de celles des États-Unis et témoignant d'un appui clair à l'égard d'Israël, alors que les libéraux pratiquaient une politique plus autonomiste. Enfin, des transformations importantes ont eu lieu dans les secteurs de l'immigration, de l'assurance-emploi et de l'environnement, notamment avec le retrait unilatéral du Canada du protocole de Kyoto.

Voici quelques lois adoptées sous le gouvernement conservateur de Harper, par secteur[2] :

### 1. Lois reliées à la justice et au Code criminel

- L.C. 2008, ch. 6, Loi sur la lutte contre les crimes violents. Loi omnibus réformant, entre autres choses, la législation pour les infractions commises avec une arme à feu et augmentant l'âge du consentement sexuel de 14 à 16 ans. (Projet de loi C-2, 39e législature, 2e session.)
- L.C. 2006, ch. 14, Loi modifiant le Code criminel (courses de rue) et la Loi sur le système correctionnel et la mise en liberté sous condition en conséquence. Texte visant notamment l'incrimination des courses dans les rues lorsqu'elles engendrent une conduite dangereuse ou de la négligence criminelle. (Projet de loi C-19, 39e législature, 1re session.)
- L.C. 2012, ch. 1, Loi sur la sécurité des rues et des communautés. Loi omnibus modifiant plusieurs lois reliées à certaines drogues, à la remise en liberté des délinquants, à l'immigration et à la protection des réfugiés, etc. (Projet de loi C-10, 41e législature, 1re session.)
- L.C. 2012, ch. 6, Loi sur l'abolition du registre des armes d'épaule. Texte abolissant le registre des armes à feu et détruisant les données qu'il contenait. (Projet de loi C-19, 41e législature, 1re session.)

présentent peuvent justifier que différents gouvernements aient maintes fois
utilisé cette pratique dans l'histoire du

Parlement canadien. D'abord, en
regroupant en un seul texte diverses
propositions législatives, ces projets de

- L.C. 2012, ch. 15, Loi modifiant le Code criminel (traite des personnes). Texte ajoutant la traite des personnes pratiquée à l'étranger à la liste des crimes pour lesquels les citoyens canadiens peuvent être poursuivis au Canada. (Projet de loi C-310, émanant d'un député, 41ᵉ législature, 1ʳᵉ session.)

**2. Lois reliées à l'environnement**
- L.C. 2008, ch. 31, Loi modifiant la Loi canadienne sur la protection de l'environnement (1999). Texte modifiant la réglementation des combustibles et l'évaluation environnementale de la production de biocombustibles. (Projet de loi C-33, 39ᵉ législature, 2ᵉ session.)
- L.C. 2009, ch. 11, Loi modifiant la Loi sur la prévention de la pollution des eaux arctiques. Texte modifiant la définition des « eaux arctiques » en vue d'élargir sa portée géographique. (Projet de loi C-3, 40ᵉ législature, 2ᵉ session.)
- L.C. 2009, ch. 14, Loi sur le contrôle d'application de lois environnementales. Texte modifiant le régime d'application des lois environnementales et les peines reliées aux infractions environnementales. (Projet de loi C-16, 40ᵉ législature, 2ᵉ session.)

**3. Lois reliées au droit d'auteur**
- L.C. 2007, ch. 28, Loi modifiant le Code criminel (enregistrement non autorisé d'un film). Texte interdisant l'enregistrement non autorisé des films dans les salles de cinéma. (Projet de loi C-59, 39ᵉ législature, 1ʳᵉ session.)
- L.C. 2012, ch. 20, Loi sur la modernisation du droit d'auteur. Texte adaptant le droit d'auteur avec les normes internationales et ajustant la législation en ce qui concerne les textes publiés sur Internet. (Projet de loi C-11, 41ᵉ législature, 1ʳᵉ session.)

**4. Autres lois**
- L.C. 2006, ch. 9, Loi fédérale sur la responsabilité. Texte instaurant, entre autres choses, des mesures de transparence électorale et administrative. (Projet de loi C-2, 39ᵉ législature, 1ʳᵉ session.)
- L.C. 2007, ch. 10, Loi modifiant la Loi électorale du Canada. Texte instaurant des élections à date fixe. (Projet de loi C-16, 39ᵉ législature, 1ʳᵉ session.)

**E. B. et J.-F. G.**

**Notes**
1. news.gc.ca/web/article-fra.do ?nid=719579
2. La liste des lois sélectionnées est fournie en guise d'exemple et représente notre choix. Les descriptions qui suivent les lois proviennent des sommaires produits par le Parlement du Canada. Elles sont données à titre indicatif seulement et ne couvrent pas tous les changements établis par lesdites lois.

loi permettent d'accélérer le processus législatif, ne serait-ce que par l'adoption d'un seul projet de loi plutôt que d'un projet distinct pour chacune des mesures proposées. De plus, par l'étendue de leur contenu, ils permettent aux gouvernements minoritaires de faire adopter des mesures qui auraient pu être rejetées par les partis d'opposition si elles avaient été présentées dans des projets de loi individuels. Les parlementaires doivent alors approuver la loi omnibus dans son ensemble, malgré la présence de certains articles plus controversés sur lesquels ils pourraient être en désaccord[7].

Cela dit, dans une situation de gouvernement majoritaire, ce dernier avantage importe moins. En effet, étant donné que les conservateurs détiennent aujourd'hui la majorité des sièges à la Chambre des communes, les projets de loi qu'ils déposent, omnibus ou distincts, ont toutes les chances d'être adoptés. Cependant, même s'il est extrêmement difficile pour les partis d'opposition d'empêcher l'adoption d'une loi controversée sous un gouvernement majoritaire, il arrive que ceux-ci réussissent à mobiliser l'opinion publique afin de forcer le gouvernement à amender ou à retirer certaines de ses propositions législatives. C'est le cas par exemple du récent projet de loi C-30 (projet de loi distinct), Loi sur la protection des enfants contre les cyberprédateurs, présenté à l'hiver 2012 à la Chambre des communes, puis finalement abandonné un an plus tard en raison de la forte contestation de cer-

GRAPHIQUE 1

**Lois du gouvernement sanctionnées par jour de séance (1919-2011)**

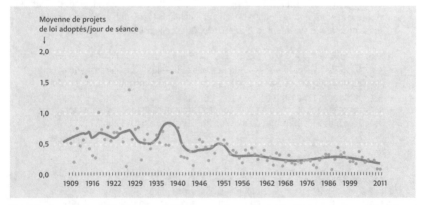

Note : Chaque point du graphique correspond à la moyenne des projets de loi adoptés par le gouvernement durant une journée de séance dans une session parlementaire (www.parl.gc.ca/parlinfo/compilations/HouseOfCommons/BillSummary.aspx?Language=F). Ainsi, un ratio élevé implique que le gouvernement a introduit un nombre important de projets de loi durant la session parlementaire.

taines dispositions par les partis d'opposition et les citoyens[8]. Ce retrait aurait été beaucoup plus difficile à orchestrer si les mesures avaient été proposées dans une loi omnibus. Ainsi, en utilisant cette procédure législative, le gouvernement limite le temps accordé aux débats et à l'analyse des projets en chambre. Cette pratique limite aussi les occasions qui sont offertes aux partis d'opposition de critiquer dans les médias les différentes mesures législatives comprises dans les projets.

Bien que les projets de loi omnibus ne soient pas recensés à proprement parler par le Parlement du Canada, il est possible de déduire que le volume et la complexité des projets de loi adoptés à la Chambre des communes ont augmenté à travers le temps. En effet, comme les activités de l'État fédéral et la taille de son budget ont connu une croissance significative entre 1909 et 2012, on devrait normalement observer une augmentation importante du nombre de projets de loi adoptés par le Parlement. Or, le graphique montre plutôt le contraire : le nombre de projets de loi sanctionnés par le Parlement du Canada a beaucoup diminué durant cette période. Le déclin observé sous-entend donc que les parlementaires doivent maintenant travailler avec des projets de loi contenant plus de propositions législatives que ce qui était le cas pour leurs confrères précédents. Par conséquent, cette situation engendre des conditions peu favorables pour les députés, qui doivent étudier plusieurs mesures hétéroclites, avec lesquelles ils sont souvent peu familiers, dans un seul et même projet de loi[9].

## Les affaires émanant des députés

Les sessions parlementaires sont ponctuées de séances dans lesquelles les députés d'arrière-ban ou des partis d'opposition peuvent présenter des

> **Harper souhaite limiter l'influence des députés dans le processus législatif.**

motions ou des projets de loi d'initiative parlementaire. Ces séances consacrées aux « affaires émanant des députés » permettent aux députés ne faisant pas partie du Cabinet de lancer des débats sur des sujets qui les préoccupent particulièrement. À l'occasion, les questions soulevées par l'arrière-ban peuvent être reprises par le gouvernement en vue d'être intégrées à son programme législatif. C'est ce qu'a fait le gouvernement Harper en récupérant, au cours de la présente législature, le projet de loi visant l'abolition du registre des armes à feu qui avait été présenté à la Chambre des communes par une députée conservatrice durant la législature précédente. Néanmoins, de manière générale, peu de projets de loi d'initiative parlementaire sont sanctionnés, puisque moins de temps est alloué aux affaires émanant des députés qu'aux affaires du gouvernement. Cela dit, il est important de souligner que, sous la 41ᵉ législature (depuis le 2 juin 2011), un nombre significatif de projets de loi d'initiative parlementaire ont été adoptés par le Parlement. En effet, 15 projets ont été sanctionnés, dont deux émanant de députés de l'opposition.

En raison du lien étroit qui existe entre les projets de loi émanant des députés conservateurs et les orientations du gouvernement, l'adoption des projets de loi d'initiative parlementaire a soulevé une vive controverse au sein de la communauté politique à Ottawa. Et pour cause. Les partis d'opposition ont vu dans cette pratique un nouveau moyen pour le gouvernement conservateur de réaliser son programme politique tout en évitant d'être directement blâmé pour ces initiatives parlementaires. Ainsi, les conservateurs peuvent se servir de cette procédure législative pour mettre de l'avant certaines politiques qui plaisent à leur base militante, mais qui sont jugées trop radicales par l'ensemble de la population et qui pourraient embarrasser le gouvernement.

Mais les affaires émanant des députés représentent une arme à double tranchant pour l'exécutif. En effet, les députés sont libres de présenter les projets de loi et les motions qu'ils désirent, même si ceux-ci sont en contradiction avec le programme politique de leur parti. Dans ce cas, il peut être politiquement coûteux pour le parti au pouvoir d'empêcher un de ses députés de présenter

un tel projet de loi, surtout si une fraction de la base partisane appuie la démarche. Cette situation s'est produite lorsque le député Stephen Woodworth a introduit une motion ouvrant le débat sur le statut du fœtus en 2012. Le premier ministre Harper a choisi de laisser son député déposer ladite motion, mais il a rapidement annoncé son intention de voter contre cette proposition, ce qui a pu encourager plusieurs membres de son caucus à faire de même[10]. Dans d'autres circonstances, le Parti conservateur a cependant exercé une pression plus grande sur ses députés quant à la conduite qu'ils devaient adopter. Cette situation a poussé plusieurs élus du Parti conservateur à contester ouvertement l'autorité du premier ministre, et même à quitter le caucus dans certains cas[11]. C'est la raison pour laquelle le député Brent Rathgeber, par exemple, a déserté le caucus conservateur en juin 2013, pour siéger comme indépendant. M. Rathgeber a justifié son geste par « le manque d'engagement en matière de transparence » du gouvernement conservateur et l'autorité excessive exercée par celui-ci sur les députés d'arrière-ban[12].

## L'évaluation de l'impact environnemental : exemple de réforme sectorielle

Les réformes engagées dans des secteurs précis (voir l'encadré sur les réformes sectorielles fédérales) ont aussi contribué à accroître le pouvoir du premier

ministre et de son entourage. Celles qui ont été entreprises en matière d'évaluation environnementale fournissent un bel exemple de mesures visant à restructurer les procédures parlementaires et administratives du gouvernement fédéral.

Après l'adoption, en 2012, de la Loi sur l'emploi, la croissance et la propérité durable (projet de loi C-38), les conservateurs ont restructuré le processus d'évaluation environnementale pour les projets pouvant avoir des répercussions négatives sur l'environnement. Le but de cette restructuration est de rendre le processus d'évaluation plus prévisible, plus rapide, et d'éviter que cette évalua-

tion ne soit effectuée deux fois, c'est-à-dire une fois par le fédéral et une seconde fois par les provinces. Dans cet esprit, les nouvelles directives réduisent les exigences environnementales requises pour l'approbation des projets de plus petite envergure et prescrivent une évaluation environnementale exhaustive pour les projets majeurs seulement. Enfin, seuls les groupes et les personnes directement touchés par les projets seront admis aux audiences publiques, ce qui exclut la participation des groupes environnementaux à la majorité des projets qui seront étudiés au Parlement. Ce faisant, ces changements réduisent la portée des études environnementales entreprises et donnent ainsi une plus grande latitude au Cabinet dans le processus décisionnel lié à la sélection des projets pouvant aller de l'avant.

## Conclusion

Les mesures énumérées ci-dessus témoignent de la volonté du premier ministre Harper de limiter l'influence des députés dans le processus législatif et d'exercer une plus grande autorité sur les membres du caucus conservateur qui siègent au Parlement fédéral. Depuis leur première élection en 2006, les conservateurs ont accru le pouvoir de l'appareil bureaucratique qui assiste le premier ministre en ayant recours, notamment, aux projets de loi omnibus et en contrôlant les initiatives parlementaires provenant des députés conservateurs d'arrière-ban. Or, depuis que les conservateurs ont obtenu la majorité à la Chambre des communes, en 2011, une partie du caucus semble de moins en moins tolérer les directives imposées par l'exécutif, qui limitent notamment le pouvoir législatif des députés lorsque leurs initiatives personnelles ne cadrent pas avec le programme politique du gouvernement. Afin de maintenir l'équilibre au sein de la coalition de droite des membres du Parti conservateur du Canada, le gouvernement Harper devra sans doute laisser une marge de manœuvre plus grande à ses députés. Si rien n'est fait, le gouvernement s'expose à une révolte dans ses propres rangs. C'est effectivement ce qui est arrivé lorsque Paul Martin, avec l'aide des députés d'arrière-ban du Parti libéral, a pu forcer, en 2003, la démission du premier ministre Jean Chrétien deux ans avant la fin de son mandat. Si Stephen Harper souhaite se maintenir au pouvoir, il devra gérer habilement les différentes demandes de sa base partisane sans pour autant promouvoir des mesures jugées trop radicales par l'ensemble de la population canadienne.

Notes
1. Afin d'alléger le texte, les titres abrégés des projets de loi sont utilisés lorsqu'ils existent.
2. John Allen Fraser, Président de la Chambre des communes, Débats, 8 juin 1988, p. 16 255.
3. Audrey O'Brien et Marc Bosc (dir.), La procédure et les usages de la Chambre des communes, 2e édition, 2009. Version en ligne : www.parl.gc.ca/procedure-book-livre.
4. Ibid.
5. Louis Massicotte, « Les projets de loi omnibus en théorie et en pratique », dans Revue parlementaire canadienne, printemps 2013, p. 17.
6. Ibid.
7. Ibid., p. 16.
8. www.cbc.ca/news/politics/government-killing-online-surveillance-bill-1.1336384
9. Louis Massicotte, op. cit., p. 17.
10. www.lapresse.ca/actualites/politique/politique-canadienne/201209/27/01-4578042-avortement-la-motion-m-312-est-battue.php
11. www.theglobeandmail.com/news/politics/tory-backbenchers-plead-for-greater-freedom-from-harpers-tight-grip/article10487590
12. www.radio-canada.ca/nouvelles/Politique/2013/06/06/001-rathgeber-demission-caucus-conservateur-reaction-jeudi.shtml

# Mauvais calcul économique et politique

**Jean-Michel Cousineau**

*Professeur, École de relations industrielles, Université de Montréal*

**La réforme de l'assurance-emploi introduite par le gouvernement fédéral, entrée en vigueur en janvier 2013, aura des conséquences économiques et sociales qui dépasseront les intentions de faire des économies. Elle met en cause la justesse du partage des compétences entre le fédéral et les provinces.**

La réforme du programme canadien d'assurance-emploi a créé trois classes de prestataires : les travailleurs de longue date, les prestataires fréquents et les prestataires occasionnels. Les premiers ont encaissé une baisse de 10 % de leur salaire à partir de la 18e semaine de prestations ; les deuxièmes, de 30 % à partir de la septième semaine ; les troisièmes, de 20 % à partir de la septième semaine, puis de 30 % après 20 semaines. Dans tous les cas, ils doivent après un certain temps renoncer à un emploi dans leur domaine.

## La théorie de la recherche d'emploi

La théorie de la recherche d'emploi *(job search theory)* permet de comprendre le comportement des chômeurs en fonction de la variation dans la disponibilité des emplois. Elle permet ainsi de faire une analyse globale des bénéfices et des coûts économiques et sociaux des changements à l'assurance-emploi.

Selon ce modèle, le chômeur a une idée générale de la disponibilité des emplois, mais ne connaît pas chacune des occasions qui se présentent. Dans ce contexte, il doit déterminer un salaire raisonnable à partir duquel il acceptera l'offre qui lui sera faite, puis entreprendre une démarche de prospection sur le marché du travail.

La durée du chômage dépend alors directement du choix du salaire acceptable. Plus le minimum acceptable est élevé, plus les chances que l'individu trouve un emploi rapidement seront faibles et, inversement, plus le salaire acceptable est modeste, plus grandes seront les chances qu'il trouve un emploi rapidement.

Une des implications importantes de ce modèle est que, si le coût de la

---

**L'assurance-emploi comporte des bénéfices et des coûts sociaux.**

---

recherche d'emploi diminue pour une personne (c'est-à-dire que ses prestations d'assurance-emploi augmentent), le salaire qu'elle jugera acceptable sera plus élevé et la durée de cette recherche, plus longue. C'est pourquoi les prestations d'assurance-emploi constituent une forme de subvention à la recherche d'emploi, atténuant les coûts du chômage et en prolongeant la durée.

Suivant cette logique, la réforme du gouvernement devrait favoriser un retour plus rapide des chômeurs sur le marché du travail.

Mais on ne devrait pas arrêter la réflexion à cette étape de l'analyse. Le

modèle nous permet aussi de faire d'autres prévisions au sujet de l'effet des prestations d'assurance-emploi sur la rémunération, la productivité et la stabilité des emplois.

Si, à l'échelle microéconomique, l'assurance-emploi finance des recherches d'emploi plus en profondeur pour chacun des individus, il s'ensuit qu'elle rend possible l'obtention d'emplois mieux rémunérés, à productivité plus élevée et même mieux adaptés aux qualifications des travailleurs. À l'échelle macroéconomique, l'assurance-emploi aura donc pour effet, tout d'abord, d'augmenter le salaire moyen, la productivité du travail ainsi que la qualité des appariements entre les travailleurs et les emplois pour l'ensemble des chômeurs. À plus long terme, elle aura aussi pour effet de mener à une plus grande stabilité des emplois et des revenus, puisque cette stabilité dépend en bonne partie de la qualité des appariements.

Autrement dit, le versement de prestations d'assurance-emploi n'a pas que des coûts; il comporte aussi des bénéfices, auxquels il faut ajouter la valeur de la protection qu'offre ce type de programme en tant que facteur de réduction de l'insécurité économique. En fait, nous pouvons facilement démontrer que l'état des choses est nettement préférable en présence de l'assurance-emploi qu'en son absence, pourvu, bien entendu, que la prime d'assurance soit raisonnable et que le régime ou programme d'assurance soit viable.

## Les effets attendus de la réforme

Nous avons vu, à l'aide du modèle de la recherche d'emploi, qu'une hausse du salaire acceptable a pour effet d'augmenter la durée du chômage en même temps que de hausser le salaire moyen, la productivité du travail et la qualité des appariements entre les travailleurs et les emplois.

Étant donné que la réforme de l'assurance-emploi instaurée par le gouvernement fédéral en 2013 réduit jusqu'à concurrence de 70 % le salaire que devra accepter un prestataire après un certain temps de recherche, on peut prévoir qu'à court terme cette réforme aura pour effet de réduire le taux et la durée du chômage, mais aussi de créer des pressions à la baisse sur les salaires et, par un processus de déqualification, de réduire la productivité du travail en même temps qu'elle réduira la qualité des appariements entre les travailleurs et les emplois. À long terme, on peut aussi prévoir que la réforme aura pour effet de diminuer la stabilité de l'emploi et des revenus dans la mesure où les appariements seront de moindre qualité.

Si cette politique a les effets souhaités par le gouvernement, elle risque toutefois d'entraîner également de nombreuses conséquences économiques indésirables, auxquelles il faut ajouter l'émergence d'un profond sentiment d'insécurité économique chez les travailleurs.

## Le partage des compétences

Les principes qui guident le partage des compétences dans une confédération s'appuient sur plusieurs critères. Nous examinerons quelques-uns de ces critères dans une perspective historique.

À l'origine de l'instauration du programme canadien dit d'assurance-chômage, au sortir de la Grande Dépression, le chômage sévissait et présentait un caractère homogène à la grandeur du Canada. Il était essentiellement attribuable à une insuffisance de la demande. Dans ce contexte, l'assurance-chômage pouvait servir à réduire l'explosion de la pauvreté liée au chômage massif et agir en tant que stabilisateur en soutenant les dépenses de consommation, et donc l'emploi.

Cependant, en raison de leur taille, les provinces n'étaient pas en mesure de faire face seules aux risques associés au chômage systémique de l'époque. Par ailleurs, on estimait que le chômage qui avait cours dans une province ou une région était susceptible de nuire aux autres provinces qui commerçaient avec

> **Il y aura très peu d'économies à tirer de cette réforme.**

elle. Enfin, il était impossible de réaliser des économies d'échelle dans l'administration d'un service d'assurance. Par

conséquent, il a été jugé avantageux que toutes les provinces soient dotées d'un programme d'assurance-chômage commun. C'est pourquoi on peut dire qu'à l'époque (1940) la plupart des conditions étaient réunies pour favoriser l'adoption d'un programme d'assurance-chômage pancanadien et centralisé au fédéral.

Depuis ce temps, cependant, l'environnement socioéconomique a grandement évolué. La taille du marché du travail au Québec aujourd'hui est très près de ce que pouvait être celle du Canada dans son ensemble à l'époque: la population active au Canada, en 1941, était de 4 466 000, tandis qu'en 2012 la population active au Québec se chiffrait à 4 379 300.

Du point de vue de l'exigence d'efficacité, et en ce qui concerne la lutte contre la pauvreté, par exemple, il est clair que les politiques de formation de la main-d'œuvre, l'assurance-emploi et l'aide sociale gagneraient à être mieux harmonisées, de façon à se renforcer mutuellement. À ce titre, nous pouvons convenir qu'une lutte efficace contre la pauvreté s'appuie sur trois types de politiques: 1) une politique de formation professionnelle, ou politique active de main-d'œuvre, qui permet d'éviter le chômage; 2) une politique qui, bien qu'elle ne prévienne pas l'incidence du chômage, prévient la pauvreté grâce à l'interaction entre l'assurance-emploi et la formation professionnelle; et 3) une politique qui n'enraye pas la pauvreté, mais qui en facilite une sortie plus rapide (aussitôt que l'assurance-emploi est épuisée, la combinaison de l'aide sociale et de la politique active de main-d'œuvre prend le relais). Les politiques actives sont constituées, par exemple, d'un programme d'alphabétisation, de formation de la main-d'œuvre en institution ou en entreprise, ou encore d'offre de stages en entreprise. Clairement, tous ces types d'interventions ont avantage à être conçus, coordonnés et administrés par un seul palier de gouvernement.

Dans le cas du Québec, la nécessité de transférer les pouvoirs de l'échelle canadienne à l'échelle provinciale est d'autant plus évidente que la lutte contre le chômage et la pauvreté a plus de chances d'être gagnée si elle est menée par le palier provincial, ce dernier ayant déjà établi des politiques de formation de la main-d'œuvre et d'aide sociale dont la coordination a donné lieu à des succès impressionnants.

### Conclusion

Idéalement, le régime d'assurance-emploi doit être configuré de façon à répondre aux besoins des citoyens pour ce type de services. Au chapitre de l'efficacité, il importe de souligner que l'assurance-emploi comporte des bénéfices et des coûts sociaux.

Du côté des coûts, il y a, en plus de la taxation (cotisation) que les travailleurs et les employeurs doivent payer et de ses effets négatifs sur l'emploi, la « désincita-tion » au travail, qui augmente avec la générosité du programme et qui entraîne, pour l'essentiel, une perte de production et de revenus pour l'ensemble de la société durant l'intervalle où le chômeur est à la recherche d'un emploi.

Du côté des bénéfices, un programme d'assurance-emploi adéquat est la source d'un bien-être supérieur associé au sentiment de sécurité économique et au lissage des flux de consommation sur

---

**La lutte contre le chômage et la pauvreté a plus de chances d'être gagnée si elle est menée par le provincial.**

---

les plans tant microéconomique que macroéconomique ; il conduit aussi à de meilleurs appariements entre les travailleurs et les emplois, qui amènent une hausse de la productivité et une plus grande stabilité de l'emploi et des revenus à long terme.

Selon le modèle économique de la recherche d'emploi, si la réforme du régime de l'assurance-emploi introduite par le gouvernement fédéral est susceptible de conduire à une baisse du chômage, ce sera au prix d'une baisse des salaires, d'une baisse de la productivité du travail ainsi que d'une baisse dans la qualité des appariements entre les travailleurs et les emplois, ce qui signifie à long terme une hausse de l'instabilité de l'emploi et des revenus. Finalement, il y aura très peu d'économies à en tirer.

Cette réforme s'appuie sur une analyse qui ne considère que les coûts associés à l'assurance-emploi et en ignore les bénéfices, pourtant importants, en termes de réduction de l'insécurité économique et de productivité. C'est pourquoi il nous apparaît préférable, à la lumière de l'analyse économique, de maintenir l'accès aux prestations tel qu'il était avant la réforme.

Au milieu des années 1990, le Québec a convenu d'une entente avec le fédéral par laquelle plusieurs millions de dollars d'assurance-chômage ont été transférés à la province. À cette occasion, le Québec a fait la preuve qu'il est en mesure d'utiliser ces revenus et de coordonner ses politiques de façon originale, innovatrice et efficiente (garderies à tarif réduit, congés parentaux, Loi sur la formation de la main-d'œuvre, réformes de l'aide sociale, partenariats industriels, création d'Emploi-Québec, etc.), de telle sorte que la croissance économique a pu être dynamisée et que le chômage et la pauvreté ont diminué de façon marquée.

Le Québec est une province de grande taille, dont l'économie est diversifiée et où le marché du travail comporte de nombreuses particularités par rapport au reste du Canada : la langue de travail y est différente ; l'immigration et les problématiques d'intégration lui sont spécifiques ; la syndicalisation y est plus élevée ; et l'organisation institutionnelle du marché du travail y est bien différente, plus encadrée. La province dispose d'un système d'éducation unique (cégeps), et ses programmes de sécurité sociale sont plus généreux et organisés différemment. Mais tout cela a un prix, et le taux d'imposition y est plus élevé qu'ailleurs au Canada.

Toutefois, si le programme d'assurance-emploi relevait du Québec et qu'un problème de financement survenait, le gouvernement fédéral serait tenu, en plus de ses obligations en matière de péréquation, de jouer un rôle de coassureur, compte tenu des risques systémiques qui pourraient affecter une région en particulier ou l'ensemble des provinces canadiennes.

# Le Québec
# en un coup d'œil

# Le Québec en un coup d'œil

## Un vaste territoire

Le Québec occupe un territoire très vaste : 1 667 441 km², soit trois fois la France ou près du cinquième des États-Unis d'Amérique. Il s'étend sur plus de 17 degrés de latitude et 22 degrés de longitude, entre le 45ᵉ et le 62ᵉ degré de latitude nord et entre le 56ᵉ et le 79ᵉ degré de longitude ouest. C'est la deuxième province du Canada sur le plan de la population et la première pour ce qui est de la superficie ; elle occupe 15,5 % du territoire canadien.

Le Québec est délimité par plus de 10 000 km de frontières terrestres, fluviales et maritimes : à l'ouest, il est bordé par l'Ontario ; au sud, par quatre États américains (Maine, Vermont, New York et New Hampshire) ; et au nord, par le territoire du Nunavut (frontière maritime). À l'est, les provinces canadiennes du Nouveau-Brunswick, de Terre-Neuve-et-Labrador, de la Nouvelle-Écosse et de l'Île-du-Prince-Édouard partagent des frontières, terrestres ou maritimes, avec le Québec.

## Pays du nord

Outre l'immensité de son territoire, le Québec est caractérisé par un climat froid et humide grandement influencé par sa position nordique et maritime, qui détermine des zones climatiques (au nombre de quatre : arctique, subarctique, continentale humide et maritime) et entraîne la concentration des populations au sud. Le Québec ne profite pas de la présence du Gulf Stream, un courant chaud, mais se trouve sous l'influence du courant marin du Labrador, qui refroidit une partie de l'Amérique du Nord.

Au nord du 58ᵉ parallèle, un climat arctique (huit mois d'hiver annuellement), des chutes de température considérables (parfois jusqu'à -40 °C) et une végétation de toundra, parsemée de mousses et de lichens, rendent les conditions de vie difficiles. Ce territoire n'est pratiquement habité que par les populations inuite et crie.

Au centre du Québec, le climat est subarctique, l'hiver rigoureux, l'été court.

À mesure que l'on descend vers le sud, les terres deviennent plus propices à l'agriculture. Environ 80 % de la population québécoise se concentre dans cette zone, en particulier sur les rives du fleuve Saint-Laurent. Dans les basses terres du Saint-Laurent, le climat est de type continental humide. L'hiver est froid et neigeux; l'automne, coloré et modéré; le printemps, relativement doux et pluvieux; l'été, chaud et humide. On y retrouve les agglomérations les plus populeuses de la province, soit Montréal (1 692 082 habitants en 2010), Québec (capitale, 511 589 habitants) et Laval (398 667 habitants).

Enfin, le climat est maritime aux Îles-de-la-Madeleine, en raison de la proximité de l'océan Atlantique.

## Une terre d'eau...

Le Saint-Laurent, long de 3 260 km (du lac Supérieur jusqu'au détroit de Cabot), traverse le territoire d'ouest en est pour se jeter dans l'océan Atlantique. C'est le troisième fleuve parmi les plus longs en Amérique du Nord, après les fleuves Mackenzie et Mississippi, et le 17e au monde. Il reçoit dans sa portion québécoise environ 350 affluents, ce qui le classe au 13e rang mondial quant à la superficie de son bassin versant. En plus d'alimenter les Québécois en eau potable, il est l'axe fluvial nord-américain le plus important. Grâce à son estuaire de 65 km de largeur, il ouvre la voie vers les confins de l'Amérique, en plus d'atteindre par la Voie maritime le cœur du continent.

On peut dire que le Québec est une « terre d'eau », puisque sa superficie en eaux est de 355 315 km², soit 21,3 % du total, dont 201 753 km² d'eau douce, soit 12,1 % du territoire. D'innombrables lacs

(on en estime le nombre à près de 1 million), rivières et ruisseaux (quelque 130 000) ont émergé du Bouclier canadien. Selon le ministère des Ressources naturelles et de la Faune, le Québec détient 3 % des réserves mondiales d'eau douce. Le Bouclier est la plus vieille formation géologique du continent nord-américain, d'âge précambrien. Il s'étend sur plus de 60 % du territoire québécois. L'altitude moyenne de ce socle varie entre 300 et 500 m, mais atteint, en certains endroits, plus de 1 000 m au-dessus du niveau de la mer. Le mont D'Iberville, situé dans la chaîne des monts Torngat, est le plus élevé du Québec, à 1 652 m d'altitude.

Les Québécois tirent de l'eau leur première source d'énergie et l'un des socles de leur économie : l'hydroélectricité. Fondée en 1944, la société d'État Hydro-

Québec – qui profite de la nationalisation de 1963 – possède 59 centrales hydroélectriques et 4 centrales thermiques dispersées aux quatre coins du territoire, qui fournissent près des trois quarts (72,4 % en 2008) de leur électricité aux Québécois. L'électricité est la première forme d'énergie consommée (41,6 % en 2008), suivie du pétrole (38,2 %), du gaz naturel (10,7 %), de la biomasse (8,5 %) et du charbon (1,0 %).

Le Québec a produit 228,3 millions de kilowattheures (kWh) en 2008. L'électricité québécoise est l'une des moins chères qui soient : 6,82 ¢ le kWh pour un ménage montréalais en 2010, contre 12,45 ¢ en moyenne dans les grandes villes nord-américaines. En 2008, près de 79,5 % des exportations d'hydroélectricité étaient destinées aux États-Unis.

### ... et de forêts

La forêt s'étend sur 761 100 km² ; elle recouvre donc près de la moitié de la

superficie du Québec et représente 2 % des forêts mondiales. Au nord, dans la forêt boréale de conifères, qui couvre près des trois quarts du territoire boisé, poussent des sapins baumiers, des pins gris et des épinettes. On y aperçoit quelques feuillus, comme le bouleau blanc et deux essences de peuplier.

Au sud, la forêt offre un paysage de feuillus : bouleau jaune, chêne, tilleul, ainsi que le populaire érable à sucre, dont la feuille est l'emblème canadien et dont on tire le sirop d'érable.

La faune est extrêmement diversifiée : ombles de fontaine, faucons pèlerins, tortues des bois, salamandres pourpres, lynx, etc. On dénombre environ 25 000 espèces d'insectes et 653 espèces animales ; 76 espèces animales seraient menacées par la chasse abusive et la pollution causée par l'homme.

On compte au Québec 7 000 espèces de plantes et 1 500 variétés de champignons. Le cinquième est aujourd'hui en voie d'extinction à cause des activités humaines.

L'État a mis en place des lois et des règlements pour protéger les écosystèmes, les aires forestières, les rivières et les refuges d'oiseaux. Le réseau des parcs nationaux du Québec compte actuellement 23 parcs et couvre une superficie de près de 6 500 km². Le parc marin du Saguenay–Saint-Laurent est quant à lui géré conjointement par les gouvernements du Canada et du Québec.

**Un sol riche en minerais**

Vers 1920, le Québec a connu sa «ruée vers l'or», dans la région de l'Abitibi-Témiscamingue, riche en minerais de toutes sortes. Le Québec abrite dans ses sous-sols d'abondants gisements d'or, de fer, de cuivre et de nickel. Argent, amiante, titane et zinc sont également exploités en Abitibi-Témiscamingue, au Saguenay–Lac-Saint-Jean et dans le Grand Nord. En 2011, la province comptait une trentaine de mines en production.

Le Québec dispose d'abondantes ressources hydrauliques et géologiques, mais moins de 2 % de ses terres sont fertiles. Les terres agricoles n'occupent qu'une superficie de 33 514 km², que l'urbanisation croissante tend à restreindre. Les nombreux reliefs accidentés sont également peu propices à l'agriculture.

**Population**

À la fin de l'année 2011, le Québec a franchi le cap des 8 millions d'habitants.

Le Québec occupe le second rang au Canada pour sa population, après l'Ontario. Il représente 23,2 % (en 2011) de la population canadienne, un pourcentage qui toutefois ne cesse de décroître. Le taux quinquennal de croissance de la population québécoise pour la période 2001-2006 était de 3,4 %, alors que le taux canadien était de 5,2 %. En 2010, l'indice de fécondité était de 1,70 enfant par femme.

Les femmes ont une espérance de vie plus longue (83,6 ans) que les hommes (79,6 ans). En 2011, le Québec compte 63 169 femmes de plus (4 021 416) que d'hommes (3 958 247). L'âge moyen de la population est de 40,9 ans, 21,7 % de la population a moins de 20 ans, 62,6 % est âgée de 20 à 64 ans et 15,7 % a 65 ans et plus.

**Plus de 1 000 municipalités**

Le Québec est divisé depuis le 30 juillet 1997 en 17 régions administratives, à l'intérieur desquelles le territoire est subdivisé d'abord en municipalités régionales de comté (MRC), au nombre de 104 – définies comme des «institutions supramunicipales qui regroupent l'ensemble des municipalités urbaines et locales d'une même région d'appartenance» –, et en municipalités, dont le nombre s'élève à 1 138.

Principales villes
(nombre d'habitants) :

| | |
|---|---|
| Montréal | 1 692 082 |
| Québec | 511 589 |
| Laval | 398 667 |
| Gatineau | 260 809 |
| Longueuil | 234 618 |

Autrefois terre d'accueil pour les Européens principalement (Irlandais, Juifs d'Europe de l'Est, Italiens, Portugais, Grecs…), le Québec a accueilli, depuis les années 1970, des immigrants d'origines plus diversifiées. En 2010, le Québec a accueilli 54 000 immigrants, qui provenaient d'Afrique (37 %), d'Asie (25 %), d'Europe (17 %) et d'Amérique (21 %).

La population autochtone compte 87 251 individus, ce qui représente environ 1 % de la population du Québec. Elle comprend 10 nations amérindiennes et la nation inuite, réparties dans 55 communautés. Les Inuits habitent le Grand Nord québécois au-delà du 55e parallèle, le Nunavik. Les Amérindiens appartiennent à deux familles linguistiques et culturelles : algonquienne et iroquoïenne. Les Iroquoiens, qui regroupent deux nations, les Hurons-Wendat et les Mohawks, occupent la plaine fertile du Saint-Laurent. Les Algonquiens peuplent la forêt boréale, d'ouest en est, depuis la baie James jusqu'à la pointe de la Gaspésie. La famille algonquienne regroupe huit nations : les Abénaquis, les Algonquins, les Attikameks, les Cris, les Innus (Montagnais), les Malécites, les Micmacs et les Naskapis.

Les cinq principales religions au Québec sont le catholicisme (près de 6 millions de baptisés), le protestantisme (335 590 fidèles), l'islam (108 620), la religion orthodoxe (100 370) et le judaïsme (89 915).

Le revenu personnel disponible par habitant s'élevait à 26 642 $ en 2010.

## Le système politique

Le Québec est une démocratie parlementaire – un système politique directement inspiré du régime parlementaire britannique –, comme toutes les provinces canadiennes, qui disposent d'une assemblée législative et y font adopter leurs lois. Un « gouvernement responsable », composé d'élus du parti majoritaire, est formé après les élections générales et répond directement au Parlement selon le principe de la responsabilité ministérielle.

## Compétences constitutionnelles

Le gouvernement du Québec possède de nombreux champs de compétence législative définis par la Constitution canadienne, notamment l'éducation, les services sociaux et les municipalités. La défense, la monnaie et les affaires étrangères – entendues ici dans leur dimension strictement diplomatique – relèvent du gouvernement fédéral canadien.

## Le système électoral

Le système électoral est le même qu'au Royaume-Uni et dans le reste du Canada : uninominal majoritaire à un tour. Dans chacune des circonscriptions, le candidat ayant reçu le plus de votes, même s'il ne dispose que d'une majorité simple, devient le député de ladite circonscription. Ce système pouvant occasionner des distorsions importantes entre le pourcentage du vote obtenu par un parti et sa représentation parlementaire, l'idée d'une réforme électorale, intégrant des éléments de proportionnelle, plane depuis de nombreuses années au Québec.

Aux élections générales du 8 décembre 2008, le Parti libéral du Québec a recueilli 42,1 % des suffrages et obtenu

66 sièges, ce qui lui a permis de former le gouvernement, sous la direction du premier ministre Jean Charest. Le Parti québécois a formé l'opposition officielle en obtenant 51 sièges, tandis que l'Action démocratique n'a obtenu que 7 sièges, soit 34 de moins qu'à la dernière élection, 18 mois plus tôt. Le scrutin a permis l'élection du premier député du parti Québec solidaire, Amir Khadir, dans la circonscription de Mercier, à Montréal.

Le taux de participation de 57,33 % est le plus bas depuis un siècle, en baisse de 13,8 % par rapport à l'élection précédente.

### Division des pouvoirs

L'État québécois est divisé en trois pouvoirs : législatif, exécutif et judiciaire.

**Le législatif** : Il est exercé par les 125 députés élus constitutifs de l'Assemblée nationale. Ces élus représentent chacun une circonscription. Leur rôle principal est de recevoir et d'étudier les projets de loi, de les amender, de les rejeter ou de les adopter. Le représentant de la reine, théoriquement le chef de l'État québécois, qui règne sans gouverner, le lieutenant-gouverneur (l'honorable Pierre Duchesne), doit sanctionner les lois. Le Parlement québécois a vu le jour à la suite de l'adoption, par le Parlement britannique, de l'Acte constitutionnel de 1791. La première séance de la Chambre d'assemblée du Bas-Canada a eu lieu le 17 décembre 1792, ce qui fait du Parlement québécois l'un des plus vieux du monde.

**L'exécutif** : Le gouvernement exerce le pouvoir exécutif. Le premier ministre est le chef du gouvernement. Il nomme les membres de son conseil des ministres : ministres titulaires, d'État ou délégués, élus au suffrage universel et donc d'abord députés (sauf de rares exceptions). Ensemble, ils forment le conseil exécutif. Ils occupent leurs fonctions pour un mandat maximal de cinq ans. Le chef dont le parti obtient le plus grand nombre de députés devient premier ministre. Le conseil exécutif administre l'État en conformité avec les lois adoptées par le Parlement. C'est en général le conseil exécutif qui présente des projets de loi pour adoption. C'est aussi lui qui adopte les règlements. Le parti qui obtient le plus de sièges après celui qui est au pouvoir forme l'opposition officielle. Le chef de ce parti devient le chef de l'opposition officielle à l'Assemblée nationale.

L'administration de l'État relève d'une vingtaine de ministères (nombre variable) qui assument la base de l'organisation gouvernementale (Santé, Éducation, etc.). Certaines fonctions administratives sont déléguées à plus de 190 organismes autonomes et publics : agences (ex. : Agence de la santé et des services sociaux), bureaux (ex. : Bureau d'audiences publiques sur l'environnement), centres de recherche (ex. : Centre d'étude sur la pauvreté et l'exclusion), commissions (ex. : Commission d'accès à l'information du Québec), conseils (ex. : Conseil du statut de la femme), fonds (ex.: Fonds de recherche en santé du Québec), offices (ex.: Office québécois de la langue française), régies (ex.: Régie de l'énergie), secrétariats (ex.: Secrétariat aux affaires autochtones), sociétés (ex.: Société des alcools du Québec), tribunaux administratifs, cours, etc. Ils demeurent sous la responsabilité des ministères.

Les municipalités jouissent de certains pouvoirs qui leur sont dévolus par le gouvernement provincial. Elles possèdent des champs de compétence dans lesquels elles peuvent intervenir à l'échelle locale: voirie, loisirs, salubrité publique, etc. Les municipalités sont gérées par un conseil dont les membres sont aussi élus au suffrage universel. Ce régime municipal existe depuis 1855 (Acte des municipalités et des chemins du Bas-Canada).

**Le judiciaire**: La justice est indépendante des pouvoirs législatif et exécutif, même si certaines décisions la concernant (nomination des juges) impliquent le gouvernement. La justice québécoise doit cohabiter avec la justice canadienne (qui a préséance notamment en droit criminel).

Le système judiciaire québécois est divisé en quatre échelons, où chacune des cours a sa propre juridiction. Les cours municipales ont une compétence limitée en matière civile, notamment pour des questions de réclamations de taxes et pour des infractions aux règlements municipaux.

La Cour du Québec est le plus vaste tribunal du Québec et a compétence en matière civile, criminelle et pénale. Elle est composée de trois chambres. La Chambre civile comprend notamment la Cour des petites créances, qui tranche des litiges impliquant un petit montant. La Chambre criminelle et pénale entend toutes les causes qui relèvent du Code criminel et du Code de procédure pénale. Enfin, la Chambre de la jeunesse traite les poursuites criminelles et pénales qui impliquent les mineurs.

La Cour supérieure a pour première fonction de rendre la justice dans les causes civiles où la somme en litige est d'au moins 70 000 $, dans les questions familiales comme le divorce, la pension alimentaire et la garde des enfants, et dans les demandes de recours collectifs. Du point de vue législatif, la Cour supérieure a pour tâche de surveiller les tribunaux qui relèvent du Parlement québécois. Elle a aussi le pouvoir d'émettre des injonctions afin de faire cesser une activité préjudiciable. Du point de vue criminel, la Cour supérieure est le tribunal de première instance. Elle entend aussi les recours extraordinaires, notamment ceux pour détention illégale. La Cour supérieure est également le tribunal d'appel qui entend les appels des décisions rendues par les autres tribunaux du Québec, en matière criminelle, pénale et administrative.

Enfin, la Cour suprême du Canada est le tribunal de dernière instance qui a le pouvoir de trancher sans appel des causes criminelles, civiles ou constitutionnelles qui ont été entendues au Québec et ailleurs au pays.

## L'éducation et la santé

Tous les enfants sont tenus de fréquenter l'école dès l'âge de six ans, et ce, jusqu'à seize ans. Il y a cinq niveaux d'enseignement : préscolaire, primaire, secondaire, collégial et universitaire. L'instruction, publique ou privée, est offerte en anglais et en français. Les écoles publiques sont administrées par des commissions scolaires qui relèvent du ministère de l'Éducation, du Loisir et du Sport. Ces commissions existent depuis 1845. Ceux qui les dirigent sont des élus.

Le réseau de la santé, qui est public et d'accès universel, est géré par le ministère de la Santé et des Services sociaux, et ses agences sont dispersées dans les 17 régions administratives de la province.

## Repères historiques

Province membre d'une fédération qui aime néanmoins à se voir comme une nation, le Québec comme entité politique existe depuis la Confédération canadienne de 1867. Mais ses racines historiques remontent à plus loin : la colonisation française de la vallée du Saint-Laurent a commencé au début du XVIIᵉ siècle. La composante autochtone de l'identité québécoise, quant à elle, plonge ses racines dans des millénaires de présence sur le continent. Contrairement à une vision communément répandue qui fait commencer le Québec moderne en 1960, avec la Révolution tranquille, la modernisation du Québec, qui s'est sans doute accélérée à partir des années 1960, a connu de très nombreux antécédents tout au long du XXᵉ siècle.

L'histoire du Québec – dont on trouvera ci-dessous quelques jalons essentiels – peut se lire comme la recherche incessante, par un petit peuple du Nouveau Monde, de sa définition, des conditions de sa survie et de son progrès, dans un contexte culturel et politique difficile, voire hostile, après la Conquête de 1760 et la cession par la France à l'Empire britannique des terres de la Nouvelle-France, dans un continent désormais anglo-saxon. La colonisation française, la Conquête, la rébellion démocrate de 1837-1838, la Confédération canadienne, les référendums sur l'indépendance (1980, 1995), les lois linguistiques, l'ouverture progressive sur le monde : voilà autant de jalons compréhensibles uniquement pour qui garde en mémoire cette clé d'interprétation.

# Chronologie du Québec

**8000 av. J.-C.** • Arrivée des premiers groupes humains sur le territoire actuel du Québec.

**Vers 1390** • Fondation de la Confédération iroquoise par Dekanawidah et son assistant Hiawatha, unissant les Cinq Nations iroquoises (Mohawks, Senecas, Onondagas, Cayugas, Oneidas).

**1534** • Jacques Cartier, de Saint-Malo, accoste dans la baie de Gaspé. Au nom de François Iᵉʳ, roi de France, il prend possession de ce territoire qui s'appellera le Canada.

**1608** • Samuel de Champlain arrive aux abords d'un site escarpé que les Amérindiens appellent «Kébec». Il fonde sur ce site une ville du même nom (Québec). Il est par la suite nommé lieutenant général de la Nouvelle-France (1612).

**1625** • Arrivée des premiers jésuites.

**1639** • Fondation à Québec du couvent des Ursulines par Marie Guyart (mère Marie de l'Incarnation) et de l'Hôtel-Dieu de Québec.

**1642** • Paul de Chomedey, sieur de Maisonneuve, fonde Ville-Marie (Montréal).

**1689-1697** • Première guerre intercoloniale (Français contre Anglais).

**1701** • Le gouverneur de Callières met fin aux guerres franco-amérindiennes. Il signe la Grande Paix de Montréal avec les Iroquois et une quarantaine d'autres nations alliées des Français.

**1701-1713** • Deuxième guerre intercoloniale. La France perd l'Acadie, qui devient colonie britannique (Nouvelle-Écosse).

**1718** • Érection de la forteresse de Louisbourg, dans l'île du Cap-Breton, pour défendre la Nouvelle-France.

**1744-1748** • Troisième guerre intercoloniale.

**1754-1760** • Quatrième guerre intercoloniale (guerre de Sept Ans).

**1759** • Siège de Québec et bataille des plaines d'Abraham. Les troupes françaises du général Montcalm sont défaites par le général Wolfe et l'armée britannique.

**1760** • L'armée britannique prend possession de Montréal. Capitulation de la Nouvelle-France et de Montréal. Établissement d'un régime militaire.

**1763** • Proclamation royale : le roi de France, par le traité de Paris, cède le Canada au royaume de Grande-Bretagne. La province de Québec est soumise aux lois d'Angleterre.

**1774** • Le Parlement de Londres, par l'Acte de Québec, reconnaît le droit civil français (tout en gardant le droit criminel britannique), la religion catholique et le régime seigneurial.

**1791** • L'Acte constitutionnel divise le Canada en deux provinces : le Haut-Canada (Ontario), à majorité anglophone, et le Bas-Canada (Québec), à majorité francophone. Débuts du parlementarisme britannique dans ces deux colonies.

**1792** • Premier Parlement du Bas-Canada et premières élections. Deux partis s'affrontent : les Tories, surtout des marchands et des nobles anglais, et les Canadiens, qui sont francophones.

**1812-1814** • Guerre américano-britannique. Combats sur les Grands Lacs et près de Châteauguay, au sud de Montréal.

**1817** • La Banque de Montréal est la première banque canadienne.

**1834** • Ludger Duvernay fonde la Société Saint-Jean-Baptiste, vouée à la cause des Canadiens et des patriotes. Le Parti patriote fait adopter 92 résolutions à l'Assemblée du Bas-Canada, pour réclamer les mêmes privilèges que le Parlement britannique.

**1837-1838** • Londres refuse les 92 résolutions. Agitation dans le Bas-Canada. Déclarés rebelles, les patriotes, avec à leur tête Louis-Joseph Papineau, se soulèvent. Douze patriotes sont pendus à Montréal, de nombreux autres sont forcés à l'exil et des villages sont détruits.

**1839** • Publication du rapport Durham.

**1840** • L'Acte d'Union réunit les provinces du Haut et du Bas-Canada.

**1852** • Fondation de l'Université Laval, première université francophone et catholique en Amérique.

**1867** • L'Acte de l'Amérique du Nord britannique réunit les colonies du Canada (Haut- et Bas-Canada réunis en 1840), de la Nouvelle-Écosse et du Nouveau-Brunswick pour créer le Dominion du Canada. C'est le début de la Confédération canadienne. Pierre-Joseph-Olivier Chauveau, un conservateur, est élu premier ministre de la nouvelle province de Québec, et John A. Macdonald, conservateur aussi, premier ministre du Canada.

**1897** • Wilfrid Laurier est le premier francophone à être élu premier ministre du Canada.

1900 • Alphonse Desjardins fonde la première caisse populaire à Lévis.

1907 • À Québec, le gouvernement Gouin crée l'École des hautes études commerciales (HEC).

1909 • Fondation du club de hockey Canadien.

1910 • Fondation du journal *Le Devoir* par Henri Bourassa, un nationaliste canadien.

1912 • Premier Congrès de la langue française.

1917 • Crise de la conscription. Résistance des Canadiens français à l'enrôlement forcé.

1918 • Les femmes obtiennent le droit de vote au niveau fédéral.

1919 • Fondation, au Monument national à Montréal, du Congrès juif canadien.

1920 • Fondation de l'Université de Montréal (établie en 1878 comme annexe de l'Université Laval).

1922 • Inauguration de la première radio de langue française, CKAC (mise en ondes par le quotidien *La Presse*; en 1919, Marconi avait mis en ondes une station de langue anglaise, CJAD).

1931 • Statut de Westminster (loi britannique) qui consacre la pleine indépendance du Canada.

1934 • Création de la Banque du Canada.

1936 • Maurice Duplessis fonde l'Union nationale, un parti réformiste et nationaliste. Il devient premier ministre du Québec (battu en 1939, puis régulièrement réélu de 1944 à 1956).

1937 • Adoption de la « Loi du cadenas », sous Maurice Duplessis, qui interdit l'utilisation d'une maison « pour propager le communisme ou le bolchévisme ».

1940 • Droit de vote pour les femmes aux élections québécoises. Création par Ottawa de l'assurance-chômage.

1942 • Plébiscite sur la conscription, approuvée par les deux tiers des Canadiens anglais, mais rejetée par 73 % des Québécois. Accords fiscaux cédant à Ottawa le pouvoir d'imposition.

1943 • Loi sur l'instruction obligatoire des enfants.

1944 • Création d'Hydro-Québec.

1945 • Loi sur l'électrification rurale.

1948 • Paul-Émile Borduas, à la tête des automatistes rebelles, écrit son manifeste *Refus global*. Adoption du drapeau du Québec.

1949 • Grève de l'amiante. La Cour suprême du Canada devient la dernière instance d'appel au Canada après l'abolition du droit d'appel au Comité judiciaire du Conseil privé de Londres.

1952 • Première station de télévision au Québec, CBFT Montréal (Radio-Canada).

1955 • Émeute au Forum de Montréal à la suite de la suspension du hockeyeur Maurice Richard.

1959 • Inauguration de la Voie maritime du Saint-Laurent.

Jean Lesage

**1960** • Début de la Révolution tranquille, après 16 ans d'un régime duplessiste plus conservateur que réformiste (la période a été qualifiée de «Grande Noirceur»). L'élection du gouvernement libéral de Jean Lesage inaugure une période de modernisation accélérée de la société québécoise et de son économie : création d'entreprises publiques, nationalisation de l'électricité (1963), création du ministère des Affaires culturelles (1961) et du ministère de l'Éducation (1964), mise sur pied de l'assurance hospitalisation (1960), création de la Caisse de dépôt et placement du Québec (1965) et de la Société générale de financement, ouverture des premières délégations du Québec à l'étranger.

**1961** • Élection de la première femme à l'Assemblée législative du Québec, Claire Kirkland-Casgrain, candidate libérale dans l'ouest de Montréal.

**1963** • Apparition du mouvement terroriste Front de libération du Québec (FLQ). Création par Ottawa de la Commission royale d'enquête sur le bilinguisme et le biculturalisme (Laurendeau-Dunton).

**1964** • Loi qui met fin à l'incapacité juridique des femmes mariées.

**1966** • Daniel Johnson, de l'Union nationale, est élu premier ministre. Inauguration du métro de Montréal.

**1967** • Montréal accueille l'exposition universelle ; visite du général de Gaulle, qui clame : «Vive le Québec libre ! » États généraux du Canada français. Création de la Bibliothèque nationale.

**1968** • Fondation du Parti québécois, produit de la fusion du RIN (Rassemblement pour l'indépendance nationale, fondé en 1960 par André d'Allemagne et présidé par Pierre Bourgault) et du MSA (Mouvement souveraineté-association). Le chef est René Lévesque. Parachèvement du barrage de la centrale hydroélectrique Manic 5. Décès de Daniel Johnson ; Jean-Jacques Bertrand lui succède. Instauration du mariage civil. Commission Gendron sur la situation de la langue française. L'Assemblée législative du Québec devient l'Assemblée nationale. Fondation du réseau de l'Université du Québec.

**1969** • Manifestation pour un McGill français ; adoption à Ottawa de la Loi sur les langues officielles du Canada. Émeute à Saint-Léonard en opposition au projet de loi 63 sur l'inscription à

Crise d'Octobre

l'école française pour les enfants d'immigrants.

**1970** • Le libéral Robert Bourassa devient premier ministre. Crise d'Octobre. Des membres du Front de libération du Québec (FLQ) enlèvent un diplomate britannique et assassinent le ministre du Travail, Pierre Laporte. Pierre Elliott Trudeau, premier ministre du Canada, fait promulguer la Loi sur les mesures de guerre (suspension des libertés civiles). L'armée canadienne est déployée au Québec. Création du régime d'assurance maladie et de l'Agence de coopération culturelle et technique (ancêtre de l'Organisation internationale de la Francophonie).

**1972** • Grève du front commun syndical du secteur public ; emprisonnement des chefs syndicaux.

**1974** • Le français devient la langue officielle du Québec (loi 22).

**1975** • Adoption de la Charte québécoise des droits et libertés de la personne, à l'Assemblée nationale. Création de Radio-Québec, qui deviendra Télé-Québec en 1996. Signature de la Convention de la Baie-James et du Nord québécois avec les Cris, les Inuits et les Naskapis.

**1976** • René Lévesque remporte les élections à la tête du Parti québécois. Montréal accueille les XXI^es Jeux olympiques.

**1977** • Adoption de la Charte de la langue française (loi 101).

**1980** • Quelque 60 % des Québécois rejettent le projet de souveraineté-association lors d'un référendum. Une loi fédérale consacre l'*Ô Canada* comme hymne national du Canada.

**1982** • Nouvelle constitution canadienne, adoptée sans l'accord de l'Assemblée nationale du Québec. Selon la Cour suprême du Canada, le Québec ne jouit d'aucun droit de veto à cet égard.

**1983** • Création du Fonds de solidarité des travailleurs du Québec.

**1985** • Retour au pouvoir des libéraux de Robert Bourassa.

**1987** • Accord du lac Meech (projet de réforme constitutionnelle) pour réintégrer le Québec dans la Constitution canadienne. Signature des 11 premiers ministres du Canada et des provinces. Mais l'accord ne sera pas ratifié.

**1988** • Les clauses sur l'affichage unilingue français de la loi 101 sont jugées inconstitutionnelles par la Cour suprême du Canada. La loi 178 passe outre et maintient l'affichage commercial unilingue à l'extérieur des commerces.

**1989** • Entrée en vigueur de l'Accord de libre-échange (ALE) Canada–États-Unis.

**1990** • Échec de l'accord du lac Meech. Commission Bélanger-Campeau sur l'avenir politique et constitutionnel du Québec. Crise d'Oka : affrontement entre citoyens blancs et mohawks sur une question territoriale.

**1991** • Adoption du rapport Allaire par le Parti libéral du Québec : on y recommande un transfert massif de pouvoirs aux provinces et en particulier au Québec, ou, à défaut, la souveraineté du Québec.

**1992** • Accord de Charlottetown (négociations constitutionnelles). Lors d'un référendum pancanadien, 57 % des Québécois et 54 % des Canadiens rejettent l'entente.

**1993** • Adoption de la loi 86 permettant l'affichage bilingue avec prédominance du français. À la suite d'élections fédérales, le Bloc québécois, parti souverainiste, avec à sa tête Lucien Bouchard, forme l'opposition officielle à Ottawa.

**1994** • Jacques Parizeau (PQ) est élu premier ministre du Québec. Entrée en vigueur de l'Accord de libre-échange nord-américain (ALENA) Canada–États-Unis–Mexique. Fondation de l'Action démocratique du Québec par deux ex-membres du Parti libéral du Québec, Jean Allaire et Mario Dumont, qui devient chef de la nouvelle formation politique.

**1995** • Pour la deuxième fois dans son histoire, le Québec, par voie référendaire, refuse la souveraineté politique : 49,4 % de Oui, 50,6 % de Non.

**1996** • Lucien Bouchard (PQ), premier ministre ; réélu en 1998. Déluge au Saguenay.

**1998** • Grand Verglas. Déconfessionnalisation du système scolaire par la création de commissions scolaires linguistiques. Renvoi de la Cour suprême du Canada sur la sécession, reconnaissant la légitimité du mouvement souverainiste. Il n'existe pas de droit à la sécession dans la Constitution, mais avec une question claire et une majorité claire lors d'un référendum sur la sécession du Québec, le reste du Canada aura l'obligation de négocier.

**2000** • Sanction de la loi fédérale sur la clarté, découlant du renvoi de la Cour suprême de 1998, imposant des conditions pour que le Parlement fédéral prenne en compte les résultats d'un référendum sur la souveraineté (loi C-20) ; en riposte, adoption à l'Assemblée nationale de la Loi sur l'exercice des droits fondamentaux et les prérogatives du peuple québécois et de l'État du Québec (loi 99). Fusions municipales, notamment des 29 municipalités de l'île de Montréal.

**2001** • Bernard Landry (PQ) succède à Lucien Bouchard comme premier ministre.

**2003** • Sous la gouverne de Jean Charest, retour au pouvoir du Parti libéral.

2004 • Éclatement du scandale des commandites (portant sur l'utilisation de fonds publics pour la promotion du Canada au Québec). Le mariage gai est déclaré légal au Québec. Élection d'un gouvernement libéral minoritaire au fédéral sous la direction de Paul Martin.

2005 • Grève étudiante sans précédent contre la réduction de l'aide financière aux études. Bernard Landry quitte la direction et la présidence du Parti québécois. Inauguration à Montréal de la Grande Bibliothèque. André Boisclair devient le sixième chef de l'histoire du Parti québécois.

2006 • Élection d'un gouvernement conservateur minoritaire au fédéral, sous la direction de Stephen Harper. Un nouveau parti, Québec solidaire, est créé le 4 février 2006 à Montréal. Fondé sur les valeurs de l'écologie, du féminisme et du bien commun, il est né de la fusion du mouvement politique Option citoyenne et du parti Union des forces progressistes. Les Québécois sont reconnus par la Chambre des communes du Parlement du Canada comme formant une nation distincte au sein d'un Canada uni.

2007 • Élection d'un gouvernement minoritaire libéral à Québec. L'Action démocratique du Québec devient l'opposition officielle et met fin à l'alternance entre libéraux et péquistes qui dure depuis 30 ans. Pauline Marois devient la septième chef du Parti qué-

bécois et la première femme élue à la tête de ce parti. Elle succède à André Boisclair, qui a démissionné après un peu plus d'un an à la présidence du PQ.

2008 • Deuxième gouvernement conservateur minoritaire consécutif élu au Canada sous la direction de Stephen Harper. Moins de deux ans après la précédente élection générale, le premier ministre libéral minoritaire Jean Charest déclenche des élections. Les libéraux sont réélus et forment un gouvernement majoritaire. C'est la première fois depuis les années 1950 qu'un parti remporte un troisième mandat d'affilée. Québec solidaire fait son entrée à l'Assemblée nationale en faisant élire l'un de ses deux porte-parole, Amir Khadir, dans la circonscription de Mercier.

2009 • Après avoir perdu 34 sièges lors de l'élection générale de 2008, le chef fondateur de l'ADQ, Mario Dumont, démissionne. Gilles Taillon remporte la course à la chefferie, mais démissionne à son tour un mois plus tard. Gérard Deltell est alors élu chef de l'ADQ.

2011 • Un nouveau parti politique fait son apparition : la Coalition avenir Québec (CAQ), fondée par l'ancien ministre péquiste François Legault. Un mois plus tard, l'ADQ et la CAQ fusionnent (cette union sera entérinée par les membres de l'ADQ le 22 janvier 2012), et Legault devient le chef du nouvel ensemble caquiste. Jean-Martin Aussant quitte le Parti québécois pour siéger à titre de député indépendant. Il fonde Option nationale dans le courant de l'année.

2012 • Grève étudiante sans précédent contre la hausse des frais de scolarité; débrayage de 300 000 collégiens et universitaires. La loi 78 suspend la session des établissements en grève; elle donne un second souffle aux manifestations, qui perdurent jusqu'à la fin de l'été. Début des travaux de la Commission d'enquête sur l'octroi et la gestion des contrats publics dans l'industrie de la construction, présidée par la juge France Charbonneau. Élection d'un gouvernement péquiste minoritaire. Pauline Marois devient la première femme à diriger le Québec. Son discours de victoire est assombri par un attentat qui fait un mort. Jean Charest, le premier ministre défait, se retire de la vie politique.

2013 • Philippe Couillard est élu à la tête du Parti libéral du Québec. Le chef d'Option nationale, Jean-Martin Aussant, quitte la direction du parti qu'il a fondé et se retire de la vie politique. Le déraillement d'un train transportant du pétrole fait 47 morts à Lac-Mégantic.

# Devise et emblèmes

### Je me souviens

C'est en 1883 que l'architecte et sous-ministre des Terres de la Couronne Eugène-Étienne Taché fait graver, sur la porte en pierre du palais législatif de Québec, la devise « Je me souviens ». En 1939, elle est officiellement inscrite sur les nouvelles armoiries. L'architecte Taché a voulu rendre hommage à tous les pionniers du Québec en rassemblant, sur la façade de l'hôtel du Parlement, des figurines de bronze qui représentent les Amérindiens, les Français et les Britanniques. On y trouve évoqués les premiers moments de la Nouvelle-France, avec les explorateurs, les missionnaires, les administrateurs, les généraux, les chefs, etc. Taché a aussi fait inscrire, au bas de l'œuvre, la nouvelle devise.

### Armoiries

Les armoiries du Québec reflètent les différentes époques de son histoire. Elles

sont décorées de fleurs de lis or sur fond bleu pour souligner l'origine française de la nation québécoise, d'un léopard or sur fond rouge pour mettre en évidence l'héritage britannique, et de feuilles d'érable pour signaler l'appartenance du Québec au Canada.

### Drapeau

Depuis le 21 janvier 1948, le drapeau officiel du Québec, le fleurdelisé, flotte sur la tour de l'Assemblée nationale. En hommage à la France, le drapeau représente quatre lis blancs sur autant de rectangles de fond azur. Une croix blanche, symbole de la foi chrétienne,

les sépare. La fleur de lis est l'un des emblèmes les plus anciens au monde. Les Assyriens, quelque 3 000 ans avant notre ère, l'utilisaient déjà. La fleur de lis a aussi occupé une grande place dans l'ornementation royale en France.

## Emblèmes

L'iris versicolore a été désigné emblème floral du Québec à l'automne 1999.

Le harfang des neiges, grand-duc blanc qui habite le nord du Québec, a été désigné emblème aviaire en 1987. Il évoque la blancheur des hivers québécois.

Le bouleau jaune (ou merisier), l'arbre emblématique, est présent dans la sylviculture québécoise depuis les temps de la Nouvelle-France.

## Références

Michel Brunet, Louis Massicotte et Henry Rougier, « Canada : histoire et politique » et « Québec, province de », dans *Encyclopædia Universalis*. En ligne : www.universalis.fr/encyclopedie/quebec.

Directeur général des élections du Québec, *Historique du taux de participation*. En ligne : www.electionsquebec.qc.ca/francais/tableaux/historique-du-taux-de-participation.php#no6.

Environnement Canada, *Fleuve Saint-Laurent*. En ligne : www.ec.gc.ca/stl/default.asp?lang=Fr&n=F46CF5F8-1.

Institut de la statistique du Québec, *Le bilan démographique du Québec*, édition 2011. En ligne : www.stat.gouv.qc.ca/publications/demograp/pdf2011/bilan2011.pdf.

Institut de la statistique du Québec, *Le Québec, chiffres en main*, édition 2011. En ligne : www.stat.gouv.qc.ca/publications/referenc/pdf2011/QCM2011_fr.pdf.

Institut de la statistique du Québec, *Mines en production*, Québec, décembre 2011. En ligne : www.stat.gouv.qc.ca/publications/referenc/quebec_stat/eco_min/eco_min_tab_1.htm.

Institut de la statistique du Québec, « Un bref regard sur l'évolution démographique des municipalités au Québec depuis 2000 », *Coup d'œil sociodémographique*, n° 8, février 2011. En ligne : www.bdso.gouv.qc.ca/docs-ken/multimedia/PB01600FR_coup_doeil_evolutionMUN2000.pdf.

Institut de la statistique du Québec, *Population, Québec et Canada, 1851-2011, pour les données sur la population du Québec dans le Canada*. En ligne : www.stat.gouv.qc.ca/donstat/societe/demographie/struc_poplt/102.htm.

Gouvernement du Québec, *Portrait du Québec*. En ligne : www.gouv.qc.ca/portail/quebec/pgs/commun/portrait/drapeau/?lang=fr.

Gouvernement du Québec, *Portail Québec*, « Ministères et organismes ». En ligne : www.gouv.qc.ca/portail/quebec/pgs/commun/gouv/minorg/?lang=fr.

Jean Hamelin (dir.), *Histoire du Québec*, Saint-Hyacinthe, Edisem, 1976.

Hydro-Québec, « Profil de la division », pour le nombre de centrales hydroélectriques. En ligne : www.hydroquebec.com/production/profil.html.

Hydro-Québec, *Comparaison des prix de l'électricité dans les grandes villes nord-américaines*, 2010. En ligne : www.hydroquebec.com/publications/fr/comparaison_prix/pdf/comp_2010_fr.pdf.

Ressources naturelles Canada, *L'Atlas du Canada*. En ligne : atlas.nrcan.gc.ca/site/francais/index.html.

Secrétariat aux affaires autochtones, *Profil des nations*. En ligne : www.autochtones.gouv.qc.ca/relations_autochtones/profils_nations/profil.htm.

Statistique Canada, *Recensement 2001*. En ligne : www40.statcan.gc.ca/l02/cst01/demo30b-fra.htm.

Françoise Tétu de Labsade, *Le Québec, un pays, une culture*, nouvelle édition, Montréal, Boréal, 2001.

## INSTITUT DU NOUVEAU MONDE

L'Institut du Nouveau Monde (INM) est une organisation non partisane dont la mission est d'accroître la participation des citoyens à la vie démocratique.

Cette «boîte à idées» québécoise, qui célèbre cette année son 10<sup>e</sup> anniversaire, s'est imposée comme l'un des acteurs privilégiés du dialogue entre les citoyens, et entre la société et ceux qui la gouvernent.

## La démarche en trois temps au cœur de l'action de l'INM :

**Informer** ▶ s'approprier des enjeux complexes

**Débattre** ▶ en discuter entre citoyens et entamer un dialogue avec les experts

**Proposer** ▶ formuler des recommandations, des idées ou des projets relatifs aux thématiques abordées

## Les principaux champs d'expertise de l'INM sont :

▶ la participation citoyenne  ▶ l'acceptabilité sociale  ▶ l'entrepreneuriat social

▶ la démocratie participative  ▶ la gouvernance participative  ▶ l'innovation sociale

# SES RÉALISATIONS

▶ **L'École d'été et l'École d'hiver**
Des écoles de citoyenneté aux airs
de festival.

▶ **Les Rendez-vous stratégiques**
Ces vastes chantiers d'information et de débats
portent sur des enjeux majeurs pour le Québec
d'aujourd'hui et de demain :

- **Les inégalités sociales (2012-2014)**
  Les inégalités sociales, un choix de société ?

- **La démocratie et la participation
  citoyenne (2012-2014)**
  Entre l'élu et la rue : quelle contribution pour
  les citoyens dans notre démocratie ?

▶ **À go, on change le monde !**
Un programme qui valorise, soutient et stimule
l'entrepreneuriat social chez les jeunes
de 15 à 35 ans.

▶ **L'état du Québec**
L'ouvrage annuel de référence sur les grands
enjeux qui ont marqué l'actualité au Québec,
publié depuis 1994.

**... et d'autres publications**

- *Régénérations*

- *Petit guide québécois de
  la participation locale*

- *Aux sciences, citoyens !*

- *Le français, une langue pour tout
  et pour tous ?*

- *100 idées citoyennes pour un Québec
  en santé*

- *Oser la solidarité !*

- *Jeunes et engagés*

## Une équipe professionnelle et créative

**Sous la direction de Michel Venne**

- ▶ Ex-journaliste et éditorialiste au journal *Le Devoir* (1990-2006)

- ▶ Boursier Alan Thomas de la Fondation Carold pour la participation citoyenne
  au changement social (2010)

- ▶ Fellow d'Ashoka, réseau de 2 500 innovateurs sociaux à l'échelle mondiale (2008)

INSTITUT DU
**NOUVEAU MONDE**

DES CITOYENS ▶ DES IDÉES ▶ DES PROJETS

www.inm.qc.ca

Ce livre a été imprimé sur du papier certifié FSC.

ACHEVÉ D'IMPRIMER EN NOVEMBRE 2013
SUR LES PRESSES DE MARQUIS IMPRIMEUR
À MONTMAGNY (QUÉBEC)